Алексей Иванов

Алексей Иванов

НЕНАСТЬЕ

Роман

АСТ
Москва

УДК 821.161.1-31
ББК 84(2Рос=Рус)6-44
И20

Оформление переплёта – *Андрей Ферез*

Иванов, Алексей Викторович.
И20 Ненастье: роман / Алексей Иванов. – Москва : АСТ : Редакция Елены Шубиной, 2015. – 640 с. – (Новый Алексей Иванов).

ISBN 978-5-17-089923-4

«2008 год. Простой водитель, бывший солдат Афганской войны, в одиночку устраивает дерзкое ограбление спецфургона, который перевозит деньги большого торгового центра. Так в миллионном, но захолустном городе Батуеве завершается долгая история могучего и деятельного союза ветеранов Афганистана — то ли общественной организации, то ли бизнес-альянса, то ли криминальной группировки: в "лихие девяностые", когда этот союз образовался и набрал силу, сложно было отличить одно от другого.

Но роман не про деньги и не про криминал, а про ненастье в душе. Про отчаянные поиски причины, по которой человек должен доверять человеку в мире, где торжествуют только хищники, — но без доверия жить невозможно. Роман о том, что величие и отчаянье имеют одни и те же корни. О том, что каждый из нас рискует ненароком попасть в ненастье и уже не вырваться оттуда никогда, потому что ненастье — это убежище и ловушка, спасение и погибель, великое утешение и вечная боль жизни».

Алексей Иванов

УДК 821.161.1-31
ББК 84(2Рос=Рус)6-44

ISBN 978-5-17-089923-4

ЧАСТЬ ПЕРВАЯ

Глава первая

Всё, что могло сбыться, у него уже сбылось, а чему не бывать — тому и не бывать, аминь; но непрошеное равновесие судьбы оказалось невыносимо, и Герман нарушил его, сдвинув на карабине флажок предохранителя.

Это случилось в пятницу 14 ноября 2008 года. Герман сидел в кабине спецфургона «фольксваген» и наблюдал, как в бронеотсек его машины загружают мешки с деньгами. Тяжёлый бронеотсек размещался над задним мостом, поэтому фургон казался укороченным, будто ему пнули в корму. Он был покрашен в фирменные цвета предприятия: по жёлтому борту шла двойная серая полоса. Суженные, словно прищуренные, боковые окна салона были запаяны тонированными пуленепробиваемыми стёклами.

Фургон находился на первом этаже секции «С» торгового комплекса «Шпальный рынок», на корпоративной автостоянке возле служебного входа в здание. Герман запарковал машину так, как полагалось по инструкции, — «дверь в дверь» с выходом из лифта. При погрузке денег водитель был обязан сидеть за рулём в готовности тотчас дать по газам и сорвать машину с места, если командир опергруппы отдаст соответствующую команду.

Командиром опергруппы, как всегда, был Виктор Басунов. Он следил за погрузкой, опустив карабин «сайга» обрезанным стволом в бетонный пол. Ян Сучилин с «сайгой» дежурил у капота «фольксвагена»; Олег Тотолин (парни называли его Легой) топтался за кормой машины, тоже с карабином в руках; Герман видел их всех на мониторе видеорегистратора. Два охранника в серой униформе с логотипом «ШР» таскали из открытого лифта в фургон мешки с деньгами. Фургон покачивался. В салоне Темур Рамзаев принимал увесистые мешки и складывал в бронеотсек. Обычно увозили три-четыре мешка, иногда — пять-шесть, а сегодня их оказалось пятнадцать, поэтому Басунову дали дополнительного бойца — Темура. «Ну и наплевать», — подумал Герман.

Мешки в лифте закончились. Басунов влез в салон фургона и закрыл толстую дверь бронеотсека; пальцем, торчащим из беспалой перчатки, он натыкал на цифровой панели код, запирая бронеотсек; потом выбрался из фургона, распрямился и отстегнул от ремня рацию.

— Груз принял, — сообщил он. — Размещаю группу и начинаю движение, бортовой ноль пять. Снимайте с охраны, открывайте выезд. Отбой.

В салоне за стенкой, за спиной у Германа, завозились Ян, Лега и Темур — рассаживались удобнее: Сучилин и Тотолин на мягких креслах, Рамзаев — на откидном сиденье. Басунов полез в кабину рядом с Германом.

— Поехали, Немец, — сказал он, аккуратно устанавливая карабин между коленями прикладом в пол. — Всё как обычно. Банк «Батуев-инвест».

Каждый рабочий день в конце смены определённую часть наработанной налички перевозили из кассового центра торгового комплекса в банковский сейф, откуда потом уже передавали на инкассацию в банк. Транспортировкой налички до сейфа занималась служба безопасности комплекса «Шпальный рынок», которую возглавлял Виктор Басунов. Герман Неволин в число сотрудников этой службы не входил, однако считался лучшим водителем в автопарке Шпального, и потому ему доверяли спецфургон. Кроме того, Неволин был своим — «афганцем»: все знали его с 1991 года.

Фургон неторопливо покатил по бетонным дорожкам, обозначенным полосатыми бордюрами, сквозь ряды массивных пронумерованных колонн, поддерживающих здание, мимо легковушек работников рынка — к блёклому, замытому дождями свету. Басунов закурил, хотя инструкция запрещала.

Два мегамолла торгового комплекса — секция «А» и секция «С» — вытянулись под углом друг к другу. На длинных жёлто-серых фасадах ярко выделялись огромные аншлаги «Торговый комплекс “Шпальный рынок”». Низкое, плоское и просторное небо казалось таким же мокрым, как асфальт. Большая площадь была вымощена плиткой; посреди площади громоздилось каменное корыто цветника, рядом торчали рамы летних палаточных кафе. На флагштоках, выстроенных в шеренгу, трепетали узкие флаги. На заправке «ЛУКойла» раскорячилась фура. За мегамоллами пространство ограничивала бесконечная насыпь железной дороги со столбами и перекрытиями; её гряда сверху почернела, обтаяв, а понизу белела потёками ночного снега.

Герман вёл спецфургон по новой шестиполосной трассе к переезду через железную дорогу. Энергичная разметка магистрали бодрила движением своих стрел и пунктиров; решетчатые фермы, перекинутые поверх трассы, задавали жёсткий, технологичный ритм. Выруливая на высокий и широкий мост, Герман увидел впереди в мороси центральную часть города Батуева — высотки, шпили и краны. Там, в центре, и вправду казалось, что жизнь наладилась, всё развивается и наступил счастливый двадцать первый век.

Под мостом летела электричка. Герман думал, что через десять минут он сломает пополам свою судьбу, а может быть, и судьбу Танюши. За себя он не боялся, о себе не жалел, а про Танюшу надеялся, что с ней обойдётся. Герман смотрел на монитор, который показывал бойцов в салоне. Они все всунули оружие в зажимы. Только Басунов, гад, держит «сайгу» не по правилам.

Небольшая промзона, путепровод, панель офисного центра, светофор, ангар автосервиса за сетчатой оградой, квартал старых «хрущёвок», школа и магазин «Продукты», кольцевая развязка с транспарантом «Ленинский район», автобусная остановка с минимаркетом и длинным парковочным «карманом», в котором мокли под дождём несколько автомобилей...

Герман сбросил скорость и сдал свой «фольксваген» ближе к обочине, свернул на парковку за минимаркетом и встал рядом с белой «девяткой».

— Виктор, с твоей стороны зеркало забрызгано, — сказал он. — Я не вижу.

— И что? — хладнокровно спросил Басунов, не меняя позы.

— В бардачке пластиковая банка, в банке — микрофибра для стёкол.

— Я должен протереть тебе зеркало, Немец? — осведомился Басунов.

— По инструкции мне нельзя покидать кабину. Но ради тебя я могу.

Мимо проносились автомобили. В борт спецфургону, застывшему на обочине, плескало ноябрьской жидкой грязью. Герман рассчитывал, что Басунов поленится вылезать из кабины наружу с «сайгой» в руках.

«Если не срастётся, оно и к лучшему», — подумал Герман. Собственного оружия у него не было, да с пушкой его и не допустили бы до работы. А охранники Шпального были вооружены короткоствольными карабинами со складными рамочными прикладами: компактные полуавтоматы, похожие на «калашниковых», в тесных помещениях были сподручнее.

Басунов с недовольной физиономией воткнул «сайгу» в фиксатор возле своего левого локтя, полез в бардачок и вытащил банку с микрофиброй. Повернувшись к окну, он приспустил толстое бронестекло. В кабину хлынул шум улицы, и Басунов не услышал, как Герман отщёлкнул фиксатор, вынул оружие из держалки и сдвинулся за руль. «Сайга» нацелилась на Басунова дырчатой трубкой надульника. Герман отвёл флажок предохранителя.

— Виктор, не дёргайся, — предупредил он.

Басунов оглянулся и понял, что очистка зеркала — уже не главное.

— Нехилая заявочка, Неволин, — насмешливо-презрительно сказал он и отвалился на спинку сиденья, изображая вынужденное бездействие, но не сводил взгляда с карабина; тряпку-микрофибру он механически запихивал пальцами обратно в банку. — Я как-то не понял, это ограбление, да?

— Типа того, — кивнул Герман.

— Боевиков насмотрелся, Немец?

Немец — потому что Герман, германец. Так Германа звали ещё с армии.

— Без базаров, Виктор, — хмуро ответил Герман. — Ты же понимаешь.

— И что, вправду шмальнёшь?

Басунову было сорок четыре. Жилистый и подкачанный мужик без лишнего гражданского сала. Как только его назначили начальником службы безопасности (это случилось пару лет назад), он отрастил усишки вроде тех, что носил Лихолетов, однако усы не придавали ему бесшабашности Серёги; казённо-протокольная морда Басунова осталась напряжённой, словно он не расслаблялся, никому не верил и контролировал пространство вокруг себя.

— Почему бы и не шмальнуть, Виктор? — задумчиво спросил Герман. — Было время, мы шмаляли, и никого не клинило. Вперёд мне уже проще, чем назад. А на броник ты не надейся. Из «сайги» почти в упор — верная дырка.

Это Басунов и сам знал. Даже если отбить ствол в сторону и сцепиться, то в замкнутом пространстве кабины Немец сомнёт его хотя бы потому, что руки и ноги у Немца длиннее, значит, больше рычаг и сильнее давление.

— В бардачке лежат наручники, — сказал Герман. — Сам достань их и сам пристегни себя вон туда, к скобе.

Герман выяснил заранее, что самоуверенный и самолюбивый Басунов не имел никакого приборчика вроде «тревожной кнопки», чтобы дать сигнал тревоги незаметно от противника. Басунов рассчитывал на клавишу экстренного вызова на рации, а рацию Герман видел — она висела на ремне.

Покачивая головой от фальшивого удивления, Басунов пристегнул себя к поручню. Поручень на прочность Герман тоже проверил уже заранее.

— Какой код у отсека с деньгами?

Басунов не ответил и с превосходством ухмыльнулся.

— Не буровь, Виктор, — устало поморщился Герман. — Ну, раздроблю я прикладом тебе пальцы на ногах — всё равно ведь скажешь. Нафига надо?

— Эн две тысячи восемь пэ.

«Ноябрь 2008-го, пятница», — сразу расшифровал Герман.

— Зря надеешься уйти, — сказал Басунов. — Тебя вычислят за два дня. Для Щебетовского менты тебя везде найдут. А вооружённый грабёж — десяточка.

Герман не отвечал. Он убрал «сайгу», придвинулся к Басунову, отцепил у него с ремня рацию и охлопывал по карманам — на всякий случай.

— А как там у тебя Татьяна? — не унимался Басунов. — В доле с тобой? Ждёт мужа-добытчика? Пакует чемоданы? Или сразу сухари сушит?

Герман не хотел вестись на провокацию и разговаривать с Басуновым, но об этом нужно было сказать:

— Танюша не в курсе. Она была бы против. Но я с ней не советовался.

— Ты даже жену кинул, — удовлетворённо произнёс Басунов. — Жену свою кинул, своих братьев по Афгану кинул, своего босса кинул...

Герман смотрел в монитор видеорегистрации: парни в салоне сидели спокойно, ничего не почувствовали, не суетились, оружие не хватали.

— С каких пор, Витя, Щебетовский мне стал своим? — Герман напоследок посмотрел в глаза Басунову. — И вы, его шакалы, мне тоже не свои. Своим мне был Серёга Лихолетов. Но Серёга на Затяге.

— Его ты тоже кинул, — злорадно усмехнулся Басунов.

Герман не ответил. Он открыл дверку, выпрыгнул наружу с «сайгой» в руке и захлопнул дверку за собой. Сквозь окно Герман видел, что Басунов ещё что-то беззвучно говорит вслед ему — уже один в кабине.

На остановке мокли две тётки, на Германа и фургон они не обращали внимания. Окна минимаркета были обращены в другую сторону. Герман подошёл к входу в магазинчик и бросил в урну к пустым бутылкам рацию Басунова. Потом вернулся к «фольксвагену» и стоящей рядом «девятке». Это была его «девятка», он подогнал её сюда сегодня в семь утра.

Бибикнув сигналкой, Герман приподнял корму своего рыдвана и достал связку наручников. Хорошо, что он припас сразу пять пар. Басунов тупо смотрел на манипуляции Германа через лобовое стекло «фольксвагена». Пускай смотрит. Оба номера у «девятки» Герман ещё с утра заляпал грязью. И «девяток» таких в миллионном городе Батуеве — не сосчитать.

Герман побарабанил в боковую сдвижную дверь фургона. Парни в салоне через узкое окошко видели, что это стучится Неволин. Конечно, они знали, что водитель в спецрейсе не должен покидать кабину, что оружия водителю не положено... Однако они же тупые. Они просто не сообразят, что к чему. Не заподозрят. В нештатной ситуации они среагируют как давние приятели, однополчане по Афгану, а не как бойцы службы безопасности.

Дверь откатил Ян Сучилин, и откатил широко. Герман сразу попятил Яна стволом «сайги» и от порога усадил его обратно в кресло.

— Ты чего, Немец? — изумился Ян. — Мозги стряс?

— Парни, это реально ограбление, — вздохнув, пояснил Герман. — Я не хочу стрелять на поражение, но покалечить придётся. Вы же меня знаете.

— А Басунов где? — спросил Лега Тотолин, не вставая.

— Его я уже подвесил на браслеты. Теперь ваша очередь.

Герман бросил под ноги парням гирлянду наручников.

— Ян, надень себе и закрепи Легу с Темурчиком за поручни. Только делай всё очень медленно. Парни, прошу без резких движений.

Глядя на Германа, Ян нагнулся и поднял наручники. Сначала одну пару он нацепил себе на запястья, потом сковал Тотолина и Рамзаева, пропустив цепочку браслетов сквозь поручни на стенках салона. Парни подавали руки нехотя, но не пытались переломить ситуацию.

— Пока посиди, — сказал Герман Яну и уже без опаски сунулся в салон.

Он выдернул карабины из крепежей на оружейных стойках и принялся разряжать их прямо на пороге салона. Отомкнутые автоматные магазины он по-простецки пихал за пазуху, а затворы передёргивал, сбрасывая патрон на асфальт, и затем, шаркая берцем, отшвыривал патрон в лужу на обочине.

— Ваши винтари оставляю вам, парни. К вам у меня претензий нет. А басуновскую «сайгу» забираю вместе с вашими магазинами.

— Бесполезняк же, Немец, — вдруг глухо произнёс Лега. — Напрасно ты эту хрень затеял. Может, назад отыграешь?

— Я всё продумал, Лега.

— Тебя грохнут.

— Посмотрим.

Герману было сорок два. Высокий, худой и нескладный, он казался небрежно сколоченным из косых досок-горбылин. Крупный фигурный нос и маленькие глазки близко к носу — как у доброго льва из мультика. Вид у Германа всегда был какой-то странный — сразу и сонный, и сосредоточенный.

— Ян, снова тебе задание. Набери на панели код: эн две тысячи восемь пэ. Открывай дверь и вытаскивай сюда мешки. Я считал, их пятнадцать.

— Дебил, — угрюмо сказал Лега неизвестно кому.

Ян Сучилин начал выставлять к порожку чёрные водонепроницаемые мешки со стальными горловинами; горловины на шарнирах были сложены пополам, как у кошельков, и запирались на замочки с кодовыми цилиндрами.

Герман забросил «сайгу» за спину и принялся переносить мешки по два в багажник «девятки». Со стороны это выглядело буднично, деловито, без какого-то криминального оттенка. Ну, какие-то охранники на обочине переваливают что-то из машины в машину — вот и всё, делов-то.

— Поделился бы, а? — развеселившись, попросил Сучилин.

— Прокурор поделится, — буркнул Темурчик.

Герман закончил загрузку, опустил корму багажника у «девятки», убрал карабин на заднее сиденье своей машины и вернулся в салон «фольксвагена». Здесь он поднял с резинового коврика оставшиеся наручники, пихнул Сучилина в его кресло и закрепил так, чтобы Ян не вылез из фургона.

— Всё, парни, — сказал Герман. — Спасибо, что не заставили уродовать. Я поехал. Вас закрою тут. Где-нибудь через час в банке забеспокоятся, вышлют наряд по нашему маршруту и найдут вас. Что-нибудь от меня надо?

— Поставь музыку, — попросил Сучилин.

Герман решил выезжать из города через центр — надеялся проскочить до пробок часа пик. Транспортный поток катился ещё с разрывами, и «девятка» Немца ловко бежала по проспектам, обгоняя троллейбусы, поворачивала на перекрёстках, притормаживала на светофорах. С пасмурного неба текло, будто кто-то этажом выше затопил своё облачное обиталище; люди шли по улицам под зонтами; сквозь дрожащую хмарь непогоды яркими красками сияли рекламные баннеры с огромными цифрами телефонных номеров.

Центр Батуева очень изменился за последние годы. Понизу, на уровне тротуаров и пешеходов, перемены казались комфортными и праздничными: пылающие вывески, красивые панорамные витрины, подсвеченные фасады, удобные лестницы, скамейки, урны, дружелюбные призывы... Здесь обитали милые девушки, ласковые продавщицы и официанты, удобные автомобили, уличные художники, смешные и толстые люди-куклы, которые заманивали к себе в гости, и важные автоматы с огоньками, выдающие кофе в стаканчиках.

Но сверху, выше уровня людей, над головами и зонтами прохожих в сыром пустом воздухе фантастическим образом висел двадцать первый век: геометрические объёмы хайтека; сталь и стекло; монолиты новых билдингов, в зеркальных плоскостях которых отражалась плывущая над улицами мгла; призрачные вертикальные конструкции высотных кранов, полурастворённые в тучах стылого пара. Эти безжизненные сооружения казались какой-то космической армадой, без усилия дрейфующей в поле антигравитации.

Семнадцать лет назад Герман Неволин приехал в совсем другой город — просторный, приземистый, неспешный, заросший тихо дичающей зеленью... Это они, «коминтерновцы» Серёги Лихолетова, торопились жить, а город раскачивался медленно, как громоздкий корабль, — но по его трюму быстро носились крысы. И вот теперь жизнь набрала ход — а он, Немец, почему-то остался позабытым на пирсе. Интересно знать, что тут будет дальше, но, увы, не получится: при любом раскладе Герман в Батуев уже не вернётся.

Он рассчитал, что план «Перехват» объявят примерно через час после того, как найдут спецфургон. Он успеет выскочить из города, во всяком случае из центра, где вертятся патрули. На том выезде, который Герман наметил для себя, менты не станут устраивать фильтрационный пункт, иначе здесь моментально вырастет затор и парализует весь район. Не так уж и важен ментам грабитель, ободравший Щебетовского — местного олигарха.

Герман без проблем пролетел по бульварам спальных кварталов, через промзоны и частный сектор окраины, по мосту над железной дорогой, и, наконец, справа на пригорке мелькнул транспарант «Счастливого пути!» — город закончился. Впереди под небом, что светилось тусклыми размывами, расстелились холмистые просторные луга, бурые на покатостях и белёсые в западинах. По лугам в мороси брели плотные взъерошенные перелески, словно толпы каторжников в лохмотьях, скованные цепями.

«Девятка» свернула с шоссе на грунтовый просёлок, и вскоре Герман уже ехал по жидкому лесочку средней полосы: осины, берёзы, ёлки, липы, малинник, изредка — тонкие высокие сосны. В чёрно-белой строгой осени вдруг мелькал красный железный пламень ещё не облетевших рябин.

Герман остановил машину возле высокого расщеплённого пня. Здесь он приготовил тайник: за поваленным стволом вчера вечером он выкопал яму и наломал кучу лапника для маскировки. На мокром дне ямы, завёрнутый в лоскут полиэтилена, лежал туго набитый туристский рюкзак. В него Герман запихал всё, что потребуется после ограбления: саквояж с новой одеждой и обувью, пакет с документами и банковскими карточками, другой пакет — с сотовыми телефонами, командировочный набор «мыло — бритва — зубная щётка», чай, брикеты лапши быстрого приготовления, книжку кроссвордов.

Герман вытащил рюкзак из ямы, расстелил плёнку, разулся, переступил на полиэтилен ногами в носках и принялся переодеваться. Он сбросил берцы, снял серую униформу с жёлтым логотипом «ШР» и обрядился как дачник: чёрные резиновые сапоги, камуфлированные штаны, свитер грубой вязки, непромокаемая куртка с капюшоном, матерчатое кепи с наушниками.

Униформой сотрудника рынка Герман выстелил дно своей ямы и затем перетаскал в яму тяжёлые мешки из багажника «девятки». Он планировал, что привезёт три-четыре мешка, спрячет их тут и уедет, чтобы избавиться от машины; потом вернётся пешком — вечером или ночью, затолкает мешки в рюкзак и вынесет отсюда на спине в другой тайник, понадёжнее этого... Но пятнадцать мешков и «сайгу» в придачу на загривке за один раз не упереть. А бегать с рюкзаком туда-сюда — значит, рисковать вдвое или втрое...

Пятнадцать чёрных мешков тихо стояли на дне ямы, уже облепленные палыми листьями, — везуха, масштаб которой превзошёл все планы. Ладно, он придумает, что сделать. Герман уложил поверх мешков карабин, закидал схрон лапником и сверху навалил огромную трухлявую коряжину.

Снова сев за руль, он сдал назад, развернулся и потихоньку выбрался обратно на шоссе. Теперь он выглядел как типичный горожанин, который на своей старой «девятке» едет на дачу париться в бане и готовить дом к зиме.

Путь был знаком до последней выбоины. Сколько раз он проезжал здесь на «барбухайке» с Танюшей... Рощи; линия ЛЭП (вон та опора на бетонном башмаке...); бесконечная железнодорожная насыпь и столбы; мчится поезд; покрышка в бурьяне; шлагбаум; тётка едет на вихляющемся велосипеде; длинный забор дачного кооператива «Деревня Ненастье»; размалёванная будка автобусной остановки; снова луга, а за бесхозной силосной башней — посёлок при станции Ненастье, весь в липах... Герман вырулил к вокзалу.

И с вокзалом этим тоже столько всего связано... Они захватывали его в 1993-м, перекрывали магистраль, чтобы товарищей выпустили из СИЗО... Вон там стояла «барбухайка», где Герман — на свою пустую башку — в грозу укрылся с Мариной... Одноэтажное здание вокзала с арочными окнами сейчас было заново оштукатурено и покрашено в прянично-розовый цвет. А тогда оно было облупленное... Что ж, нынче время такое, пряничное и розовое — и сладко, и вроде даже сытно, но не еда, и вредно, и тошнит.

Привокзальная площадь была занята платной парковкой. Герман заехал в ворота и поставил машину в дальний угол. Здесь он её и бросит — для того и покупал. Когда менты найдут «девятку», то подумают, что Герман уехал отсюда на электричках. На электричках можно добраться до Казани, Самары или Уфы. В общем, «девятка», брошенная на вокзале, укажет следакам, что Германа в Батуеве уже нет. А его там и не будет. Он будет в Ненастье.

Герман купил в привокзальном киоске чебуреки и пошёл в деревню Ненастье пешком — недалеко же, всего пять километров. Сапоги хрустели по гравию обочины. Он шагал и думал про Танюшу. Облава наверняка уже объявлена. Значит, Пуговка уже узнала, что Герман украл деньги и скрылся.

Сердце Германа разрывалось, когда он представлял, что творится в душе Танюши. Стоит ли так её мучить? Может, надо было тихо жить, поживать, доживать?.. Он ведь ничего ей не сказал, не объяснил, куда исчез, почему и надолго ли. Танюша слабенькая, любому следаку расскажет всё, что спросят. А Яр-Саныч, папаша её, старый козёл, — тот вообще сам донесёт...

Изредка вдали грохотали поезда; мимо, шипя, проносились автомобили, обдавая мокрой пылью; ветер взволнованно шумел в пустых и дырявых шапках придорожных тополей. А Герману казалось, что он в тишине.

Он всё предусмотрел. Подготовился. И пока он ни в чём не промахнулся — разве что денег взял вчетверо больше, чем ожидал. Теперь он шагал в деревню Ненастье, на старую и уже проданную дачу, — пересиживать там суматоху, отлёживаться перед новым своим ходом. Но он не вспоминал про кучу денег в лесной яме, не размышлял о дальнейших действиях, не мечтал даже о том счастье, в которое прицелился, рискуя всем на свете. Он думал, что сейчас в большом городе Батуеве плачет никому не нужная маленькая женщина, бесконечно родная ему и любимая, за которую он жизнь бы отдал, — но ей сейчас кажется, что он её предал и бросил. Что её мужчина, который обещал беречь её до конца своих дней, украл деньги у начальника и сбежал.

* * *

— И всё же, Витя, я не понимаю, как такое случилось. Как простой и безоружный водитель автобуса, не спецназовец и не фокусник, ухитрился отнять у четырёх охранников с карабинами сто сорок миллионов рублей? Это в голове не укладывается, Витя. Ты сумеешь объяснить?

Вопрос был риторический. Басунов ещё вчера вечером, едва вырвался от следователя, всё рассказал боссу пошагово и по секундам. В этом же самом кабинете. Сейчас Щебетовский просто нагнетал страха, чтобы легче давить.

— Вы намекаете, Георгий Николаевич, что я был в сговоре с Неволиным?

— Можно подумать что угодно, и про сговор тоже.

— Если бы я хотел ограбить вас, зачем мне нужен Неволин? И почему я раньше не ограбил? Я перевожу ваши деньги уже четвёртый год.

— Но такой суммы, Витя, никогда прежде не бывало.

Это уж точно. Ещё при Лене Быченко, первой директрисе Шпального рынка, Щебетовский начал вникать в бухгалтерию предприятия. А когда по стране повалил ломовой потребительский бум, занятия бухгалтерией для Щебетовского превратились в удовольствие. Зримое и осязаемое умножение успеха волновало так, будто в глубине души какие-то основы наконец-то перекладывались с неправильного порядка на правильный. Но, конечно, обороты Шпального никогда не доходили до полутора сотен лимонов в день.

Сумма, которую урвал Неволин, объяснялась удачной сделкой. Обычно транзакции такого уровня осуществлялись по безналу, но сейчас экономику душил кризис, ликвидность сама по себе стала капиталом, и простая наличка вздорожала выше себестоимости; Щебетовский был крайне удовлетворён, что поймал момент и мастерски провернул хитрую операцию, когда ему прямо на руки вышло чистыми четыре с половиной миллиона долларов. И тут вдруг нарисовался придурок-водитель со своим киношным гоп-стопом и хапнул всю кассу именно в этот день и час. Идиотизм.

Щебетовский не сомневался, что Басунов и его парни к ограблению не имеют отношения. Но для дела было полезнее, чтобы они думали, будто босс их подозревает. Щебетовский гордился своим умением применять в бизнесе и в управлении те принципы, которые освоил на службе в госбезопасности. Он сразу отстранил от работы Басунова и его железных дровосеков — тем самым мотивировал их соображать, как им реабилитироваться. Ведь все они из одной псарни с Неволиным — из «Коминтерна», союза «афганцев».

— Георгий Николаевич, мы с вами работаем вместе лет десять, — сказал Басунов. — Извиняюсь, но я даже не хочу обсуждать, что это я вас бомбанул.

Щебетовский понимающе усмехнулся: Бобик обиделся.

Георгию Николаевичу было под шестьдесят. Он действительно работал в КГБ, хотя, конечно, не суперагентом. В Афгане в составе погранвойск КГБ он служил в комендантской роте в Кабуле — «летёхой», только-только после института; потом в Батуеве мирно киснул на оперативной текучке. Впрочем, этого запаса Щебетовскому вполне хватило, чтобы отстроить свою судьбу. Экономисты Батуева утверждали, что Шпальный рынок — третий в России после Черкизона и Гусинобродской барахолки в Новосибирске.

А Басунов разглядывал Георгия Николаевича и с тихим удовольствием отмечал в боссе черты старика. Волосы поредели. Глаза он по-прежнему прячет за слегка затемнёнными очками, но линзы теперь астигматические. Лицо обколото ботоксом, а на шее — две индюшиные складки. Просторный костюм не скрывает круглое пузико; такое появляется, когда человеку по возрасту уже тяжело гонять себя на тренажёрах. И сидит босс тоже по-стариковски — на диване, откинувшись, сдвинув ножки, коленки набок.

— Ты должен найти мне этого Неволина, Витя, — сказал Щебетовский.

Он смотрел спокойно, как рыба.

— Найти Неволина, — повторил Басунов.

— Ты уже знаком с капитаном Дибичем, верно?

Капитан Всеволод Дибич возглавил следственную группу по делу спецфургона. Уже вчера капитан допросил и Басунова, и парней из службы охраны — Сучилина, Тотолина и Рамзаева; он допросил Татьяну Куделину — гражданскую жену Германа, и даже отправил оперативников на обыск у Неволина дома. Сегодня с утра он терзал водителей Шпального, которые работали с Немцем, — занял их комнату отдыха и вызывал по одному.

Басунову Дибич категорически не понравился. Молодой хлыщ. Понты, и много суеты напоказ, ведь понятно, что с малахольной женой, с её папашей-маразматиком или с шоферюгами Неволин свои криминальные планы не обсуждал. Зачем тратить время на очевидно бесполезные допросы, когда вор уходит всё дальше? Пусть мельтешат помощники, а у шефа дела поважнее.

— Дибич только делает вид, что ищет, — сказал Басунов.

— Вижу, — кивнул Щебетовский. — Он будет меня доить. А искать вора придётся тебе, Витя. Но про каждую подвижку ты должен сообщать ему. Это он схватит Неволина, это он получит звезду от начальства и тачку от меня.

— Почему? — сухо спросил Басунов. — Я и сам возьму Немца.

— Нет, Витя. Девяностые закончились. А для тебя ещё и обнулились.

— Обнулились, — задумчиво повторил Басунов.

Кабинет Щебетовского был обставлен в духе модного техногенного минимализма: длинная и аскетичная пластина стола, целиком из махагони, ноутбуки вместо блокнотов, мебель — никелированные трубки и кожаные пуфы, плазменные экраны, встроенные шкафы за панелями из светлого бука. Неуютно, холодно. Одна стена была гладкая, блестящая и полностью чёрная, точнее, из тёмного стекла, за которым темнел ноябрьский бесснежный вечер.

— Есть какие-то соображения по Неволину? — спросил Щебетовский.

Басунов пожал плечами:

— Немец наверняка всё продумал. Время у него было, а теперь есть и деньги. Если всё идёт по его плану, мы его никогда не поймаем.

— Крайне ценный вывод, Витя. Мне полегчало.

— Надо надеяться, что Неволин где-то проколется. Пока что у него был лишь один прокол — слишком много денег.

— Всем бы такие проколы, — саркастически заметил Щебетовский.

Басунов не умел отвечать на шутки, не понимал иронии.

— Это проблема, — возразил он. — Пятнадцать мешков весят больше ста кило. На такое Немец не рассчитывал. Мешки в одиночку не унести. Значит, он теряет мобильность или вступает в незапланированные контакты.

— Но ты же знаешь всех его друзей-«афганцев», верно?

— Верно. Я знаю такие связи, до которых капитану Дибичу никогда не докопаться, и вы понимаете почему, Георгий Николаевич. — Басунов сидел за столом прямо и неподвижно, будто ученик на экзамене. — Я уверен, что Немец сейчас залёг на дно пережидать шухер. Ему надо сориентироваться. Он снял какую-нибудь хату в спальном районе на пару месяцев и греется на куче бабла, как собака. Куча бабла для него как якорь. От бабла он не убежит.

Щебетовский внимательно слушал, глядя куда-то в пустоту.

— Ерунда, — уверенно сказал он. — Деньги можно спрятать в тайник, в сейф, оставить у надёжного приятеля в кладовке. Можно перевести в безнал и поместить на счёт, отправить на карту, отмыть через прачечную...

— Нет, Георгий Николаевич. Это не работает. Немец не рискнёт оставить деньги без контроля. Светиться ему нельзя. И доверять он никому не может, потому что облава, розыск, премия. Он будет пережидать на лёжке. Шанс взять его есть только там. В этом суть моего плана, Георгий Николаевич.

— Ерунда, — повторил Щебетовский. — Он спрячет мешки с деньгами где-нибудь в укромном месте и уйдёт налегке. Так рациональнее.

— Я бы не смог уйти, — упрямо возразил Басунов. — А он чем лучше?

Щебетовский думал, подрагивая губами, словно что-то жевал, а потом, приняв какое-то решение, шлёпнул ладонями по коленям и поднялся на ноги.

— Ладно, может, ты и прав, Витя, — со вздохом сказал он. — Действуй. Иди. И держи связь с Дибичем. Ты — мозг, а Дибич — твои руки, понял?

Он не сказал Басунову напоследок: «Достань мне эту суку».

Он не испытывал к Неволину никаких чувств. Он помнил этого типа ещё по разгрому «Юбиля», когда задержал его в «афганском» кафе с любовницей Лихолетова. Долдон. Незлой, исполнительный, спокойный. Тихое ничто. Такие были вполне успешны, если состояли в агрессивном сообществе вроде «Коминтерна». Но времена «Коминтерна» миновали, и ныне все командиры «Коминтерна» на Затяге, а Неволины плачут у пустых кормушек.

«Может, он хотел отомстить мне?» — подумал Щебетовский, вспоминая Германа. Нет. Кишка тонка. Если он мог отомстить, то (учитывая армейский дебилизм) сейчас был бы или таким, как Басунов, или там, где Лихолетов.

Кто этот Неволин? Тупой шофёр. Он ничего не понимает в финансах, в банковских операциях, в реквизитах, в чёрном нале, в отмывке. Даже если он купил липовые документы, он всё равно не махинатор, не ловчила, а просто лох, быдло, баклан, как они говорят... Не-ет, реально, Витя прав. Этот идиот наверняка сидит на куче денег и гадает, как её унести или куда спрятать.

Щебетовский подумал, что ситуация напоминает ловлю обезьян на апельсин. В ящик кладут апельсин, закрывают и делают в стенке небольшую дырку. Является обезьяна, чует апельсин, суёт в ящик руку, хватает апельсин, но не может вытащить его через дырку — а бросить уже не в силах по своей природе. Так и торчит, дура, с рукой в ящике, пока не придёт охотник.

Георгий Николаевич выключил в кабинете свет и неторопливо подошёл к окну. Теперь из кабинета стало видно то, что находилось на улице. Секция «С» ярко освещена прожекторами. Мокрая плитка площади, отражения огней в лужах у бордюров. Люди с зонтами ждут маршрутку. Автомобили. Вдали — распластанная двухъярусная развязка. Длинные дробные линии фонарей. За широкой рекой магистрали сияют хрустальные дворцы дилерских центров, отсвечивают покатые бока ангаров. Поодаль в дожде дрожит целое озеро света; там идут круглосуточные работы, гудят бетоновозы, двигаются краны: это строятся новые мегамоллы «Ашан», *“IKEA”* и *“METRO”*. Здесь, в районе Шпального посёлка (вместо его трущоб уже стояли кварталы таунхаусов), на окраине города Батуева формировался мощнейший торговый узел.

А Георгий Николаевич помнил тут щитовые бараки с говноварнями наркобарыг, заброшенные котлованы, куда скидывали городской мусор, заросли кустов, где плечевые проститутки наскоро сосали дальнобойщикам. На огромном пустыре вдоль железнодорожной насыпи топтались тысячи «челноков», и «Коминтерн» решил дубинками и грейдерами загнать их в недостроенный товарный терминал станции Батуев-Сортировочная...

«Коминтерн» справился со всеми трудностями, поборол всех врагов. А Георгий Николаевич поборол «Коминтерн». Однако за ним, за майором Щебетовским, не было никакой силы. Ни бандитов, ни Конторы, никого. Только навыки и характер. И он по пальцам разжал кулачище «афганцев», выдрессировал их союз — это звероподобное чудище.

Теперь он основной акционер самого главного «афганского» актива — Шпального рынка. Двенадцать лет назад в войне за Шпальный враги валили «афганских» лидеров, командиров «Коминтерна». Но Щебетовский сумел забрать этот актив себе, и «Коминтерн» сейчас — два скромных тихих офиса в администрации рыночного комплекса, где воспитанные девушки сидят перед компьютерами. А раньше «Коминтерн» был ревущей и полупьяной толпой недавних солдат во главе с быдло-фюрером Лихолетовым.

В стекле на фоне сверкающей панорамы с магистралями и автоцентрами Георгий Николаевич видел отражение своего лица. Он рассматривал себя и думал, что ничего особенного в его лице нет, но это лицо настоящего героя. Он не испугался. Он вступил в борьбу и в одиночку всех переиграл. Было трудно. Приходилось делать вещи, про которые надо сразу забывать. Увы, так устроен мир. Если хочешь быть победителем, прими это условие. Умный человек найдёт возможность минимизировать зло, и нечего тут размазывать сопли. А для жестокого поступка тоже требуется немалое мужество.

Короче, неважно, что он богатый, а остальные — бедные. Важно, что он умнее и сильнее, потому и успешен. А остальные — недоделки. Если же им вообще не повезёт, то они будут красть, как Герман Неволин.

Подобно Щебетовскому, Виктор Басунов в этот вечер тоже предавался размышлениям. Квартира Басунова находилась в элитном доме закрытого жилого комплекса в центре города; здесь селился батуевский истеблишмент образца девяностых годов. Раньше квартира принадлежала Лене Быченко — первой директрисе Шпального рынка. Лена завела любовника и переехала с ним то ли в Бургос, то ли в Коста-Браву. Лена была вдова. Её муж, купивший эту квартиру, в своё время был командиром «Коминтерна» и начальником Витьки Басунова. А Басунов тоже очень хотел чувствовать себя боссом.

Он жил с мамой и сестрой, в большой квартире места хватало для всех. В прихожей его встречала сестра — незамужняя, толстая, в очках. Она молча приняла мокрую куртку брата, убрала ботинки и выставила тапочки. Басунов медленно причесался у зеркала, тщательно закладывая волосы назад.

— Витя, кофе сварить? — с кухни спросила мама.

— Подай в кабинет, — сухо ответил Басунов.

Просторный кабинет по стенам был оборудован книжными полками — красивыми, но полупустыми. Дома считалось, что «Витя ещё формирует свою библиотеку из трудов по военной истории». Купленные книги Басунов, конечно, не читал, но внимательно изучал предисловие (если оно было не очень длинным) и аннотацию; на его вкус, издание должно было содержать изображения оружия и военной формы давней эпохи и схемы битв. Ещё в кабинете стояли тренажёр, диван и письменный стол с креслом.

Басунов сел в кресло перед столом. Мама принесла ему кофе.

Он пил кофе и вспоминал слова Щебетовского, что для него девяностые не только закончились, но и обнулились. Странно: он столько всего знает о Георгии Николаевиче, но почему-то никогда не пытался превратить эти знания в реальные блага, как делал с другими командирами «Коминтерна». Щебетовскому удалось обнулить девяностые и не заплатить ему — ловко!

— Мам, надо коньяку, — крикнул Басунов в глубину квартиры.

Он достал из ящика стола телевизионный пульт и включил большой плоский экран, который находился среди книжных полок как раз напротив стола и кресла. Обычно по вечерам Басунов сидел вот так же за столом — будто директор какой-то фирмы — и смотрел без звука футбол, бокс или что-нибудь про животных. У мамы и сестры это называлось «Витя работает». На самом деле он проводил время без мыслей. Просто футбол и бокс, слоны и аллигаторы, коньяк и лимон. Плюс самоощущение значительного человека.

А Щебетовский стареет... Становится жадным и подозрительным. Забывает, кто ему друг. Забывает, у кого какие права. Считает всех своими халдеями. А он, Басунов, между прочим, совладелец рынка. Миноритарий. Десять лет назад Щебетовский предлагал Лихолетову блокирующий пакет акций Шпального — Лихолетов не взял. А надо было брать. Наверное, имеет смысл сейчас попробовать рвануть одеяло на себя, думал Басунов. Немец — это его шанс. Надо найти Немца, отнять его мешки и прессануть босса. Есть вероятность, что Щебетовский обменяет мешки Немца на блокпакет. Только нельзя подпускать капитана Дибича слишком близко к Немцу.

Мама принесла Басунову рюмку коньяка и лимон на блюдечке.

На экране полосатый тигр в красной траве грыз поваленного буйвола.

— Какие ужасы ты смотришь, Витя, — укоризненно сказала мама.

Басунов верно нащупал нерв ситуации: если он первым доберётся до мешков Немца, то станет хозяином положения.

В то время, когда Басунов под коньяк наблюдал по телику пиршество тигра, Щебетовский приехал на ужин с капитаном Дибичем, чтобы обсудить тот же самый вопрос о первенстве в поисках Неволина.

Ужин был назначен в ресторане «Шаолинь». Дибич немного опоздал, припарковал свой «лексус» как попало и вбежал в ресторан, словно играючи впорхнул, — в коротеньком мокром плащике, осыпанный дождинками, будто конфетти. Щебетовский тихо удивился, какие люди нынче становятся капитанами милиции, причём лучшими по профессии. Дибичу было немного за тридцать — юнец. Нежное лицо, большие чёрные глаза в пышных девичьих ресницах, кудряшки, стильный блейзер, шейный платок, джинсы в обтяжку, остроносые туфли. Пижон, мажор, моднявый хлыщ, а не мент.

— Сева, — Дибич сунул Щебетовскому ладошку, сел за столик и оглянулся на официанта: — Женечка, сразу принеси мне «перье» без газа.

«Белёсая жаба», — подумал Дибич, весело разглядывая Щебетовского.

— Как следствие? — холодно поинтересовался Щебетовский.

— Вы не начальник мне, Георгий Николаевич, — улыбнулся Дибич. — Я не обязан отчитываться. Дело открыто, следствие ведётся, следите за новостями.

— Извините, — сдал назад Щебетовский. — Просто я нервничаю.

— Ничего. Пятьдесят грамм разрядят напряжение.

— Я за рулём.

Дибич не стал мучить Щебетовского.

— Ну что вам сказать? На место выезжал весь наш джаз-банд: Владимир Иваныч, начальник городского УВД, и генерал Шиленко из областного. Москва готова прислать оперов. Я назначен руководителем следственной бригады и напрямую отчитываюсь начальнику криминальной милиции. Дело резонансное. Пресса в восторге. Круто, Георгий Николаевич, вы в топе.

— А что ещё сделано?

— Введён план «Перехват». Неволин объявлен в федеральный розыск — как-никак вооружённое ограбление, то-сё, злодей скрылся в ночи с пушкой и похищенными сокровищами. Фото показывают по телевизору. Свидетели и ближайшее окружение уже допрошены. Из области Неволин не уйдёт.

Снова подошёл официант. Дибич быстро переключился на меню.

— Мне, Женечка, яйцо пашот и паштет де кампань, к этому тосты и апельсиновый фреш... Георгий Николаевич, что посоветуете: шатобриан в панировке, утиную грудку магре или бланкет из телятины?

— Что вам угодно, Сева, — желчно ответил Щебетовский. — Мне овсянку и молоко, молоко чуть тёплое. И две булочки тоже подогрейте.

— Кухню я люблю французскую, а жру по-русски, — закуривая, заметил Дибич. — Кстати, очень неожиданное меню для ресторана «Шаолинь».

— Раньше этот ресторан называли «Шайкой», — сказал Щебетовский. — Это был кабак группировки «динамовцев», потом его отбили «афганцы».

Щебетовский выжидающе смотрел на Дибича.

— У меня нет комментариев, — нейтрально ответил Дибич.

Он знал, что свои активы Щебетовский получил в девяностые. Ясно, что Щебетовский как-то бодался с бандитами и прочей гопотой. Но для Дибича те разборки (в принципе, совсем недавние) были чем-то ужасно древним, вроде юрского периода с его динозаврами. Грубо, злобно и неприятно. Возможно, Георгий Николаевич совершал чудеса отваги и ловкости, отнимая активы у группировки «афганцев», но Дибича это ничуть не восхищало. Щебетовский — выцветший от времени ящер-перестарок, как его уважать?

— Вы знаете про «Коминтерн», союз ветеранов войны в Афганистане, и одновременно — преступную группировку Батуева?

— А мне нужно об этом знать? — искренне удивился Дибич.

— Неволин — член этой группировки.

— Боже мой, какой кошмар. Что же мне делать? Я в панике! Спасите меня от него, Георгий Николаевич!

Вот оно, поколение, пришедшее на смену, — думал Щебетовский, глядя на Дибича. Артистичный циник, умелый сыскарь — и почти фигляр. Этот Дибич уверен в изначальном своём превосходстве, просто потому что молод.

Официант принёс заказ и начал расставлять тарелки.

— Я это к тому говорю, что вы не отыщете Неволина, — раздражённо пояснил Щебетовский. — Он уйдёт от вас по своим «афганским» каналам.

— Не волнуйтесь, никуда он не уйдёт, — Дибич увлечённо резал в тарелке бланкет. — Все эти джеки-потрошители предсказуемы, как будильники.

Его и вправду не интересовал Неволин. Он профессионально развесил сети, и Неволин всё равно попадётся — рано или поздно. И не обязательно его искать, он сам залезет в ловушку, надо только подождать.

— Давайте, Сева, я вам немного объясню про «Коминтерн», — терпеливо начал Щебетовский. — Вам это должно пригодиться.

— Не уверен, но попробуйте.

— «Коминтерн» строился на некой идеологии, суть которой в том, что «афганец» всегда помогает «афганцу». Это исповедовал Сергей Лихолетов, основатель «Коминтерна», — редкостный тип, гибрид поручика Ржевского с Мао Цзэдуном. Неволин, кстати, дружил с Лихолетовым. «Коминтерн» стал самой мощной криминальной группировкой в городе. Сейчас, конечно, никакой ОПГ уже нет, но идеология-то осталась. И она выстраивает такие связи, которые вы извне никогда не проследите. И Неволин от вас уйдёт.

— Что же в таком случае вы хотите от меня? — Дибич намазывал паштет на тост; он ни шиша не верил многозначительным историям про всемогущих бандитов, не верил страшилкам про грозные времена. — Значит, я бессилен.

Дибич соглашался со всем, что говорил Щебетовский, и ждал, когда же последует финансовое предложение. Не зря ведь Щебетовский пригласил его на ужин. Дибич видел уже немало таких Щебетовских, которые вылезли из мясорубки с мешком бабла. У них в генетику вбито, что надо кому-нибудь башлять. Если не башляют, то им кажется, что они не управляют ситуацией.

— Вы бессильны, — подтвердил Щебетовский. — Тем более что вы и не собирались искать Неволина. Вы хотели просто сидеть и ждать результата. И вы уверены, что я стану вам платить по принципу «терпила греет».

Щебетовский кое-что помнил из своего оперативного опыта и понимал тактику Дибича. Дибич был ему отвратителен, как пиявка. И Щебетовского всё унижало. Унижало, что его обокрали; унижало, что украли слишком много, и потому нельзя плюнуть и спустить на тормозах; унижало, что этот Дибич спокойно жрёт бланкет и ждёт бабла, просто потому что он — мент.

— Не ценю пафоса, извините, — сказал Дибич, промокая салфеткой губы.

— Хорошо, тогда к делу, — Щебетовский кусочком булочки собирал по тарелке остатки каши. — У меня есть человек, мой начальник охраны, вы его уже допросили, — Виктор Басунов. Он тоже из «Коминтерна» и в курсе всех взаимосвязей «афганцев». Я запустил его искать Неволина. И он справится.

— Прекрасно.

— Нет, не прекрасно. Басунов найдёт Неволина и украдёт у него деньги, которые Неволин украл у меня. Вот поэтому ваша бездеятельность для меня убийственна. Вы ждёте, а Басунов бежит по следу.

— Так что же вы предлагаете, Георгий Николаевич?

— Следите за Басуновым. Он приведёт вас к Неволину. Но только не дайте Басунову сорваться с деньгами. А по факту уже будет благодарность.

— Приятно слышать конструктивное и проработанное предложение.

Дибич улыбнулся. Он снова выиграл. Конечно, терпила будет платить. Сам сделает всю работу и вознаградит чужаков за свои труды. Это тебе не твои девяностые, дядя. Смотри и учись, если ещё способен.

— Проследить за вашим сотрудником несложно, — сказал Дибич. — Будем начеку, чтобы не упустить момент, когда мышка доберётся до сыра. За это не беспокойтесь. Но параметры благодарности давайте оговорим заранее. Герман Неволин, видимо, стоит очень дорого.

* * *

«Сорок пять — баба ягодка опять», — посмеивались соседки про мать Германа. Пока Герман был в Афгане, мать и вправду расцвела, как девочка, ожила, наполнилась ожиданьем счастья. Просто у неё появился любовник.

Отца Герка не знал, и мать про него не рассказывала. Она смирилась, что рядом с ней уже не будет мужчины, — и вдруг дядя Лёня. Матери было стыдно, что сын воевал, а у неё чувства; она смущалась, что Герка видит её женскую природу. Она окружила сына заботой, будто заглаживала вину, и на каждом шагу что-нибудь забывала. По ночам она плакала, разрываясь между двумя любовями. А Герман всё понимал. Он не ревновал маму к дяде Лёне, но квартира-«однушка» стала ему с мамой нестерпимо тесна. И он съехал.

Он работал на автобазе, жил в общаге. С подругой не залетел, а потому и не женился. Перспектив в Куйбышеве не было, разве что сунуться в какую-нибудь группировку из тех, что дрались за автозавод. И тут из города Батуева пришла открытка от Лихолетова. Серёга писал энергично и кратко: «Немец приежай. Делаю дела. Хату подганю. Давай короче. Дембеля не бывает».

Герман дембельнулся в 1986 году, а Серёга — через год. Переписка у них не срослась, и теперь Герман сомневался: кем стал Серёга Лихолетов? Может, коммерс, а может, и бандюк. Он ведь без тормозов.

Герман с почтамта по междугородке позвонил в Батуев.

— Ссышь, Немчура? — заржал Серёга, будто они расстались позавчера, и Герману от Серёгиного хамства опять стало спокойно и весело, как там, возле кишлака Хиндж. — В сортире глаза велики! У меня тут мафия, понял?

После дембеля Серёга работал инструктором в райкоме комсомола, вёл военно-патриотическую работу с ветеранами Афгана. Год назад он учредил «Коминтерн» — Комитет интернационалистов. «Коминтерн» стал структурой, объединяющей «афганцев», которые как-то крутились и устраивались при деле: кооператоры шили джинсы и шапки, коммерсанты торговали мебелью и аппаратурой, «челноки» везли ширпотреб из Турции и Китая и секонд-хенд из Европы. Для «афганских» бизнесов «Коминтерн» оказался сразу всем — и банком, и «крышей», и фондом трудовых резервов.

Ветеранские союзы пользовались преференциями, и «Коминтерн» влез в финансовые учреждения: втёрся на промышленные предприятия и подмял под себя городскую товарно-сырьевую биржу, где брокеры «афганцев» по бартеру толкали цветной металл. «Коминтерн» укреплялся, и всей его махиной рулил Серёга. Впрочем, простоватый Немец в экономике не сёк.

— По-братски говорю, у меня всё можно, — пояснял Серёга по телефону.

— Я подумаю, Серёга, — пообещал Герман.

— Подумает он, деревня! — обиделся Серёга. — Наберут детей в морфлот!

На Германа произвела впечатление новая размашистая самоуверенность Серёги. Хотя Лихолетов всегда был на понтах... Герман честно позавидовал: ему тоже захотелось разогнуться и не тесниться сбоку от чужой жизни.

От Куйбышева до Батуева поезд шёл почти сутки. Герман забрался на верхнюю полку плацкарта 19 августа 1991 года, а сошёл с поезда днём 20 августа. Про путч он не знал. Его интересовал город, где он будет жить, а не страна. Батуев во многом напоминал Куйбышев, только не хватало Волги и дореволюционной застройки — обветшалой, но красивой. Советский промышленный миллионник. Больше, вроде, и сказать нечего.

Герман ехал в дребезжащем трамвае и рассматривал город. Рафинадные башни проспекта, породистые «Икарусы», стеклянный ящик ЦУМа, пёстрые шатры кафе на бульварах и девушки с эскимо. Здание облсовета напоминало бетонный аккумулятор. Возле театра с колоннами воздел руки памятник какому-то композитору. В перспективе улиц промелькнули сверкающий пруд с дебаркадером и зелёный ЦПКиО, над которым торчало колесо обозрения.

Тополя Батуеву были не по росту, улицы — не по размеру. За длинными оградами прятались прорехи долгостроев. Большой, но какой-то неуклюжий город застенчиво заслонялся плечами поставленных наискосок высоток. Он не умел показать себя, не умел встретить гостей, не умел развлечь хозяев.

«Коминтерн» Лихолетова гнездился во Дворце культуры «Юбилейный», по телефону Серёга называл его «Юбиль». Громоздкое трёхэтажное здание занимало центр площади и очертаниями напоминало бульдозер. Стеклянный фасад безжалостно сверкал на полуденном солнце, как нож.

В просторном фойе Герман сразу понял, что всякие там студии бального танца у «Юбиля» в прошлом. Дворец был набит «афганцами». Пахло табаком и перегаром. Среди штабелей из коробок стояли раскладушки со спящими, люди лежали на полу на матрасах. Видимо, «Юбиль» жёстко бухал всю ночь.

Второй и третий этажи выдвигались в атриум фойе балконами, оттуда звучали голоса и бренчанье гитар. Герман с чемоданом осторожно пробрался к лестнице, ступая как на поле боя между ранеными и убитыми.

На втором этаже несколько компаний продолжали пьянку.

— Земляки, где Лихолетова найти? — спросил Герман у парней, которые курили, опасно рассевшись на перилах балкона спинами в пустоту.

— На третий этаж и налево по коридору. Он у себя на «мостике».

«Мостиком» называли кабинет, который Серёга приспособил себе под жилище. Перед «мостиком» в курилке находился контрольный пост — здесь дежурила Серёгина охрана. Сейчас бойцов было четверо: Макс Дудников по прозвищу Дудоня, Жека Беглов, Темурчик — Темур Рамзаев и Витя Басунов. Они пили пиво и перекидывались в карты. На тумбе в углу видак беззвучно крутил заезженный и обесцвеченный боевик с восточными единоборствами.

— Стоять! — тормознул Германа Басунов.

Это была их первая встреча, и оба они сразу не понравились друг другу.

— Мне к Лихолетову, — пояснил Герман. — Он меня сам пригласил.

Басунов строил свой авторитет на доступе к командиру: он придумал для себя правила, по которым следует пропускать к Лихолетову, но держал эти правила в тайне даже от Серёги, однако твёрдо карал нарушителей.

— Пригласил — хорошо, — сказал Басунов и вышел из курилки в коридор, перегораживая Герману дорогу. — Постой и подожди, когда он позовёт.

— Он же не знает, что я здесь, — рассудительно заметил Герман.

— Ну, ты как-нибудь определись, приглашал тебя Сергей или нет.

Герман разглядывал Басунова. Парень тренированный и крепкий. Морда русская, приятная, только очень напряжённая и застывшая. Длинную косую чёлку, обесцвеченную по моде, Басунов культурно закладывал набок.

— Я что-то не понял прикола, — холодно сказал Герман, хотя всё понял.

— Так погуляй и подумай.

Басунов, конечно, знал, что он не прав. Но задержать человека, которого ждёт Серёга, означало поставить себя выше Серёги, а это было приятно.

— Серый! — закричал Герман, не желая отталкивать Басунова. — Серый!..

Басунов в досаде сам толкнул Германа в грудь. Герман отлетел назад и чуть не упал, взмахнув чемоданом. Охранники в курилке вскочили на ноги.

— Чего творите, хандроиды?

Серёга Лихолетов стоял в коридоре — босой, в камуфляжных штанах и в майке-тельняшке. Он был лохмат, небрит, с мощным коньячным выхлопом.

— Немец? — удивлённо спросил он. — Й-ёпс!.. Бегом сюда, боец!

Он распахнул руки и крепко облапил Германа. Герман ответил тем же.

Это был всё тот же Серёга, из тех бешеных дней у развалин Хинджа.

— Пошли ко мне, сука, — отстраняясь, восхищённо сказал Серёга. — Ну ты п-поршень ваще, я скажу! Виктор, запомни моего друга, зовут Немец, понял?

Басунов пожал плечами, не отводя взгляда. Серёга усмехнулся:

— Это, бля, такой у меня начальник охраны. Помнишь шутку: «поставьте шлагбаум или толкового подполковника»? Про тебя смехуёчек, Басунов.

Басунов молча вернулся в курилку. Он остался вполне доволен стычкой: командиру пришлось за него извиняться — значит, он нагнул командира.

Серёга завёл Германа к себе, закрыл дверь и завершил тему:

— В общем, не напрягайся из-за Виктора. Он у меня овчаркой работает.

«Мостик» был кабинетом на два окна. На подоконнике — электрочайник и подгорелая плитка. Тахта покрыта байковым одеялом в пододеяльнике, будто в купейном вагоне. Журнальный столик со стопой столовской посуды, литровая банка с букетом ложек. С полок книжного шкафа торчали обувные коробки, в которых Серёга хранил свои вещи. За шкаф был задвинут рюкзак.

Большой стол в виде буквы «Т» — такие, наверное, бывают у секретарей обкомов — загромождали грязные тарелки на газетах, стаканы и бутылки.

— Снаряды кончились... — пробурчал Серёга. — А «тигры» атакуют...

Он отыскал бутылку, в которой бултыхалось, и плеснул в стакан. Среди тарелок тихо шипел транзисторный приёмник. Серёга покрутил верньер.

— Батарейки за ночь сдохли... Как там наша контрреволюция, Немец?

— Какая?

— Да вчерашняя. ГКЧП. Путч вонюч и злоебуч. Я «Коминтерн» по тревоге поднял, то-сё, боевая готовность. «Эхо Москвы» слушали. Но раз уж собрались вместе — заодно и бухнули... «Коминтерн» за Горбачёва.

Серёга посидел, ожидая, когда опохмелка расправит его изнутри.

— Накати давай писюрик, — предложил он. — И я тебе «Юбиль» покажу.

Охрану Серёга оставил возле «мостика», но дверь на «мостик» запер. Он повёл Немца к служебному подъезду и вниз по лестнице — на первый этаж.

— «Юбиль» — весь «коминтерновский», — рассказывал он. — Считай, что я просто отжал у города Дворец. Пионерию и пенсильванию отсюда выпер.

— А куда им?

— А куда нам? Мои-то работают, а не фишки двигают. Щас тут конторы всяких фирм моих парней. Часть помещений беру в аренду, а пустующими нахаляву пользуюсь. Рядом-то с нами никто не арендует. Боятся «афганцев».

На первом этаже Серёга открыл боковую дверь и пропустил Германа в большой спортивный зал с тренажёрами в два ряда. На многих занимались.

— Наш кач, — пояснил Серёга. — Парни тягают железо, набивают банки. В «Коминтерне» есть боевое крыло. Без бойцов сейчас никуда. В городе самая борзая группировка — у Бобона, такой типа блатарь. За вокзалом поднимается группировка спортсменов. Есть черножопые, есть залётные, есть отморозки.

— У вас в Батуеве — как у нас в Тольятти на автозаводе. Это плохо.

— Не бзди. Мой «Коминтерн» всех круче, у меня армия. Бойцов спецом на убой кормим, а остальные всегда готовы к мобилизации. Все разделены на боёвки, если тревога — каждый знает своё место и своего командира.

— То-то у тебя весь «Юбиль» бухает, — поддел Герман.

— И что? — усмехнулся Серёга. — Забыл, как мы сами родину защищали?

Да, там, под Гиндукушем, они с Серёгой пили как про́клятые...

Возле пустого тренажёра, подкручивая специальным ключом какую-то блестящую гайку, стоял тренер — седеющий, благородно-красивый мужик в костюме «Адидас». Он был высокий и стройный, словно стрелок из лука.

— Ярослав Саныч Куделин, — не пожимая тренеру руки, сухо и даже слегка насмешливо представил Серёга. — Верховный начальник этого зала.

— Какой я начальник, если мне никто не подчиняется? — надтреснутым и громким голосом раздражённо ответил тренер. — Лодягин так и не пришёл противовес перетянуть! Пружину рвать он может, а ремонтирует пусть дядя?

— Саныч, я ведь уже объяснял тебе, — сдерживаясь, сказал Серёга. — Гоша Лодягин — из Штаба, он не будет в зале вверх воронкой стоять. Нехер тебе с ним меряться, кто из вас важнее. Возьми с него бабки и вызови мастера.

— Вообще нельзя так к инвентарю относиться!

— Нельзя, кто спорит? Но мозги Лодягину чинить буду я, а не ты, а ты почини тренажёр. Устроил тут кусалово из-за какой-то херни.

— Инвентарь не херня! — со скандальным раскатом заявил Куделин.

— Всё, залепили контрабасы, — отрезал Серёга. — Где Татьяна?

Тренер как-то сник, отвернулся и забрякал ключом по блестящей гайке.

— У меня в тренерской, — глухо ответил он.

Серёга прошёл в комнату тренеров, а Герман по инерции — за ним. Здесь стояли стеллажи с какими-то спортивными снарядами, шкафы с наградными кубками, стол. Девочка лет пятнадцати мыла в умывальнике стаканы. Узкие плечики, тонкая русая косичка, неяркое и нежное лицо, бледные губы.

— Здорово, Татьяна, — Серёга приобнял девчонку за талию, поцеловал в скулу и оглянулся на Германа. — Это, Немец, её батя был. Говнистый мужик — ты не обижайся, Тань, правду говорю. Разбодался с Гошей из-за тренажёра. Оба бараны, блин. Один орёт: «Зал закрою!», другой орёт: «Уволю!»

Серёга привычно потискал девочке зад. Таня словно ничего не заметила; она смотрела в раковину умывальника и вертела гранёный стакан под струёй воды. Герману эта девочка показалась холодной, надменной и равнодушной. В её недозрелости чудилась жёсткость почти несъедобного раннего яблока.

— Когда мне булки отрастишь нормальные, а, Татьяна? — ласково и по-хозяйски спросил Серёга. — Как домоешь, сходи в «Баграм», там нам чё-то испекли на вечер — возьми и принеси на «мостик». Пошли дальше, Немец.

Герман поскорее вышел из тренерской. Ему неловко было смотреть, как наглый Серёга бесстыже лапает Таню Куделину. Неужто Лихолетов имеет какие-то отношения с малолеткой? Хотя Серёге закон не писан, а малолетка, похоже, в жизни бестрепетно перешагивает через ступеньку.

Серёга и Немец пересекли спортзал, направляясь к выходу. Саныч что-то объяснял потному парню, зажатому в пыточных объятьях тренажёра, и сделал вид, что не заметил Лихолетова. Серёга понимающе усмехнулся.

— Ну, блин, скотобойня! — изумился он, когда оказался в фойе, где среди коробок отсыпались упившиеся «коминтерновцы».

Серёга бесцеремонно распихивал коробки и раскладушки, прокладывая путь от дверей спортзала к лестнице на второй этаж, и ворчал:

— Напрасно мы со Штабом созвали эту популяцию... Всё из-за путча...

— А что у тебя за Штаб?

— Я же не один руковожу. В одиночку напряг. У «Коминтерна» — Штаб. Кто за бизнес отвечает, кто за социалку, кто за финансы. Саня Завражный по властям ходит. Егор Быченко командует бойцами. Игорь Лодягин, который тренажёр сломал, — секретарь. Всех выбирают на три года. И меня тоже.

Герман не ожидал, что у Серёги так по-настоящему. Сам-то он не сумел организовать себе место под солнцем, а вот Серёга — сумел. И себе, и другим.

— Что ещё у меня? — продолжал Серёга, поднимаясь по лестнице. — Там — кафе. Было «Топаз», стало «Баграм». Типа аэродром, где все приземляются. Там — кинозал. Городские в «Юбиль» не ходят, мы сами себе кино крутим. В «Юбиле» не только работа и кач, но вообще место сбора. Парни просто так околачиваются, если делать нечего. Видак посмотреть, побазарить, бухнуть.

Серёга вывел Германа на балкон второго этажа. Здесь все компании уже слились в одну, и в толпе, кивая кудлатой головой, бил по струнам и рыдал гитарист, а ему подпевали грубые, хмельные, неумелые голоса:

— Помни, товарищ, ты Афганистан! Зарево пожарищ! Крики мусульман! Грохот автомата! Взрывы за рекой! И того солдата, что хотел домой!

Всю стену над кучей поющих «афганцев» занимала большая мозаика — крейсер «Аврора». А дальше, возле второй лестницы, располагался зимний сад Дворца культуры. Сквозь декоративные решётки ограды торчали острые листья пальм, звонко щебетали в клетках разноцветные тропические птички.

На третьем этаже Серёгу остановил высокий парень-калмык.

— Серый, сегодня же вторник, рабочий день! — с упрёком накинулся он на Серёгу. — Мне подпись твоя нужна под поручительством! Дела не ждут!

— Запомни эту суку, Немец, — сказал Серёга. — Это Каиржан Гайдаржи. Он, блядь, родину продаст и сам упакует. Между прочим, член Штаба. У него под «Коминтерном» своя контора, называется «Факел». Бизнес. Типа как всей фирмой по друзьям собирают гондоны на переплавку.

— Ты прикалываешься, а у нас всё буксует! — заулыбался Гайдаржи.

— Я тебе сказал, Каиржан, что «Коминтерн» в поручители я не запишу! Чего ты там мудишь со своим Бобоном? Чего вы там ещё скоммуниздили?

— Серый, всё чисто! — Каиржан убедительно вытаращил раскосые глаза.

— Нихера. Ищи других. «Коминтерн» вышел из ваших учредителей.

— А ещё, блядь, «афганское братство»! — вслед Серёге укорил Каиржан.

— Не гони, — надменно ответил Серёга. — У тебя подстава для «братства».

Серёга провёл Немца по коридору мимо кабинетов, где за обычными конторскими столами сидели совсем обычные женщины, и остановился возле двери с табличкой «Заубер Семён Исаевич. Директор Дворца культуры».

— Единственный, к кому я стучусь! — шёпотом сказал Серёга и культурно постучал в косяк костяшками пальцев. — Заубер — хозяин Дворца! Мозг!

Семён Исаевич оказался невысоким пожилым человечком с трагическим еврейским лицом: морщинистый и седой, но чернобровый и глазастый.

— Меня Сергей Васильевич гонит, а я всё цепляюсь, — сердечно сообщил он Герману, пожимая руку. — Видите, молодой человек, часы? — В шеренге полированных шкафов югославского гарнитура возвышалась дубовая башня с циферблатом и медным маятником величиной с тарелку. — Моё сокровище. Двойной бой!.. Куда мне его деть? Я в общежитии живу! Держу часы здесь, а сам караулю, как последняя собака. Да ещё вот монстера, — Заубер указал на огромное доисторическое растение в бочке. — Детей нет, и она мне как дочь.

— Детей нет, а внуков шестеро, — сказал Серёга. — Иди сюда, Немец.

Он подвёл Германа к окну и сдвинул штору. Внизу был внутренний двор «Юбиля», где стояли два старых автобуса с облезлыми крышами.

— «КАвЗик» — это «трахома». С первого дня у «Коминтерна». Водила — Андрюха Воронцов. А «Кубань» мы недавно купили. Знаешь, как прозвали? «Барбухайкой», — Серёга испытующе посмотрел на Германа. — Пойдёшь на «барбухайку» шоферить, Немец? Дам общагу и членство в «Коминтерне».

Герман молчал, размышляя.

— Или ты думал, что я тебя сразу в Штаб включу и квартиру выделю?

Конечно, Герман думал, что Серёга сделает предложение повыгоднее... Хотя, вообще-то, с чего? Они столько лет не виделись. Всё так изменилось...

— Серый, спасибо, — сказал Герман. — Я согласен.

Они спустились во двор и залезли в раздолбанную «Кубань». В Афгане «барбухайками» называли пассажирские грузовики с высокими кузовами. Эти чудища ездили без правил, а возили сразу и людей, и скот. Серёга сел в салоне на диванчик, достал плоскую фляжку коньяка и складные стопочки.

— Садись, — предложил он Немцу. — Дошлём патрон, мишени чешутся.

Серёга хотел, чтобы Немец понял: он получит не только работу и жильё, но и самое большое благо — возможность общения с ним, с Лихолетовым.

— Серёга, а насколько у тебя тут всё надёжно? — спросил Немец.

— В смысле?

— Ну... В Москве заваруха — и ты сразу же бойцов мобилизовал...

— А-а, это... Это херня. «Коминтерн» ведь вовсе не на бизнесе держится. Бизнес — просто потому, что при Горбачёве можно. А «Коминтерн» держится на «афганской идее». И она всегда будет работать, хоть при какой власти.

— Что за «афганская идея»? — недоверчиво спросил Герман.

— Идея, Немец, в том, что «афганец» всегда поможет «афганцу». Как там было, помнишь? Прижмут басмачи пехоту на седловине — к пацанам сразу помощь: с неба вертушки летят, по дороге бэтээры катят, из-за хребтов по бородатым «грады» работают. Все друг другу помогают, так положено.

— Ну, было, — неохотно согласился Герман. — А здесь это при чём?

В «барбухайке» пахло пылью. Серый снова разлил коньяк по стопочкам.

— «Афганская идея» — братство. В Афгане мы были братья по Союзу и на этом воевали. А в Союзе мы братья по Афгану и на этом делаем дела.

— Какие?

— Да какие обычно. Какие по закону разрешается. В основном разный бизнес: кооперативы, эспэшки, «челноки», кредиты, биржа. Ещё всякий собес и «гуманитарка». Да можно дохера всего, Немец. Тебя везде поддержат. Коммерс-«афганец» тебе всегда в долг даст, поверит, поручится. Мент-«афганец» твою жопу прикроет. Бандос-«афганец» на тебя не полезет. Любой начальник тебя выслушает, если его самого как-то Афганом задело, посоветует, познакомит с нужными людьми. Вот и работай. Зелёный свет!

— А я подумал, ты что-то вроде бригады сколотил, — признался Немец.

— Здесь, в Батуеве, многие так думают, — согласился Серёга. — Мы же не терпилы. Мы нагибаем, кого надо. Каких-то — крышуем. Ставим себя жёстко. Но не грабим и не отжимаем. Живём по закону — обычному, а не воровскому, и других тоже заставляем по закону жить. Пинком под срандель.

— Виннету — вождь апачей, — усмехнулся Герман.

— Ну, да, сын Инчу-Чуна, — Серёга весело оскалился, а потом посмотрел Немцу в глаза: — Короче, знаешь, что такое «Коминтерн»? Никому не говори, военная тайна. Это землячество по войне. Похеру, какая была война. Похеру, герой ты там был или чмордяй. Зато тебя здесь свои не кинут. Сведи в систему свои силы и «афганскую идею», и получится «Коминтерн».

— Ты сам такое придумал? — Герман был поражён Серёгиной стратегией.

— Я же в душе генерал, — самодовольно ответил Серёга.

А Немец ещё там, под Гиндукушем, понял, что он в душе — солдат.

* * *

За полтора месяца Герман не успел выучить улицы Батуева, и потому Серёга сейчас стоял у него за спиной и подсказывал:

— За гастрономом сворачивай направо. Теперь налево — до бани. Прямо.

Осень в этом году получилась какая-то ярмарочно развесёлая и свежая — наверное, потому что деревья в запущенных скверах разрослись привольно и дико. Серые стены панельных многоэтажек окрасило отсветами петушиных хвостов. Улицы переметало разноцветными фантиками палой листвы, точно затягивало в карусель. Бульвары казались пёстрыми матрёшечными рядами.

От «Юбиля» отъехала целая автоколонна с «афганцами»: «барбухайка», «трахома» и три автобуса-пазика, арендованных «Коминтерном». Колонна покатила на окраину Батуева — в Шпальный посёлок возле Сортировки.

Для Германа это было первое дело в «Коминтерне», и он волновался, как школьник: всё напоминало начало учебного года — осень, новые люди, новые темы. Автобус подбрасывало на ухабах; парни в салоне курили, материли разбитую дорогу и взвинченно гоготали. В колонках по-блатному хрипел шансон, набирающая обороты модная группа «Лесоповал», — это помогало озвереть и распоясаться. «Коминтерн» ехал избивать торгашей Шпального рынка. Силовыми акциями «афганцев» руководил Егор Быченко — Бычегор.

Город Батуев жил при железной дороге: двумя главными предприятиями были тепловозный завод и «Электротяга», комбинат силовых агрегатов. Но важнее оказалось то, что через город проходил поезд Ленинград — Улан-Батор, который в Монголии менял номер и шёл до Пекина. На рынке Батуева встречались потоки китайского ширпотреба и скандинавского секонд-хенда.

Руководства у рынка не было, люди просто приходили на пустырь за Шпальным посёлком на Сортировке и продавали шмотьё с рук поштучно или кучами. Бандюки Бобона пробовали подгрести рынок под себя, но рынок утекал сквозь пальцы. Его невозможно было контролировать: территория не огорожена, торговля мелкооптовая, а торговцев тыщи — они то являются, то не являются, постоянных мест нет, никого не отследишь и не выловишь.

Серёга придумал, как «Коминтерну» овладеть барахолкой на Шпальном. Для этого надо ввести неуправляемое торжище в устойчивые и регулярные формы. Лихолетов и Штаб определили эти формы, и далее требовалось силой загнать торговцев в подготовленный вольер. За этим сейчас и ехали бойцы.

Улица, которая вела на Шпальный посёлок, была просто бетонкой через трущобы пригорода. В районе рынка по её обочинам двумя тесными рядами выстроились легковушки. Вдали виднелись решетчатые мосты и фермы, крыши пакгаузов и багажных дворов. Вдоль длинной железнодорожной насыпи, размеренной столбами, на пустыре гомонила огромная толкучка.

Дорогу автоколонне перегородили два мощных грейдера «Кировец». «Афганцы» выбирались из автобусов на бетонку, разминали плечи и руки гимнастическими движениями. Было солнечно и прохладно. Сквозь шум базара доносились свистки локомотивов и голос диспетчера на Сортировке.

Серёга, прищуриваясь, разглядывал просторную барахолку.

— Объявляли этим чертям, что рынок закрывается, предупреждали, — и нихера их не проняло, — удовлетворённо сказал Серёга. Его радовало, что противник не покинул поля боя и не уклонился, воодушевлял масштаб дела.

Горисполком и управление железной дороги не раз пытались запретить столпотворение «на Шпальном», но «челнокам» было удобно сбывать товар неподалёку от складов, а горожанам место нравилось, и плевать на запреты.

— Вон ту халабуду видите? — Серёга обратился сразу ко всем парням.

Ближе к станции стояла сквозная трёхэтажная громада недостроенного товарного терминала: горизонтальные плоскости и колонны вместо стен.

— Говорите всем, что с завтрашнего дня рынок работает только в этом здании. Вход платный, но порядок мы гарантируем. Рэкета не будет.

Серёга Лихолетов, настойчивый и предприимчивый, выяснил, что брат замначальника Батуевского железнодорожного узла — инвалид Афганистана. Пограничник с Пянджа, командир мотоманевренной группы, в рейде он подорвался на мине и остался без ноги ниже колена. А у Серёги было что предложить таким инвалидам для ускорения жизни. И замначальника узла у себя в конторе продвинул Серёгин проект.

Дорога подписала соглашение, что недостроенный товарный терминал бесплатно передаётся «Коминтерну» в пользование на пятнадцать лет. Потом «Коминтерн» зарегистрировал на себя новое предприятие — рынок. Доходы от рынка шли на счета «Коминтерна». «Коминтерн» обретал независимость.

Заброшенный терминал «афганцы» прибрали, сколотили трапы вместо лестниц, приварили решётки вместо стен. Получился торговый центр для «челноков». Тут «Коминтерн» мог охранять своё стадо от волков и спокойно стричь шерсть. Оставалось перевести баранов на это пастбище. Но бараны не хотели уходить с прежней поляны — они просто не понимали ситуации. И Серёга решил загнать баранов палками. Так он прибирал ресурс к рукам.

— Готовы, туловища? — с презрением спросил Егор Быченко, командир «коминтерновских» боевиков. — Разбираемся по боёвкам. Руки-ноги лохам не ломать, бить только по жопам. Задача — выгнать всех, чтобы обосрались и не вернулись сюда никогда. Их место там, где приказал Лихолет, — в терминале.

Быченко бравировал армейской грубостью. Он был невысокого роста, а бодибилдингом довёл себя до того, что казался вообще кубическим: руки в толщину равнялись ногам. Все знали, что он жрёт стероиды и курит анашу. Его принимали за добродушного силача — и напрасно. Вопросы он решал упорством и силой. То, что сделано силой, он считал сделанным правильно.

— Виктор, со мной Немец останется, он ещё «черпак» в наших делах, — сказал Серёга. — А ты забирай своих волкодавов и шуруй к Бычегору.

— Понятно, к Бычегору, — повторил Басунов.

— Смотри, салабон, идём в психическую атаку. Последний день Бомбея!

Герман не мог оценить, сколько человек топчется на рынке. Он видел пространство в несколько футбольных полей, сплошь заполненное людьми. Продавцы располагались неровными шеренгами; одни стояли, другие сидели на туристических стульчиках; товар показывали с рук или раскладывали на ящиках, заменяющих прилавки. В толпе громоздились машины: фургоны с раскрытыми дверями, грузовики, торгующие из кузова, маленькие пикапы.

Герман догадывался, что на самом деле пространство барахолки чётко структурировано и поделено. В одной стороне продавали пуховики и куртки, в другой стороне — обувь; в одной зоне — аппаратуру, в другой — бельё. Места и границы были обозначены затоптанными досками, колышками, кирпичами, покрышками. Продавцы окликали покупателей, расхваливали товар, курили, помогали примерить, считали деньги, ссорились, пили чай из термосов.

Тётки в куртках и беретах, с турецким загаром и в беспалых перчатках трясли импортной синтетикой химически-ярких цветов. Интеллигентные мужчины в кепках с наушниками предлагали букинистические редкости. Бабки из деревень, в платках и телогрейках, безменами взвешивали картошку и вертели из газет кульки под семечки. Работяги в спецовках раскладывали на лоскутах замасленного брезента какие-то грязные железные узлы. Старик, дрожа от похмелья, продавал орден. Парни с ухмылками сутенёров переминались возле коробок с видаками «Сони» и блоками «Мальборо».

В гомоне и суете рынок не сразу осознал, что начинается заваруха: на дороге завыли сирены-ревуны, как при воздушной тревоге. Люди умолкали, озадаченно прислушивались — и слышали голоса, усиленные динамиками: «Рынок закрывается! Всем покинуть территорию! Торговля переносится в здание терминала!» А потом люди увидели, что от дороги в толпу двинулись высокие кабины грейдеров. И тогда скопище народа задёргалось в судорогах паники: «Это “афганцы” устроили погром! Бегите! Бегите! Они идут!»

— Боятся нас, моральных уродов, — злорадно заметил Серёга. — Как они к нам, так и мы к ним. И не жалко нихера. Да, Немец?

Герман, как и любой «афганец», знал, что их, ветеранов, часто считают калеками: их изувечили бесчеловечные порядочки армии, лживая идеология государства и безнаказанность того насилия, которое они творили в Афгане.

Дудоня и Вован Расковалов в упоении крутили рукояти ручных ревунов. Серёга, ухмыляясь, с восхищением смотрел, как грейдеры, мигая маячками и квакая клаксонами, медленно прут на народ. За рычащими грейдерами, словно автоматчики за танками, шагали бойцы Быченко: в руках у них были гибкие хлысты — велосипедные цепи, толсто обмотанные изолентой.

Толпа ошеломлённо попятилась перед грейдерами. Люди поняли, что их просто вытесняют с пустыря: грейдеры не остановятся, а «афганцы» врежут по шее, если не уберёшься отсюда. Покупатели кинулись в разные стороны, а продавцы, матерясь, принялись лихорадочно распихивать свой товар по сумкам и коробкам, сгребать в охапки.

Егор Быченко обогнал грейдер и вломился в сутолоку: левой рукой он выхватывал у торговок вещи — куртки на плечиках, джинсы на держалках — и швырял под ноги, а в правой руке у него была цепь, и он хлестал орущих тёток по круглым бокам и по широким задам и насмешливо приговаривал:

— Торгуй, где разрешают, мамаша! Торгуй, где разрешают!

Только в таких акциях Быченко ощущал, что «Коминтерн» существует и занимается нужным делом, и потому одобрял любое применение силы.

Другие парни-«афганцы», смелея, тоже лезли в толпу и махали цепями.

— Круто, блин! — признал Серёга. — Немец, пошли за нашими.

«Афганцы» гнали торговцев прочь от бетонки, хотя не имело значения, куда гнать, лишь бы сорвать с места. Страх взбудоражил всех. Люди, очумев, носились, сшибали друг друга с ног, топтали вещи. Никто не сопротивлялся погромщикам, но порой из толпы истерично выкрикивали: «Нелюди!», «Фашисты!», «Привыкли в Афгане грабить и насиловать!»

В суматохе уже сноровисто шныряли мародёры — те, кто сообразил, что под шумок можно урвать добычу. Какая-то женщина, спотыкаясь, катила по ямам велосипед. Мужчина в пальто упал на четвереньки и что-то колупал в земле. Два парня, семеня, упрямо тащили из давки коробку с телевизором. Уползали машины: на рытвинах высокие фургоны опасно раскачивались. Всё пространство было взболтано хаотичным, бессмысленным мельтешением.

— Смотри, Немец, никто не защищается, — пренебрежительно заметил Серёга. — Точно — бараны. Вон по рельсам дриснули на станцию...

Дальше всех оторвался от своих Басунов. Он уходил вперёд в одиночку, провоцируя, чтобы на него напали. Он хотел, чтобы противник был перед ним виноват — тогда сам он автоматически чувствовал себя правым.

В переполохе общей эвакуации Басунов наткнулся на парня, который собирал рассыпанные по земле грампластинки в ярких импортных конвертах. Басунов опустил берц на конверт с надписью *"Def Leppard"*. Под ботинком захрустело. Парень вскинулся: это был длинноволосый неформал с бородкой.

— Вроде блядь, а с бородой! — деланно удивился Басунов.

Музыкой он не интересовался, а доморощенных нефоров терпеть не мог. Для Басунова их понты означали, что эти сосунки присвоили право раздавать оценки, что хорошо, а что плохо, но право на такие оценки Басунов ревниво считал исключительно своим, потому что заслужил его в Афгане.

Басунов давил берцем диски — *“Scorpions”*, *“Rainbow”*, *“Deep Purple”*.

— Да вы же просто гиббон... — с тихой ненавистью сказал нефор.

Басунов стегнул его цепью поперёк плеча, чтобы сломать ключицу.

— Садист! — закричал нефор, кривясь набок. — Вы все в Афгане садисты!

Басунов тотчас размахнулся цепью, ощущая себя полностью свободным. Длинноволосый нефор кособоко бросился прочь, и Басунов ринулся за ним.

«Афганцы» зачистили уже половину территории. Грейдеры двигались, словно тралы: их огромные рубчатые колёса ломали доски и давили коробки, бульдозерные ножи сгребали ящики и покрышки, волочили грязное тряпьё. За «афганцами» оставалась просто свалка: рваная одежда, пластмассовый лом, сплющенные флаконы, мятая обувь, блестящие клочья упаковок. Среди мусора бродили потрясённые люди, что-то подбирали, отряхивали. Пожилая женщина в пальто с оторванным хлястиком сидела на земле и плакала:

— Я же... Я же их в школе читать-писать учила... А они меня бьют...

Серёга поддел ботинком и вывернул искалеченную куклу. Он понимал, что испытывают люди, которых избили, ограбили и прогнали. Эти люди привыкли иметь достоинство, их уважали на работе, их называли на «вы», — и вдруг они поняли, что они скот, для которого есть пастухи. Оскорбительно.

В Афгане он тоже прошёл через такое потрясение, когда осознал, что он — «туловище», как говорит Бычегор. Им распоряжаются командиры, как хотят; его могут принести в жертву или потерять — и никому за это ничего не будет. Он — копейка в чужом кошельке. Но ведь он смог выстоять, он вернул себе право распоряжаться своей жизнью. Пусть и другие борются.

— За Афган вас судить надо, а за это вообще расстрелять! — крикнул Серёге какой-то мужчина с детской коляской, переделанной в тележку.

А на окраине рынка Басунов всё ловил волосатого нефора. Этот пидор гибко проскакивал в суете между людей, а Басунов расшвыривал встречных. Волосатик вылетел из толпы и побежал по склону железнодорожной насыпи. Над ним медленно катился длинный грузовой состав. Басунов тоже вывернул на склон — вот уж здесь-то он быстро догонит козломордого мудака.

Нефор оглянулся, понял, что «афганец» не отстанет, и бросился выше, к поезду. Сплошная череда вагонов прерывалась просветами пустых открытых платформ; беглец подождал такую платформу и через борт ловко взобрался наверх. Он метнулся на другую сторону, соскочил вниз — и тут Басунов увидел, как за колёсной парой по шпалам кубарем прокрутились руки-ноги. Крик, если он и прозвучал, затерялся в стуке и лязге состава.

Басунов остановился, тяжело дыша. Поезд долго тянулся мимо него.

Последний вагон унёсся вдаль. Басунов поднялся на рельсы, закурил и пошагал туда, где на смоляных шпалах и на гравии темнели мокрые пятна.

Длинноволосый нефор лежал под насыпью в неглубокой дренажной канаве, полной жёлтых листьев.

Жёлтых — и ещё красных, блестящих, будто бы кленовых или рябиновых, хотя за насыпью всеми веточками трепетала берёзовая лесополоса. Парень был жив: он тихо стонал и ворочался, утопая в осеннем опаде, и от его движений багряных листьев становилось больше.

Басунов не стал спускаться и выяснять, чего там беглецу сломало-порвало-отрезало. Он молча смотрел сверху, не испытывая ни жалости, ни злорадства, ни удовлетворения. В душе была только брезгливость, да ещё где-то в самой глубине чуть пульсировала тоненькая жилка страха. Басунов видел кровь в Афгане, но там кровь пугала его почему-то куда больше. Он щелчком отбросил окурок и пошагал прочь. Никто не заметил, как он гнался за этим мокрожопиком, никто не видел его тут, на рельсах. Ну и всё.

А территория рынка уже обезлюдела: разбежались почти все, кроме самых пострадавших, которые, отупев, бродили как на пепелище. Грейдеры разворачивались. «Афганцы» возвращались к своим автобусам и оживлённо обсуждали трофеи: кто-то разжился фотоаппаратом, кто-то — утюгом, кто-то — блоком сигарет. Серёга тоже поднял какую-то книгу и глянул на разворот.

— Слушай, Немец, прямо про нас стихи, — усмехнулся он: — «Захватили золота без счёта, груду аксамитов и шелков, вымостили топкие болота епанчами красными врагов». Что за хрень — аксамиты, епанчи?

— Не знаю, — Герман оглядывал захламленный пустырь, парней, машины на бетонке. — Думаешь, торговцы сюда вернутся после нашего погрома?

— Сто пудов, — Серёга бросил книжку в кучу мусора. — Куда денутся? И вернутся, и торговать в терминал залезут. На рынке гордых нету, Немец.

— А зачем «Коминтерну» рынок?

Холодное солнце летело в небе над пустырём, словно безгрешный ангел.

— Я чую, Немец, что будет война. У меня на всё такое нюх с Афгана. И мне нужна база. Чтобы я достроил свою экономику и не боялся подставы.

— Что у тебя за экономика, Серый? — осторожно спросил Герман.

— Четверть дохода — доля командира и Штаба. Четверть на «Коминтерн»: транспорт, зарплаты работникам, аренда. Четверть — социалка: матпомощь, пенсии инвалидам, оплата лечения и учёбы, займы. Это чтобы на выборах парни меня и выбирали командиром. А четверть — на развитие бизнеса. Такой расклад, Немец, я сам в Уставе «Коминтерна» прописал. Читать надо.

— А я думал, что ты... ну, за идею... — смущённо замялся Герман.

— Работаю я за деньги. Но если меня посадят или убьют — то за идею.

* * *

После восьмого класса Таня ушла из школы и поступила в училище на парикмахера. Вскоре девчонки в учаге пронюхали, что Танька Куделина из группы один-двенадцать — любовница Сергея Лихолетова. Это аукнулось Танюше в конце октября, когда «афганцы» захватили Шпальный рынок.

В группе один-двенадцать лидером сразу стала Неля Ныркова — мелкая нахалка с пышным хвостом и светлыми, широко расставленными глазами. В её свите всегда ходили три-четыре подруги — крупные и простоватые девахи. С этими кобылами Нелька подкараулила Таню в гардеробе учаги, запихала в дальний угол за вешалки с куртками и заявила:

— Ты мне денег должна, шалава, поняла?

— Почему? — пролепетала Танюша.

— Потому что у меня мамка на Шпальном рынке торговала, а ей товар испортили, целую партию! Твоего Лихолетова «афганцы» были!

Конечно, материны неприятности на рынке для Нельки Нырковой были только предлогом, чтобы прощупать Таньку Куделину на сопротивление.

— А сколько мне отдать? — наивно и жалко спросила Танюша.

— Всё, сколько есть.

Деньги на обеды в столовой и на карманные расходы Тане выдавал Серёга. Нелька смело обшарила Танюшу и заодно полапала за грудь — проверила, что в Куделиной интересного для такого опытного мужика, как Лихолетов. Вытащив Танюшин кошелёк, Нелька забрала деньги, зыркнула своим девахам — «Потом поделим!» — и сунула добычу себе в сумку.

— Она в лифон чего-то напихивает, чтобы сиськи были, — презрительно сообщила Нелька фигуристым подругам, и те засмеялись.

Нелька толкнула Танюшу в плечо:

— Теперь каждый день всё будешь отдавать мне, овца.

Танюша никого не могла попросить о помощи. Родители отвернулись от неё, друзей не имелось, а за жалобы преподавателям в учаге избивали как за стукачество. Разумеется, был Серёга, Сергей Васильевич, но Таня робела отвлекать его по пустякам, а себя она считала пустяком.

Она покорно отдавала деньги Нырковой и её подругам, которые ловко выцепляли Танюшу то в туалете, то в каком-нибудь глухом коридоре, а сама оставалась без обеда и ходила в учагу пешком. Она пыталась прятаться от своих обидчиц, но у неё не получалось: её всегда отыскивали.

Неля Ныркова преследовала Танюшу Куделину не из-за денег, просто Танюша собою опровергала Нелькину картину мира. Нелька считала, что она очень умная, красивая и горячая — ну, будет такой, когда начнёт встречаться с парнем. И парень у неё должен быть лучше всех. Самый крутой парень у самой крутой девчонки. Самым крутым парнем в Железнодорожном районе был Лихолетов. Но что он нашёл в Куделиной, в овце? Неля ревновала Таню, хотя ни разу не видела Серёгу вблизи. Прессануть Таньку — значит, дерзко потребовать у судьбы, олицетворённой Серёгой: объясни, почему так!

Ныркова грабила Таню две недели, а результата не было. Тогда Нелька велела подругам побить Куделину. Три здоровые девки заперли Танюшу в кабинете и неумело, но сильно поколотили. Таня сидела на полу между парт и плакала. Нелька вытащила деньги из её кошелька и разрешила подругам:

— Берите у неё чего хотите.

Разрешение соблазнило лишь Анжелку Граховскую — красивую девицу, по-женски созревшую раньше возраста. Анжелка опустилась на корточки и принялась спокойно копаться в вещах Танюши. Она отложила в сторону пакетик с жевательными резинками, косметичку Тани и какой-то журнал, расстегнула пенал из кожзаменителя и вытащила цветные шариковые ручки.

— Ты чего совсем-то крысятничаешь? — удивилась Нелька.

— Если дают, надо брать, — рассудительно ответила Анжелка.

— А нас её мужик не убьёт? — боязливо спросила другая девица.

— Иди, расскажи муженьку своему! — крикнула Нелька и пнула учебник Танюши, валяющийся на полу. — Если он настоящий мужик, ничего он девчонкам не сделает! — Нелька схватила Танюшу за волосы и дёрнула.

В этот день группа один-двенадцать занималась физкультурой. Девочки бегали вокруг стадиона с тыльной стороны училища. Побитая Таня, которая и так две недели не обедала, одолела два круга, потом сошла с дорожки, села на лавочку и повалилась, потеряв сознание. Её унесли в медпункт.

Медсестра привела её в чувство нашатырём, напоила горячим сладким чаем, расспросила и отослала домой, а сама направилась к завучу.

— Девочка недоедает, — сказала она. — Обморок от анемии.

— Безобразие! — возмутилась завуч. — Буду звонить родителям!

— Не советую, Анна Ивановна, — сказала медсестра. — Зачем вам опасные конфликты? Эта девочка живёт не с родителями, а с Сергеем Лихолетовым, который командир у группировки «афганцев» во Дворце культуры.

— Я не поняла, Наденька...

— Эта девочка — любовница Лихолетова. Считайте, что как жена.

— К-какой кошмар!.. — охнула завуч. — В пятнадцать лет?

Медсестра Надя пожала плечами. Она видела в учаге пьяных девочек, изнасилованных, обдолбанных, беременных. А тут подумаешь — любовница.

— Что случилось с нами, Наденька? — спросила завуч. — Ещё пять лет назад всё было нормально!..

А сейчас? Подростки курят и пьют, прогуливают занятия, на преподавателей ругаются матом!.. Родителей не дозваться!..

— Я пойду, у меня медпункт не заперт, — ответила медсестра.

В тот же день вечером Таня, как обычно, делала Серёге массаж. Серёга лежал на тахте, на животе, голый по пояс, а Танюша в спортивном костюме сидела верхом на его заднице и старательно мяла ему спину. Серёга млел.

— Может, надо было тебя на массажиста отдать, а не на парикмахера? — прокряхтел он. — Стрижёшь-то раз в две недели, а массаж — каждый день...

Массажировать по-настоящему Танюша не умела, но этого Серёга и не требовал: достаточно было, чтобы ему просто пошевелили мышцы.

Днём Серёге позвонила завуч из училища; она вежливо рассказала про недоедание и обморок Тани и попросила «обратить внимание». Серёга тотчас же поговорил с Танюшей и рассердился: зачем она молчала про этих сучек?

— Чучундра ты глупая, Татьяна! Обо всех таких вещах ты должна сразу сообщать мне! Это ведь не шутки, это предъявы! Кто тебя обижает, тот меня обижает, а я не терпила и наездов не прощаю. Поняла меня?

— Поняла, — тихо ответила Таня.

Жизнь Тани для Серёги была чем-то очень милым, тёплым и чистым — каким-то детским садом. Серёга не принимал всерьёз того, что волновало Танюшу, не придавал значения её отношениям с девочками из группы и её успехам в учёбе, его не интересовали Танюшины впечатления от кино или от историй с подружками, от ситуаций и случаев её повседневности.

Серёга был убеждён, что по-настоящему у Танюши нет ничего, кроме него; это ему и нравилось. Таня казалась Серёге личной принадлежностью, причём такой рискованной, что не всякий крутой мужик решится обладать чем-то подобным — несовершеннолетней девочкой в собственности. Танюша была Серёгиным вызовом всему свету.

— А вы меня любите, Сергей Васильевич? — робко спросила Таня.

При важных или напряжённых разговорах она не могла говорить по-домашнему «Серёжа» и начинала называть Лихолетова по имени-отчеству.

— Конечно, — уверенно ответил Серёга. — Странный вопрос, Татьяна.

На массаже он любил расслабленно порассуждать о своих принципах и убеждениях. Он считал, что Таня ничего не поймёт и никому не разболтает.

— Ко мне сейчас знаешь как ищут подхода? Куча контор к рынку хочет пристроиться, на биржу зайти. У дверей с подарками караулят. Я уже охрану нанял. Всё, блин, набрал силу. Понятно, всякие жучилы засуетились вокруг. Так что, Татьяна, доступ ко мне — это, блин, большая ценность. Кого попало я не подпущу. Если кому-то разрешаю быть рядом, значит, это мой человек, надёжный. У меня сейчас только один вид хорошего отношения — позволять другим делать мне хорошо. Кому позволяю, того, значит, блин, и люблю.

Танюша массировала тренированные плечи Лихолетова и пыталась определиться, кто она для этого самоуверенного и опасного мужчины. Да, Сергей Васильевич не обидит её, любит её, но ведь и кошек домашних тоже любят и не обижают. Сергей Васильевич старше её на шестнадцать лет; он командует не только ею, но даже её отцом. Он вообще всеми командует. У него все — солдаты. И Танюша так поняла свою роль: она — служанка Сергея Васильевича. Она исполняет свои обязанности, а он её защищает. После тех страданий, которые Танюша претерпела из-за побега из дома, ей стало казаться, что защита важнее всего. Пусть без любви, лишь бы не больно.

— А вы не поменяете меня на другую девушку? — осторожно, чтобы не рассердить Серёгу, спросила Танюша о своём главном страхе.

— Не боись, — покровительственно сказал Серёга. — Не поменяю.

В ближайшие два-три года этого точно не случится, а дальше Серёга и не заглядывал. С Танюшей ему было хорошо. Таня тешила его самолюбие. За неё он и вправду хоть кому порвал бы глотку. С Таней Серёга был не пацан.

Пацаны бегали, суетились и клеили тёлок. Пацаны понтовались, у кого больше баб. А настоящие мужики не мерялись бабами — не потому что имели много баб, а потому что баб никто уже не считал. Настоящие мужики ценили настоящих женщин, точнее, настоящую женственность. И эта женственность вполне могла воплощаться в одной-единственной женщине. А в Тане Серёга нашёл даже больше, чем женственность. У Танюши было то, чего не было у других девиц, которые вились вокруг него, — превосходство в молодости. Но это ещё полдела. Серёга учуял в Тане тонкий горький вкус: не зная, как это назвать, он угадал непреходящее девичество будущей Вечной Невесты.

Серёга не знал, как ему укоротить обидчиц Танюши. Расстрелять их, что ли? Серёга решил просто показать себя этим злым девкам: увидев, какой он правильный и хороший мужик, девки полюбят его и прекратят изводить его подругу. Серёга не сомневался, что на всех он производит сильное впечатление, и возможность дружить с ним — это крепкая мотивация.

По делам ветеранов Афгана Серёга был знаком с Иваном Даниловичем Чубаловым, полковником в отставке; знакомство переросло в приятельство. Иван Данилович с женой жил за городом, где у него была настоящая усадьба: он управлял охотхозяйством «Крушинники». При казённой работе Чубалов устроил много полезных собственных заведений, в том числе и конюшню.

Серёга предложил девчонкам, обидчицам Тани, в воскресенье поехать с ним и с Танюшей за город — пожарить шашлыки и покататься на лошадях. Дело было в конце ноября, на первые прочные снега. Ранним утром Герман и Серёга во дворе «Юбиля» загрузили в «барбухайку» тяжёлую коробку с продуктами и бутылками, посадили в салон Танюшу и покатили к учаге. У запертых ворот их поджидали девочки, одетые в тёплые пуховики и куртки, — Нелька Ныркова, главная злодейка, и с ней Анжелка, Лена и Наташка.

В городе неспешно светало, сумрачный рассвет словно снимал упаковку с улиц и перекрёстков. Герман вёл «барбухайку» к выезду: с той стороны в небе синели промоины. Ветер обдувал лобовое стекло снежной пылью.

— Я закурю тут? — дерзко спросила Нелька у Серёги.

— В трамвае ты тоже куришь? — поинтересовался Серёга.

— Я же видала, у вас всегда все парни прямо здесь курят.

Нелька закурила, неловко держа сигарету меж растопыренных пальцев. Она поняла, что её позвали пободаться за Танюшу с Лихолетовым — у кого гонора больше. Танюша смотрела в окно, девчонки притихли, и в полумраке салона Нелька осталась как бы лицом к лицу с Серёгой. Серёга улыбался. Он почувствовал, что контакт с этой хулиганкой установлен, надо дожимать.

«Барбухайка» выбралась за город, где просторно белели заброшенные поля, а на плоских, почти незаметных холмах стоял запорошенный лес. Снег, ещё пухлый, лёгкий и воздушный, таял от малейшего прикосновения — заяц проскачет или упадёт шишка. Автобус оставлял на дороге чёрные следы.

Для пикников в «Крушинниках» была выделена поляна, где Чубалов соорудил очаг и деревянную беседку со столом. Герман занялся ржавым мангалом, Серёга и Нелька надевали мясо на шампуры, девочки накрывали на стол. Танюша одна сидела в автобусе, из которого гремела музыка.

— А где лошади? — задирала Серёгу Нелька. — На шашлык пошли?

Девочки в беседке выглядели разноцветно и весело. Они суетились, смеялись и галдели, доставая из картонной коробки припасы для застолья. Анжелка Граховская внимательно разглядывала продукты. В магазинах нет ничего, а тут — колбаса, рыба, сыр, конфеты. Анжелка спокойно рассовала по карманам пуховика несколько консервных банок и упаковок с нарезкой.

Ворочая угли в железном ящике мангала, Герман поглядывал на Таню. Она вроде бы даже и не скучала в одиночестве. Герман подумал, что Таня слишком рано узнала, каковы мужчины, и теперь тихо презирает обыденную жизнь и обычных людей: для неё всё стало мелким и понятным. Интересны ей только герои вроде Серёги Лихолетова. Хотя почему это Танюша узнала мужчин «слишком рано»? Вон девки — уже бабёшки, и тоже небось в курсе, чего надо мужикам, однако не замыкаются в надменном отчуждении...

А Таня просто не знала, что ей делать. Девочки не были ей подругами, и возиться с ними у стола Танюша не хотела. Сергей разговаривал с Нырковой както слишком увлечённо, и Танюше от этого было очень-очень грустно. Она просто ждала, когда всё начнётся, а потом закончится, и они уедут.

— И зачем вам всё это надо? — негромко спросила Серёгу Нелька.

Её волновала близость Лихолетова, такого сильного и знаменитого человека. Нельке бессознательно хотелось как-то завязаться с Серёгой.

— Желаю, чтобы вы не третировали Татьяну, — ответил Серёга.

— Танька ваша — овца, — с превосходством сказала Нелька, подразумевая, что она-то, Нелька, не овца: вот на кого надо было обращать внимание.

— Не всем же быть командирами. Скромные девушки тоже хорошие.

— Кому как. Скажите честно, что любите её, да и всё.

— Говорю, — весело подтвердил Серёга: дескать, понимай как хочешь.

— Вам не такая девушка нужна, — уверенно и с вызовом заявила Нелька.

— А какая? — подыграл Серёга.

— Чего вы придуриваетесь-то! — разозлилась Нелька. — Сами знаете!

— Типа тебя, что ли? — лукаво спросил Серёга. Он видел, что понравился этой дикарке, и был доволен, что правильно рассчитал отношения.

— Да нафига мне-то с вами? — сразу отступая, бурно возмутилась Нелька Ныркова и покраснела. — У меня свой парень есть!

Нельке очень польстило внимание Лихолетова, даже окатило жаром, когда она представила, что крутой командир «афганцев» — её парень.

— Жаль, — сказал Серёга, продолжая расколупывать Нельку.

— А чё вам-то жаль?

— Жаль, и всё, — Серёга многозначительно пожал плечами. Он заронил в сердце Нельки семена надежды, и на этом пока следовало остановиться. — Но учти, красавица, если вы будете гнобить Татьяну, я её просто заберу из учаги.

Получалось, если Нелька на что-то надеется с Лихолетовым, то ей нужно отцепиться от Таньки, а то Серёга переведёт Таньку в другую учагу, и Нелька его больше не увидит. Нелька и не поняла, как ловко её усмирили.

— Пойдём шашлыки жарить, — позвал Нельку Серёга.

Распогодилось. Влажное небо синело ярко и густо; казалось, что сверху вот-вот закапает краска. Облака с сизыми утробами будто напились воды и грузно зависли, не в силах двигаться. Белый лес вокруг поляны от снега был толстолапым и толстопалым, как перебинтованный; деревья растопырили острые локти, многосуставные ветви застыли в странной жестикуляции. В воздухе плавали крохотные искры. В перспективе дороги виднелись дальние пространства, неравномерно захлёстанные малярными полосами извёстки.

Серёга и Нелька пожарили шашлыки, все расселись в беседке. Серёга и девочки пили красное вино, разговаривали, смеялись. Герман держался в стороне — ему нельзя пить, он за рулём, да и не его компания, и Танюша тоже старалась быть незаметной. А потом на поляну выехали всадники.

Их было трое — сам Иван Данилович, его жена Виктория и сын Володя. В поводу Виктория вела ещё одну лошадь. На фоне снежного леса всадники выглядели очень эффектно: берцы, зимний камуфляж, белые свитера и кепи. Чубаловы двигались в ряд, чтобы гости оценили мастерство и стиль.

Ивану Даниловичу, полковнику в отставке, было за пятьдесят. В Афгане под Кундузом он командовал танковым батальоном и получил орден; дома, в Батуеве, он устроился на редкость благополучно: его назначили заведующим охотобазой «Крушинники», которая обслуживала обкомовское начальство. Чубалов с семьёй переехал в усадьбу при базе. Пользуясь дружбой с боссами, он завёл конюшню и собачий питомник и арендовал закрытый пионерлагерь, где собирался организовать тренировочную базу для частных охранников.

Вообще-то Иван Данилович жил на милости у начальства, но выглядел настоящим мужчиной. Он коллекционировал ножи и упражнялся в стрельбе, любил верховую езду и купался после бани в проруби, читал жизнеописания полководцев и умело выпивал, никогда не перебирая норму. В Лихолетове Чубалов сразу узнал будущего генерала и ценил Серёгу за «воинский дух».

— Здорово, Лихолет, — возле беседки Чубалов спрыгнул с коня, шагнул к Серёге и протянул увесистую и твёрдую ладонь.

— Здорово, Данилыч.

— Добрый день, девочки, — музыкально сказала с седла Виктория.

Это была красивая, ухоженная и моложавая женщина лет под сорок. Она приветливо улыбалась. Сразу было понятно, что она довольна своей жизнью: любима, желанна, хороша собой, здорова. Муж — воин, сын — юноша, друзья мужа — молодые герои. Живёт по-дворянски: усадьба за городом, камин в гостиной, верховая езда. Девочки во все глаза смотрели на такую необычную семью. Виктория заинтересовала их даже больше юноши Володи.

— Кто умеет ездить на лошади? — спешиваясь, спросила Виктория.

Никто не умел. Девочки обступили лошадей и рассматривали их морды, упряжь. Городские девчонки чаще, чем лошадей, видели слонов и тигров.

— Можете ей сахар дать, вот вам кусочек, — предложил Нельке Володя.

— А как её зовут? — с благоговением спросила Нелька.

— Клеопатра, — Володя незаметно оглядел Нельку. — Попросту — Клёпа.

Володя сразу настроился с этими девочками вести себя как рыцарь.

— Я кататься не поеду, — вдруг заявила Анжелка. — Я их боюсь.

— Это прекрасные животные, — обворожительно улыбнулась Виктория.

— Не поеду, — повторила Анжелка, повернулась и пошла к автобусу.

На самом деле она сунула во внутренний карман пуховика украденную бутылку вина и опасалась, что бутылка выпадет, когда она полезет на седло.

— Я тоже боюсь, — тихо сказала Серёге Таня.

— Ничего-ничего, — Серёга ободряюще похлопал Танюшу по заду, чтобы это видел Чубалов. Серёге было любопытно, как Чубалов отнесётся к Тане.

— Трусишки вы, девочки, — сказала Виктория. — Тогда получается, что три лошади — три наездницы. А Володя будет вас сопровождать.

— Я по среднему маршруту их провезу, мама, — предупредил Володя.

— А мы тут подождём, — добавил Серёга.

— Кто не умеет со стремени в седло садиться, можно с ограды беседки, — подсказал Володя. — Мама, подведи им лошадей, пожалуйста.

Лена и Наташка полезли на ограду беседки, держась за столбики, а Виктория подвела им сначала свою лошадь, потом — лошадь мужа.

— Подсадишь меня? — хрипло спросила у Серёги Нелька.

Она хотела, чтобы Серёга потрогал её руками. Серёга подсадил Нельку за талию, а потом и придержал за бедро. Нелька гордо отвернулась.

— Ну всё, Володя, они готовы, с богом, — отступая, сказала Виктория и дружелюбно посоветовала: — Девочки, слушайтесь Володю, он опытный.

Она поцеловала пальцы и перекрестила сначала сына, а потом всех его спутниц вместе. Она вправду не ревновала к юности девочек. У неё-то было всё, чего уже желают, но ещё не имеют эти девочки, и даже мальчик был — собственный сын. Четыре всадника медленно поехали от беседки к лесу.

Возле беседки остались Серёга, Танюша, Иван Данилович и Виктория. Герман и Анжелка сидели в автобусе; Герман читал газету, Анжелка грызла яблоко и думала: в одиночку ей выпить добытое вино или позвать подруг?

— Приятно познакомиться, Вика, — сказал Серёга. — А это Татьяна.

Виктория улыбнулась. У неё были сочные вишнёвые губы.

— Где наловил таких селёдок? — усмехнулся Чубалов и кивнул на дорогу.

— Подруги Татьяны из училища.

Они стояли и смотрели на лес, будто связанный из чистой белой шерсти, смотрели на яркий небосвод, словно разомкнутый к югу, где в стеклянном свечении растворилось дистиллированное ноябрьское солнце.

— Холодно сегодня, — Чубалов поднял ворот бушлата.

Серёга, наоборот, расстегнул куртку на груди и сунул руки в карманы.

— А не перебраться ли нам к тебе, Данилыч? — спросил он. — Разожжём камин, согреем глинтвейн. Ты меня в баню зазывал. Твоя Вика мою Татьяну поучит, как надо мужика парить, — Серёга прищурился на далёких всадников. — Потом твоей настоечки дёрнем, я балык взял. Утром меня заберут. Дело?

Серёга, ухмыляясь, поглядел на Чубалова.

— Нормальный план, Лихолет, — не дрогнув, ответил Иван Данилович.

— Не возражаешь, Виктория?

— Мой долг — повиноваться мужчинам! — умело сыграла Виктория.

— Тогда девчонок ждать не будем, — сразу решил Серёга. — Прогуляемся до «Крушинников» пешочком. Коней ваш Володька пригонит, а девок Немец в город увезёт. Татьяна, двигаем шмотки скидать.

Приобняв Танюшу, Серёга повёл её к «барбухайке».

— Серёжа, а почему Ныркова с тобой на «ты»? — тихо спросила Танюша. Она неотступно думала об этом и напугала себя, что Серёга бросит её.

— Какая Ныркова? — удивился Серёга. — А-а!.. Татьяна, не клюй мозг.

Виктория повернулась так, чтобы из автобуса не было видно её лица.

— Иван, это же чудовищно! — гневно, но негромко сказала она. — Подруга Лихолетова — совсем девочка. Лихолетов совершает уголовное преступление!

— На войне мы убивали, так что все мы уголовники, — буркнул Чубалов.

— Извини, это разные вещи. Твой Сергей — человек без ограничений.

— Такие парни первыми с брони спрыгивали, — хмуро ответил Чубалов.

— Ваня, тут не встреча однополчан, — сердито зашептала Виктория. — Он идёт в наш дом! У нас Володя — ровесник лихолетовской подруги. Я не хочу, чтобы он видел, как девочка его возраста пьёт вино и ложится в постель с мужчиной... Мы же воспитываем Володю для совсем других отношений!

— Я сказал, Лихолет — гость, значит, гость! Володька пусть у себя сидит!

— Но я сама не хочу идти в баню с этой девочкой, раздеваться перед ней, вести себя так, будто она мне ровня!.. Ваня, отмени всё. Я прошу тебя.

Иван Данилович, конечно, мог отказать Лихолетову в гостеприимстве, но знал, какой вывод сделает Серёга. Он скажет: Чубаловым командует жена.

— Замолчи, Виктория! — отрезал Чубалов. — Мужик решает, а не баба!

Он грубил, потому что аргументов уже не было, и Виктория обиделась.

В это время в «барбухайке» Серёга договаривался с Немцем.

— По-моему, тебе не рады, — заметил Герман, глядя в окно на Чубаловых.

— Есть такое, — ухмыльнулся Серёга. — Ничего, прогнутся.

Серёге нравилось, чтобы ради него поступались принципами и смиряли гордыню. Значит, общение с ним для людей ценнее всего прочего и люди согласны принимать его правила. А по его правилам побеждал всегда он.

— Зачем ты так напрягаешь своих же? — осуждающе спросил Герман.

В салоне «барбухайки» Анжелка флегматично курила, ожидая, когда вернутся девчонки. Танюша собирала рюкзачок. Серёга смотрел в зеркальце заднего вида и пальцем ерошил свои щетинистые усишки.

— Ты ведь меня знаешь, Немец, — самодовольно сказал он. — У меня нету решки для своих. У меня на обе стороны орёл.

Глава вторая

Ярослав Саныч Куделин и не заметил, как в его жизни всё изменилось.

Он был мастером спорта по лёгкой атлетике. У него не получилось стать призёром или рекордсменом, зато на тренерскую работу его взяли в сборную области. Куделин вволю наездился по Союзу на соревнования и первенства и в 1984 году перешёл работать начальником спортзала во Дворец культуры «Юбилейный». Он говорил всем, что устал от поездок, а на самом деле его запилила жена.

В «Юбилейном» Куделину понравилось. Его зал был укомплектован новыми тренажёрами, и в городе Дворец ценили за профессиональное и дефицитное в СССР оборудование. Яр-Саныч был полновластным хозяином, под его руководством работали восемь тренеров от гороно и спортобществ и Ваня Боков, инструктор зала. В секции «Юбиля» набирали только лучших пацанов. И Яр-Саныча все считали волевым и жёстким мужиком, офицером спорта. Он и вправду производил впечатление человека требовательного: подтянутый, моложавый и строгий — как белогвардеец из кино. Держался он прямо и красиво, говорил сдержанно. Он чувствовал себя очень уверенно.

Но в перестройку жизнь в городе стала разваливаться. Осмелев, в зал к Яр-Санычу принялась таскаться всякая гопота, приезжали и прицениваются бандиты. Залу требовалась надёжная защита. И поначалу Куделину казалось: хорошо, что «Юбиль» отжимают «афганцы». Солдаты, пусть и бывшие, — это армия, а где армия — там, думал Ярослав Саныч, дисциплина и порядок.

«Коминтерн» вышиб шпану и прочую шушеру. А потом вытеснил из «Юбиля» детские клубы и разную самодеятельность, прикрыл киносеансы и праздники. В бывших изостудиях и танцклассах разместились конторы «афганских» кооперативов. По всему Дворцу теперь слонялись «афганцы», курили, матерились, бездельничали в ожидании приказов своих командиров.

Яр-Саныча потряс такой поворот. Яр-Саныч перестал ходить в спортзал через фойе Дворца, чтобы не видеть «афганцев»: он открыл прежде запертый отдельный подъезд на боковой стороне здания. На работе Куделин сделался раздражительным: устраивал выволочки инструктору Ване, придирался к тренерам, наказывал пацанов из спортсекций. Это объяснялось не тем, что люди работали плохо; Яр-Саныч психовал, потому что сдавал позиции.

При «Коминтерне» секции начали терять воспитанников: родители не пускали пацанов в зал, где хозяйничали страшные «афганцы», и тем более не пускали девчонок на аэробику, которую проводили в зале на баскетбольной площадке. Финансирование сокращалось. Тренеры увольнялись. Спортотдел «Юбиля» могли бы совсем закрыть, но выручал хороший парк тренажёров.

В конце концов город отвернулся от «Юбиля». У Яр-Саныча остались только те, кто имел какое-то отношение к «Коминтерну»: сами «афганцы», их приятели и младшие братья. Но этим парням плевать было на графики тренировок, на режимы питания и системы нагрузок. Они тягали железо просто так, от нечего делать; они курили в зале и выпивали в раздевалке.

Потом подал на расчёт инструктор зала Ваня Боков. Однажды он попытался согнать с тренажёра Быченко, потому что Егор под свою силу цеплял на стальные тросики грузы сверх всякой меры, и Бычегор врезал Ване в челюсть. Ваня не решился искать правды, а Яр-Саныч пошёл к Лихолетову.

— У меня спорт, а твои вахлаки превратили спортзал в кабак! — заявил он. — Инструктору челюсть сломали! Кто теперь будет за него работать?

— Ты, — ответил Серёга. — Саныч, спорт — на Олимпиаде, а у меня парни ходят отдыхать. Держи инвентарь в исправности, это теперь твоя работа.

— Я тренер! — крикнул Яр-Саныч ломким голосом. — Я не ремонтник!

— Чего залупаешься? — удивился Серёга. — Ты тренер? Шуруй тогда на стадион. Только там щас тачками торгуют. Твою ставку вообще сократили, я тебе плачу из кассы «Коминтерна». Ладно бы, Саныч, ты был бодибилдер или борец какой-нибудь, чёрный пояс — пятый дан. А ты, блядь, лёгкоатлет — бегун, прыгун, метатель мячика. Ну и не ори, а сделай пацанам красиво.

Яр-Саныч снова был потрясён. Он считал себя командиром, а ему дали должность обслуги. Но вариантов не имелось, и Куделин смирился. Бороться с решением Серёги, отстаивая своё достоинство, Яр-Саныч не пожелал. Для сохранения достоинства ему легче было просто пребывать в раздражении.

— Это новые времена, — сочувственно сказал ему Заубер, наливая рюмку «Слънчев бряга». — Надо принять. Берегите нервы.

Впрочем, дома у Яр-Саныча уже давно творилось примерно то же самое, что и на работе. С Галиной, женой, он старался держать себя как с тренерами, но Галина никогда не признавала его руководства. Причин тому не было. Он не пил, не распускал рук, зарабатывал прилично, однако Галина по какому-то непробиваемому бабьему убеждению считала себя умнее и оборотистее мужа. Она работала закройщицей в ателье.

В перестройку её позвали в какой-то швейный кооператив, и здесь она вдруг начала получать хорошие деньги. Не бог весть что, конечно, но раза в два больше, чем Яр-Саныч. И муж с его тренировками и тренажёрами теперь казался ей неприспособленным дурнем. Победа бабских тряпок над мужской силой стала очередным потрясением для Яр-Саныча. Жизнь для него вообще превратилась в серию апперкотов, сокрушающих прежнюю картину мира.

Надеждой семьи была старшая дочь Ирка, которая училась в институте. У Галины болели колени, и она часто брала заказы на дом, а Ирка гоняла по указаниям матери. Рыская туда-сюда, она расчухала, что почём, и бросила институт: дело при матери было выгоднее учёбы. Яр-Саныч ругался и топал ногами, но жена и дочь его уже не слышали. Какое ещё образование, какие лекции и семинары? Работа — лучший семинар. Надо уметь вертеться. Сидеть на одном месте — геморрой высидишь. Отец отстал от жизни.

Ирка легко втянулась в коммерцию, быстро обнаглела и привела домой парня — какого-то Русланчика, мелкого управленца-побегушника с комбината «Электротяга». Куделины жили в тесной «двушке». Ирка и Танька, дочери, занимали маленькую, но отдельную комнату, а родители — большую, но проходную. Ирка выселила младшую сестру к родителям, а Русланчик без смущения врезал замок в дверь Иркиной комнаты и поселился у Куделиных.

Этот Русланчик в доме вёл себя совершенно свободно, и Яр-Саныч его возненавидел. Вот поганец! Взял и въехал на чужую жилплощадь! Ни ордера, ни прописки! Живёт с девкой без загса прямо при родителях! Делает всё, как хочет, и всегда тихонечко улыбается — загадочно так, уклончиво, дескать, пока что он не имеет права объяснить, почему все должны ему всё отдать! Куделин привык, что его уважают и считают человеком, умело устроившим свою жизнь, а теперь выясняется, что молодые наглецы легко сдвигают его с дороги. Он ничего не может понять и принять, а поэтому бессилен.

Яр-Саныч ворчал, брюзжал и еле сдерживался, чтобы не взорваться. Его все раздражали, однако никто не обращал внимания на его чувства. Галину заботили многочисленные дела, заказ-наряды и счёт-фактуры, фасоны и шаблоны, поставки и приёмки; супруг Галине не требовался, а зять не мешал. Ирка была довольна, что имеет под боком мужика; она вертелась вокруг своего Русланчика, и на отца ей было плевать. А Русланчику ссы в глаза — божья роса. Он получил всё, что надо, — жильё, уход и бабу, — и, усмехаясь, просто не замечал Яр-Саныча. Галина, Ирка и Руслан — все трое — ощущали себя хозяевами. Почему-то им было удобно в этой жизни.

Однажды вечером Яр-Саныч всё-таки сорвался на Русланчика.

— Чего ты куришь тут везде? У нас в семье никто нигде не курит!

Руслан смотрел телевизор, Ирка строчила на швейной машинке, Галина полулежала на диване с подушкой под спиной и читала сонник.

— А чего ты на него наезжаешь? — тотчас взвилась Ирка.

Яр-Саныча понесло, не разбирая дороги.

— Вместе живёте, оба работаете, так давайте на квартплату! Чего мы с матерью-то вдвоём и за электричество платим, и за всё!..

— Ты ещё заработай, чтобы платить-то, папаша, — буркнула Галина.

Руслан встал, не снисходя до оправданий, и с сигаретой отправился на кухню, где за столом готовила уроки восьмиклассница Танька.

— Хочешь, чтобы мы свалили отсюда, да?! — заорала Ирка.

— Помалкивал бы вообще! — добавила Галина. — Молодым помогать надо, а этот всё ходит, ходит, как сыч, сам себе не рад, — Галина противно сморщилась, изображая недовольное выражение лица Яр-Саныча.

Яр-Саныч обомлел: обе бабы объединились против него за Русланчика!

— Заткнитесь!.. — дрожа голосом, крикнул Яр-Саныч.

— Раскомандовался тут! — с презрением ответила Галина. — Ведёрко сзади подвесь, а то песок от крику посыплется.

— Папка, не мешай людям жить, — с сердцем посоветовала Ирка. — Если сам ничего не можешь, так не лезь, где нормально. Никто тебя не обижает.

Семья не подчинялась Яр-Санычу, и на работе тоже всё было не так, как должно. Яр-Саныч не понимал, почему нет результата, почему всякий раз всё катится не в ту сторону, ведь он-то делает правильно. Раздражение его лишь возрастало. И реально управлять он мог только младшей дочерью — Танькой. Но в марте 1991 года Танька сбежала из дома. Ей было пятнадцать лет.

Танька отпросилась на неделю пожить у одноклассницы, у которой куда-то уехали родители. Танька всегда была тихая и послушная, в семье с ней никаких проблем не случалось: почему бы и не отпустить? Через два дня Яр-Саныч встретил на улице эту подружку-одноклассницу, спросил, как дела, и узнал, что Танька соврала и в эти дни в школе не появлялась.

Таня была девочкой незаметной, серенькой, обычной: училась средне, ничем не выделялась, косичка будто мышиный хвостик. В классе её никто не обижал, но и её отсутствия тоже не замечали. Она всегда была где-то сбоку, во втором ряду, в безликом числе прочих. Она стеснялась чужого внимания, робела напоминать о себе, не умела ни драться, ни плакать. Никому не интересная, Таня жила тайными и бурными переживаниями, причудливыми фантазиями, о которых никто не мог даже догадываться.

Таню, младшую дочь, Куделины родили, когда подошла их очередь на жильё: семьям с двумя детьми давали двухкомнатную квартиру. Танюша знала, что она появилась «ради квартиры», и гордилась этим: всех родили просто так, а её — не просто так.

Значит, она необычная, она — неповторимая. Когда родители ругались, она сидела в углу и думала, что ведь квартира-то должна принадлежать ей, а она вот возьмёт и подарит квартиру родителям, чтобы те увидели, как она их любит, и между собой не ссорились.

Таня была младше Ирки на семь лет. Обычно младшим детям достаётся больше любви, чем старшим, но у Куделиных вышло наоборот: Ирка была светом в окошке, надеждой семьи и объектом общих капиталовложений, а Танька... ну, Таньку в качестве подсобной рабсилы включили в деятельность отца и матери по обеспечению жизненного успеха старшей сестры.

Мама занималась с Иркой домашними заданиями, а Таня делала уроки на продлёнке. На день рожденья Ирке покупали настоящий торт, а для Тани мама пекла пирог с вареньем. Тане доставались потрёпанные Иркой платья и куртки, портфели и учебники. Мама ехала с Иркой по путёвке в Геленджик, а Таню отправляли в деревню Ненастье к дяде Толе, пьянице. Таня вообще не выезжала из Батуева дальше Ненастья, не видала ни Москвы, ни моря.

Иркино поступление в институт для семьи Куделиных стало триумфом. Таня тогда перешла в пятый класс, не понимала, в чём дело, но была так захвачена ликованием родителей, что хохотала и прыгала по квартире, будто сумасшедшая, пока не разрыдалась, и её наказали — заперли в тёмной ванной.

К тому времени мать уже была порабощена страстью к огородничеству: участок в Ненастье она засадила картошкой, редиской и ремонтантной клубникой, в парнике с полиэтиленовыми стенками на реечных рамах висели кудрявые плети с огурцами.

Мать объявила работу на огороде священным делом, однако Ирка была освобождена от упражнений с лейкой и лопатой и ездила в Ненастье как дачница. Она сидела в раскладном кресле с книжкой, в панаме и чёрных очках, а мать, отец и младшая сестра окучивали и поливали.

Тане было и скучно, и тяжело, но она, доверчивая девочка, верила, что так надо: надо стараться, чтобы Иришка училась на экономиста-товароведа. Без этого семья погибнет. Таня таскала вёдра с водой и носилки с компостом и думала, что она — глупая, ленивая, как говорили мама и папа, ничего из неё не выйдет, но потом, через много лет, Ирка станет знаменитой, встанет перед всеми и скажет: это всё благодаря моей сестре, которая работала за меня.

Когда Ирка бросила институт, отец с матерью орали друг на друга две недели. Яр-Саныч впервые не уступил Галине сразу, не согласился, что нынче кооператив лучше института. Впрочем, Галина всё равно утоптала его. Пока родители ругались, Ирка жила у Русланчика в общаге, а Таня две недели провела как в аду, ожидая развода отца с матерью. Она воображала свою разрушенную жизнь после этого развода, искала спасения и загадывала: если она назовёт своих детей Ярослав и Галина, тогда родители помирятся.

Мать не зря заступалась за Ирку, защищала её выбор: Ирка всё более походила на мать, точно её не родили, а скопировали. Обе они стали толстые, энергичные, самоуверенные, только мать — с уклоном в торгашество, а дочь — с уклоном в блядство. Ирка не изменяла Русланчику, но их супружество в многолюдной квартире было каким-то публично бесстыжим, словно разврат.

Ирка выпихала Таню к родителям, и ночью, лёжа на кресле-кровати, Таня слышала в закрытой комнате сестры возню, ритмичное движение и тяжёлое дыхание. Танюша знала, что там творится, — пару раз с девчонками она ходила в видеосалон смотреть порнуху. Всё это было почти невыносимо. От такого вынужденного свидетельства Тане казалось, что Русланчик трахает её рядом с Иркой, и Таня боялась Русланчика, будто насильника.

Старшая сестра и её любовник не оставили Танюше места для жизни, лишили убежища, и теперь Танюша всегда находилась в тесноте чужой деятельности. В большой комнате толкались мама с сестрой и разговаривал телевизор. На кухне и так было не развернуться, но тут всё время кто-нибудь пил чай с бутербродом. Везде курил Русланчик. Вечером возвращался отец и срывал раздражение на Тане, прогоняя её отовсюду, где она примостилась.

Таня надоедала отцу ещё на работе, потому что после школы шла к нему в «Юбиль». В тренерской Яр-Саныча она делала уроки. Здесь не было окон, под потолком с тихим звоном горели голубые люминесцентные трубки, по стенам стояли стеллажи со спортинвентарём, но зато в тренерской можно было уединиться: сюда мало кто заглядывал, а сам Яр-Саныч был в зале.

Потом она отправлялась из «Юбиля» домой, шла одна по страшным чёрным улицам. Острым полудетским-полудевичьим чувством она понимала, что её все обманули. Её родили для квартиры, а у неё нет даже своего угла. Она старалась, чтобы Ирка училась в институте, а Ирка бросила учёбу. Она всем мешает. Она никому не нужна. Её не любят ни папа, ни мама. Что же делать? Тихая Танюша придумала только одно — убежать из дома.

* * *

Для Яр-Саныча причиной всех перемен был лично Серёга Лихолетов, к нему на «мостик» Яр-Саныч и побежал просить помощи в поиске Танюши.

Серёга слушал Куделина и вспоминал: да, какая-то девочка-подросток по вечерам сидела в спортзале у стены на скамье возле двери в тренерскую, терпеливо ждала... Скромная, застенчивая, неброская... Никаких примет.

— Саныч, а ты уверен, что она сдёрнула? — осторожно спросил Серёга.

Серёга куда лучше Яр-Саныча знал, в какое время они живут. Гопота, бандиты, наркоманы, сутенёры, просто всякие нелюди. Может, глупая Таня Куделина выпила с подружками водки — и замёрзла в мартовском сугробе? Может, её случайно сбили на перекрёстке машиной — и увезли за город в лес, бросили умирать? От той девочки, которую припомнил Серёга, веяло тоской; она была беззащитная и жалкая — идеальная жертва для выродков.

— Сбежала она! — сердито и грубо ответил Куделин. Он не желал думать о худшем, убеждал сам себя и злился на Серёгу, что тот предположил иначе.

«Довёл папаша девчонку», — подумал Серёга о Куделине.

— Дома-то у тебя как? Хреново ей было?

— Нормально ей дома! — дребезжащим голосом огрызнулся Яр-Саныч.

Он был неприятен Серёге: крикливый и слабый мужик. Но его дочка?.. Маленькая мышка, которую походя мог зашибить кто угодно. Серёга не был сентиментален, но понимал: «афганцы» качают железо, готовятся к большим делам, а кто-то прямо у них на виду взял и раздавил ногой серенькую мышку, и говно-цена их понтам, если они этому никак не помешали.

Серёга подумал, что загрести Таню в проститутки или просто хапнуть с обочины, чтобы повеселиться, могли бандиты Бобона или кавказцы. К ним Серёга отправит Егора Быченко; Бычегор прокачает тему и всё узнает. Если Таню убили, то надо искать по моргам и ментовкам; Серёга подключит Саню Завражного, который в «Коминтерне» контактирует с властями и общается с полковником Свиягиным, начальником горотдела милиции.

— Позвони домой, пусть жена фотки приготовит, — приказал Серёга.

— А нельзя жену не беспокоить? — взъерошился Яр-Саныч.

— Лады, как хочешь, — Серёга презрительно хмыкнул. — А есть, к кому она могла сбежать? Тётка или бабка, знакомая какая-нибудь или ещё кто?

— Нету никого.

— Может, к парню своему?

— И парня у неё нет. Маленькая ещё.

— Про Москву она не мечтала?

— Она дура трусливая.

Яр-Саныча бесило, что Лихолетов не расспрашивал, а вёл болезненный допрос. За стёклами больших окон кабинета чирикали и прыгали по карнизу воробьи. Полированная столешница сияла на утреннем солнце. Серёга курил, и дым его сигареты висел в солнечном воздухе призрачными объёмами. Лихолетов был гораздо младше Куделина, но вёл себя как начальник; это у него получалось совсем непринуждённо, и Куделин почему-то подчинялся.

— Дача у вас есть?

— Есть, — кивнул Яр-Саныч, — в деревне Ненастье. Но ключи от дома у меня, я уже проверил. И Танька не доберётся туда, автобус пока не ходит. Его только на дачный сезон пускают, с майских по октябрьские.

— До Ненастья на электроне можно.

— Мы ни разу так её не возили. Там от станции пять километров идти.

— Если она сбежала, то на дачу, — уверенно сказал Серёга. — Сейчас Воронцов подгонит «трахому», и поедем, Саныч, вместе с тобой в Ненастье.

Яр-Саныч был прав только в том, что Танюша сбежала. Он не знал, что у младшей дочери появился мальчик, хотя это случилось у него на глазах.

Танюша училась в восьмом «б», а Владик Танцоров — в десятом «а». В школе Владик не замечал Таню, а в спортзале «Юбиля» заметил, потому что Таня была дочерью Яр-Саныча. Владик полагал, что Куделин — авторитет у «афганцев», и искал знакомства с таким важным человеком.

С седьмого класса Владик посещал в «Юбиле» секцию баскетбола; при «Коминтерне» секция закрылась, но Владик остался во Дворце — ходить в зал к свирепым «афганцам» у пацанов окрестных районов считалось очень круто. Владик примелькался, и никто не обращал внимания, что в «Юбиле» ему делать нечего, потому что к «афганцам» он не имеет никакого отношения.

Таня наблюдала за Владиком и почувствовала родство. Владик тоже был чужак, хотя изображал, что свой. Высокий и плоский, на тренажёрах он выглядел смешно, а потому не лез качаться. Он имел вид усталого человека, который перетрудился и теперь отдыхает. Он со всеми здоровался за руку, то и дело закуривал в разных компаниях, снисходительно посмеивался над другими — рост позволял ему играть роль бывалого мужика. У тренажёров Владик всегда был на подхвате: что-то придерживал, что-то подкручивал.

Он уходил из спортзала домой примерно в девять вечера. Однажды Таня подкараулила его у выхода из «Юбиля» и просто пошла рядом. Владик узнал дочь Яр-Саныча и не стал отделываться от попутчицы, хотя не умел общаться с девочками. Он и в «Юбиле»-то ошивался для уверенности в себе.

— Прикинь, у меня из подъезда пацан тоже ходил к нам на тренировку, дебил, а у самого старший брат у Бобона в бригаде, — рассказал Владик. — Дебил, да? Он такой типа не знал, что здесь «афганцы». Наши пацаны-то поржали, и всё, а бобоновские поймали этого дебила и всю жопу распинали.

Владик курил, сплёвывал, загребал снег ногами, и походка у него была вихлястая, разболтанная. А Танюша просто молчала.

Она стала поджидать Владика всякий раз, когда бывала у отца, и Владик быстро привык, что возвращается домой с девочкой, только не он провожает девочку, а девочка провожает его. Но Владик Танцоров и Танюша Куделина не ощущали неправильности: их свела какая-то общая надобность.

Впрочем, саму Танюшу Владик не воспринимал. Была девочка, которой он рассказывал такие истории, какие должен был рассказывать крутой пацан, и была дочь хозяина спортзала, до которого Владик хотел донести известие о себе, чтобы его взяли «в компанию». А Танюши Куделиной не было.

— На треньке позавчера Мишаня Поляков, дебил, качал становую тягу и перегрузился. Ему говорили:

ты нахрена? — а он перед Егорычем Быченко выёбывался. Всё, вчера с животом в «скорую» увезли, грыжа. Дебил, блин.

Но и Танюша тоже не очень-то понимала, кто таков Владик Танцоров. Тане вопреки разуму хотелось ощущать себя рядом с мужчиной — страшным существом иной природы, которое что-то сделает с ней, охватит её собою, наполнит её жизнь содержанием. И неважно, каков будет этот мужчина.

В конце зимы, расставаясь у подъезда, Владик вдруг протянул Тане пластмассовый пенал с дешёвой турецкой косметикой. Подобную косметику на рынок возила мамка Владика: Владик украл пенальчик у неё из баула. Таня приняла подарок в бессловесном изумлении. Она не могла поверить, что ей тоже что-то подарили, и подарили не школьный микрокалькулятор и не шерстяные носки, а что-то девичье, прекрасное, почти любовное.

Танюша носила этот пенал в пакете с учебниками, куда мать и сестра не совались. Конечно, краски Танюша не тронула, но часто открывала пенал и смотрела на себя в зеркальце на крышечке. Неужели у той девочки, у той девушки в зеркальце появится всё-всё-всё — муж, семья, дом, много детей? Владик стал для Танюши каким-то волшебником, уводящим в страну мечты.

— А ты кем будешь после школы? — спросила Таня, пытаясь узнать хоть какие-то приметы волшебной страны. В той стране, конечно, главным станет Владик, но как бы и не он, не такой, а другой Владик, самый лучший.

Отца у Владика не было. Мамка работала на заводе «Затвор», уволилась в перестройку и с другими тётками-челночницами гоняла в Турцию за шубами и ширпотребом. Товар тётки продавали с рук на Шпальном рынке.

— Да бизнес заведу, — ответил Владик с выражением человека, который много раз объяснял, как надо делать, но без толку, и теперь вынужден всё сделать сам. — Мать всякую херню возит. Дура, блин. Кому шубы-то нужны? Они стоят дохера. Я говорил, надо «адидаски» возить, спортивные костюмы, кроссовки разные. Это вообще в улёт уйдёт. Мать, дура, со своими бабами не верит, а я-то знаю, чего говорю. Всегда всё самому, блядь, надо организовать.

— А давай убежим вдвоём? — вдруг предложила Танюша.

Конечно, Таня думала убежать в Ненастье. Иного укрытия она не знала.

Дом в деревне с грустным названием Ненастье принадлежал дяде Толе, маминому брату. Вообще сначала дядя Толя жил в селе в соседней области за пятьсот километров от Батуева. Там он крепко пил. Жена его бросила, детей у него не было. Мать боялась, что брат в запое сожжёт жильё, и перетащила алкаша поближе к Батуеву. Основательную колхозную усадьбу поменяли на теремок в Ненастье — зато от Батуева всего пятнадцать километров.

Ненастье считалось дачным кооперативом, «подсобными хозяйствами». Участки вытянулись вдоль насыпи железной дороги в четыре ряда. Хибарки при огородах, сооружённые неумелыми горожанами, не могли сравниться с добротными сельскими домищами, но дяде Толе повезло: Галина выкружила ему не фанерную коробку под рубероидом, а прочное строение из бруса, к тому же с мансардой. Двускатную крышу покрывал шифер.

Дядя Толя жил в Ненастье круглый год. Зимой он бухал со сторожем кооператива, а летом вкалывал на огороде: всю семью Галина рекрутировала на земледельческие работы. Яр-Саныч и дядя Толя выправили забор, вкопали бочки для полива, вычистили погреб и яму под компост, сколотили парник и сараюшку, оббили грядки досками. Цирроз уложил дядю Толю в 1985 году. Его похоронили на кладбище при станции Ненастье, а дача досталась Куделиным.

Танюша любила приезжать в Ненастье. Ей нравилось, как стучат поезда, нравилось, что из окошка мансарды видны перелески и луга, которые будто бы дышат в просторном передвижении облачных теней. Дом Танюше тоже нравился. Больше всего волновала лестница. В городских квартирах лестниц не было, и Таня сразу придумала, что там их запретили злые ведьмы, потому что на втором этаже — всегда волшебный мир, где вещи понимают речь людей и все желания сбываются, ведь отсюда можно смотреть до края земли.

Танюша не смогла бы объяснить, зачем ей надо с мальчиком убежать из дома от родителей, как она собирается прятаться, что вообще будет делать? Танюшу несло в потоке смутных желаний и странного воодушевления — не бунтарского, а совсем тихого, но неотвратимого, как цветение подснежников.

А Владик Танцоров ничего не понял. Он решил, что Танька зовёт его к себе на дачу, чтобы он её отшпилил. Владик был девственником; он очень хотел и очень стеснялся близости с девочкой, особенно если рядом приятели, которые увидят его неопытность и оборжут. Дача — лучший вариант. И Таня сразу стала для Владика «путёвой соской», хотя раньше была безразлична.

Владик знал, как доехать до Ненастья на электричке. За городом ещё продолжалась зима. По тёмной дороге, хрустя снегом, они дошли от станции до кооператива, где над железными воротами горел фонарь. Таня попросила ключ от своего дома у сторожа, который помнил её со времён дяди Толи.

Таня затопила печь — утробистую чугунную буржуйку, а Владик открыл привезённую бутылку водки и слегонца глотнул — для храбрости и для того, чтобы Таня оценила, какой он мужик. Таня сидела возле печки на маленькой скамеечке и смотрела в огонь расширенными глазами. Она ждала чего-то небывалого, чего-то огромного и опаляющего, что случится само собой.

Владик утащил Таню на старую тахту, принялся раздевать и лапать, а Таня вдруг начала яростно и молча сопротивляться. Нет, это не так должно быть, это всё должно произойти как-то изнутри, раскатываясь волной до самых краёв — р-раз, и всё уже есть, уже окутало, уже всё творится.

Владик немного растерялся: зачем его позвали? Танька отбивалась — но никуда не убегала, когда он останавливался. Она лежала на продавленной замасленной тахте в смятой и задранной одежде, тяжело дышала и смотрела в потолок, на котором играли багровые отсветы из печки. Владик вставал с тахты, выпивал водки, курил, а потом снова лез к Тане, и они опять упрямо боролись, хватая друг друга за руки и не соображая, кому что нужно.

Эта бессмысленная возня продолжалась полночи. Владик потихоньку напился. Ему уже и не хотелось, чтобы дошло до главного: он перегорел.

— Прости меня, пожалуйста, — шептала Таня. — Завтра обязательно...

Владик заставил её трогать себя, и Таня трогала — словно перебирала кишки, выпавшие из распоротого брюха дохлой рыбы. Таня знала, что там имеется у мужчин, — видела по видику, рассказывали девчонки. Знанием этих подробностей Таню дразнила Ирка. Но реальная телесность Тане оказалась неприятна. Для неё в настоящем опыте не было волшебности и любовности.

Пьяный Владик заснул. Таня оделась, сунула полено в печь, сполоснула руки в рукомойнике и ушла наверх. Она села у заиндевелого окна и смотрела на поля, на дальние синие перелески: их плотные вертикальные массивы поблёскивали паутиной изморози. Чёрные тени стереоскопически отделяли деревья от плоскости снежной равнины, бледно-лимонной в лунном свете.

Рано утром Владик поднялся, выпил воды и, не разбудив Таню, ушёл на станцию. Он-то не собирался сбегать от матери или прогуливать уроки. Он еле вытерпел в школе, мучаясь головной болью с похмелья, но ещё хуже ему было от мысли, что вчера он ничего не добился: эта сучка ему не дала, а у него не сработало; он просрал свой шанс, и сейчас он как мудак и импотент.

После уроков Владик выпил пива, дома похавал, и ему стало легче. Он подумал, что всё можно оценить и по-другому. Он — настоящий мужик: он выбрал бухло, а не бабу, баб-то у него ещё будет навалом, подумаешь... Хотя и Танька никуда ведь не делась. Она всё так же торчит на даче в Ненастье. Можно вернуться и переиграть, впердолить девке по самые гланды...

Владик быстро оделся и поехал на вокзал, но последняя электричка до Ненастья уже укатилась. Владик помялся и решил идти в деревню пешком. Часа за три дотопает. Очень хотелось оттрахать девчонку. Все нормальные пацаны в его классе уже кого-то трахали, а он никак не мог замутить с какой-нибудь нормальной девкой — не такой, которая всем подставляет.

Пятнадцать километров Владик шагал по снежной дороге через поля и леса. Когда совсем замерзал, то бежал. Невдалеке за деревьями временами подвывала железная дорога, обмахивала путь быстрым светом поездов. По игольчато-чёрному небу, вращаясь, плыла ноздреватая льдина луны. Владик перелез забор, окружающий дачный кооператив. В доме у Тани горело окно.

Танюша целый день думала о том, что ей нужно как-то преодолеть эту страшную черту. Да и чем она страшна? Ничем. Просто зажмуриться, и всё. Так надо. Так делают все. Потом будет хорошо. Почему она такая дура?..

Для голодного и усталого Владика Таня торопливо пожарила целую сковородку картошки с солёными грибами из материнских заготовок. Печка шаяла во всю мощь, чтобы Владик отогрелся. На первом этаже было тепло, а в мансарде — жарко. «Значит, проще будет раздеться догола», — подумала Таня.

— Ты подожди здесь, — виноватым шёпотом попросила она. — Мне надо... ну... настроиться... Я тебя позову.

Она оставила Владика внизу и поднялась в мансарду, села на топчан, бельё на котором всегда пахло кислым хлебом. Сквозь проём люка в полу красный печной свет озарял потолочные балки. В железной печной трубе, обмотанной асбестовой тканью, пощёлкивало. Синее ледяное окно казалось полыньёй;

луна свешивалась, как петля. Таня разделась до майки и трусов.

— Владик, — позвала она. — Иди.

Владик не шёл.

— Ну, Вла-адик... — умоляюще повторила Танюша.

А Владик заснул на тахте, завалившись в угол. Недосып, похмелье, марафон и плотный ужин срубили его. Танюша постояла над ним, переступая босыми ногами по холодному полу, и вернулась наверх. Она по-турецки уселась на топчан, закуталась в одеяло, а потом угрелась и тоже заснула.

Печка догорела. На шиферной крыше вокруг трубы протаяло тёмное пятно. Транзитные поезда как стрелы неслись строго по прямой линии через снежную равнину мимо маленькой дачной деревни Ненастье. В алмазных и морозных небесных водах, веерами распустив хвосты и плавники, грозно и величественно, словно сквозь какие-то стеклянные сферы, плыли огромные и прозрачные неевклидовы рыбы с яркими лунными глазами.

* * *

Первым собственным транспортом «Коминтерна» был толстощёкий автобус «КАвЗ», изношенный прежними хозяевами на колхозных просёлках. Парни прозвали его «трахомой». Сейчас «трахома» почти упёрлась помятым бампером в ржавые ворота кооператива «Деревня Ненастье». Андрюха Воронцов, водитель, требовательно посигналил, и вскоре дачный сторож с опаской выглянул из калитки. Серёга открыл дверь автобуса.

— Узнал Куделина? — спросил он сторожа и указал на борт «трахомы»: Яр-Саныч сидел в салоне автобуса у окошка. — Кто-то в его доме есть?

— Дак дочь его, — ответил сторож. — Татьяна. Я ключ дал. Здоров, Саныч.

Куделин за стеклом молча качнул головой.

— Открывай нам ворота, — приказал Серёга сторожу, убрался в салон и захлопнул дверь. — Она здесь, Саныч. Считай, всё обошлось.

«Трахома», подвывая, покатилась по узкой улице дачного кооператива, с обеих сторон огороженной чем попало — реденьким штакетником, сетками, плотными дощатыми заборами или просто вкопанными автопокрышками.

— Вон мой дом, зелёный, — с места глухо пояснил Воронцову Яр-Саныч.

Воронцов тормознул возле двухэтажного дома, обитого тёсом и некогда покрашенного, а теперь облезлого. На перилах крыльца висел половичок.

— Я один схожу, — сказал Яр-Санычу Серёга.

Вдруг девчонка с каким-нибудь мужиком? У Куделина будет истерика. Впрочем, девчонка и сама может закатить истерику, не желая возвращаться к отцу, от которого сбежала. В любом случае без папаши будет проще.

Серёга щурился от яркого и свежего мартовского солнца. Истоптанная тропинка по-морковному хрустела под ногами. Сугробы уплотнились, осели, плавно изогнулись, как диваны; их выпуклости сверкали зернисто и янтарно. Зима будто бы сняла шапку, опустила воротник и расстегнулась: оголились хребты крыш, перекладины телеграфных столбов, макушки дачных яблонь. С неба пригревало, а в синей тени домика оказалось неожиданно студёно.

В это время в мансарде Владик опять раздевал Танюшу.

Всю ночь он спал так крепко, будто его забетонировали в сон, пропустил все электрички в город и, получается, прогулял школу. Таня, промаявшись полночи, тоже спала до полудня. Владик проснулся первым, сообразил, где он и что случилось, выпил холодного чая и побежал наверх — к Танюше.

Он торопливо разбудил её и принялся стаскивать одежду, которую Таня напялила под утро, когда печка остыла и сделалось холодно. Владик стянул с Тани кофту-олимпийку, толстые носки и тренировочные штаны, а дальше затея опять застопорилась. Вроде бы ночью Таня настроила себя всё сделать так, как делают все, а утром решимость рассыпалась, и Таня снова отдирала и отталкивала от себя руки Владика. Она плакала от того, что боится, что всё происходит не так, что она — дрянь, дрянь, пустышка, не способная ни на что.

А Владику на третью попытку уже не хватало даже вежливости.

— Ты чо, с-сука! Ты чо, с-сука! — вскрикивал он, точно получал удары.

Они ворочались на топчане, сдвинули его с места и взрыли всё бельё. Владик порвал на Тане майку, а Таня расцарапала Владику запястья. И вдруг на первом этаже крякнула пружиной дверь, и кто-то вошёл в комнату.

Это был Серёга. Он оглядывался, готовый ко всему. На первом этаже — ничего особенного. Печь прогорела, занавески задернуты, на тахте — одеяло, на столе, покрытом клеёнкой, — два стакана с заваркой на дне и сковородка.

Серёга услышал сдавленные голоса и скрип топчана в мансарде и сразу ринулся вверх по лестнице. Он вынырнул из люка на втором этаже и увидел сидящую на топчане полураздетую девчонку — дочь Яр-Саныча, а вокруг на одной ноге испуганно прыгал, натягивая брюки, длинный и костлявый юнец.

Серёга опасался, что застанет с куделинской девчонкой какого-нибудь кавказца с кинжалом или быка со шпалером, а этот малолетний дрочила — да тьфу, херня. А Владик Танцоров обмер, узнав самого Сергея Лихолетова — могущественного командира «афганцев». У Лихолетова была хищная рожа, прозрачные глаза и растопорщенные щетинистые усишки.

— Ах ты фраер! — с облегчением сказал Серёга и двинул Владику в скулу.

Владик отлетел и с дробным грохотом ссыпался в угол.

Серёге стало радостно, что победа далась так легко: беглянка сразу же нашлась на даче, а её похититель — просто утырок членистоногий. Серёга провёл ладонью по лицу, словно стирая выражение озверелости, и посмотрел на куделинскую дочку повнимательнее.

Там, в спортзале, она была серой мышкой, а тут — от испуга, наверное, — словно ожила: лицо как вымыто слезами, глазёнки вытаращены, губы алые и надутые, волосы торчат вздыбленными космами, будто девочка полыхнула в разные стороны. Серёга сам себе удивился — так ему понравилась эта кощ-щёнка. А точнее, он сам рядом с ней был богатырь, спаситель и герой.

— Собирайся, красавица, — сказал Серёга. — Тебя все обыскались.

— Кто? — глупо спросила ошалевшая Танюша. Она даже не застеснялась, что сидит перед мужчиной в рваной майке и приспущенных трусах.

— Папандер твой, кто же ещё? — снисходительно сказал Серёга. — Он на улице в автобусе ждёт. Да не бойся, он тебя не обидит, я прикрою.

Андрей Воронцов за рулём «трахомы», наверное, и не понял, как много переживаний укрывалось за внешне бесстрастной поездкой в Ненастье. На обратной дороге Таня молчала, Серёга молчал, и Яр-Саныч тоже молчал, ни на кого не глядя. Его злость на то, что беда с Танюшей сломает ему жизнь, сменилась озлоблением против Тани: сколько нервов сожгла ему эта дура!

«Трахома» заехала во двор «Юбиля». Яр-Саныч что-то буркнул Серёге в благодарность и повёл дочь в спортзал, толкнул в тренерскую, вошёл сам и запер за собой дверь. Танюша, сжавшись, в тоске смотрела на отца, согласная принять любое наказание. Ей казалось, что в последние дни её жизнь катится через какую-то бесконечную галерею ужасов — вроде той, которую Танюша в детстве посетила в гастролирующем Луна-парке в ЦПКиО города Батуева.

Яр-Саныч странно шевелил руками, будто осьминог. Он не знал, как ему наказать дочь. К этому он тоже не был готов. Не пороть же её ремнём или скакалкой — девчонка уже взрослая... Яр-Саныч повернул Танюшу спиной к себе, схватил руками за плечи и принялся по-пацански пинать Тане под зад, нелепо задирая колени. Так иной раз наказывали мальчишек на тренировках. Таня выгибалась и дёргалась, но даже не плакала — настолько это было глупо.

Яр-Саныч не сумел сохранить тайну и рассказал всё Галине.

Мать била Танюшу уже дома. Таня скорчилась на кухонной табуретке, прикрыв голову ладошками, а толстая мать, держась за угол холодильника, хлестала её полотенцем по темечку и по затылку, больно хватала пальцами за шею и зачем-то нагибала, будто кошку тыкала в её лужу.

— Ах ты тварюга! — орала мать. — Притащила в дом чёрт знает кого! Блядина! А если он обворовал бы нас, ты соображаешь? Что жрать будешь, мерзавка? А если бы поджёг и всю дачу спалил? Сука! Мокрощёлка! Сыкуха неблагодарная! Сопли не подтёрла, а уже ноги раздвинула! Манда!

И отец, и мать понимали, что их младшая дочь входит в ту пору, когда девочки становятся девушками, вырываются из-под опеки, влюбляются, начинают жить своей жизнью, своими чувствами. И родители бессильны остановить это. Но Яр-Саныч и Галина не думали о том, что они стареют: они думали о том, что Таня тожс может привести в семью своего Русланчика. И первый-то зять — ни дать ни взять, а второго приживальщика благополучие Куделиных не выдержит. Короче, Танька не имела права на личную судьбу.

Ирка смотрела на сестру с презрительным сочувствием.

— Это чо, из ваших старших классов Владька Танцоров? — тихо, чтобы родители не слышали, спрашивала она. — Длинный, да? И чо, ты с ним? Ну даёшь, Танюха! У отца полный спортзал «афганцев»: не могла, что ли, парня нормального найти? Такой выбор, а она с каким-то подпиздышем связалась!

Неудачи и промахи Танюши укрепляли Ирку в ощущении собственной женской полноценности. В бабе важна цепкая бабья хватка, а не молодость, не красота. Девочку-красоточку за копейку купишь, а бабу не провести.

Даже Русланчик не остался в стороне. Как-то в кухне, один на один, он, невинно улыбаясь, тихо сказал Танюше:

— Пригласила бы меня пробку выдернуть — никто бы и не шумел.

Танюша испугалась Русланчика больше, чем мать и отца, которые могли побить и наорать. Нажаловаться на Русланчика Танюша уже не посмела: кто ей, проститутке, поверит? Это мать сказала, что теперь она как проститутка.

Танюша понимала, что мать права. Понимала, что сама испортила себе жизнь. Да, Владик ничего у неё не взял, она осталась девственницей, но ведь проститутка — не та, которая потеряла девственность, а та, которая потеряла неприкосновенность. Грубые руки Владика, пинки отца, удары матери, намёк Русланчика — всё это разрушило в Танюше ощущение неприкосновенности.

Она лежала ночью на своём раскладном кресле и думала, что теперь она опозорена и перед всеми виновата, с ней теперь можно делать что угодно. Как ей прожить оставшуюся жизнь? Танюша представляла, что, когда у неё будут дети, она всё равно убежит с ними куда-нибудь вообще далеко-далеко, и там вырастит детей, и они будут её любить и уважать и никогда не узнают про её падение. Только так она снова станет хорошей и любимой.

Через несколько дней после спасения из Ненастья Серёга опять увидел Таню в спортзале. Правда, Яр-Саныч теперь не оставлял дочь в тренерской — как будто вся передряга с побегом случилась из-за того, что Таня находилась в каморке отца без присмотра. Танюша послушно сидела на скамеечке у запертой двери в тренерскую, держала на коленях тетрадь и что-то писала — делала домашнее задание. Раскрытый учебник лежал рядом на скамье.

— Как дела, Ярославна? — весело спросил Серёга.

— Хорошо, — тихо ответила Таня.

Серёга всё понял. Он уже разобрался в характере Яр-Саныча. Он достал из кармана ключ от «мостика» и протянул Танюше:

— Иди в мой кабинет, — сказал он. — Будь там, сколько тебе надо.

Таня робко взяла ключ, прикреплённый к увесистой деревянной груше.

Серёга направился к Куделину, который возился около тренажёра.

— Саныч, ты чего, решил замордовать дочь? — негромко спросил он.

Куделин злобно молчал. Его заколотило, потому что опять его гнули об колено, не давали отвести душу, однако спорить с Лихолетовым он боялся.

— Не трясись, — посоветовал Серёга. — Я твою дочь не украду.

Яр-Саныч Серёге не поверил, но с того разговора Таня проводила вечера на «мостике». Серёга старался не заглядывать туда, чтобы не смущать девочку. Однако ему всё больше и больше нравилась мысль, что у него на «мостике» сидит Танюша. И девочка эта ему тоже нравилась всё больше.

На «мостике» расстояние, которое отделяло Танюшу от постели Серёги, оказалось слишком близким. Серёга, человек прямой и наглый, быстро устал от ограничений, которыми он сам себя повязал. Серёгу тянуло к этой робкой и недозрелой школьнице. Она почему-то волновала Серёгу, словно мальчика.

Тогда, весной 1991 года, «Коминтерн» уверенно набирал силу: объединил бизнесы «афганцев» и навёл свои порядки на городской товарной бирже. Серёга, лидер «Коминтерна», становился в Батуеве авторитетным деятелем. В боевых подругах у Серёги тогда числилась Ленка Лещёва, сестра Митьки Лещёва, «афганца», которого Серёга пристроил в один из кооперативов.

— Серёня, ты чего такой? — обижалась Ленка. — Всё у тебя дела, дела. Мы уже неделю с тобой никуда не ходили — ни в кабак, ни в кино. Так-то, если что, я твоя девушка — напоминаю. Чего я одна-то сижу, как дура?

— Слушай, Лен, некогда, — пояснил Серёга. — Правда: бодаться надо.

— Зажрался ты, я вижу. Я так-то два раза звать не буду, Серик.

— Какой ещё Серик? — рассвирепел Серёга. — Я тебе не тряпичный заяц!

— Офигел, что ли, да? — оскорбилась Ленка. — Давно к Дуньке Кулаковой не посылали? Нормальные-то пацаны так-то себя с девушками не ведут!

— Пошла вон, курица, — холодно ответил Серёга.

Танюша Куделина, конечно, тоже была глупенькая, но не курица. И она смотрела на Серёгу снизу вверх, не пытаясь командовать. Серёга был уверен, что для Танюши он — вообще словно королевич из сказки. А королевич не только спасает царевну от чудища, но потом ещё и женится на ней.

В апреле, вечером, когда за окном уже синело, Серёга со стаканом чая сидел за столом и смотрел, как напротив него Таня с линейкой и циркулем старательно чертит в тетради по геометрии треугольники и окружности.

— Татьяна, оставайся сегодня у меня, — прямо предложил Серёга.

Танюша чертила окружность вторым оборотом, третьим, четвёртым.

— Не слышу ответа.

— Как скажете, Сергей Васильевич.

Танюша давно поняла, что получится именно так. Сергей Васильевич — решительный человек. Он выручил её тогда, в Ненастье, он пустил её здесь к себе в жилище, — значит, думала Танюша, она ему нравится. И он — рано или поздно — протянет к ней руку. А она должна будет на всё согласиться. Это как продолжение наказания за тот побег. Нет, нисколько не обидное. И всё же она об этом не просила и сама всего этого для себя не выбирала.

— Предупрежу твоего отца, — сухо сказал Серёга, встал и вышел.

Эту ночь и Яр-Саныч, и Серёга, и Танюша провели в «Юбиле». Яр-Саныч сидел, запершись, у себя в тренерской, неумело напивался водкой и плакал: почему он — ноль? Ведь он не ворюга, не алкаш, не лентяй, а с ним всё равно никто не считается. А Серёга, лежа на тахте, по-хозяйски обнимал худенькую Танюшу и пребывал в приятном недоумении: у него ещё никогда не бывало такой чистой и нежной близости с женщиной. Конечно, он оставит эту девочку себе — продолжит благодеяния, от которых ему тоже хорошо.

Танюша, не шевелясь, смотрела, как по тёмному потолку от стены к стене перемещается бледный прямоугольник окна, освещённого фарами проезжающих внизу автомобилей. Для Танюши всё прошло быстро и почти без боли. Танюша вспоминала измученного Владика... Серёга действовал точно, технично и умело, но даже не заметил, что Танюша — девственница.

У неё был очень маленький опыт, однако она уже изведала горе, которое приносит близость с мужчиной. А радости не изведала никакой, будто радости и не бывает. Так начинался её путь к Вечной Невесте.

Через несколько дней Серёга подарил Яр-Санычу охотничье ружьё «Зауэр». Понятно было, что это как бы плата за Танюшу. Яр-Саныч мог с негодованием отвергнуть подарок, но уж слишком хорошим и дорогим был тяжёлый импортный карабин-бокфлинт, и Яр-Саныч оставил его себе — повесил на стену поверх ковра над диваном в большой комнате.

* * *

В апреле 1992 года Серёгу Лихолетова на лестнице в «Юбиле» подкараулил Володя Канунников — хороший парень, в Джелалабаде он командовал отделением мотострелков. Сейчас Володя учился на третьем курсе в политехе, был женат, имел двоих детей, жил с семьёй в общаге в комнатёнке три на пять метров и стоял в очереди на квартиру. Володя сказал, что его свекровь работает в горисполкоме, и там она узнала, что Глеб Палыч Лямичев, председатель горисполкома, распорядился готовить документы по двум высоткам на улице Сцепщиков для продажи их банку «Батуев-инвест». В этих зданиях даже лифты включили, чтобы банк был сговорчивей.

Два одиннадцатиэтажных дома «на Сцепе» — так говорили в городе — строились уже пять лет. Три года назад, едва советские войска вышли из Афганистана, Серёга добился от горсовета постановления, что все квартиры в этих высотках отдадут только что учреждённому «Коминтерну». «Афганцы» распределили жильё между собой, и каждый, кому повезло, знал, куда он заедет. Но горсовет в пух и прах рассорился с горисполкомом, и Лямичев отменил постановления депутатов: «афганцы» пока потерпят, они молодые, а город задыхается без денег, вся инфраструктура сыплется.

— Вот ведь, бля, Кидай-город! — разозлился Серёга.

Не поднимая шума, Серёга созвал штаб «Коминтерна»: Игоря Лодягина, секретаря, Саню Завражного, который отвечал за взаимодействие с властями, Колодкина и Капитонова, которые занимались социалкой, Гайдаржи (он координировал бизнесы «афганцев»), Быченко, ещё кое-кого — Лоцманова, Чеконя, Билла Нескорова, всего человек пятнадцать. Штаб несколько раз собирался у Серёги на «мостике», пил водку и вырабатывал стратегию.

Решили, что дома «на Сцепе» надо захватить — то есть заселиться внезапно и всем вместе. Неважно, что помещения без отделки, а ордера не выписаны, всё можно довести до ума потом. Главное сейчас — физически не упустить здания, не дать горисполкому или банку «Батуев-инвест» выставить охрану и напихать в квартиры «Коминтерна» других жильцов. Штаб решил держать план захвата в тайне. Но захват следовало подготовить.

Быченко шуганул прорабов стройки «на Сцепе» и подсадил в вахтовку к сторожам своих наблюдателей. Завражный нашёл юристов, сразу пятерых, и Серёга принял их по договору на работу, заставив Семёна Исаича Заубера уступить им свою приёмную с югославским гарнитуром, напольными часами двойного боя и распальцованной монстерой в бочке.

Юристы должны были сделать так, чтобы заселение «афганцев» выглядело максимально законно.

В конце апреля Серёга как-то впроброс сказал Герману:

— Слушай, будет время — заскочи ко мне на «мостик», надо перетереть.

Герман зашёл на следующее утро. На «мостике» вкусно пахло кофе — Серёгиным солдатским завтраком. Лихолетов демонстрировал аскетизм, хотя Герман, человек близкий, знал, что джинсы у Серёги штатовские и дорогие, и английские ботинки — тоже дорогие, и немецкий парфюм очень недешёвый.

Серёга сидел во вращающемся кресле перед полированным Т-образным столом и листал цветной «Плейбой». На тахте на боку лицом к стене лежала Танюша. Голову и плечи она закутала одеялом, и Герман видел только её попу и ноги, обтянутые светло-серыми шерстяными колготками в рубчик.

— Я не вовремя? — в двери спросил Герман, глазами указывая на Таню.

— Да заходи, Немец, — Серёга, не вставая, повернулся креслом, потянулся и постучал Танюше по бедру журналом, скрученным в трубку.

Танюша недовольно отлягнулась.

— Она стихи зубрит, в учаге задали, — ухмыльнулся Серёга. — Я приказал ей все домашние задания делать. Не смущайся. Приятно же посмотреть.

Герман присел с торца стола. Ему всё равно было неловко, что Танюша лежит вот так на тахте. Конечно, он знал, что Таня — любовница Серёги, но не мог представить её в постели. Она была какая-то неразбуженная, а потому бесчувственная, как безвкусная талая вода. Герман уже не думал, что Таня — надменная и бесстыжая; она просто ещё не выросла, не перешла из детства в девичество, хотя и спит с мужчиной. Лишь Серёге хватало тепла её отогреть. Впрочем, близость с ней казалась Герману невозможной и неправильной.

Серёга с интересом наблюдал за Немцем, обычно сдержанным. Серёге нравилось, что люди вынуждены принимать его вызывающие отношения с Таней: таким образом они как бы признавали Серёгину исключительность.

Танюша откинула одеяло, села на тахте — и увидела, что в комнате гость. Она бледно покраснела и сразу перетянула одеяло на бёдра.

— Ничего-ничего, — успокоил её Серёга. — Читай вслух, что выучила.

— «На озарённый потолок ложились тени, скрещенья рук, скрещенья ног, судьбы скрещенья», — негромко прочитала Таня.

— Есть контакт, — удовлетворённо сказал Серёга. — Долдонь дальше.

Герман против воли смотрел на Таню. Она была вся какая-то узенькая, как пёрышко, — с тоненькой шейкой, с тоненькой косичкой. В большой Серёгиной рубашке она казалась засунутой в конверт. На тахте страницами вниз лежала раскрытая книга. Возле тахты стоял яркий девчачий пакет с учебниками, тетрадями и контурными картами.

— Ау-у, юноша, ты что-то не по уставу размечтался, — Серёга вернул Германа к действительности. — Я вообще-то тебя по делу позвал.

— Да слышу, слышу, — виновато проворчал Герман, отводя глаза.

— Хочешь, квартиру дам «на Сцепе»? — запросто спросил Серёга.

Герман даже не удивился. Это же Лихолетов. С ним всё возможно.

Таня, которая совсем было улеглась обратно, замерла, слушая разговор.

Герман и Серёга смотрели друг на друга, Герман — недоверчиво, а Серёга — испытующе. Ему интересно было поиграть с Немцем.

— Квартира, конечно, хорошо, — осторожно ответил Герман, — только я ведь ещё и года у тебя не работаю. Я не заработал квартиру, Серёга.

Глупо было отказываться от жилья, но Герман не хотел ощущать себя прислугой. Ему нравилось командование Серёги, он видел смысл и результат в действиях Лихолетова, но презенты с барского плеча принимают только лакеи. А солдат — не лакей. Серёга понял сомнения Немца.

— Татьяна, брысь под одеяло, — приказал он. — У тебя своё дело.

Танюша сразу легла и закинулась одеялом с головой.

— Квартира — удача, а не подачка, — снисходительно пояснил Серёга. — На неё был записан Витя Шестаков, но в январе он уехал в Кемерово, насовсем. А парни будут не против, если я перепишу хату на тебя, Немец.

Герман уже понял, что Серёга Лихолетов как-то вот не умеет любить людей, не заточен под это, — но ему очень нравится осчастливливать.

— Только поначалу в той хате жить будет хреново.

— Почему?

— Потому что всех нас из домов «на Сцепе» попытаются вышвырнуть менты. Нам надо будет держать наблюдательный пост. И лучшее место для него — у тебя на балконе. Въезд во двор оттуда под контролем, и третий этаж — высоко: не прихлопнут незаметно, караульные успеют поднять тревогу. Но парни будут околачиваться у тебя в квартире день и ночь.

— Долго?

— Не знаю. Пока горисполком не выдаст ордера.

— Нифига себе ты развоевался, Серёга, — уважительно сказал Герман. — За такие фокусы мы всей компанией поедем рукавицы шить.

— А всё по-настоящему, Немец, — самодовольно ответил Лихолетов.

Танюша снова вылезла из-под одеяла. Она разрумянилась от духоты, и Герман отвернулся, едва взглянув на неё.

— Давай, Татьяна, — благодушно кивнул Серёга. Его наглая физиономия с щёткой усов стала совсем воровской, будто он что-то украл у Танюши.

— «И падали два башмачка со стуком на пол. И воск слезами с ночника на платье капал», — послушно прочитала Таня. — «На свечку дуло из угла, и жар соблазна вздымал, как ангел, два крыла крестообразно».

Герману даже стало не по себе от этих нездешних и неуместных слов. Он увидел у двери под вешалкой Танюшины демисезонные сапожки.

— Я худею, какие они теперь стишки учат, Немец! — При Тане Серёга старался не материться. — А ты понимаешь, Татьяна, про что психотворенье?

— Понимаю, Сергей Васильевич, — тихо ответила Таня.

— Догадливые все стали, — Серёга развалился в своём кресле и выложил на полированный стол ноги в разношенных тапках. — Смотри, Татьяна, вот умник, который боится квартиру получать. Может, тебе эту хатку отдать?

Танюша робко смотрела на Серёгу. У него появилось то преувеличенно-серьёзное выражение лица, с которым он решался на самые рискованные поступки. Танюша знала, насколько в жизни важен вопрос квартиры; её ведь саму родители завели ради жилплощади. Танюша вдруг поверила, что Серёга и вправду подарит ей квартиру. Сергей Васильевич всегда так добр к ней...

— Я старенький, а ты молодая, — рассуждал Серёга. — Я должен тебя как-то обеспечить. Будешь жить в своей хатке и вспоминать дядю Серёжу...

Конечно, Лихолетов кривлялся и балагурил. Хотя вообще-то он вполне был способен подарить Танюше квартиру — но не так и не сейчас.

— Вы же наврали, Сергей Васильевич, — грустно сказала Танюша.

— А чего мы такие печальные сразу сделались? — тотчас спросил Серёга. Он продолжал играть. — Без подарков настроения нет?

Герман понял: Таня спокойно проживёт и без широких лихолетовских благодеяний, но не следует шутить с теми вещами, от которых ей больно. Однако проницательный Серёга почему-то не улавливал таких тонкостей.

Танюша легла на тахту и закинулась одеялом с головой.

— Ну вот, Немец, всегда-то я её обижаю, — озадаченно сказал Лихолетов.

— Ладно, я пойду, Серёга, — Герман решительно встал.

— Ну, двигай. Только про хату, Немец, реальный базар. Нечего думать.

В первый же выходной Герман поехал в квартиру «на Сцепе». Выходной попал на первое мая. День выдался просторный и тихий, словно бы всё лишнее в мире раздвинули или убрали. В гладких лужах от лёгкого ветерка нервно вздрагивали чёткие отражения проводов. В пустых кронах деревьев чуткое боковое зрение улавливало что-то призрачно-зелёное. Тени высоток пересекали проспект Железнодорожников, и трамвай, в котором сидел Герман, то вдруг бодро освещался изнутри, когда катился через солнечную дистанцию, то дремотно угасал. Вагон покачивался. Герман смотрел в окно.

На длинной и неухоженной набережной городского пруда трамвай начал обгонять каких-то людей, идущих то поодиночке, то небольшими толпами. Оказывается, это была первомайская демонстрация. Мимо Германа на фоне водного простора в окне проплывали знамёна, провисающие красные полотнища с лозунгами, портреты Ленина, макеты советских орденов. Сквозь перестук колёс Герман обрывками слышал то нестройное женское пение, то гулкие голоса усилителей, то мощные оркестровки маршей в записи.

Герману как-то странно было смотреть на это шествие. Разбитое войско, которое изображает триумф. Красочная атрибутика была бессмысленна, как помпезные аксельбанты, альбомы и значки дембелей. Болоньевые плащи, потёртые куртки, немодные шляпы, усталые немолодые лица. Демонстранты никого уже не смогли бы напугать, да и вышли они от обиды, от злости, из упрямства, а вовсе не в порыве праздничного воодушевления.

Нелепая первомайская колонна напомнила Герману о матери, хотя мать никогда не обращала внимания на советскую агитацию. Просто под этими транспарантами шагала её эпоха. Мама согласна была хоть на что, лишь бы ей дали отдельное жильё, а он вот уже едет смотреть себе квартиру... Потому что у мамы был СССР, а у него — афганский друг Серёга с его дерзостью и малолетней любовницей. И ему, Немцу, всего-то двадцать шесть лет.

Он вышел на своей остановке, на размашистом перекрёстке рядом с неухоженными громадами новостроек. Солнце светило свежо и ярко, звонко чирикали воробьи. Хотелось чего-то одуряющего — напиться, бросить всё и улететь на море, иметь девчонку прямо на лестнице в подъезде. К домам вела дорога, разъезженная панелевозами; Герман по доске перебрался через лужу.

У отворота во двор стоял вагончик-вахтовка, за решётками его открытых окошек играла музыка и звучал женский смех. На стук Германа выглянул Джон Борисов — парень из отряда Бычегора. Джон и Чича — Саня Чичеванов — сегодня караулили дома «на Сцепе». Они отпустили сторожей, а сами взяли бухла и позвали девок, всё равно нерабочий день. Джон предложил Немцу присоединиться, а потом, после отказа, пояснил, в каком подъезде находится квартира номер сто сорок семь.

Дорожки во дворе «афганских» домов уже закатали асфальтом, но бурые газоны оставались пока без чернозёма, зато на одном из них торчала рощица тоненьких берёзок, чудом уцелевших при строительстве. Дома были повёрнуты друг к другу боком и ограничивали квадратный двор с двух сторон. С третьей стороны тянулась бетонная ограда гастронома, а с четвёртой стороны зиял заброшенный котлован со сваями.

В пустом дворе Герман почувствовал себя на дне какой-то гигантской геометрии: плоскости стен, прямые линии углов и дорожек, а в воздухе — ровно очерченные объёмы теней от высоток. Космически идеальное небо и маленький шарик солнца в пересечении невидимых орбитальных парабол.

Он вошёл в нужный подъезд, поднялся на третий этаж и открыл дверь квартиры. Бетонные потолки, мусор на полу, некрашеные оконные рамы... Он озирался, пытаясь представить, как тут всё будет. Это его дом. Возможно, единственный в жизни. Сюда он приведёт свою жену. Будет здесь раздевать её и любить. Сюда будут приходить его друзья. Здесь будут расти его дети. Из этих окон этот вид он будет наблюдать много лет. Этот свой дом он должен будет защищать до последнего дыхания. Возможно, здесь он и умрёт. Герман примерял себя к своему будущему. Его всё устраивало.

* * *

Информационный стенд «Коминтерна» был сколочен из реек, покрытых олифой, и находился в фойе Дворца культуры рядом с витриной, за стеклом которой жухли и коробились ватманы с графиками работы кружков и секций. Эти графики, красиво написанные плакатными перьями, остались от времён СССР. А стенд «Коминтерна» был завешан объявлениями, настуканными пишмашинкой на тетрадных листах. На двух кнопках тут неделю болтался призыв ко всем, кто стоит в очереди на жильё, прийти на собрание в кинозал.

Собрание Серёга назначил на 6 июня 1992 года.

Серёга выбрался на сцену через боковой вход. В зале было темно, а на уходящем к потолку экране мелькали тени: двигались огромные руки и ноги, появлялись лица размером с ворота гаража. Шумно, как два паровоза, в динамиках дышали мужчина и женщина. Ожидая собрания, парни смотрели порнуху. Споткнувшись обо что-то, Серёга чертыхнулся и вышел к рампе, отбросив на экран яркую тень. В сумрачном зале светлело множество лиц.

— Бакалым, вырубай! — крикнул Серёга горящим окошкам кинобудки. Кино в «Юбиле» всегда крутил Лёха Бакалым, киномеханик и телемастер.

Под потолком вспыхнули жёлтые лампы. Большой ступенчатый зал был заполнен на две трети. Парни сидели как попало, даже на спинках кресел, будто на лавочках бульвара: пили пиво, курили, пересмеивались. Перед экраном сцену по краям загромождала какая-то мебель в полиэтиленовых упаковках — шкафы, диваны, поставленные стоймя пружинные матрасы. На одном из диванов поверх упаковки развалились Пашка Зюмбилов и Колян Гудынин. Они решили, что смотреть порнуху со сцены будет прикольнее.

— Семён Исаич, что это за склад? — безадресно обратился Серёга в зал.

Он был уверен, что пронырливый Семён Исаич непременно сидит где-то здесь же, хотя ему тут делать нечего, он же не «афганец»-очередник.

— Некуда ставить было, Сергей Васильевич, — из рядов ответил Заубер. — Это Готыняна партия. Гайдаржи сказал, что вы временно разрешили.

— Я вас застрелю, — устало пообещал Серёга.

— Я совершенно ни при чём. Распоряжение вашего заместителя.

— Бойцы, вопрос такой, — начал Серёга. — Дело серьёзное, и про него в городе никто раньше времени знать не должен. Это в наших интересах.

— Не базар! — крикнули из зала.

— Вы расписаны по квартирам двух домов на Сцепщиков. Дома почти готовы к сдаче, — напомнил Серёга. — Но горисполкому нужны деньги, и он продаёт наши дома банку «Батуев-инвест», а вам, бойцы, ни говна, ни ложки.

Зал взревел от возмущенья:

— Да порвать их всех!

— Охерели!

— Меня моя же баба зарежет!

— С-суки! — истерично и по-блатному заорал Гудынин с дивана на сцене.

Серёга покосился на Гудыню, немного подождал и махнул рукой.

— Тихо, бойцы, — продолжил он. — Короче, мы со Штабом уже месяц над этой ситуёвиной работаем. Подготовили бумаги. Осталось главное. Надо всем вместе разом заселиться в дома. Захватить. Это сделаем в воскресенье четырнадцатого. За день мы должны въехать полностью во все квартиры.

— Да я хоть щас! — закричали из зала.

— А кто перевозить будет?

— У меня мебели нихрена нету!..

— Я четырнадцатого не могу!

Гудыня засвистел на весь кинозал. Серёга злобно посмотрел на него.

— Поломаю улыбаторы, парни, — предупредил он Гудыню и Зюмбилова.

Колян Гудынин был дурак, шут по природе. Его ломало и корчило, едва он попадал в центр внимания, — так пьяного подмывает плясать под любую музыку. А быть на виду Гудыне нравилось, поэтому он и сам начинал паясничать и куражиться, чтобы на него смотрели ещё больше.

— Бойцы, бойцы, ахтунг! — призвал Серёга. — Вам надо собраться по взводам и написать заявки на грузовики, чтобы Штаб знал, сколько машин заказывать и куда гнать. Распределение смотрите у Колодкина, у Лебедухина и у Дисы Капитонова. Микрорайон За Баней — к Исраиделову. И ещё...

— Маневровая общага чья? — кричали из зала.

— А на Токарях кто?

— А мне грузить некому, Серый! Я-то один, Ленка беременная!

— Бойцы, важно! — надрывался Серёга со сцены, ожидая тишины.

В зале среди рядов поднялся Витька Басунов и рявкнул:

— Тихо всем, командир сказал!

— Важное говорю, парни, — спокойно продолжил Серёга. — «На Сцепе» нас наверняка обложат. Ментов поставят, прикажут освободить площади, может, пришлют ОМОН. Будут прессовать. Газеты заорут, что мы в Афгане фашистами работали, что рынок на Шпальном отжали, как бандосы, теперь «на Сцепе» снова рванули себе лучший кусок. Это будет. Но по-другому нам квартиры не получить. Такая у нас жизнь. Кто солдату блядь припас?

— И чего ты предлагаешь, Серёга? — спросили из зала.

— Мы должны заехать с семьями. Слышите? Если мы будем одни, сами по себе, картинка будет — прикиньте какая. Город нас не поддержит, а власти пошлют ОМОН на штурм. А если мы будем с семьями, то все увидят, что мы нормальные, не звери, не бандюганы отмороженные, что у нас маленькие дети, что мы за закон, а не за беспредел. Я понятно объясняю, бойцы?

Зал притих. Это было для многих важно — числиться среди людей, а не среди беспредельщиков. Общество и так считало «афганцев» психопатами, привыкшими к насилию. На митингах про «Коминтерн» порой орали: «Они палачи! Руки по локоть в крови! Они в Афгане убивали женщин и детей!» И вот теперь уже свои женщины и дети... Тащить их «на Сцепу» — значит, реально рисковать ими, ставить под удар. Кто знает, вменяема ли власть? А вдруг и вправду ОМОН получит приказ идти на штурм жилых домов?

— Серёга, детьми прикрываешься? — глумливо завопил Гудыня.

Он ничего особенного не имел в виду, даже и не размышлял, просто кривлялся всем на потеху и крикнул первое, что пришло в голову. Он думал, что зал будет ржать над такой шуткой.

А Серёга не искал, чем ответить Гудыне, просто мгновенно ощутил, что сейчас нужен сильный жест. Он шагнул к Гудыне, сцапал его за грудь и дёрнул к себе. Прямо на сцене перед всем кинозалом Серёга двинул Гудыне в челюсть так, что разболтанная Гудынина физиономия прыгнула вверх, а сам Гудыня отлетел, разбросав руки, и упал на обомлевшего Пашу Зюмбилова.

— Потеряйся, утырок! — рявкнул Серёга.

— Падла ты, Серый! — Гудыня взвыл от оскорбления и рванулся к Серёге, но Паша Зюмбилов обхватил его сзади и не отпустил.

В зале среди рядов несмело и неуверенно хохотнули. Серёга понял, что интуиция его не подвела: он поступил правильно. Дурак Гудыня озвучил общие сомнения, и озвучил, конечно, по-дурацки, но Серёга отреагировал, как надо, и переломил ситуацию. Теперь парни поедут «на Сцепу» сразу с семьями. По женщинам и детям в Батуеве пока ещё не стреляют, а этих парней из Афгана без стрельбы уже никому не победить.

Всю неделю Серёга и штаб «Коминтерна» готовились к захвату домов. Уточняли списки и адреса будущих жильцов, планировали маршруты. Надо было забирать парней из общаг и малосемеек, от мамаш и тёщ, из съёмных квартир и углов. Касса «Коминтерна» ушла на оплату грузовиков, автобусов, грузчиков, на ссуды тем, у кого нет ни стула своего, ни матраса. Людей тоже не хватало, и Серёга решил привлечь баб. Одну «трёшку» он распорядился на день уступить под «ясли», чтобы запихать туда всех детишек, а девчонки, которые освободятся, будут командовать работягами, куда им чего тащить.

Немец получил приказ привезти «афганцев» из общаги завода «Затвор».

В воскресенье в девять он подогнал свою «барбухайку» к скверу возле общаги. Его ждала небольшая толпа: девчонки с детьми сидели на скамейках, а рядом стояли коляски и сумки; парни курили. В листве какая-то птичка чирикала так звонко, словно осталась одна на весь город. Володя Канунников открыл узкую дверку «барбухайки». Девчонки забрались в автобус, а парни передали им детей — и свёртки с младенцами, и карапузов в комбинезонах.

— Не, я в курятнике ехать не хочу, — заглянув в «барбухайку», весело сказал Митька Лещёв. — Я пивасика возьму, пацаны, и на трамвае приеду.

— Давай вали! — ответили ему девчонки. — Резвый, пока трезвый. Царь зверей, блин! Мошонка от петушонка! Пока-пока!

— Запокакали тут, — хохотнул Митька и захлопнул дверку «барбухайки».

Герман вёл автобус по летним утренним улицам города Батуева. Герман крутил широкий, словно объятие, руль «барбухайки» и чувствовал себя очень странно, будто вдруг сказочно разбогател. Почему-то он улыбался. Сзади, в салоне, сидели и болтали вредные, острые на язык молоденькие бабёшки, и у кого-то из них уже захныкал ребёнок. Герман заботливо объезжал выбоины в асфальте, чтобы раздолбанную «барбухайку» не трясло. Он чувствовал себя капитаном, который везёт колонистов на пока что пустынный материк.

День ещё не разгорелся, солнце не жарило вкрутую, и влажные краски мира не загустели до обеденной плотности масла. Всё вокруг было чуть-чуть прозрачным, словно бы сохраняло недавнюю просвеченность насквозь. Панельные высотки казались отлитыми из дымчатого стекла. Впитав рассветный туман, неясное небо выглядело нежным, как парное молоко.

Город начинал воскресенье. В больших витринах магазинов продавцы отмыкали замки на решётках и приоткрывали фрамуги. Возле подъездов мужики в майках мыли свои машины, макая тряпки в вёдра с грязной, искрящейся водой. На пустыре грузовик парковал большую двухколёсную бочку с пивзавода. Бронированные ларьки пережили субботнюю ночь, будто выстояли в бою, и теперь ларёчники снимали с окон железные щиты и меняли ценники с ночных высоких цен на дневные, умеренные. Вокруг ресторана-дебаркадера — логова группировки спортсменов — в замусоренном городском пруду плавали бутылки, словно отстрелянные гильзы.

Герман вырулил на улицу Сцепщиков, докатил до нужного перекрёстка и свернул в проезд «афганских» высоток. Просторный двор был освещён так ярко, будто солнце пикировало в него, как бомбардировщик. «Барбухайка» оказалась первой машиной великого переселения, ковчегом.

— Приехали, — оглянувшись, сказал Герман в салон, заглушил двигатель автобуса и выпрыгнул из кабины.

Возле среднего подъезда левой высотки стояли два сторожа, Серёга и парни из Штаба — Диса Капитонов, Завражный, Билл Нескоров, Бычегор и Колодкин. Парни рассматривали какие-то схемы, сверялись друг с другом, курили. Герман подошёл, поздоровался и замолчал, ожидая указаний.

Он издалека смотрел на свою угловатую «барбухайку», отбрасывающую чёткую тень. Девчонки выбирались из автобуса и осторожно опускали на асфальт карапузов, парни вытаскивали коляски и сумки. Возле «барбухайки» образовалась небольшая толпа. И потом она двинулась к Лихолетову.

И Герман на всю жизнь запомнил, как они тогда шли, хотя вроде бы ничего особенного не было. Квадратное пространство двора. Солнце. Острые косые тени. Высокие стены домов. Старый облезлый автобус, просто рыдван. Пассажиры. Не парни и девчонки, а молодые мужчины и женщины: недавние солдаты со своими молоденькими жёнами, а ещё младенцы, коляски, вещи... Первые люди с первого плота на незнакомом берегу. Всё только начинается.

И спеленатые младенцы на руках у мужчин были будто автоматы. И карапузы ковыляли, держась за мам, точно после плаванья ещё не научились ступать по твёрдой земле. И беременные женщины шли так уверенно, словно всё в жизни у них уже было решено, — а на самом деле у них были заботы важнее мужской войны. Переваливаясь, как утки, они уже не могли скрыть свою победительную телесность: круглые животы, груди, налитые будущим молоком, одурелую томность лиц и жестов. Солнце, выглядывая из-за угла высотки, проницало подолы, высвечивая фигурные, крепкие женские ноги.

И Герману, и Серёге казалось, что женщины идут к ним, к командирам, но женщины прошли к ним по касательной, мимо — они направлялись к дому, к жилью. А командиры оставались в стороне, как бы в прикрытии. И Герман понял: ему завидно, что среди этих женщин нет его жены с его ребёнком.

Взволнованный, он пошагал к «барбухайке», чтобы запереть двери.

С улицы он заметил, что в автобусе ещё кто-то есть. Герман поднялся в салон и увидел, что здесь Маша Ковылкина, жена Саньки, с которым он делил бокс на станции техобслуживания. Маша сидела на диванчике боком, выставив колени в проход, и кормила грудью младенца. Она была так поглощена кормлением, что не застеснялась Германа, не отвернулась. И в тот момент Герман вдруг остро ощутил свою судьбу: для этой юной женщины он как бы не существует, а значит, ничего такого у него не будет никогда.

А потом за углом начали сигналить, и во двор стали заезжать машины — грузовики с мебелью, фургоны, пассажирские «буханки». Сразу появилось много народу, и все парни были знакомы по «Юбилю». В домах захлопали двери, загудели лифты, в квартирах зазвучали гулкие голоса. Открывались окна, новые жильцы выходили на лоджии и что-то кричали, где-то заиграла музыка. Командиры — члены Штаба

«Коминтерна» — собирали свои бригады. Серёга сновал туда-сюда с хмурым и озабоченным лицом. Он чувствовал себя полководцем, который руководит штурмом крепости. Он распоряжался:

— Настёна Флёрова, ты где? Выдай новеньким рукавицы. Макурин, твоя квартира в третьем подъезде! Спасёнкина, эй! Лена! Лена! Продукты прими по накладной, обед в два, пиво до обеда не выдавай! Капитонов, рассчитайся с бухгалтером из автоколонны, вон он бумажками трясёт. Димон Патаркин, гони два «зилка» в общагу на Кирова, возьми бригаду грузчиков Бакалыма.

— Сергей, а мне что делать? — Басунов ходил за Серёгой по пятам.

— Отрегулируй движение с улицы, Виктор. Когда одна машина выходит со двора — тогда одна машина заходит. Иначе тут затор будет.

— Отрегулировать движение, — вдумчиво повторил Басунов.

Солнце слепило, начиналась жара. Парни разделись по пояс, понтуясь мускулатурой, наработанной в качалке «Юбиля», и наколками из Афгана — факелами «ДРА», парашютами, тиграми. Всем было весело, все ржали. В одном из подъездов ушлый Гудыня тайком от командиров в каморке лифтёра устроил забегаловку, где можно было замахнуть рюмаху или поддать пивца.

Нанятые грузчики снимали мебель с машин и с завистью поглядывали на довольных «афганцев». На их шкафах, кроватях и диванах мелом были написаны номера домов, подъездов, этажей и квартир — так придумал Серёга. Картонные бирки с такими же цифрами были на шпагат примотаны к большим узлам с вещами, к тюкам и коробкам. Мебель и прочее имущество «афганцы» уже сами растаскивали со двора по квартирам хозяев.

Здоровенный Егор Быченко вделся под верёвки, которыми был обвязан трёхстворчатый шкаф, стоящий в кузове грузовика, сдёрнул с бритой головы берет десантника и, растопырив руки, со страшным напряжением поднял шкаф на спине. Полосатая майка Егора едва не лопнула на вздутых мышцах.

— Жми, Егорыч! — издалека крикнул Серёга и заржал. — Рекорд в толчке!

— ВДВ! — победно взревел Быченко, стискивая в кулаке берет.

Говорили, что в Афгане Егор Быченко командовал разведвзводом и получил орден Боевого Красного Знамени...

Первую половину дня Герман катался на «барбухайке», но ему хотелось остаться во дворе «на Сцепе», где сейчас все заодно в работе: тут смеются друг над другом, но не ссорятся, тут меряются силой и ловкостью, тут девки смотрят с лоджий, тут общее радостное оживление. Герман попросил Серёгу после обеда заменить его в автобусе другим водителем. Лихолетов заменил.

Обед привезли в бачках из ближайшей столовки. Девчонки во дворе раскладывали макароны с котлетами по плоским алюминиевым тарелкам.

— Подходите за добавкой, подходите за добавкой, — повторяли они.

— Серый, чего такой фигнёй кормишь? — спрашивали парни у Серёги.

— Меню афганское! — не смущаясь, балагурил Лихолетов. Он стоял возле бачка, держал миску в руке и всем напоказ орудовал ложкой. — Макароны джихадские, котлета «Клятва Ахмад Шаха», бром и хлорка по вкусу! Всем приятного гепатита!

Парни смеялись, вспоминая жратву в Афгане, и больше не возмущались: домашнее будет дома, а сейчас они солдаты, поэтому лопай что дают.

Герман сидел на скамейке неподалёку от Серёги, и рядом вдруг подсела красивая грудастая девица с весёлыми и развратными глазами.

— Позови Лихолетова, — негромко попросила она. — У меня дело.

— Ладно, — кивнул Герман. — А ты кто?

— Марина, — со значением сказала девица и улыбнулась. — Моторкина.

Герман понял, что это жена Мопеда, Гоши Моторкина, — мутного типа, который вертелся на подхвате у деловых приятелей Гайдаржи. Хотя вообще-то жена Мопеда была беременна, и сегодня утром её увезли в больницу.

— Ты, что ли, уже родила? — нелепо спросил Герман.

Марина засмеялась, мягко толкаясь грудью Герману в предплечье.

— Я сестра Гошки. А жена у него тоже Марина. Позови Лихолетова.

Оказывается, придурок Гудыня в своей лифтёрской каморке всё-таки нарезался разбодяженным спиртом с Моторкиным, с Лёликом Голендухиным и с Андрюхой Чабановым — такими же болванами, как и сам. Марина пришла нажаловаться на алкашей и попросить, чтобы ей притащили брата домой.

— Вот гады завсегдатые! — в сердцах сказал Серёга. — Сукамулировались всё-таки, мудни!.. Немец, поможешь девушке? Витя Басунов, а ты прикрой лавочку у Гудыни. Можешь табло ему разбить.

— Прикрыть лавочку у Гудыни, — кивнул Басунов.

Пока Марина искала подмогу, Голендухин успел куда-то уползти, а Мопед, Гудыня и Чабанов, пьянущие, валялись в лифтёрской, словно бомжи в коллекторе на теплотрассе. Герман взгромоздил Мопеда на плечо.

По лестнице в подъезде Марина поднималась впереди Немца, и Немец глядел на её круглую, крупно вылепленную задницу. Марина говорила:

— К паразиту этому я приехала помочь вместо жены. Замок поцеловала, и всё. Новая квартира, скоро ребёнок, а Гошка, урод, квасит. Я сама такого же своего бухарика вышибла и осталась мать-одиночка. Ничего им не надо.

Верно. В общаге, где жил Герман, многие парни тоже начинали пить и опускались. Особых на то причин у них не имелось: парни просто не хотели выбивать себе место под солнцем. Герману потому и нравилось в «Коминтерне», что «афганцы» не сдавались. Там, в Афгане, все они воевали за свою жизнь: выходили в рейды на бронемашинах, прыгали с вертолётов, карабкались по горным тропам. А здесь, в Батуеве, Серёга заставлял парней снова сражаться за свою судьбу. И они опять воевали. Боролись. Зачистка Шпального рынка была этапом этой борьбы. Драки с бандюками, на которые «афганцы» приезжали, набившись в «барбухайку» с палками и кастетами, тоже были этапом этой борьбы. И захват домов «на Сцепе» — тоже. И всё благодаря Серёге. Ведь он написал тогда Немцу: «Дембеля не бывает».

Герман свалил Моторкина в квартире на пол.

— Спасибо, — улыбнулась Марина, испытующе глядя на Германа. — Если понадобится жена — обращайся.

— Я понял, — ответил Герман и пошёл обратно.

Обед закончился. Работа продолжалась.

В проезде между левой высоткой и бетонным забором гастронома стоял автокран. Он снимал с платформы тягача прямоугольные бетонные блоки и опускал на асфальт — строил заграждение, чтобы никакой транспорт, даже БТР, не смог бы здесь прорваться. Узенький проём между высотками уже перекрыли грудой из колец шипастой ленты «егоза»; такой же вал из колючей проволоки потом положат поверх бетонных блоков. Попасть во двор можно будет только одним способом: по дороге между торцом правой высотки и котлованом. Но этот путь будет охранять круглосуточный пост. «Коминтерн» решил превратить свои дома в укрепрайон.

Серёга ходил по двору, всё видел, был в курсе всех дел.

— Вы нахера на газонах разворачиваетесь? — заорал он на шоферюг, которые курили в ожидании разгрузки. — Устроили нам во дворе свинорой!..

Парни переносили вещи наперегонки, бегали к подъездам напрямик.

— Птуха, с дороги! Подрезаю тебя! На спидометре сотка! Соси трубу! — на скорости вопил Жорка Готынян с длинной плоской упаковкой в руках.

— Жорыч, гамсахурдия ты гадская, разобьёшь мне зеркало — я тебя своими руками убью! — отчаянно ругалась с лоджии хозяйка упаковки.

В открытых окнах «ясельной» квартиры стояли мамашки с детьми на руках, смотрели на суету во дворе, на работу парней, на манёвры грузовиков.

— Миша, Миша, скажи ему! — вдруг закричала одна из мамаш, указывая кому-то во дворе на попятившийся фургон. — Он же нам берёзки задавит!..

Короб фургона и вправду угрожающе приблизился к тонким деревцам. Кто-то из парней подскочил к машине и замолотил кулаком в дверь кабины.

Грузовики постепенно освобождали двор, исчезали груды мебели возле подъездов, прекращалась беготня с тюками, спокойнее гудели лифты. Солнце переместилось по небосводу, и половину двора укрыла вечерняя тень. Возле бетонного забора загорелись костры — там жгли брошенную упаковку, доски и картон. Парни, которые уже отработали, вылезали на козырьки подъездов и рассаживались передохнуть, покурить и выпить пива для разминки.

На газонах и тротуарах новосёлы оставили множество разных столов. Здесь были кухонные столы с ящиками, солидные письменные — с тумбами, широкие и полированные — для гостиных комнат, узкие складные «книжки» и вообще какие-то колченогие уродцы. Так приказал Серёга. После большой общей работы надо устроить во дворе большое общее застолье. От каждой квартиры — по столу, если он есть. Девчонки приготовились к празднику и выходили из подъездов с кастрюлями и разной вместительной посудой.

Разномастные столы застелили клеёнками и газетами и выстроили в два ряда, к ним придвинули стулья или соорудили скамейки. А пировать было, в общем-то, нечем: гречка, рис и рожки, картошка «в мундире», всё те же столовские котлеты «клятва Ахмад Шаха», колбаса, кетчуп, солёная селёдка, пирожки с ливером, рыбные консервы, ликёр «Амаретто» для женщин, много водки для мужчин, и на запивон — растворимые напитки «Юпи».

Лена Спасёнкина притащила огромную лохань с квашеной капустой.

— Угощать не стыдно и выбросить не жалко, — философски изрекла она.

Впрочем, радость заслуженного праздника заменяла угощенье.

— Сядем! — наконец скомандовал Серёга. — Бойцы, время приёма пищи!

Они долго, шумно и суетно разбирались по местам. Получилось человек пятьсот. Это без детишек, без мамаш, которые укладывали младенцев, без парней, которые сдуру уже надрались и рухнули. Два дома по одиннадцать этажей, шесть подъездов, почти четыреста квартир.

— Ну, с новосельем вас, бойцы! С новосельем, девчонки! — торжественно объявил Серёга, стоя со стаканом, и вдруг заорал: — Ура, блядь! Ура! Ура-а!..

— Ура-а! Ура-а! — заорали все парни что было сил, и орали до хрипа, до вывиха челюсти, и девчонки засмеялись, а некоторые вдруг заплакали.

И потом началось застолье.

Ели, выпивали, произносили тосты, наливали друг другу, закусывали друг у друга из тарелок, смеялись даже не от шуток, а просто так, потому что хорошо, тихонько гладили чужих жён по задам, улыбались чужим мужьям, хвастались детьми, хвастались будущими заработками, уговаривались на рыбалку, делились рецептами, выбалтывали чужие тайны, жаловались друг на друга, знакомились, рассказывали анекдоты, просили прощения, учили жизни, врали для красного словца, обещали помочь, мирились, объясняли, как менять масло, как предохраняться, как развести пилу, как лечить зубную боль, как вычёсывать собаку, как выращивать рассаду и по какому телефону звонить, чтобы приехал мастер и починил холодильник.

— За ним как за каменной спиной! — говорила пьяненькая Оля Шахова.

— Смотри, салага, показываю, как пьют водку по-македонски, с двух рук! — роняя стаканы на столе, размахивал длинными лапами Вован Расковалов.

— И он меня спрашивает, зацени: вы такая стройная, на диете сидите? Я, дура, говорю ему, не на диете, а на зарплате...

— Он мне предъявляет: сегодня — сорок, завтра — пятьдесят, послезавтра — шестьдесят. Я ему говорю — ты, сука, чего десятками-то считаешь? Яйцами на рынке, что ли, торгуешь?

— На нём ваще лица нет, расстроился, а я его утешаю в том смысле, что чего ты, это неважно, лучше сорок раз по разу, чем за раз все сорок раз.

— Сколько можно базарить-то как дети? Туда-сюда, природа, я же не мальчик. Мы типа как ищем точки соприкосновения, дак два месяца уже ищем! Нашли уже, поди, я думаю! Пора этими точками соприкасаться!

Стемнело, но никто не расходился. Под бетонным забором догорали костры, и мягкая июньская темнота пахла дымом. На столах блестели стеклянные банки со свечами, и над ними порхали мотыльки. По кронам берёзок сверху вниз пробегал трепет, словно берёзки робко раздевались, как женщины. Луна ярко освещала гладкую белую стену высотки с одинаково-абстрактными чёрными окнами. Над крышами домов в сложных разворотах зависли созвездия, будто какие-то огромные летающие сооружения.

По ходу празднества Германа оттеснили от Серёги. Серёга пил мало, но чокался много, к нему то и дело подходили или подсаживались, товарищески стукали стаканом в стакан, обнимали за плечи. Парням хотелось с ним как-то завязаться, обозначить отношения или напомнить о знакомстве.

Лихолетов был герой: ему всё удалось, он доказал свою силу и правоту, он победил всех врагов и осчастливил всех своих. Он испытывал огромное удовлетворение, ему приятно было представлять себя со стороны. И все ему казались друзьями, отличными мужиками, хотелось сделать ещё что-то очень хорошее — раздать все деньги, жениться, пообещать невозможное.

Слева от Серёги сидела Алевтинка Голендухина — жена Лёлика, который забухал ещё днём у Гудыни, а сейчас уже ничего не соображал. Алевтинка спокойно ждала, когда Лихолетов насытится славой и поведёт её к себе. Она жевала жвачку, и лицо у неё было вызывающе самоуверенное. Она завладела лучшим жеребцом в табуне, и кто ей что скажет? Девки — те завидуют, парни сами её хотят, а муж — алкаш. Серёга, может, и не прихватил бы Алевтинку, но ему был нужен символ победы, а на такое дело Алевтинка — в самый раз.

— Сергей, если надо, я могу проконтролировать Голендухина, — негромко сказал Басунов, который прочно пристроился по правую руку от Серёги.

— Не надо, — поморщился Серёга. Он не любил помощи в личных делах.

— Понял. Не надо.

— Немец, ты куда свинтил? — крикнул Серёга Герману, который сидел уже поодаль. — Иди сюда! Виктор, будь ласков, пусти моего друга.

Басунов молча отодвинулся, и Герман пересел на его место.

— А ты чего один?

— Я не один, — возразил Герман. — Я вон с Лещёвым трепался.

— Да я про девушку, — пояснил Серёга. — Как говорится, через трение — к звёздам! — Серёге хотелось снизойти до Немца, щедро одарить неловкого друга. — Если надо, Алевтина для тебя договорится с подругой. Да ведь, Алевтина? Ты же у нас девушка полноприводная.

— Без проблем, — пожала плечами Алевтинка.

— Не надо, Серёга. Я или найду себе кого, или не найду, но сам.

Герману стало грустно. Ему и вправду некого было позвать, но подумал он почему-то о Танюше. Серёга не взял её сюда. Германа ущемила какая-то обида, что вокруг Серёги не Быченко или Лодягин из Штаба «Коминтерна», а Басунов и Алевтинка. А Серёга ведь хороший, настоящий. Герман помнил понтового прапора в лохматой каске и ледяную гряду Гиндукуша, помнил тот страшный мост и остовы взорванных бронемашин у кишлака Хиндж.

— Немец, у тебя всё нормально? — быстро спросил Серёга.

— Нормально, Серёга, — кивнул Герман. — Сегодня мы опять победили.

Глава третья

Вот уже лет десять — начиная, наверное, года с девяносто восьмого — огородный сезон в дачном кооперативе «Деревня Ненастье» заканчивался тогда, когда из своего имения выезжал Ярослав Александрович Куделин — последний огородник округи. Ненастье оставалось на попечении сторожа Фаныча — алкаша, как и все сторожа Ненастья. Никто не знал, почему он Фаныч: Митрофаныч? Епифаныч?.. Его домик стоял у входа в кооператив, возле больших и ржавых железных ворот. Тут же находились вместительный пожарный бак, большой электрощит на весь посёлок, сарай с общественной техникой (вроде косилки или бензопилы) и собачья будка.

Герман не боялся, что сторож Фаныч заметит его — тайного жильца. Выхолощенный водкой Фаныч замечал только то, что нарушало порядок существования посёлка, а Герман этот порядок знал и ничего не нарушал. И собак, старую Найду и молодого Джека, Герман тоже не боялся: они давно были в дружбе. Собакам же никто не объяснил, что Герман — в федеральном розыске, поэтому теперь он враг и чужак, его надо не пускать и облаивать.

Герман приготовился жить на даче так, чтобы снаружи его дом казался необитаемым, законсервированным владельцами на зиму. Навесной замок на входной двери Герман ещё летом заменил врезным. Поленницу выложил нарочито неровно, чтобы вытаскивать поленья из середины. В подполе на полках оставил соленья Куделина, ящик с картошкой, канистры с водой — ведь артезианскую скважину Куделин, уезжая, законопатит, а насос отнесёт на хранение Фанычу. На кухне по шкафчикам Герман рассовал пакеты и банки с гречкой, макаронами и чаем. Обычно хозяева увозили с дач все-все продукты, даже соль высыпали в уборную, чтобы при запасах не поселились бомжи, поэтому свои заготовки Герман сделал втайне от Яр-Саныча.

Он пробрался на огороженную территорию кооператива через дыру в заборе и прошёл к даче с тыла, мимо кустов, вдоль дренажной канавы под железнодорожной насыпью. Домик, обитый облезлым тёсом. Шиферная крыша на два ската с переломом — под мансарду, то есть под второй этаж. Крылечко с козырьком. Пристрой, крытый рубероидом. Дровяник. Колода — рубить дрова, и козлы — пилить. Летняя печь во дворе. Вкопанная бочка. Гора побуревшего опила — остатки после утепления грядок. Рамы парников у задней стены дома. Плотный штакетник. Запертые ворота. Всё знакомо.

Герман осмотрелся. Улица пустая. Все окрестные дома с заколоченными окошками. Никого нет. Сторож Фаныч на другом конце посёлка. Герман поднялся на крыльцо, отпер замок и отворил дверь. Внутри — сумрак. Дом выстудился. Надо привыкать, что теперь тебя нигде никто не ждёт...

Вечером Герман взял в пристрое четырёхколёсную тележку, на которой Яр-Саныч возил опилки, подкормку и удобрения, взял лопату и топор и отправился в лес за деньгами. Он поднялся на железнодорожную насыпь и сверху посмотрел на посёлок: углы и рёбра мокрых крыш, лоскуты огородов, крыжовник и яблони, столбы с перекладинами, заборы. Да уж, Ненастье... То ли здесь погибель души, а то ли белый свет без Ненастья — как храм без креста. Омытые дождём рельсы, блестя, убегали в пасмурный простор.

От Ненастья до ямы, где он спрятал мешки с деньгами, напрямик было километра три. Герман шёл по лесу не спеша, тащил на буксире тележку. Хмурые осинники и ельники, покатые холмы — почти незаметные, словно дыхание спящего. Пышная иконная позолота осени в ноябре уже облупилась и облезла, стёрлась былая лазурь и потемнели белила: из-под ярких красок тихо проступила правдивая и чёрная доска. Герман с шуршанием и хрустом ступал по мягким ворохам древесного опада. В угасающей нежности леса его движение вызывало сырой трепет непрочной светотени и обострение свежих и разных оттенков прели — волглой коры, трухи, раскисающих покровов.

Тихим блаженством было ощущать всё это — усилия крепких ног и плеч, объём груди, прохладу воздуха, тяжесть тележки, ясность своего сознания. Герман вспоминал, как не раз ходил с Танюшей за грибами по здешним рощам и перелескам — тоже осенью, в непогоду. Дождевик, тёплый толстый свитер, прочные непромокаемые ботинки, нож, спички, компас... Бог с ними, с боровиками, — Герман был тут ради Танюши, это ей хотелось в лес.

Она крепко подпоясывала свою красную куртку, повязывала голову платочком (о, этот платочек, как он преображает русских женщин!), надевала детский рюкзачок и брала большую плетёную корзину. Большую — потому что считала себя очень хозяйственной: Таня направлялась в лес за добычей и не собиралась возвращаться пусторукой, будто какая-то разиня. В рюкзачке у неё были бутерброды и термос с чаем. Чай на привалах она пила только из стаканчика, а лишний хлеб ломала на кусочки и сыпала поверху на ствол какой-нибудь трухлявой валёжины — «птички съедят, им сейчас трудно».

Может, это и было его счастьем? Может, не надо было красть деньги, бежать, рвать путы?.. А как же тоска Танюши? Разве он не помнит, как Таня смотрела на кроны деревьев, сквозь которые ползли низкие облака? Герман читал у Танюши в глазах: этот лес останется сам у себя, вечно продолжаясь в себе, возвращаясь к себе, а она исчезнет без следа, как мёртвый камень, канувший в омут, потому что она проклята, лишена бессмертия души...

Герман нашёл свою яму, убрал с неё корягу, раскидал лапник и увидел мешки с деньгами, а сверху вытянулся карабин «сайга». Герман перетаскал мешки в тележку, лопатой сгрёб в яму землю, нарубил ещё лапника, укрыл им и яму, и тележку, пристроил карабин, лопату и топор и двинулся обратно.

Никто его вроде не видел. Пока он возился, на пенёк невдалеке вылез встревоженный бурундук — вот и все свидетели. Садовая тележка теперь катилась еле-еле, глубоко вязла тонкими колёсами в рыхлой лесной подстилке. Смеркалось. В лесу не то чтобы темнело, а как-то всё слепло — это на вечернем холоде от земли всплывал тёплый пар неостывшей земли.

Водяная пыль опушала деревья. Герман тянул тележку, тяжело дышал и думал, как всё странно: он, бывший солдат, ветеран Афганистана, в пустом осеннем лесу тянет сквозь тесные заросли ольхи и рябины дачную тележку, в которой лежит голимая гора бабла. Как так повернулась жизнь?

Он добрёл до своего домика почти в полной темноте. Заволок мешки в комнату и, не разуваясь, прошёл к комоду — достал сумку с пассатижами, мотком проволоки, изолентой, ножом и гаечными ключами. Следовало организовать себе электричество — подключиться к общему кабелю, но мимо счётчика, чтобы сторож Фаныч не увидел увеличения расхода энергии в безлюдном посёлке. Герман знал, как это сделать.

На улице, укрываясь за кустом смородины, он присел возле столба поселковой электросети. Он уже заранее подтянул сюда провода: спрятал их под дощатым тротуаром и прикопал в колее. Отвинтив крышку ящика с блокираторами и разводкой, он уверенно подцепил свои провода к кабелю на металлических зажимах-«крокодильчиках», потом поставил крышку обратно, закрутил болты и ногами зашаркал следы. Улица молчала, как мёртвая. В домах не горел ни один огонёк. Моросило. За посёлком по железной дороге прогрохотал пассажирский экспресс; его свет замелькал на скатах крыш и в лужах, вспыхнули ряды штакетин в заборчиках. Казалось, вокруг идёт война.

Герман вернулся к себе, закрыл калитку в заборе, поднялся в дом, запер дверь, разулся, тщательно проверил, как занавешены окна — это была его светомаскировка, и включил маленькую настольную лампу. Стены из бруса. Балки потолка. Лестница на второй этаж. Комод. Тахта. Шкаф. Стол. Печка. Печку надо протопить, а то холодно... Посреди комнаты лежала куча чёрных мокрых мешков, облепленных палыми листьями. Это были его деньги.

Он раскочегарил печку, вскипятил электрочайник, заварил себе в миске китайскую лапшу, соорудил бутерброд с сыром, насыпал растворимый кофе из пакетика в эмалированную кружку с чёрными выбоинами. Он ужинал и смотрел в огонь. Отблески пламени бегали по мешкам с деньгами, как белки. Ночной осенний дождь стучал по окнам и кровле крылечка.

Наверное, сейчас все друзья и знакомые уже узнали о том, что он сделал. Сидят друг у друга в гостях, обсуждают, выпивают — пятница же. Висят на телефонах. А что делает Танюша? Сегодняшний вечер для неё — один из самых страшных в жизни. Может, позвонить или хотя бы прислать ей СМСку?.. Нельзя. Нельзя. Стоит только хоть раз показать, что Танюша ему небезразлична, и её сразу превратят в приманку для беглого мужа.

Надо подтереть сопли и делать то, что предусмотрено планом. Ничего уже не изменить к лучшему. Лучшее начнётся, когда он реализует свой план. Поэтому незачем изводить себя страданиями. Герман допил кофе, расстелил у печки старое покрывало (на нём Танюша летом загорала на огороде) и достал из комода мощные портновские ножницы размером с грача.

Мешки с деньгами имели стальную окантовку горловин, сложенных на шарнире пополам, как у кошелька, и были заперты на кодовые замки. Герман с натугой разрезал на боку одного мешка плотную ткань — огнеупорную и водонепроницаемую — и решительно вытряхнул на покрывало содержимое.

Деньги. Деньги. Купюры в пачках. Обандероленные или просто в резинке.

Герман принялся разбирать добычу. И мелочь, и крупные. И новые, и затасканные. Зелёные десятки, синие полтинники, жёлтые сотки, пятихатки цвета борща, синеватые косари... Памятники, корабли, плотины, театры... А вот упаковка с валютой — президенты, гербы, орлы, дворцы какие-то... Герман начал считать, аккуратно раскладывая купюры по достоинству. Однако на пятой пачке он остановился. Нет, запомнить такое невозможно; суммы и всё прочее надо записывать, иначе спутается.

Он поднялся и полез в комод, отыскал там амбарную книгу, в которой Танюша вела хозяйственные счета. Из своего саквояжа он достал толстую ручку с надписью «Герман» (ручку он прихватил из дома). Танюша любила именные вещи, это ей напоминало, что она — не одна. У них в общаге «Таня» и «Герман» было написано на кружках, на полотенцах, на тапках, даже на банных мочалках... На двадцатой пачке у Германа заболели глаза.

В мешке было — округлённо — семь миллионов восемьсот двадцать тысяч рублей. Он считал почти час. А таких мешков ещё четырнадцать. Хорош уже, надо ложиться спать. Он устал. Темно. Герман по-турецки сидел на холодном полу над ворохом денег. Если его на этой даче не вычислили и не арестовали прямо сегодня, значит, его убежище осталось нераскрытым. Это прекрасно. У него есть фора по времени, он всё успеет. Всё равно ему здесь — по плану — торчать до понедельника. Будет чем заняться в субботу и воскресенье. А сейчас надо отдохнуть. День был очень тяжёлым.

Герман поднялся и снова включил чайник. За окном, в щели между штор, шептала и мерцала дождливая ночь. Конечно, суммы в мешках разные. В этом — почти восемь миллионов. В другом может быть три. А может быть и десять, и двенадцать. Но всё равно в целом больше ста миллионов. Ёшкин кот. Он думал взять в лучшем случае миллионов тридцать. Хорошо или плохо, что такой перебор? Он составлял план в расчёте на тридцать лямов; сгодится ли этот план на куда более крупную добычу?..

Герман приготовил отличное место для мешков с деньгами. Раньше здесь, на даче, в дальнем углу участка был погреб. Довольно глубокий. В том погребе Танюша прятала документы Серёги — его папку-скоросшиватель, которую вынесла из разгромленного «Юбиля». Папка хранилась в старом ученическом портфеле — он стоял на полке над ящиком с картошкой.

Прошедшим летом Герман переоборудовал погреб: сделал новый сруб для шахты-спуска и сколотил для него крепкую крышку; полностью убрал будку, что громоздилась над погребом, а крышку засыпал землей и утрамбовал; вокруг пересадил кусты малины. Погреб превратился в бункер, который не имел никакого выхода на поверхность. Его практически невозможно было определить ни щупом, ни металлоискателем, разве что георадаром. Лишь тот, кто знает секрет, может раскопать здесь грунт и добраться до крышки, под которой — проход в подземную камеру.

Там и будут стоять мешки с деньгами — сколько потребуется. Три месяца, полгода, год. Даже если новый хозяин снесёт дом, то край участка, на котором зарыт погреб, останется невредимым: тут неухоженный малинник, тут начинается зона отчуждения вдоль насыпи железной дороги. Такой тайник лучше ямы в лесу. До него несложно добраться, и его легко можно контролировать прямо из электрички — проехал мимо и посмотрел из окна, всё ли в порядке. Объяснить, как найти нужное место, не составляет труда; не требуется заморочек кладоискателей: «от алтаря старой церкви иди двести шагов на восток, потом сто шагов на север...» Это обстоятельство для него было важно: он не собирался возвращаться за деньгами сам, а думал указать тайник Сашке Флёрову. Или — если будет пропадать — Танюше. Ни Сашка, ни Танюша сами не найдут яму в лесу: один колченогий, другая — беспомощная.

Он достал из шкафа бельё и поднялся на второй этаж, постелил себе и улёгся под окном на самодельной кровати вроде топчана. Он слушал, как пощёлкивает, остывая, печная труба, как дождь гуляет по крыше, как изредка гремят и воют пролетающие мимо поезда. Он всё-таки осмелился на рывок к счастью. Он сделал этот шаг — неправильный, несправедливый, жестокий. Лишь бы Танюша поняла, что нужно именно так, а потом начала ждать его — и он обязательно вернётся, заберёт её из деревни Ненастье в дивную Индию.

Он спал — и словно метался во сне по временам и странам, был сразу везде, видел сразу всё. Ему снилась Индия, сияющее малабарское побережье в Падхбатти, кремовый песок вечернего пляжа у гестхаусов, розовая пена прибоя и тот странный индус в белом балахоне, который вечером приходил к океану с огромным расписным барабаном и медленно, гулко отбивал какой-то неизъяснимый счёт. Ему снился Афган, ночь в ущелье у кишлака Хиндж, ледяные призраки Гиндукуша над рекой, и они с Серёгой ложками хлебают спирт в чёрной тени сгоревшего грузовика, а напротив сидит и смотрит на них заминированный мертвец. А ещё ему снилось, что он дома, в Ненастье, и тут лето, август; он проснулся утром и видит в окно, как Танюша внизу ходит по грядкам и разговаривает со своими растениями: расспрашивает у помидорных кустов, чем они так недовольны и почему не плодоносят, хвалит аккуратную морковку за усердие и ругает буйный горох за хулиганство...

* * *

17 ноября, в понедельник, Герман проснулся уже после полудня. В мансарде, где он ночевал, стояло тонкое жемчужное свечение — это снаружи выпал снег. Герман отодвинул шторку и долго смотрел на огороды, словно бы застеленные чистыми простынями, на свежепобеленные крыши сараев, на благородно осеребрённый малинник. По насыпи железной дороги промчался эшелон, за ним в дренажной канаве стремительно летели струи позёмки.

Согласно плану, сегодня Герман должен был покинуть Ненастье. По новому паспорту он уже купил билет на скорый поезд Казань — Тюмень; он сядет в вагон на станции Батуев-Сортировочная. Завтра вечером он выйдет в Челябинске и по другому паспорту поедет на поезде Челябинск — Самара. В Самаре — мама, он её не видел уже двенадцать лет. Конечно, опера сейчас наверняка наведались и к ней, но вряд ли к ней приставлен наряд, так что он найдёт возможность встретиться с мамой и не попасть в ловушку.

Деньги он посчитал до конца и аккуратно расфасовал по мешкам, замотав разрезы скотчем. Сто сорок три миллиона семьсот тысяч. Джекпот. Герман взял с собой столько денег, сколько и запланировал, а мешки стаскал в погреб и составил на поддоны; доски поддона он застелил рубероидом, а мешки закутал полиэтиленом. Там же, в погребе, на крышку картофельного ларя он положил завёрнутый в брезент карабин «сайга» с четырьмя рожками патронов. Потом плотно подогнал крышку погреба, засыпал лаз землёй, утоптал и подмёл метлой. А под утро всё ровным слоем закрасил снег.

Герман готовил себе завтрак на электроплитке и думал о предстоящем дне. Главную суматоху он пересидел. Его грабёж был информационной бомбой в пятницу и в субботу, а сегодня стал уже поднадоевшим приколом. Герман слушал новости по *FM*-станциям: ни одна программа не назвала сумму похищенного — видимо, чтобы не провоцировать народ на поиски счастливчика. Ведущие зачитывали комментарии с сайтов своих студий, и почти все комментаторы уверенно заявляли, что Неволина в области давно нет, он в Москве или даже на Майами, и менты не поймают его никогда.

Сюжеты о его подвиге уходили из топов: значит, на пике публичного интереса к событию (когда везде говорят об этом) случайные прохожие не опознают в нём злодея. А внешность у него заурядная, и он затеряется.

Герман выпил кофе и принялся прибираться: никто не должен заметить, что домик был обитаем. Итак, сейчас у него три новых паспорта. Полгода или год он поживёт по разным городам России, пока на Таню оформляют недвижимость в Индии, а потом вернётся, придумав, как решить проблему оставшихся денег, заберёт Танюшу и её отца и уедет из России навсегда.

Он вышел на крыльцо домика в зимнем пальто и с кожаным саквояжем в руке, запер дверь и оглянулся вокруг. Светило тусклое солнце, сверкал снег, воздух чуть вздрагивал. Прощай, Ненастье. Будет ли он в Индии тосковать по этой застенчивой погоде, по этой грустной прохладе? Может, и нет.

Он шагал в сторону станции. Машины, что проносились мимо, обдавали его ледяной пылью. Сизая асфальтовая дорога, млечное пространство. Он сделал всё, что мог. Он воевал, потом боролся, потом работал. А счастья не получилось. Смириться? А как же его Пуговка? И вот он украл и бежит.

Он ощущал себя основательно подготовленным к поединку с судьбой, будто одетым в прочный бронежилет: по внутренним карманам он тщательно рассовал пачки денег — двадцать два миллиона самыми крупными купюрами. Шестнадцать лимонов он отдаст Флёрову; семьсот тысяч — Яр-Санычу; на пять миллионов триста тысяч будет жить до эвакуации из России.

На привокзальной площади Ненастья он мельком глянул на автостоянку. Его «девятка», заросшая инеем, находилась всё там же. Эх вы, сыскари. Он купил билет; к перрону подкатила электричка. Из тёплого вагона он ещё раз увидел деревню Ненастье, её улочки, домики, огороды, неурожайные яблони. Вот и его бывший дом. Вот крохотный прогал в малине — там закопан клад...

Герман вышел в тамбур и достал телефон. Он купил пяток краденых трубок, чтобы звонить по мере надобности (краденые телефоны продавали какие-то поганцы на районном рынке). Левые сим-карты он тоже купил с рук у каких-то мошенников прямо возле дверей фирменного салона сотовой связи. Герман включил телефон, вставил симку и набрал номер Флёрова.

— Саня, это я, — сказал он. — Всё, как договорились. Конец связи.

Саню Флёрова Герман встретил в апреле, до этого они не виделись лет восемь. Огромный Саня со своим протезом и костылём громоздился у входа в административную часть Шпального рынка, растопыренный, словно гигантский паук. Он яростно курил и плевал мимо урны.

— Здорово! — обрадовался тогда Герман. — Как дела?

— Да никак дела! — зарычал Саня. — Пущай этот ваш Щебет лезет корове в трещину! Вспух, как чирей, капиталист сучий! Не он тут всё начинал!..

Саня ходил в «Коминтерн» просить кредит на развитие своего бизнеса — маленького мебельного предприятия. Щебетовский ему отказал.

— При Лихолете и Бычегоре «Коминтерн» был, бля, какой надо! Свои парни решения принимали! — гремел Саня. — А здесь три зассыхи-умнявки зырят через очочки!.. — Саня запищал, изображая сотрудницу «Коминтерна»: — «Нашу блядскую комиссию ваш бизнес-план не убедил! Наша блядская комиссия боится, что ваш кредит не будет погашен!» Да я Щебета сейчас самого погашу! Я чо, работать не умею, Немец?

— Умеешь, — кивнул Герман.

Саня всегда доказывал, что он и без ноги всем равен по возможностям.

— Знаешь, почему они мне отказали? Потому что по инвалидской пенсии не выплатить ихний процент. Они считают, что я нихера не заработаю и начну отдавать из пособия! Я этой соске ору: «Ты чо, болонка, мне же ногу оторвало, а не бошку!» Дайте подняться, суки!

Саня был женат; его Настёна была такой же деятельной и скандальной, как и Саня, — короче, два сапога пара. У них был сын. Пока «Коминтерн» был настоящей живой организацией, Саня волочил на себе трудоустройство инвалидов Афгана: пропихивал кого-то в какие-то фирмы, помогал с арендой и кредитами. Это у него было такое странное умопомешательство — упрямо помогать, выручать кого попало, вытаскивать из последних сил.

— Я же, Серый, ёбнутый, — честно говорил тогда Саня Лихолетову. — Меня же как на Хазаре ёбнуло, так я до сих пор всех вытаскиваю.

В 1984 году батальон, где был Саня, попал в засаду в ущелье речки Хазар — на ответвлении могучего Панджшерского ущелья. С господствующих высот басмачи из китайских крупнокалиберных пулемётов «тип 77» шинковали спешенных мотострелков — как тяпками в корыте. Саня оттащил за камень кого-то из раненых бойцов, потом полез за другим — тут его и достали. Через годы, уже в Батуеве, у Немца в «блиндаже», Саня рассказывал, что видел, как после удара пули улетала, вращаясь, его нога.

— Я, конечно, не сдохну, Немец, но этого... — Флёров кивнул кудлатой башкой на комплекс Шпального рынка, — этого не понимаю. Для кого оно?

Злобно тыкая костылём в тротуар, Саня поскакал к остановке автобуса.

Герману эта встреча запала в память — и вскоре аукнулось.

Обдумывая ограбление, Герман осознал, что грохнуть броневик — ещё половина дела. Надо потом как-то легализовать чёрный нал, ведь нельзя везде ходить с украденными мешками, набитыми разномастными купюрами. А Герман хотел выехать за рубеж, и выехать легально, с капиталом.

У него будут новые банковские карты. Потребуется положить на них похищенные деньги. Однако он же не сможет прийти в ближайший Сбербанк со своими мешками и попросить разбросать бабки по счетам. Это должны сделать некие левые люди. В течение двух-трёх месяцев, не вызывая никаких подозрений, они перельют его бабло мелкими траншами на разные карты. Но где найти подходящих людей — реальных, однако неприметных участников рынка? Таких, которые не присвоят его деньги и не сдадут его властям.

Вот тогда Герман и подумал о Флёрове с его инвалидами. Герман позвонил Флёрову и договорился приехать в гости — обсудить идею.

Флёров с женой Настёной и сыном жил по-прежнему «на Сцепе», в той маленькой «двушке», которую выписал ему Лихолетов. Герман давно уже не бывал в «афганских» домах. Теперь главный заезд во двор вёл с улицы от супермаркета: во времена «афганского сидения» этот путь перегораживали бетонные блоки с кольцами колючки. Герман запарковал свой служебный автобус возле мусорки, вышел на солнце, и просто остановился, чтобы почувствовать это пространство, такую знакомую ему геометрию... Ух ты, берёзки на газоне выросли и раскидались — получилась целая роща...

Флёров жил в одном подъезде с Лихолетовым. Герман поднимался по лестнице и вспоминал, как он принёс Серёге его папку-скоросшиватель, а Серёга, погибая от одиночества, гужевался с двумя шлюшками...

Дверь открыла Настёна. Она была красивой девчонкой, да и теперь была красивой женщиной, но какой-то измызганной жизнью, издёрганной.

— Здравствуй, Настя. Рад увидеть тебя.

Во времена «афганского сидения» квартиру Германа переоборудовали в наблюдательный пост, в рубеж обороны. Парни прозвали хату «блиндаж». Здесь вместе с караульными околачивались разные бездельники — бухали и оттягивались как могли. Заруливал и Саня Флёров. Герман запомнил его пьяную историю, как Настёна написала ему в Афган, что полюбила другого и ждать не будет: прости-прощай. Рыча и ворочая широченными плечищами, Саня показывал, как он схватил фотку Настёны, поставил на валун и в ярости расстрелял её из ручного пулемёта. Всё было кр-руто и з-зверско.

Флёров оказался дома не один, хотя Герман условился, что разговор будет без свидетелей. В небольшой гостиной Флёровых в кресле-каталке сидел Демьян Гуртьев. Он жил на одной площадке с Саней и, конечно, был первым другом. На кухню каталка не влезала, поэтому Саня с Демьяном выпивали в гостиной (Настёна понимала и терпела). Третьим в их компании был Лёха Бакалым, вечный киномеханик и телемастер «Коминтерна».

— У меня от друзей секретов нет, Немец, — с осуждением сказал Саня. — Хочешь перетереть — давай при них. Мы хоть инвалиды, но не дураки.

— А Бакалым-то с чего инвалид? — усаживаясь, спросил Герман.

— Нормально живу, Немец, — улыбнулся Лёха.

— Года три назад его какие-то суки отмудохали, битой по балде дали. Он оглох. Я ему «афганскую» инвалидность оформлял. Это же геморрой.

— Он ведь не в Афгане ранен, — осторожно заметил Герман.

— Ну и что? — агрессивно спросил Саня. — Он всё равно «афганец»!

— Да я освоился, Немец, немножко-то слышу, — невпопад сказал Лёха.

— Тебя щемит, что ли, Немец, если Бакалыму военную пенсию выпишут? — вскинулся Гуртьев. — Ожлобели, бля, с руками-то, с ногами!

Демьян был настоящей «голубой молнией» — служил в дивизии ВДВ, на базе в Лашкаргахе. Весной 1982-го его батальон загрузили на вертолёты с закрашенными звёздами и номерами, и утробистые «папуасы» (так называли модификацию Ми-8 ППА) понесли десант на душманский укрепрайон Рабати-джали. Командиры поставили задачу: сжечь тюки с опиумом и захватить ящики с турецкими ПЗРК «Стрела». Но повоевать в тот раз Демьян не успел: угодил под гранату. Ему перебило позвоночник.

— Демьян, не бурей, — сказал Герман. — Я вообще у вас по делу.

— Ну, валяй.

В комнату вошла Настёна; на журнальный столик рядом с водкой и рюмками она молча поставила тарелки с нарезанной колбасой и огурцами.

— Саня сказал, что вы хотите купить фирму по перетяжке мебели, да? Вам нужен кредит, а Щебетовский не даёт. У меня предложение, парни.

И Герман объяснил. У него появится большой объём криминальной налички. Он занесёт бабло Флёрову. Флёров и парни от себя самих переведут эту наличку рублями или валютой на счета банковских карт, которые укажет Немец. Двадцать пять процентов возьмут себе. Вот и всё.

— Какая сумма? — спросил Демьян и налил себе в рюмку водки.

Он начал ещё задолго до прихода Германа и был уже изрядно косой.

— Скажем, шестнадцать лимонов. То есть четыре станут ваши.

— А если спалят, мы пойдём соучастниками?

— Конечно, Демьяныч.

— Ловко ты своих братанов под ментуру заводишь!

Герман молчал, разглядывая Демьяна. Он вспомнил, как в «блиндаже» Демьян рассказывал, что у него в Афгане был друг. С этим другом Демьян встречал Новый год: составлял из автоматов типа как ёлку, а вместо игрушек подвешивал консервные банки. Потом друг подорвался на мине, и Демьян принёс его в полиэтиленовом мешке — руки, ноги, голову, всё отдельно.

— Знаешь, я почему-то не верю в такие истории, — негромко сказал тогда Герману Володя Канунников. — Конечно, у кого-то оно и вправду было, но каждый второй рассказывает, как собирал друга по кускам в ведро. Или как в рейде товарищи падали в пропасть без крика. Или как в кишлаке гранатой размазал в доме по стенам семью афганцев... Это общий ужас, а не личный.

От инвалидов даже сами «афганцы» старались держаться подаль. Было то ли слишком стыдно, что уцелели, то ли слишком понятно, что сами такие же. Увечья лишь физически обозначили Афган, который в каждом жил и без внешних признаков. Увечья, как Афган, были неизбывны и безысходны.

— Я предложил — вы ответили, — спокойно сказал Герман. — Тогда пока.

— Не залупайся, — одёрнул Флёров, будто это Герман полез в бутылку.

— Только надо заказов побольше, — соглашаясь, кивнул Бакалым.

— Чьё бабло-то сшибаешь, Немец? — напрямик спросил Гуртьев, снова наливая водки себе и Бакалыму. — Обраточка не прилетит?

— Вам этого знать не надо, парни.

— Щебетовского хочешь переобуть? — Флёров ухмыльнулся. — Чего тут непонятного, Немец? Да ради бога. Против этой падлы тебе любой поможет. Он за-ради Шпального рынка весь «Коминтерн» угробил.

— Да там у них все такие, не только Щебет, — Гуртьев закурил. — Пидоры. Кто чуть приподнимется, так сразу ссучивается. Лихолет, Бычегор — это были мужики, а начиная с Гайдаржи попёрло говно. Нас первыми слили. Сунули доплату, как блядям по конфете, и всё, больше не нужны. У каждого рыла своя фирма, у каждого свой интерес, нахера им братаны? Откупились — и отвалите, калеки. Сидят все такие в костюмах. Ни дела для нас, нихера!

Герману показалось, что в тесной комнате, загромождённой коляской Гуртьева и костылями Флёрова, он как в загоне, и на него лают цепные псы.

— Мы были нужны, пока в «Коминтерне» были общие дела, — вдруг сказал Саня Флёров с пронзительной ясностью. — Хоть война, да общая.

И Герман понял, что инвалиды всё-таки возьмутся за его заказ, помогут. Просто потому, что он ведь тоже травмированный, а травма его — Танюша. Так что этим парням он как родня — то ли по Афгану, то ли по травме.

Так оно всё и сложилось. Герман поддерживал связь с Флёровым по телефону — выяснял, как у парней идут дела. Парни сидели в долгах и ждали, когда Немец решится на то, что задумал. Вот и дождались.

Встречу с Саней Герман назначил на половину пятого у главного входа в поликлинику. Уже, считай, сумерки; суматоха в конце рабочей смены. Да в больнице всегда суета, множество самых разных людей, и все заняты своими заботами, своими хворями, — тут не до посторонних. С саквояжем в руке Герман шагал по заиндевелым дорожкам в парке медгородка и вспоминал, что где-то здесь при Быченко кто-то заложил в больницу мину... И сюда же он приехал на «барбухайке» за Танюшей в тот страшный для неё день...

Саня Флёров в бушлате торчал на костылях в условленном месте.

— Немец, здорово! — зарычал он и едва не упал, сронив с головы шапку.

Герман подхватил его под руку, установил вертикально, поднял шапку.

— Видел тебя по телику! — хрипел Саня. — Ну, ты ваще стальной тампакс! Это же надо, как ломанул кассу! Уважаю, бр-ратуха! Щ-щесно, не ожидал!

Герман внимательно посмотрел Сане в лицо.

— Флёров, ты чего, бухой? — тревожно спросил он.

— Идём тоже замахнём! — Саня попытался обнять Германа. — Тут рядом!

— Да как же так можно-то? — разозлился Герман. — Что за хрень, Саня?

— Не ссы! — Флёров снова поскользнулся, хотя не сделал ни шага. — Я всё х-хонтролирую! Я тебя не подвёл! Пис-сец, какой расклад, Немец!

— Понятно, уговору отбой, — отрезал Герман. — Пока, Саня.

Он повернулся и пошёл прочь. В душе была ошеломляющая пустота.

— Стой, Немец! — заорал сзади Саня. — Ты чо?! Всё нормал-левич!..

Герман услышал бряканье и шлепок. Саня всё же упал.

— Я же за тебя выпил! — крикнул Саня. — Мне бы ногу, я б с тобой!..

Герман знал всю хитрость пьяных мужиков, которые вроде ничего не соображают, но уговорят, подмаслят, уломают, разжалобят... Однако дело не в жалости. Мало ли чего Саня поведает о причинах своего пьянства врачам или ментам, которые его примут? Расскажет, что обмывал удачу друга — и менты узнают, что Неволин до сих пор в Батуеве. Проклиная себя, Герман вернулся к Сане, который валялся на заснеженном асфальте и шевелился с костылём, будто переломанный журавль. Герман взгромоздил Флёрова на ноги и поволок к воротам больничного городка. На них оглядывались.

Герман донёс Саню до выхода с территории медсанчасти. Здесь всегда дежурили такси. Герман сунулся к ближайшему.

— До «афганских» домов «на Сцепе» подкинешь, командир?

Он запихал Флёрова на заднее сиденье, подоткнул край его бушлата.

— Не-е, если ты сам не поедешь — то выгружай! — сердито заявил таксист. — Он мне чехлы заблюёт! И кто его от машины домой потащит?

«Не всё ли равно мне, почему бы и нет?» — подумал Герман. У него было лишнее время до восьми часов вечера.

Он сел на переднее сиденье, поставил саквояж на колени, пристегнулся.

Просто охренеть. На нём — двадцать два миллиона рублей. Он объявлен в федеральный розыск. А он тут посреди города у всех на глазах кантует пьяного приятеля. Но ведь не бросишь же Саню — невменяемого, безногого...

Пока тачка ехала через пробки, слава богу, стемнело.

Таксист свернул во двор «на Сцепе» и притормозил у нужного подъезда. Герман выбрался из машины, поневоле вжимая голову в плечи. Здесь чуть ли не каждый житель знает его в лицо... Но зима, вечер — авось никто его не разглядит... Герман расплатился, достал бессмысленно хрипящего Саню из такси и поволок к подъезду. Флёров еле переставлял ноги, ныряя на ходу, стучал костылём по скамейкам, по ступенькам, по железным прутьям перил.

Настёна открыла дверь и посторонилась, пропуская гостя в квартиру. Герман занёс Саню и уложил на пол в комнате. Саня что-то бормотал.

— Вот так вот получилось, — сказал Герман, поглядев на Настёну.

— Прости, — негромко сказала Настёна. — Он вообще-то не запойный.

— Тебе видней.

— Я в курсе всего, Неволин. Смотрела новости. Хочешь пожрать?

— Да какой тут ужин, Настёна? — вздохнул Герман. — А сын у вас где?

— Гуляет с подругой, придёт уже ночью. Неволин, а что... — Настя отвела взгляд, — с твоими деньгами у нас теперь уже всё, да? Ничего не будет?

Лицо её как-то разом обвисло, отяжелело, будто её обманули.

— Сашка тебе всё-таки разболтал про наши планы?

— Нет, Гера, Сашка не трепло, — Настёна искала, куда деть руки. — Просто я сама тогда всё слышала с кухни... Стены-то картонные.

Герману стало жалко её. Она надеялась, что муж получит деньги — заведёт бизнес — наладит жизнь. Конечно, деньги краденые. Но у кого?! У того, кто сам всё украл. А ведь ей уже сорок пять. И сына надо загнать в институт, а то — как отец — уйдёт в армию и вернётся инвалидом с очередной войны в горах... Да боже мой, как хочется просто пожить, а не колотиться!

Герман отвернулся. Он же взрослый мужик, он был на войне, и даже тут, в своём мирном городе, он тоже стрелял в людей... Он ограбил броневик с охранниками... Ну чего же он раскис, дурацкий Жалейкин? В чём он виноват перед этой бабой? Он не обязан ей помогать! Она вообще жива-здорова.

Он молча прошёл мимо Настёны на кухню, отодвинул со стола немытую посуду, расстегнул пальто и начал выкладывать пачки денег. Настёна смотрела из коридора, механически вытирая руки передником.

— Здесь шестнадцать миллионов, — сказал Герман. — Четыре миллиона Сашке и его парням, двенадцать они должны положить мне на карточки в рублях и в валюте. Вот на листочке номера моих банковских счетов. Саня всё это знает, Настёна. Я лично тебе поясняю, чтобы ты не подумала чего.

— Так много денег! — Настёна ошарашенно покачала головой.

«Если бы ты знала, сколько их на самом деле», — подумал Герман.

— Сама соображаешь, Настёна, что эти деньги — мой приговор, — Герман для наглядности указал на деньги пальцем. — Да и ваш с Саней тоже. Но вы понимаете, как надо себя вести. Или я могу всё забрать и уйти.

— Нет, надо попробовать, Гера, — с отчаяньем вздохнула Настёна.

Он спускался по лестнице, а не на лифте, чтобы успокоить нервы. Всё будет хорошо. Через несколько дней он сунет карточку в банкомат и увидит, что счёт начал пополняться, — значит, Флёров выполняет обещание. Герман верил, что Флёров протрезвеет и сделает, как условились. Верил, что Сашка, его парни-инвалиды и Настёна будут молчать. Никто Немца не обманет. Ох, как же давно Лихолетов внушил ему, что «афганец» «афганца» не кинет!

Но проблема была в другом — в мешках из погреба. Герман планировал так. Если Сашка перечислит ему двенадцать лимонов, значит, он надёжный; после операции можно будет позвонить ему и рассказать уже про погреб. Пусть он съездит в Ненастье, достанет оставшиеся деньги и опробованным способом закатит их Немцу на карточки, взяв себе оговорённый гонорар.

Но сегодня стало ясно, что на Флёрова полностью полагаться нельзя. Он парень нормальный, но не справился с удачей в четыре лимона — сорвался, забухал. А сто двадцать бесконтрольных лимонов его раздавят. Значит, надо придумать иной вариант, как перевести деньги из погреба на карточку.

Подняв воротник, опустив наушники у кепки, Герман шагал по тротуару мимо подъездов. На их козырьки парни летом вылезали пить пиво... А таких стальных дверей даже в годы «афганского сидения» здесь не было... Детская площадка в центре двора плотно окружена автомобилями... Вот тут сожгли «крайслер» Жорки Готыняна. А вон там на табуретках стоял гроб Гудыни... На площадке, где мусорные баки, топтались пикетчики... Герман повернул за угол. Улица в огнях. Над ней — тёмное небо. На торцевой стене дома высоко висит балкон его квартиры — наблюдательный пост их «блиндажа»... Даже не верится, что всё тогдашнее происходило с ним самим.

* * *

«Блиндажом» парни называли квартиру Германа. Она располагалась в правой высотке, в правом подъезде, на третьем этаже справа. Окно комнаты смотрело на улицу, окно кухни — во двор, а балкон висел на торцевой стене высотки как раз над единственным проездом в «укрепрайон».

Балкон и стал боевым отделением «блиндажа». Сюда затянули мощный кабель и подцепили к перилам прожектор, освещающий весь проезд. В угол, прикрыв от дождя фанеркой, задвинули ящик с бутылками, заполненными бензином; из их горлышек торчали тряпичные фитили. В форточку кухни забросили телефонный провод-воздушку, чтобы при атаке дозорные звонили командирам, поднимали тревогу. «Коминтерн» приготовился по-настоящему.

На захват домов город отреагировал не сразу. В понедельник вокруг высоток кружил милицейский «бобик», и всё. Власть молчала. А во вторник появились журналисты телепрограммы «За дело» — это была самая дерзкая и активная команда в городе. Репортёры «Заделки» приехали запросто — на трамвае, телекамеру оператор привёз в обычной хозяйственной сумке.

Прижимаясь к стене дома, журналисты пробрались под балконом «блиндажа» во двор и начали снимать заграждения из бетонных блоков и «егозы». Тут парни и застукали гостей, окружили их и позвали Серёгу.

Оператор, крепкий дядька средних лет, успел заменить отснятую кассету на пустую. Материал-то не пропадёт, но жалко, если озлобленные «афганцы» разобьют камеру — подержанный импортный «Панасоник».

— Мужики, мы же на работе, — примирительно говорил оператор.

Молоденькая журналисточка храбрилась изо всех сил. Ей казалось, что она вошла в клетку с хищниками. Эти «афганцы» были ужасны. Но материал про них могут взять на федеральное ти-ви. Директора посмотрят этот сюжет, увидят, что Даша Волконская красивая и отважная, и пригласят её в Москву.

Серёга раздвинул парней и подошёл к журналистам. Девчонка нервно стискивала микрофон, прицепленный на шнур к камере в руке оператора.

— Вы не имеете права нам препятствовать! — выпалила Даша.

— Да боже упаси, — улыбнулся Серёга. Ему понравилась эта пигалица. — Бойцы, ребята за нас. Пусть снимают, чего захотят. Люди должны знать про нас и сочувствовать нам. Поэтому не тормозите журналистов.

На лице оператора обозначилось облегчение.

— А разрешите взять у вас интервью? — Даша поняла, что симпатична командиру «афганцев», и тотчас воспользовалась новыми возможностями.

— Берите, что хотите, — двусмысленно ухмыльнулся Серёга.

Этот сюжет «афганцы» увидели через два дня, но не в городской программе «За дело», а сразу в федеральных новостях. «В городе Батуеве разнузданные молодчики захватили жилые дома!» — горячилась в кадре раскрасневшаяся Даша Волконская. Для федерального эфира ей нужна была сенсация, история конфликтная и злая. «Мы готовы к штурму!» — заявил с экрана Серёга — и только. «Егозу» Даша показала, а детские коляски — нет.

На другой день после показа сюжета председатель горисполкома Глеб Павлович Лямичев потребовал встречи с руководством «Коминтерна».

Смысла в этой встрече Серёга не видел. Что скажет Лямичев? Потребует освободить дома, и всё. Прийти «на Сцепу» исполкомовские отказались, и Серёга пригласил их в «Юбиль», в приёмную Заубера, где стояли часы и патлатая монстера в бочке. Серёга решил издевнуться над Глеб-Палычем.

Четыре важных чиновника сели по одну сторону полированного стола — все с блокнотами и кожаными папками. А по другую сторону Серёга посадил могучего Бычегора, вроде как «сила есть — ума не надо», Каиржана — калмыка, то есть «невменяемого чучмека», и Гудыню, просто дурака и клоуна.

— Спасибо за уедиенцию, Глеб Палыч, — подобострастно сказал Серёга.

— Вы понимаете, что творите? — измученно спросил Лямичев. Его глаза словно расслаивались в толстых линзах очков. — Город на грани катастрофы, а вы свои эгоистические интересы ставите выше благополучия горожан!

Глеб Павлович действительно измучился: он уже два года жил на валокордине. Он психовал, ругался и угрожал, будто шумом компенсировал собственное умаление. Ему надо было решать вопросы жизнеобеспечения города, но любой ресурс оказывался уже чужим. Лямичев чувствовал себя в окружении невидимых великанов, которые отняли у него всё. И оставалось только совать палки в любые колёса, притормаживая сползание в бездну.

Серёга положил перед Лямичевым толстый картонный скоросшиватель.

— Глеб Павлович, вот здесь все документы. Реестры очереди на жильё, справки, постановления горсовета и горисполкома — с вашими подписями, кстати. Бумаги из райсобесов, из военкоматов, наши учётные карточки. Техпаспорта на оба дома, схема распределения, уведомления со штампами входящих... У меня работали пять юристов. Всё по закону.

Чиновники что-то записывали. Быченко двигал челюстью, Каиржан сидел с каменным лицом, а Гудыня трсвожно вытаращился на Лямичева.

— Что по закону? — закричал Лямичев. — Дома захватывать по закону?!

— Не было никакого захвата, — терпеливо повторил Серёга. — Мы заняли ту жилплощадь, которая нам полагается по жилотводу. Всё согласно очереди, согласно постановлениям, вот подписи и гербовые печати. Единственное наше упущение — что заселились раньше акта о приёмке-сдаче дома. За это административное нарушение мы заплатим штраф, когда получим ордера.

— Да какие ордера?! — Лямичев дрожал щеками. — Вы захватили жилые дома! Штраф им подавай! Я заблокирую счета вашего «Коминтерна»!

Лямичев не ожидал, что «Коминтерн» прикроется законом, обеспечит свой захват юридически. Значит, ещё один невидимый великан выхватил из рук Глеб-Палыча две новенькие высотки... Лямичеву требовалось подвесить ситуацию — или надо, как положено, прописывать «афганцев» в квартирах.

— Мы вас с милицией выколупаем, и под суд! — Лямичев доводил себя до исступления, чтобы не давать ответа. — Это чёрт-те что!.. Вы преступники!..

— Это кого с ментами?.. — вдруг вскинулся Гудыня. — Нас, что ли?!

Гудыня, дурак и невротик, заводился от чужого возбуждения.

— Да мы в Афгане за тебя под душманские пули шли!.. — заорал он.

— Хамы! — гаркнул Глеб Павлович, вскочил и трясущимися руками принялся собирать по столу свои бумаги. — Переговоры окончены!

Для Глеб-Палыча это был лучший выход из административного штопора — оскорбиться и хлопнуть дверью. Серёге забавно было видеть, как солидный и немолодой человек некрасиво актёрствует, маскируя своё бессилие. Что ж, пусть Лямичев уходит и дозревает до капитуляции без свидетелей.

В «блиндаже» ожидали какой-нибудь силовой акции: солдат на БТРах, автозаков, пожарных расчётов с водомётами. А «на Сцепу» приехал автобус ПАЗ, раскрыл двери, и под балконом «блиндажа» во двор спокойно прошли какие-то усталые тётки, а с ними телебригада областного канала. Оператор растопырил штатив и установил камеру. Тётки выстроились на детской площадке и подняли плакаты: «Мой сын бездомный!», «Вы живёте в наших квартирах!», «Я мать-одиночка, я ночую на улице!», «Имейте совесть!»

Тётки принялись нестройно скандировать:

— Отдайте детям кров! Отдайте детям кров! Отдайте детям кров!

Журналист с напором заговорил в объектив:

— Это митинг матерей-одиночек возле домов, захваченных Комитетом воинов-интернационалистов. Женщины требуют от «афганцев» освободить их квартиры, выделенные для них городским отделом соцобеспечения!

На площадке прогуливали детей молодые мамашки, жёны «афганцев». Они похватали малышей на руки и ошарашенно разглядывали орущих тёток. Понятно было, что эти несчастные бабы митинговали по приказу исполкома.

— Солдат, верни ребёнку дом! Солдат, верни ребёнку дом!

— Это мы, что ли, вас обобрали? — вдруг взвизгнула Лена Спасёнкина.

— У меня муж без ноги! — истерично завопила Настёна Флёрова. — Вы кому поверили, сучки драные? Убирайтесь с моего двора!..

Настёна захлебнулась слезами. Подруги бросились успокаивать её, но с разных сторон на площадке заплакали перепуганные дети.

Тётки, что выкрикивали лозунги, сбились и замолчали. Они смотрели на этот двор с качелями, на лоджии, где сушилось бельё, на злых захватчиц, что прижимали к себе ревущих малышей, и тоже не выдержали — друг за другом заплакали в голос. Девчонки «афганцев» рыдали от обиды и от сочувствия, а матери-одиночки — от замордованности и тоски: ни жилья у них, ни мужей.

— Снимать, как они все воют? — хмуро спросил журналиста оператор.

— Да катись они все, — ответил журналист.

Вскоре после матерей-одиночек во двор вошёл сухопарый пожилой мужчина в просторном дачном костюме. У гостя была выскобленная до красноты служивая физиономия. Гость присел на скамейку, понаблюдал за малышами и мамашами, окликнул одну и попросил позвать Лихолетова.

— Узнаёшь меня? — негромко спросил визитёр у Серёги.

— Узнаю, — усмехнулся Серёга. — Свиягин Иван Робертович, полковник.

Свиягин был начальником городской милиции.

— Неплохо у вас тут, сынок, — сказал полковник. — Вижу, детишек много.

Серёга сразу понял: хотя полковник выглядит как хищник, но на деле — сторожевой пёс. Изображает из себя слугу царя, отца солдатам.

— Видишь, приходится из-за тебя в шпиёна играть.

— Не от меня же ты маскируешься, Иван Робертович, — ответил Серёга.

— Лямичев объявил тебе войну. Матери-одиночки — начало. Будут и другие провокации. Если поддашься, то меня пошлют винтить твоих парней.

— И что же тебе в этом не нравится, Иван Робертович?

Ивану Робертовичу не нравилось, что «Коминтерн» неуправляем. Свои деньги полковник получал за то, что несистемные деятели не мешали делам системных. Но «афганцы» переиграли исполком. Нюхом старого карьериста Свиягин учуял: собственные промахи Лямичев захочет исправить руками милиции. Для Свиягина это закончится катастрофой. Её надо предотвратить.

— Меня, Серёжа, беспокоит, что у меня будет бунт. Если моим ребятам прикажут штурмовать твои дома, то мои откажутся выполнять приказ.

В таком случае Свиягину придётся подавать в отставку.

— Зришь в корень, полковник, — довольно сказал Серёга. — В милиции у тебя работают двести два «афганца». Сорок три получили здесь квартиры.

— Это называется «пятая колонна».

— А у нас это называется «афганская идея».

— И что же нам всем делать, сынок? Будем договариваться?

Серёга торжествовал, но старался этого не показать. Он считал, что повязал милицию по рукам и ногам, что может теперь диктовать условия.

— Давай, — охотно согласился Серёга. — Я не поведусь на провокации, а ты, Иван Робертович, не присылай ко мне ОМОН. И живём мирно.

Полковник по-отечески улыбался Лихолетову. Парень молодец. Сумел подобраться для укуса. Однако главное в укусе — не разжимать челюстей.

— Идёт, командир. Но учти, что твоих бойцов я всегда могу вычистить с работы. Ты за них отвечаешь. Так что мы оба держим друг друга за яйца.

Свиягин покровительственно похлопал Лихолетова по плечу и встал.

— Уютно тут у вас, — оглядываясь, заметил он. — Подо мной фирмочка работает, кабельное телевидение проводит. Скидку сделает. Сосватать?

— Подумаю.

— Подумай, Серёжа. Я всё понимаю. Я вам не враг. У меня сын в Афгане служил. Я на полголовы поседел. Пятьдесят шестая бригада, Кундуз.

— А чего он в «Коминтерне» не состоит?

— Он в Москве. Зря я, что ли, в Батуеве ишачу?

И с июля 1992 года началась осада домов «на Сцепе», она же — «афганское сидение». Горисполком не выдавал «Коминтерну» ордера на квартиры, Лямичев искал способ освободить высотки, а парни упрямо ждали, когда власть сдастся. Никто не думал, что ожидание растянется почти на год. Серёга просил Немца потерпеть всего-то месяц-другой. Для Немца квартира превратилась в гибрид КПП и казармы. В «блиндаже» всегда торчали двое-трое дозорных: курили и пили пиво, смотрели видик, играли в карты, болтали и ржали, куда-то звонили, варили пельмени, дрыхли на раскладушках.

Поначалу Серёга и его штабные опасались, что горисполком отключит «на Сцепе» электричество, газ и воду, но этого не случилось. Разумно: если бы Лямичев решился на такое, «Коминтерн» сразу бы ударил по исполкому, а исполком сам желал атаковать. Он давил на «афганцев» психологически.

Однажды июльским днём во двор «на Сцепе» снова пришли пикетчики. Десяток озлобленных мужиков встали на пустой площадке для мусорных контейнеров и развернули плакаты: «Вы убивали, а мы спасали!», «Квартиры строили для всех!», «Мы умираем — вы жируете!» Это были «чернобыльцы», ликвидаторы аварии на атомной станции. Пикет снимали репортёры.

Командиром дозора в «блиндаже» в тот день был Вася Колодкин. Он позвонил Серёге в «Юбиль» и всё рассказал. Серёга не церемонился:

— Пните им под жопу, но культурно. Нефиг на подляну вестись, не дети.

«Чернобыльцев» и репортёров вытолкали со двора на улицу.

Потом были пикеты инвалидов, учителей, очередников, врачей, бывших детдомовцев, пенсионеров. Похоже, городской собес всех своих просителей в обязательном порядке направлял на пикеты к «афганцам». И довольно часто вместе с пикетчиками приезжали журналисты городских телепрограмм.

Дозорные с балкона «блиндажа» видели, как исполкомовский автобус высаживает подневольных протестантов, которые угрюмо проходят во двор и всегда одинаково выбирают для акции площадку под мусорные контейнеры.

— Мужики, они же вас имеют! — кричали с балкона дозорные. — Мужики, щас выбрасывать вас придём!..

Милиция пикетчиков не охраняла. «Афганцы» и вправду выбрасывали гостей, несколько раз побили, а по вечерам смотрели в новостях сюжеты про то, что они — зверьё. Это действительно угнетало. Становилось ясно, что город относится к «афганцам» плохо. И вовсе не из-за войны в Афгане, не из-за каких-то там преступлений в далёкой и неизвестной стране.

Серёга однажды пришёл в «блиндаж» выпить с парнями пива.

— А хрена ли вы хотите, бойцы? — спросил он. — Мы же не терпилы, вот этого нам и не прощают. Херовый расклад, ясен пень, но куда деваться? В Древнем Риме солдаты воевали по принципу: делай, что должен, и будь, что будет. Так что, бойцы, держим оборону. Пошли они все нах, онанимы.

— А я, Серый, кому-нибудь в следующий раз точно челюсть сверну, — признался Саня Ковылкин. — Чего бы и нет? Мы же убийцы.

«Здесь живут убийцы», «Здесь живут насильники» — большими буквами было написано на стенах «афганских» высоток с фасадной стороны. Надписи появились ночью и были сделаны прочной масляной краской.

Но в целом в «блиндаже» было круто. Немцу нравилось, что парни всегда рядом, хотя и сложно было уединиться с Людой, с которой в те дни он едва-едва начал встречаться. Однако товарищество казалось Немцу важнее перепихона: оно порождало дивное ощущение полноты бытия. Хотя вот пили они тогда, конечно, слишком много. По причине молодости, здоровья и неистребимой радости жизни они считали, что непременно надо напиваться в хлам, соревнуясь, кто больше выжрет; надо орать и совершать подвиги. С обоих домов парни повадились бегать в «блиндаж» без всяких дежурств. Все они были ещё мальчишками, им хотелось в весёлую компанию, а не в семью. И если мучила совесть, что бросают жён и детей ради побухальника, то они вспоминали Афган: Афган словно бы оправдывал безобразия на гражданке.

— Да его, понимаешь, рядом со мной завалили! — рассказывал и плакал на кухне «блиндажа» пьяный Джон Борисов. — Мы, дембеля, ужс с базы выезжали, фургоны надели, значки начистили, полезли на танк фоткаться. Старлей фотик навёл, кричит: «Улыбочку!» Я Андрияна так вот обнял... — Джон Борисов показывал руками, как он обнял товарища, — а он раз — и упал! Пуля прямо в сердце! Снайпер с горы лупанул! На моей фотке он за секунду до смерти стоит — улыбается, а его пуля, наверное, уже подлетает к нему!..

Конечно, надо было выпить с Джоном Борисовым (и не только с ним), а жена Джона (и не только его жена) и разные вредные соседки по подъезду потом жаловались Серёге на буйный «блиндаж». Серёга серьёзно отвечал:

— Понял, понял, красавицы. Мы их всех обязательно расстреляем.

Впрочем, стрельба случилась совсем другая.

* * *

Ближе к осени, когда начались дожди, пикеты потихоньку прекратились. Серёга ходил в приподнятом настроении: он ожидал, что горсовет соберётся после отпусков и обяжет горисполком выдать «Коминтерну» ордера. В «блиндаже» тоже расслабились, и Герман сказал Людке, что скоро квартира освободится, и они попробуют пожить вместе.

Ненастной сентябрьской ночью по окну «блиндажа» полоснули из автомата. Стекло осыпалось, через потолок пробежали огни пулевых ударов, звонко щелкнули рикошеты. Герман, Димарик Патаркин и Птуха выскочили из кухни, где ужинали, — в комнате зиял чернотой разбитый оконный проём, и в нём искрились падающие дождевые капли. Этой очередью «афганцам» сообщили: противостоянис псреходит в горячую фазу.

Серёга догадался, что противник подобрал новое оружие, посерьёзнее, чем пикеты и репортёры, но невозможно было угадать, с какой стороны атакуют в следующий раз. Через пару недель всё прояснилось.

Дверь «блиндажа» не запирали; Настёна Флёрова вбежала в квартиру, в плаще и сапогах промчалась в комнату и рухнула на диван Германа.

— Мандюки! — закричала она парням. — Меня чуть не убили!..

Настя приехала из центра на троллейбусе, а от остановки до дома надо было идти по дорожке мимо заброшенного котлована со сваями на дне. Края котлована заросли кустами. В кустах и прятались эти уроды. Они выскочили и напали на Настёну — наверное, хотели ограбить и столкнуть в котлован.

— Вы тут бухаете, засранцы, а нам проходу не дают! — яростно кричала Настя. — А кто мне помогать должен? Если я Сашке своему пожалуюсь, он же сразу побежит на котлован этим козлам морды бить! Вы же его знаете! Его там и уроют совсем, одноногого, а всё из-за вас, мудозвонов!

В тот день командиром дозора был Рафаэль Исраиделов, Рафик.

— Не надо дёргаться! — остановил парней Рафик.

Они обзвонили знакомых и поняли, что на жён «афганцев» открыта настоящая охота. Их подкарауливают около гастронома и на дорожке от остановки. Чаще пугают, иногда отбирают сумки. Город вообще как вшами был заражён уличной преступностью, и поэтому «Коминтерн» не осознал сразу, что женские слёзы в прихожих и сломанные каблуки — это наезд.

Штаб распорядился: в гастроном девчонкам ходить только группами.

Серёга позвонил в управление общественного транспорта и попросил перенести остановку троллейбуса на квартал, чтобы пассажиры выгружались прямо напротив заезда во двор «на Сцепу», под окном «блиндажа».

— Вы слишком много себе позволяете, молодой человек, — ответили ему.

Следующим вечером на остановке «Улица Сцепщиков» перед мордой троллейбуса из темноты в свет фар вышел человек в спецназовской маске, в камуфляже и с автоматом в руках. Пожилая тётка-водитель окостенела от ужаса. Человек в балаклаве приподнял автомат и точной короткой очередью в клочья распорол левое переднее колесо троллейбуса. Машина клюнула носом, в салоне и на остановке завизжали.

Стрелок приблизился к окошку водителя, постучал стволом в стекло и глухо сказал тётке:

— Передай начальству, чтобы перенесли остановку.

Остановку перенесли, но вскоре во дворе «афганских» высоток взорвали машину Жоры Готыняна — здоровенный расхлябанный «крайслер» нелепого оливкового цвета. Этот рыдван тогда всем казался крутым и шикарным авто.

Взрыв грохнул в час ночи. Жорка, партнёр Гайдаржи, борзый бизнесмен, парковал машину на детской площадке. Теперь «крайслер» пылал среди качелей и горок. Жорка в плаще, трусах и сапогах бегал вокруг и матерился.

В эту ночь Серёга был в своей квартире с Алевтинкой, а не с Танюшей в «Юбиле». Серёга спустился во двор, похлопал Жорку по плечу и поднялся в «блиндаж». Вместе с Немцем они смотрели, как догорает автомобиль.

— Что-то тут не то, — задумчиво сказал Серёга. — Не исполком же пугает баб и взрывает тачки. А кто нас выживает? По теории, Лямичев должен был дать указание Свиягину, но полкан не полезет в драку... Или он сам не полез, но спустил на нас бандосов? Того же Бобона, например... А, Немец?

Герман разглядывал огромный костёр посреди тёмного осеннего двора. Огонь отражался в лужах и в окнах до пятого этажа. Красные отсветы шевелились на лицах Германа и Серёги, на белом потолке кухни. Герман вспоминал, как там, в Афгане, его «Урал» горел на дороге на Ат-Гирхон. И потом они сидели в глыбах возле моста — он, Серёга, Дуська, Шамс... Тогда все они тоже были словно бы колдовством прикованы к своему укрытию, как сейчас к этим вот домам «на Сцепе». Выберешься наружу — убьют.

— Если это бандосы по заказу Свиягина, то скоро начнут наших бить, — сказал Серёга. — С бабами им было безопасно, да не вышло. Придётся с нами.

Избивать «афганцев» начали, когда уже выпал снег. Первым досталось Володе Канунникову. С него на остановке сорвали шапку, он побежал за грабителем — и выскочил прямо на поджидающую компанию. Ему сломали челюсть и руку, отодрали рукав пальто, но и сам он рассадил пару морд.

«Афганцев» выцепляли поодиночке, били битами и кастетами, упавших пинали. До серьёзных увечий и больниц дело доходило редко, но это лишь благодаря зиме и толстой одежде. «Коминтерн» закупил и раздал баллончики с перцовым газом, но они помогали мало: на холоде аэрозоль превращался в ледяную пыльцу, да и несолидно было парням вместо хука в скулу пшикать по врагам из флакона. Парни носили в рукавах обрезки арматуры.

Выбора у них не было, жить по-другому не получалось. На краю города Батуева стояла в осаде гражданская крепость — две жилые высотки, грубо обмотанные колючей проволокой. Жильцы этих домов ездили на работу, у кого она была, водили детишек в садики, ходили в магазины, катались на лыжах, наряжали новогодние ёлки, сидели друг у друга в гостях, но в любой момент недавние солдаты готовы были мобилизоваться для обороны.

В конце января в «блиндаж» ввалился Быченко. Огромный, в дутом пуховике, он впёрся на кухню как ледокол, обрушив в прихожей одежду с вешалки, и тяжело сел на табуретку возле окна. Лицо у него было марлевое.

— Лещ, вызови мне «скорую», — велел Егор Митьке Лещёву.

Он расстегнул пуховик, и все увидели, что бок у него залит кровью.

— Немец, водка есть? — спросил Егор у Германа. — Налей-ка стопарик.

Егор взял стопку окровавленными пальцами и спокойно выпил.

— Подождите за дверью, пацаны, — приказал он Лещёву и Расковалову, которые толкались в кухне. — Немец, слушай, — Егор поманил Германа к себе поближе. — Передай Лихолету: пусть он выяснит, будут ли у Бобона в «Чунге» сегодня двухсотый и два с ножевыми. Лихолет поймёт.

Герман тоже понял. На Быченку напали отморозки. Двоих Егор ранил, одного уложил. Если это были торпеды Бобона, значит, за нападениями стоял Свиягин, потому что у самого Бобона к «Коминтерну» предъяв не имелось.

Бычегор выпил вторую рюмку, твёрдо поставил её на стол и расползся как тесто, теряя сознание. Герман еле успел подхватить его, чтобы не упал.

«Скорая» увезла Егора, в больнице его зашили, и хирург сообщил, что Быченке лежать три недели. Без командира «афганского» спецназа живущим «на Сцепе» стало совсем тревожно. Вряд ли сильного и опасного Бычегора подрезали случайно — скорее, его подловили, чтобы ослабить оборону домов.

Вьюги несли снежные тучи мимо заиндевелых окон, наметали сугробы в лоджиях и в детских песочницах. Короткие яично-жёлтые дни казались паузой на перезарядку оружия. По ночам с верхних этажей высоток жильцы рассматривали тёмный и отчуждённый город с реденькими и медленными ручьями из автомобильных огней. Уличное освещение не работало, витрины были погашены, чтобы не привлекать ворьё, горели только зарешеченные амбразуры киосков. Заметённые тротуары превратились в тропы, люди ходили с ручными фонариками. Над окоченевшими кварталами судорожно дрожали созвездия — то ли ещё в героиновом кайфе, а то ли уже в ломках.

Герман передал Серёге слова Егора. Лихолетов взял за горло Гайдаржи, который имел с Бобоном какие-то запутанные отношения по бизнесу.

— Про Бобона я не знаю нихера! — изворачивался Гайдаржи. — Да, есть у меня с ним завязки, но я за него не отвечаю! И против своих я не пойду!

— Смотри, свиноматка. Надо соображать, с кем можно делать бизнес, а с кем нельзя. Если чего-то ещё не понятно, узнаешь у травматолога.

— Серый, я не могу соскочить на полпути! — убеждал Каиржан. — Мы же забились, меня вальнут! Доведу до конца — и разбегусь с Бобоном, не базар!

— Будь бздителен, Каиржан, — издевательски предупредил Серёга.

Его «афганское братство» работало повсеместно: Серёга узнал всё и без помощи Гайдаржи. Один из быков Бобона когда-то служил в Шинданде и сейчас иногда мог взорвать косяк с однополчанами из «Коминтерна»; он-то и рассказал, что на Затяге — на кладбище за тяговой подстанцией Батуева — Бобон похоронил двух парней. Значит, осаду высоток вели упыри Бобона.

Но Серёга не успел отплатить за Егора: бандюки нанесли новый удар.

Февральской ночью «блиндаж» был поднят по тревоге телефонным звонком: возле одной из высоток бабахали выстрелы. Парни торопливо одевались; Герман достал из-под дивана автомат, выданный Серёгой.

В сугробе возле дома лежал человек. Перед ним, рыдая, метался пьяный и окровавленный Андрюха Чабанов. Он никого не подпускал к лежащему.

— Не подходите! — надрывался он, отталкивая парней. — Тут граната!..

Убитый был в голубой куртке, которую Герман уже где-то на ком-то видел. Из сугробов вокруг трупа торчали бутылки дешёвого портвейна.

Чабанова схватили за руки, дали затрещину, вытерли морду снегом.

— Мы к таксистам за бухлом гоняли, обратно идём, а там эти стоят... — говорил Чабанов. — Мне в ухо — я с копыт, а он драться начал, он же псих...

— Кто он-то? — спросили у Чабанова, но Чабанов не слышал.

— Он к дому чесанул, а они ему сзади в ляжку шмальнули, он и упал на четверты... Они подбежали, схватили его, а он задёргался, визжит: «С собой заберу, суки!» — сам чеку дёрнул и хуяк гранату себе под ноги!.. А она-то не взорвалась! А они обозлились и в него из трёх стволов...

— Да кто там? — нетерпеливо спросил Герман у Птухина, который через сугроб подобрался к убитому и перевернул его с живота на бок.

— Гудыня, — мрачно сказал Птухин.

— С ним граната! — закричал Чабанов.

— Да вижу её, — с досадой ответил Птухин. — Эргэдэшка учебная.

Учебные гранаты были у многих — так, пугать, понтоваться.

— Может, живой он ещё? — неуверенно спросили у Птухина.

— Нихера, — приглядываясь, ответил Птуха. — В башке дыра.

Гудыню хоронили через два дня. Привели в порядок, положили в гроб, обитый красной тканью. Гроб стоял во дворе на двух табуретках. Высотки поднимались над маленьким и неподвижным Гудыней, будто скалы. С неба сеялся мелкий снежок. Девчонки вышли в чёрных платках, плакали. Парни сняли шапки. Гудыня лежал очень важный, в солидном костюме, совсем не похожий на себя: физиономия его, всегда какая-то разболтанная, теперь была строгая, к тому же бледная, а не багровая с похмела, как обычно.

Почему-то нечего было сказать над покойным. Все его знали вдоль и поперёк — алкаш, балбес, шут гороховый... И вдруг такой серьёзный поворот. И вообще: парни из Афгана видали смерть — но не такую. Смерть была там, где горы, жара и глинобитные кишлаки, а не высотки, троллейбусы и сугробы. Здесь — родина, здесь жёны и дети, здесь не должно быть гибели.

Серёга стоял возле Гудыни очень задумчивый.

— А граната у него была не учебная, — прошептал он Герману. — Гудыне её продал Мопед, и продал по цене настоящей боевой гранаты, хотя это муляж с песком. Но Гудыня-то не знал, что бомба — фуфло.

— Он хотел рвануть себя вместе с бандитами? — удивился Герман.

— Он и рванул, — кивнул Серёга.

Такое бывало в Афгане — подрывали себя с душманами. За подвиг это не считалось. На гражданке никто не верит, что умрёт, а в Афгане осознание смерти было очень конкретным. Хочешь ты умирать или нет — неважно, главное — на пороге смерти не было сомнения, что настал конец. И тогда погибали назло врагам, надежда спастись не мешала. Решение о самоподрыве принималось как приём в борьбе, автоматически, без душевного подъёма.

А Гудыню, наверное, никто не собирался убивать. Хотели припугнуть, однако Гудыня был пьяный, легко впадал в истерику и не контролировал свои реакции, выработанные ещё в Афгане. И у бандитов сдали нервы.

Серёга смотрел на Гудыню, на хмурых парней, на девчонок, на высотки, и чувствовал не скорбь, а мрачное удовлетворение. Если случаются такие вещи, как с Гудыней, значит, всё по-настоящему, всё очень серьёзно. Гудыню Серёга не жалел: он пустышка. Но если убили такого безвредного обормота, значит, угрожают всем. А в Афгане на угрозу парни привыкли отвечать мгновенным ударом на поражение. Это тоже было в них вбито как рефлекс.

Акцию возмездия провели через два дня после похорон. Серёга не посоветовался со Штабом, спланировал всё сам, а возглавил контратаку Егор Быченко: он мстил не за Гудыню, а за своё ножевое. Егор обмотался бинтами и убежал из больнички. Под его командованием оказалось четырнадцать боёвок — боевых групп численностью в пять–восемь человек. Добровольцы.

— Берём обезбольные биты и объясним товарищам через печень, что нельзя путать блядство с политикой, — сказал Серёга добровольцам.

Они гнали по неразметённым улицам Батуева всем напоказ: «трахома» и «барбухайка», несколько «буханок»-уазов и где-то добытая «шишига»-кунг. Форсируя движки, завывая сигналами, они летели на смертельной для города скорости под красные огни светофоров. На остановках люди шарахались прочь от края дороги, и их окатывало снеговой волной из-под колёс. Город уже знал: если кто-то мчится с сиренами, то всем остальным надо тормозить и вылезать на тротуары, иначе сметут. И неважно, менты это жарят или спасатели, бандиты или «афганцы», — не стой на пути сорвавшейся лавины.

Герман сидел за рулём «барбухайки» и чувствовал себя лётчиком на боевых виражах: надо суметь вывести машину из поворота, не соскользнуть по ледяному асфальту, не уронить автобус набок. Парни болтались в салоне как обезьяны: вцепились в поручни под потолком и на спинках кресел, при этом кто-то курил, и все дружно орали матом, ссыпаясь в кучу при манёврах. Обезьянья сумятица словно бы освобождала их от приличий и запретов, и освобождение радовало. А Серёга стоял за плечом Немца, держась на распор, точно парашютист, и смотрел в лобовое окно. Он был воодушевлён тем, что за ним — его солдаты, готовые к бою, и скоро они добудут ещё одну победу.

— Припаркуй у главного входа в «Чунгу»! — приказал Серёга.

Город в лобовом окне колыхался, как на волнах; панельные «хрущёвки» вспыхивали заиндевелыми окнами; обмёрзшие липы и тополя рассеивали белую пыль, будто встряхивали полными снега ветвями; натянутые холодом провода мелькали над улицей словно прострелы. А потом город накренился так, что ребристые башни высоток полегли друг на друга, — это «барбухайка» свернула во двор к широкому крыльцу «Чунги» под бетонным козырьком.

«Чунгой» называли районный бассейн «Чунга-Чанга», двухэтажное здание с фасадом из зелёной стеклянной плитки. Бассейн прибрала к рукам группировка Бобона, и детишки сюда теперь уже не ходили. В «Чунге» расположились офисы бобоновских фирм, гимнастический зал превратился в качалку, бассейн стал дополнением к саунам с поблядушками, детское кафе «Чудо-остров» переделали в кабак «Ливерпуль» с дискотекой и казино.

Бизнес на казино и кабаках бобоновцы делили со спортсменами — другой группировкой Батуева, а вместе с хачами держали городскую проституцию и наркоторговлю. С «Коминтерном» Бобон бодался в первую очередь за рынок цветных металлов, потому что «афганцы» контролировали биржу, а вообще бобоновские (то есть уголовники) занимались крышеванием на своей «земле», палёным бухлом, автоугонами и прочим криминалом.

Герман прижал «барбухайку» к главному крыльцу. «Трахома» укатила за угол к подъезду хоздвора, «шишига» блокировала двери кабака, «буханки» перекрыли служебные выходы из бассейна и пристроенной бойлерной. Егор и Серёга организовали быстрое и плотное окружение «Чунги».

Парни выскочили из машин и с разных сторон бросились к «Чунге». Дублёнки и полушубки, пуховики и бушлаты «афганцы» сбросили, а в руках держали биты, самодельные дубинки и арматурины. Штурмом с главного входа руководил Серёга, штурмом с хоздвора — Быченко. Железные двери поддели фомками: гнули косяки, вырывали из скважин ригели замков или целиком сдёргивали полотна с петель. Бобоновцы не успели занять оборону.

Герман тоже прихватил увесистую дубинку, изготовленную из рукоятки хоккейной клюшки и обмотанную липкой хлопчатобумажной изолентой. Вообще-то водители должны были сидеть в кабинах, чтобы в любой момент «афганцы» могли эвакуироваться, но вместо Германа согласился остаться Ваня Ксенжик, и Герман с толпой ломанулся в «Чунгу». Ему хотелось быть вместе со всеми, хотелось влиться в общее дело: соучастие давало прекрасное ощущение правоты и осмысленности жизни.

Серёга забежал в здание вслед за боёвками. В «Чунге» повсюду орали, в глубине помещений что-то громыхало и трещало. «Афганцы» прорывались по лестницам и коридорам плотной массой; Серёга увидел сзади затылки, плечи, спины, локти несущихся табунами парней. Они вышибали двери, валили и рушили мебель, били всех встречных. Осатаневший Джон Борисов в туалете дубинкой молотил по раковинам умывальников.

Бобоновцы пытались сопротивляться, некоторые бросались в драку, где-то в закоулках здания несколько раз бабахнули из пистолета, но бандитов гасили технично: выносили челюсти, дубинками дробили ключицы и рёбра. Бандосы быстро прекратили борьбу и падали на пол, прикрывая головы руками. Им застёгивали наручники, поднимали их пинками и в тычки гнали вперёд. Бобоновцы не понимали, что происходит и к чему их принуждают.

Серёга шёл по коридорам «Чунги», наступая на разбросанные бумаги, перешагивал через раздавленные стулья. Под его берцами хрустели обломки и стекло. Серёга заглядывал в помещения и видел дикий разгром — шкафы без дверок и ящиков, столы с вывихнутыми ножками, сорванные шторы, расколотые телевизоры. Парни-«афганцы» волочили мимо Серёги пленённых подручных Бобона с расхлёстанными в кровь мордами и загнутыми руками, волочили всякую мебельную рухлядь. Лихолетов видел, что творили его солдаты, и его распирало жутким вдохновением. Он чувствовал себя богом-громовержцем. Он одновременно повелевал своими бойцами и воплощался в них, в каждом их жесте и вдохе. В командовании Серёга обретал могучее родство с другими людьми: ему нравились его солдаты, все были до́роги, он всё хотел знать про каждого и за любого был готов на жертву.

К Серёге подрулил Басунов. Он похлопывал себя по бедру ментовской резиновой дубинкой. Ему досталось — скула заплывала сплошной гематомой.

— Что, сильно заехали, Виктор? — озабоченно спросил Серёга.

— Не обращай внимания, — сказал Басунов, хотя специально отыскал Лихолетова в разгромленной «Чунге», чтобы командир увидел его травму. — Послушай, Сергей, там в сауне нашли двух следаков с угловки, с девками парились. Понятно, они на подсосе у Бобона. Что с ними делать прикажешь?

— В корыто, ко всем в кучу, — торжествующе ухмыльнулся Серёга.

— А блядей, может, это, фс-фс? — Басунов потыкал дубинкой в ладонь.

Серёге не хотелось разбавлять торжество мыслями о шалавах.

— Не надо ничего с ними делать, — ответил он с лёгким раздражением.

— Ничего, — вдумчиво повторил Басунов.

Он прошёл через холл, где на диване бинтовали сломанную руку Кнырю — Толяну Коныреву, корешу Бобона, прошёл через спортзал, где победители отдирали от стен и от пола закреплённые конструкции тренажёров, и через раздевалку с грудой поваленных шкафчиков-секций. В сумрачной и жаркой сауне на горячих плитках пола сидели три проститутки и два мужика — оба обмотанные простынями и в наручниках. Три охранника-«афганца» пили пиво пленных. Конечно, парней интересовали не менты, а голые девки.

— Я чёрненькую деру, — предупредил Басунова один из «афганцев».

Чёрненькой была Анжелка Граховская, сокурсница Танюши Куделиной и подружка Нельки Ныркововой — той девочки, которая в учаге травила Таню. Анжелка могла бы закричать, что ездила с Лихолетовым на шашлыки — пусть её не трогают, но она уже усвоила: дают — бери, а бьют — терпи. Сейчас, похоже, придётся терпеть. Девчонки-проститутки молчали, зажимаясь, чтобы ничего не было видно, и отодвигались от парней подальше. Они понимали: скорее всего, их изнасилуют. Басунов шагнул к проституткам, наклонился, схватил Анжелку и другую девчонку за волосы и задрал лицами вверх.

— Вот ведь с-сучки, — сказал он. — По мордам видно, какие с-сучки.

— Брюнетка моя, — повторил «афганец».

В лицах проституток Басунову хотелось найти свидетельство подлости. Этих сучек, конечно, можно было и оттрахать, но вообще с девками проблем не имелось: для страшных «афганцев» сутенёры порой привозили шлюх даже бесплатно, лишь бы их самих не покалечили. Басунову хотелось не трахнуть, а покарать, упиваясь властью. Чтобы выглядеть сразу и сильным, и правым.

— Сергей приказал ничего с блядями не делать, — мрачно сообщил своим парням Басунов. — Приказал бросить в корыто, ко всем в кучу.

Проституток и ментов подняли на ноги и выпихнули из сауны в холл, через толпу «афганцев» стали толкать к проходу в бассейн. Парни довольно гоготали, разглядывая девок, пропускали их неохотно, шлёпали по задам. А проститутки, как и Анжелка, были обычными пэтэушницами из окрестных учаг —

дурёхами, которые понадеялись подзаработать без напряга. Это же так легко — втроём сходить в сауну с двумя весёлыми мужиками и потом взять деньги за удовольствие. Всего каких-то пять лет назад родители водили этих девчонок в ту же «Чунга-Чангу» на секцию плаванья, и теперь девки ревели — кто от ужаса, кто от позора. Они прикрывали руками груди и лобки, приседая на ходу, и корчились. Басунов конвоировал их и наслаждался презрением.

Бассейн «Чунги» был превращён в нечто вроде ямы с отбросами. Сюда «афганцы» накидали мебель, на кафельном дне лежали письменные столы и даже унитаз. На поверхности плавали стулья, тряпки, какие-то доски, листы бумаги, разный мусор. По грудь в химически голубой воде прямо в одежде стояли побитые, помятые бандюки Бобона. К ним столкнули и ментов в простынях, и голых проституток. Всё это выглядело нелепо и нереально. Над озлобленной толпой в бирюзовом бассейне на стене блестела мозаика: танцуют кудрявые детишки-папуасы, рыжий жирафёнок и носатый попугай. «Афганцы» толпились под мозаикой, курили и ржали, рассматривая врагов. Саня Чичеванов, Чича, расстегнул штаны и начал мочиться в бассейн.

Серёга, руки в карманах, вышел под невысокую вышку для прыжков.

— А чё, Бобон где? — спросил он.

— Бобону повезло, — ответил Егор Быченко. Он сидел на мраморной скамье у стены, у него разошёлся и закровоточил шов от ножевого ранения. — Бобон сегодня сюда не явился. Или бы тоже в лохань его макнули.

— Короче, команда Кусто, — негромко обратился Серёга к тем, кто стоял в бассейне. — Передайте Бобону, что «Коминтерн» не хочет войны, но по второй ходке будем из вас воспитывать ихтиандров. Учитесь жопой дышать.

Разгромом «Чунги» завершились конфликты с бандюками, которых на «Коминтерн» натравили менты. В общем, «Коминтерн» выдержал всё: и психологическое давление, и общественное осуждение, и бандитский наезд. Но лишь потом Серёга понял, что его акция устрашения не оставила властям никакого иного способа воздействия на «афганцев», кроме откровенной агрессии. А что ещё власть могла сделать с этими дерзкими солдатами?

* * *

Серёга выбрал столик возле окна-витрины и поэтому видел, как приехал Щебетовский. Просто на автобусе. Рейсовый «Икарус»-гармошка, по окна измазанный мокрой грязью оттепели, притормозил на остановке, а потом покатился, и в толпе у бетонного павильона Серёга узнал майора, которого несколько раз встречал в горисполкоме. Щебетовский глядел на светофор, поднимая воротник пальто, и на зелёный свет вместе с прочими людьми пошёл через улицу. С тротуара он свернул на тропу, пересекающую широкий газон, — измятый и дырявый сугроб с чёрной коркой. Тропа вела к «Юбилю» напрямую, мимо стопы бетонных плит, оставшихся после стройки.

В маленьком вестибюле кафе майор вытер ноги о тряпку на полу и сразу направился в зал, потому что гардероб был закрыт. Серёга протянул руку:

— Здорово, майор.

— Добрый вечер, Сергей Васильевич, — голос у Щебетовского был тихий и вежливый. Майор рассматривал Серёгу со сдержанным интересом.

— Без охраны ездишь, на автобусе? — насмешливо спросил Серёга.

Щебетовский снял пальто и кепку, засунул кашне в рукав и аккуратно положил одежду на свободный стул.

— У вас бандитские представления о значимости. Это воры и уголовники ходят с оцеплением, однако самая надёжная охрана — статус. Авторитет.

— А совесть — лучший контролёр, — съязвил Серёга.

Щебетовский намеренно употребил слово «бандитские» — чтобы лидер «Коминтерна» понял, как оценивают «афганцев» комитетчики.

— Не лучше ли будет разговаривать у вас в кабинете? — оглядываясь по сторонам, спросил Щебетовский. — А то здесь... э-э... как в пивнухе.

Кафе в цокольном этаже Дворца называлось «Топаз», стену зала здесь украшала мозаика: зелёно-жёлто-синие кристаллы, среди которых затесались жёлто-красные гранёные пятиконечные звёзды. В городе это кафе называли «Баграм». Тут сидели «афганцы», а прочие посетители если заходили, то быстро понимали, что в «Баграме» им не рады, и покидали кафе.

Сейчас в зале с кристаллами было человек двадцать: парни в свитерах, заправленных в джинсы, и в норковых шапках-формовках. Кто-то пил пиво и ел пельмени; Лёха Бакалым, телемастер, а потому общий знакомый, привёл девчонку; большая компания в углу что-то праздновала, сдвинув столики. Заходили сюда не с улицы, а из «Юбиля» через раздачу, поэтому гардероб и не работал. Было накурено, на стойке бара играл чей-то двухкассетник.

— У меня же с вами всеми война, — пояснил Серёга. — Моих парней на улице подрезают, в чужом кабаке вообще могут искалечить. А парням где-то надо посидеть, побазарить, выпить. Не в подъезде же, как угланы. Закончим войну — будет здесь нормальное место. Девчонок возьмём официантками.

У стойки раздачи Паша Зюмбилов уламывал пожилую буфетчицу:

— Ну, тётя Саня, ты же меня знаешь, ты же с моей мамкой работала, я отдам! Только две бутылки, и всё! В среду получка, и я сразу принесу!

— Курите? — спросил Щебетовский, доставая открытую пачку «Опала».

— Бросил.

— Вырабатываете силу воли?

— Сокращаю количество возможностей давления.

— Их у вас без курения достаточно.

— Не надо сразу хватать меня за горло, майор, — предупредил Серёга.

Он не увидел в Щебетовском ничего особенного. Среднего роста, худощавый, с залысинами, в очках с коричневыми стёклами, но очки — с диоптриями, для близорукости. Похож на директора небольшого КБ или на преподавателя сопромата из политехнического. А ведь тоже был в Афгане. Наверное, в политотделе штаны протирал, подумал Серёга, или в штабе торчал аналитиком, в лучшем случае — военным советником при «зелёных».

— Согласен, неправильно разговор повернули, — Щебетовский шутливо приподнял ладони, словно сдавался. — Давайте сначала.

— Давай, — Серёга засунул руки в карманы. — Ты хотел встречу, не я.

К столику Лихолетова вдруг боком подсел Жека Макурин.

— Извини, извини, друг, — сказал он Щебетовскому. — Серый, у меня край. Фура с коробками на подходе, а меня из бокса выперли. Можно я в «Юбиле» в фойе сгружу? Это на два дня, без прогона, слово!

— Макура, ты не видишь — у меня разговор?

— Эти пидоры обещают корейскую аппаратуру прямо в снег скинуть!

— Ясно. Займи фойе. Скажи Зауберу, что я разрешил, и вали отсюда.

— Серый, ты мне брат по жизни! — Макурин вскочил и снова посмотрел на Щебетовского. — Мужик, прости, что помешал!

Щебетовский терпеливо кивнул.

— Вот наше предложение. Мы предоставляем вам всем точно такие же квартиры, но по всему городу, а не в этих двух домах на Сцепщиков. А также бесплатно даём транспорт для переезда. Просто нам нужны два новых дома.

— Не врубаюсь, — сказал Серёга. — Высотками «на Сцепе» Лямичев расплачивается с банком, а вашей-то Конторе какое дело до наших домов?

— Вы не думайте об этом, Сергей Васильевич, — деликатно посоветовал майор. — Если я здесь, значит, у Конторы есть интерес. Неважно, какой.

— Как это, неважно?

— А вот так, — Щебетовский пожал плечами, улыбаясь Лихолетову, как несмышлёному ребёнку. — Может быть, Контора желает сама распродавать квартиры в домах на Сцепщиков. Это бизнес. Такое сейчас время, Сергей Васильевич. А может быть,

Контора не хочет, чтобы вы, «афганцы», держали на окраине Батуева укрепрайон, который дестабилизирует обстановку.

Серёга не терпел, когда с ним говорят свысока, снисходительно.

— А мне ведь реально по барабану, какой интерес у вашей Конторы, — развязно хмыкнул он. — Всё одно, куда вас ни целуй, везде жопа.

Серёга достал спичку и принялся ковырять в зубах.

— Вон там ваша группа поддержки? — как бы мимоходом спросил майор.

Через столик от Серёги и Щебетовского сидели Басунов, Гайдаржи, Чича-Чичеванов и Готынян. Они без спешки разливали по мелким стопочкам бренди «Слънчев бряг» из пузатой бутылки и посматривали на Щебетовского сразу и с презрением, и с вызовом, будто готовились к драке. Серёга посадил их там на всякий пожарный случай, для подстраховки.

— Дети и собаки кушают отдельно, — буркнул Серёга.

— Здравствуйте, Каиржан Уланович, — доброжелательно сказал майор и слегка поклонился. Он хотел показать Лихолетову, что знает его людей, знает подходы к ним, следовательно, управляет ситуацией.

— Здравия желаю, товарищ майор, — издалека ответил Гайдаржи. Он не стал скрывать, что знаком с Щебетовским. Пусть Серёга думает, что хочет.

Серёга развалился и растопырил ноги.

— Короче, майор, — сказал он, — я Конторе не подчиняюсь. И вам меня не взять, зубы коротки. Законов-то я не нарушал. Вон Лямичев аж прямо сюда прибегал, весь нервно-паралитический, но угрожать мне ему было нечем: у Свиягина ОМОН забунтует и против меня не пойдёт. Что вы мне сделаете? Будете штурмовать жилые дома спецназом ГРУ? Девчонок с детишками будете из квартир выкидывать? Ветеранов и инвалидов в КПЗ потащите?

— Про Сумгаит слышали? — аккуратно напомнил Щебетовский.

— Что-то прихуел ты с намёками, майор, — злобно заметил Серёга.

— Это я про то, что всё бывает.

— А я тебе не обоссянец, чтобы всё стерпеть.

— Извините, меня как-то занесло, — Щебетовский снова поднял руки.

Майор отступал легко: специалисту-дознавателю для отступления не требовалось преодолевать самолюбие. Он уже узнал, что хотел узнать. Будут ли «афганцы» сопротивляться принудительному выселению? Да, будут.

— Следи за базаром, — надменно сказал Серёга Щебетовскому. — Не на щелбаны в подкидного играем.

Серёга был уверен, что осадил этого комитетчика. И почему бы нет? Он же прав. Он не берёт чужого, его парни в Афгане заслужили свои квартиры.

А Щебетовский внимательно изучал лидера «Коминтерна». О встрече майор просил для того, чтобы понять, кто такой Лихолетов: игрок, псих или герой? Хуже всего, если герой. Игрок ждёт, когда его купят, психа можно довести до срыва, а героя не купить и не сломать. Он продолжает делать своё дело даже убитый, вот в чём проблема. Героя надо дискредитировать.

За дальними столами, где компания что-то праздновала, начался какой-то шум. Там зазвенела посуда, забренчали стулья, послышался громкий мат: «Ты повтори, что ты сказал! Ты отвечаешь?» — «Да я по-любому обосную! Ты на кого забычил, бацилла?» — «Мужики, мужики! Без рук, мужики!»

Серёга посмотрел в сторону столика с Каиржаном.

— Чего там за барагоз? Прижмите их, достают!

Чича и Басунов поднялись и подошли к дальней компании. Басунов наклонился, что-то тихо и внушительно объясняя сидящим, а Чича спокойно положил руки на плечи двум спорщикам. Гомон затих.

— Скажи, майор, а ты тоже служил в Афгане? — поинтересовался Серёга.

Щебетовский понял: Лихолетов решил, что деморализовал противника, и теперь будет вербовать. Майору было интересно прощупать Лихолетова.

— Было, — согласился Щебетовский. — Спецкомендатура погранвойск в Кабуле. Охрана командования и руководства, сопровождение, спецсвязь.

— Почему в «Коминтерн» не вступил? У нас есть офицерская секция.

— А зачем я должен это сделать, Сергей Васильевич?

— Поддержать «афганскую идею», — с напором ответил Серёга.

— Вы хотите, чтобы я покрывал вас в Конторе как агент «афганского братства», да? — Щебетовский очень ценил в себе умение видеть всё реально. — Вы надеетесь построить свою организацию на «афганском братстве», как другие строят свои группировки на землячестве или на общем криминале?

Майор сформулировал Серёгины амбиции так, что Серёгу покоробило. В этой формулировке его дело выглядело как-то некрасиво, корыстно.

— Не равняй «Коминтерн» с бандой, — разозлился Серёга. — «Афганская идея» — это значит защищать свои права здесь так же, как защищали свою жизнь в Афгане. Все вместе. Силой.

Пафос «афганцев» майор считал надуманным и наивным. В Афгане Щебетовский не встретил ничего, что потом могло бы объединять людей для серьёзных дел. Опыт Афгана объединял для дружбы, для пьянки, в конце концов, для понтов. А для дела объединяли возможности. Афганский опыт не увеличивал возможностей человека. А Комитет Госбезопасности увеличивал.

— Ого!.. — вдруг охнул кто-то за спиной Серёги.

Лёха Бакалым со своей девчонкой занимал столик в углу «Баграма», вдалеке от Лихолетова и Щебетовского, но пощёчина, которую девчонка отпечатала Лёхе, прозвучала громко, на весь зал, будто выстрел из пистолета.

— Да это твой ребёнок, скотина! — выкрикнула девчонка.

Всс парни в «Баграме» повернулись на крик, и Серёга тоже оглянулся.

Бакалым сидел обескураженный, морда его была как-то сбита набок. Девчонка рыдала, закрыв лицо ладонями. Парни в кафе загалдели и заржали.

— Ты же мне вчера говорила, что он мой, Светка! — схохмил кто-то.

— Да он ваще сын полка!

— Светыч, давай я тебе переделаю!

— Бакалым, подстава!

— Кони, блин, в яблоках, — пробурчал Серёга, отворачиваясь.

Майор вздохнул: неужели этот Лихолетов не понимает, что его быдло никогда не станет войском? Или парень всё-таки игрок, а не герой?

— Я уверен, что у вас не получится, Сергей Васильевич, — вкрадчиво сказал Щебетовский. — Потому что вы делаете ставку на миф. Нет никакого «афганского братства» или «афганской идеи». Война была государственной ошибкой, а ошибки неплодотворны. Какое братство у людей в этом кафе?

— Это просто обычная жизнь. Она ничего не доказывает.

— И я о том же. Просто жизнь. Просто люди вернулись с войны. Больше нет никакого иного смысла, — Щебетовский покровительственно улыбнулся. — И «афганское братство» — лишь ряд случайных удач, а вы посчитали его закономерностью. Но жизнь разрушит ложные умопостроения.

За грязными витринами кафе город нервно полыхал закатом. Голое небо окрасилось холодным свекольным румянцем. На крышах обшарпанных пятиэтажек сквозь розовый снег протаяли ржавые рёбра. В перспективе улицы алым и синим огнём вспыхивали все гладкие поверхности, вскользь повёрнутые к низкому солнцу: окна чердаков, острия сосулек под кровлями, плафоны фонарей, приоткрытые форточки, зеркала автомобилей, лобовые стёкла автобусов на поворотах. Два встречных потока машин неравномерно катились друг сквозь друга в нефтяном блеске жидкой мартовской грязи.

— «Афганская идея» нужна только лично вам, Сергей Васильевич, чтобы объединить бывших солдат. С ними вы обладаете достаточной силой, чтобы прорваться к ресурсу. А ресурс — рынок на Шпальном, — спокойно, с лёгкой иронией превосходства объяснял Серёге Щебетовский. Ему казалось, что он раскусил Лихолетова, что он умнее и сложнее организован. — Однако ваша предприимчивость достойна уважения. Давайте действовать согласованно.

Но у Серёги сейчас всё в жизни получалось, как он хотел, и потому он не сомневался в «афганской идее».

— Ты, майор, не туда за говном пришёл, — сказал Серёга. — Я вправду не за деньги, не за власть. Скажи там, в своём комитете, что такое тоже бывает. Если хочешь, считай, что я моджахед. Вот тебе «афганская идея».

Майор пожал плечами. Значит, всё-таки герой. А герои — идеалисты. Но побеждают они далеко не всегда. Чаще побеждают те, кто знает приёмы. Кто обладает технологией. И Щебетовский ощущал себя борцом лёгкого веса, которому предстоит перебросить через плечо неуклюжего супертяжа.

Глава четвёртая

Тот день — это был вторник, 20 апреля 1993 года, — Серёга и Таня проводили вместе на «мостике». Они лежали на тахте под пледом. Серёга расслабленно и покровительственно обнимал Таню за плечи и почти дремал, а Таня, взволнованная после бурного напора Серёги, не знала, чем себя занять теперь, когда Серёга успокоился: что ей делать, о чём думать?

Она перебирала кисточки на пледе, словно хотела их расплести, потом поверх пледа пальцем обвела разноцветные квадраты рисунка, потом начала рассматривать свои ногти, а потом словно бы нашла у себя на плече руку Серёги, стащила её и переложила себе на живот ладонью вверх.

— У тебя такая большая ладонь... А хочешь, я тебе погадаю?

— Ты умеешь? — лениво удивился Серёга.

— Умею, — заверила Таня. — Только мне надо рисовать, а то спутаюсь.

— Ну, валяй, — разрешил Серёга.

Таня приподнялась и потянулась к столу, к письменному прибору.

Хиромантией Таня, конечно, не владела, просто в раздевалке учаги после физкультуры девчонки рассказывали друг другу всякие секреты, и про гадание по руке — тоже, вот Таня и решила, что всё узнала. Она уселась на тахте на коленки и шариковой ручкой чертила у Серёги на ладони овалы и дуги. Серёга тогда не думал, что скоро будет стараться сохранить следы этих каракулей — но они всё равно сотрутся уже на второй неделе тюрьмы.

— Линия жизни у тебя длинная. На запястье три «браслета», каждый по тридцать лет, значит, умрёшь после девяноста. Вот у тебя бугор любви и бугор власти, видишь, какие большие? А линия судьбы идёт отсюда досюда. Значит, все будут тебя любить, а ты будешь над всеми властвовать...

Серёга повернул голову, разглядывая увлечённую Танюшу.

— Вот у тебя денежный треугольник — будешь богатый. Эти чёрточки — знаки путешествий, будешь много ездить. Видишь, линии складываются в букву «А»? Наверное, ты станешь артистом. Вот у тебя звёзды — это слава, а вот кресты — это твои побеждённые враги. А это пояс Венеры, значит, ты полюбишь один-единственный раз. Пояс разорван, значит, девушка умрёт молодой, но всю жизнь ты будешь любить её, и у вас останется много детей.

Серёга понял, что Танюша выдумывает, хотя, похоже, сама-то искренне верит, что читает по руке. Но рассказывает она не о Серёге, а о себе.

В этот момент на столе зазвенел телефон. Номер на «мостике» Серёга давал только самым важным людям, и пренебрегать звонком было нельзя.

— Лихолет, это Чубалов, — сказали в трубке. — Воздушная тревога.

За полтора года, что прошли с того ноября, когда Серёга притащил Таню с собой в «Крушинники», Иван Данилыч хорошо раскрутился. С друзьями, такими же матёрыми отставниками армии, он открыл в Батуеве несколько частных охранных предприятий, а в «Крушинниках» переделал заброшенный пионерлагерь под тренировочную спецбазу для бойцов-чоповцев.

— Короче, — пояснил Чубалов, — мою базу на три дня подрядила Контора. Вчера ночью с поездов прибыли в полной боезагрузке два взвода СОБРа из Челябы и два из Казани. Утром все в автобусах двинули в город. Я увидел у командиров ориентировки на тебя. Они едут брать «Юбиль».

Серёга застыл у телефона с трубкой возле уха — в спортивных трусах, в расстёгнутой ковбойке. Да, власти не могли послать против него спецчасти из Батуева: везде служили «афганцы», как-то связанные с «Коминтерном», и «афганское братство» подняло бы их на мятеж. И тогда позвали чужаков.

— Почему решил, что на «Юбиль», а не на «Сцепу»? — спросил Серёга.

— «Сцепу» они уже потеряли, но ещё могут сломать «Коминтерн».

— Понял, Данилыч, — сказал Серёга. — Спасибо тебе.

— Спасибо говори Пешавару. Удачи, Лихолет, отбивайся.

Серёга понял, что вот оно, пришло: настал день сражения. Сегодня его попытаются сломать. Почему-то раньше Серёга полагал, что государство ударит по высоткам или по рынку, но Чубалов прав: главное в «Коминтерне» — не бизнесы «афганцев» и не их силовые акции, а он сам, Серёга Лихолетов.

Он стоял у телефона босой, в трусах и ковбойке, будто мрачная гордость окутывала его жаром, как от печи. Оказывается, он так умён, силён и значим, что ради него вызывают СОБР из других городов. Его будоражило желание скорее кинуться в схватку. Он считал справедливым, что весь «Коминтерн» вступит в сражение за него — ведь он столько сделал для «Коминтерна».

— Татьяна, быстро одевайся! — недовольно скомандовал Серёга.

Танюша даже испугалась, увидев, как изменился Лихолетов: забыл о ней, забыл обо всём, зажёгся изнутри каким-то своим страшным пламенем.

Серёга готовился к облаве и уже спрятал бумаги по финансам, высоткам и рынку, но эти бумаги — херня, если главный вопрос — командир «афганцев». Нужно спрятать учредительные документы на «Коминтерн», иначе исполком завладеет ими и объявит организацию «афганцев» несуществующей.

Серёга торопливо натягивал джинсы, а Танюша путалась в длинных колготках. Оба они походили на любовников, застигнутых врасплох.

— Сиди здесь, жди приказа! — бросил Серёга, защёлкивая ремень — это был модный «Рифле», воткнул ноги в кроссовки и выбежал с «мостика».

Он кинулся по коридору в курилку. Здесь в ободранных дерматиновых креслах сидели вразвалку и смотрели видак его охранники — Чича, Темур Рамзаев, Витька Басунов, Дудников. Опустившись на колено, Серёга распахнул дверки тумбы под телевизором и вытащил ручную сирену-ревун.

— Музыка, парни! — Серёга крутанул рукоять. — Танцуй, пока молодой!

Волна надсадного и басовитого воя, нарастая, заполнила курилку.

— Держи, Дулоня, крути шарманку! — Серёга сунул Дудникову ревун и ухмыльнулся. — Застава, в ружьё! Чича, Темурчик, Басунов, подымайте всех! Боёвки на позиции! Облава! Встречаем ОМОН по штурмовому расписанию!

Возбуждённый и весёлый Серёга побежал дальше, к кабинету Заубера.

Заубер, к изумлению Серёги, неторопливо поливал монстеру в бочке.

— Война, Сергей Васильевич? — просто спросил он. — Сирена, слышу.

— Война, Семён Исаевич, — охотно подтвердил Серёга.

— Успеть бы часы завести, — озабоченно пробормотал Заубер. — Неделю без меня тут всё проживёт... А хватит ли одной недели на войну-то?

— Не знаю, Семён Исаич. Откройте-ка мне сейф.

Заубер поставил графин на полированный стол, добыл откуда-то ключи и открыл для Серёги сейф. Серёга решительно зарылся в папки.

В глубине здания выли уже два ревуна. Слышны были беготня и ругань.

— Что будет, Сергей Васильевич? Побьют, уволят или срок дадут?

— Ну, кому как...

— Напишу инструкцию, как надо растения поливать и часы заводить...

Заубер присел на стул сбоку от стола, словно гость. Выразительное лицо Семёна Исаича, точно подкрашенное чернотой и сединой, вдруг осветилось неизбывным родовым смирением, печалью бесконечного еврейского опыта.

Серёга нашёл нужную папку и захлопнул сейф. Откуда-то издалека до кабинета донёсся мощный шум — шелестящий грохот, автомобильные гудки, вопли множества людей. Серёга понял, что начинается штурм «Юбиля».

По лужам площади перед Дворцом культуры разворачивались машины атакующих — зелёный армейский «КамАЗ» с кунгом, автозаки, патрульные «козелки», пожарный «ЗИЛ». Другой кунг, «Урал», подкатился по широким и плоским ступеням Дворца, помедлил — и тюкнул бампером в прозрачные двери. Листовые стёкла раскололись, отражая город в безумных изломах, и рухнули. Хищный грузовик, хрустя по блестящей щепе рубчатыми колёсами, опасливо въехал во Дворец и настороженно замер посреди мраморного фойе.

Фойе в «Юбиле» было сплошным пустым пространством на высоту трёх этажей — от пола до крыши. На Новый год здесь ставили большущую ёлку. Стеклянный фасад Дворца был одной стеной фойе, а два яруса балконов охватывали фойе дугами с трёх других сторон. Армейский кунг выглядел в мирном Дворце культуры как взбесившийся тигр в какой-нибудь библиотеке.

Из кунга-«Урала» выскакивали бойцы СОБРа в шарообразных шлемах, в брониках поверх камуфляжей, в берцах и с резиновыми дубинками в руках. В развороченный вход с площади вбегали собровцы из кунга-«КамАЗа».

— Отступай с танцплощадки! — скомандовал с балкона в мегафон Саня Завражный. Он был членом Штаба «Коминтерна» и замещал Егора Быченко, который после акции в «Чунге» снова загремел в больничку.

«Афганцы» отступили из фойе в качалку и на второй этаж. Из гардероба они вытащили ветвистые стальные вешалки и перегораживали ими проходы и лестничные марши. Бойцы СОБРа увязали в завалах из этих вешалок, как в буреломе. Выли ревуны, люди орали матом. «Афганцы» с балконов кидали на пол фойе взрывпакеты, которые громко лопались, как пуховые подушки.

«Урал» с кунгом просигналил и подался вбок, ближе к балкону. На крышу кунга по бортовой лесенке ловко карабкались шароголовые бойцы: с крыши можно было перепрыгнуть на балкон. Тогда сверху на кунг упали две бутылки с зажигательной смесью. Плеснуло огнём, и по крыше растеклись пылающие лужи. Собровцы сразу соскочили с борта фургона. «Коминтерн» сдал СОБРу фойе «Юбиля», но не пускал вглубь здания и на второй этаж.

Серёга должен был торопиться, чтобы успеть в драку.

Он распахнул в кабинете Заубера окно и выглянул наружу. Вслед за ним сквозняк выдул штору, которая заполоскалась над Серёгой, как флаг. Внизу, во внутреннем дворе «Юбиля», вокруг «барбухайки» и «трахомы» суетились водители и механики. Они ещё не поняли, что уже начался штурм Дворца.

— Немец! — крикнул Серёга. — Давай ко мне на «мостик»! Срочно!

В дверях кабинета Заубера Серёга помедлил.

— Если что, Семён Исаич, валите всё на меня, — напоследок сказал он.

— Хазак ве-эмац, — негромко ответил Семён Исаич по-еврейски.

Танюша встретила Серёгу уже одетая для улицы, но перепуганная.

— Почему там кричат и что-то ломают? — спросила она.

Больше всего она боялась войны. Война — значит, Серёжа уйдёт воевать, потому что ему тесно в обычной жизни. А шум напоминал начало войны.

— Всё там нормально, — торопливо отмахнулся Серёга и подёргал куртку на Тане. — Слушай, Татьяна, спрячь эту папку на себе, — он потряс папкой у Тани перед лицом. — Сохрани её! Никому ни за что про неё не говори!

Таня послушно принялась запихивать папку под свитер за пояс юбки.

— Я щас слиняю, — продолжал Серёга. — Пережду шухер, а потом вернусь и найду тебя. А ты сбереги мне эту папку, поняла? Это самое важное!

— А я? — жалко спросила Таня. Глаза у неё заблестели, губы кривились.

Она не могла поверить, что Серёга вдруг исчезает из её жизни — и это нисколько его не угнетает. У него — друзья и битвы. А ей что делать?..

— Только без соплей, ладно? — жёстко ответил Серёга. — Некогда!

Ему быстрее хотелось туда, где схватка, где самое интересное, а Таня уже мешала. Рядом с ней он всё время как бы что-то отдавал, а в бою — брал.

Постучав в дверь, на «мостик» вошёл Немец.

— Отведи Татьяну домой, — приказал Серёга. — Это пиздец как для дела.

И Таня всё-таки заплакала. Она поняла, что картонная папка, спрятанная у неё на животе, для Серёжи, Сергея Васильевича, дороже её самой.

— Приказ принят, Серёга, — спокойно кивнул Герман.

Серёга посмотрел на Немца — длинного, нескладного, словно состоящего из палок и шарниров, — и понял, что Немец всё сделает, как надо. Не спросит лишнего. Пойдёт до конца. Потребуется — сдохнет. Это друг. Настоящий солдат. Серёга вдруг порывисто обнял Немца и стукнул кулаком по спине.

Танюша ждала, пока эти злые мужчины попрощаются, и стирала с лица слёзы — не обиды даже, а детского ужаса перед чудовищным одиночеством: и обнимали сейчас тоже не её... Немец крепко взял Таню за руку и решительно повёл с «мостика», как родитель уводит ребёнка из гостей домой.

В коридоре звучал вой ревунов из фойе, но суматоха ориентировалась в противоположном от фойе направлении: из распахнутых настежь кабинетов «афганцы» тащили мебель к служебному подъезду. Герман понял, что парни баррикадируют лестницу. Он распихал парней на площадке, поймал плечом шкаф, который хотели скинуть вниз по маршу, и крикнул:

— Таня, беги на второй этаж!.. Мужики, пустите девчонку!..

Таня порскнула по ступенькам, и Герман, бросив шкаф, нагнал её в два прыжка — а за ним с треском и грохотом повалилась брошенная мебель.

На другой площадке Герман придержал парней со стеллажом:

— Дайте протиснуться, мужики! Девчонку Лихолета вывожу!..

На первом этаже, похоже, уже схлестнулись с СОБРом — там бушевал матерный рёв, громыхали мебельные завалы. СОБР рвался наверх, а Герман пробился вниз, на второй этаж, и выволок из толпы очумевшую Таню.

Все пути эвакуации были перекрыты. Герман соображал, что ему делать. Оставался ещё вариант — по тёплому переходу в правое крыло, а там можно покинуть «Юбиль» через кухню и кафе «Баграм», бывший «Топаз».

— За мной! — приказал Герман Танюше. — Не бойся!

Он кинулся вперёд по длинному коридору.

Справа оказался холл, из его окон был виден стеклянный мост тёплого перехода, и Герман успел заметить, что по этому мосту бегут шароголовые солдатики. Герман толкнул Таню в женский туалет и заскочил сам. Комната в белом кафеле, закрашенное окно, три кабинки, в трубах журчит вода...

— Тань, сними штаны и сядь сюда на унитаз, — сказал Герман, указывая на крайнюю кабинку. — Прости, но по-другому нас тогда примут.

Танюша так боялась, что у неё уже не было сил стесняться. Она задрала юбку, приспустила колготки и молча села на стульчак. Из-под свитера у неё выехала папка-скоросшиватель. Герман схватил эту папку, прижался к стене кабинки, плоско вытянулся и загородил себя открытой дверью.

В туалет влетели три собровца в камуфляже и касках и сразу как-то заполнили собой всё помещение. Они застыли перед кабинкой, в которой на унитазе сидела девчонка с голыми коленками. Бойцы тупо смотрели сквозь прозрачные забрала шлемов. Противостояние длилось три секунды, а потом собровцы без слов развернулись и гурьбой выкатились из туалета.

Герман ещё постоял за дверью кабинки, удостоверяясь, что опасность миновала. Он стискивал папку и понимал, что держит главную тайну Серёги. Не исключено, что саму его жизнь. А потом он откинул дверь и протянул папку Танюше, которая всё так же покорно сидела голым задом на унитазе.

— Это твоё, — сказал Герман. — Одевайся. Выбираемся дальше.

Они опрометью пронеслись через тёплый переход и нырнули в другой служебный подъезд, уже в правом крыле «Юбиля». Вроде, здесь было пусто. Они скатились на первый этаж, Герман ломанулся в кухонный блок кафе — и тут вдруг на него откуда-то набросились собровцы. Танюша завизжала.

«Баграм» был полон бойцов спецназа. На улице у витрины кафе стояли ещё два армейских кунга. В «Баграме» расположился майор Щебетовский: он командовал штурмом «Юбиля» с тыла. Во время встречи с Серёгой майор заметил, что «афганцы» таскаются в кафе через кухню, — вот и пригодилось.

А в фойе в это время шёл настоящий бой. Серёга с мегафоном бегал по балкону второго этажа: его уже почти никто не слышал, а кто слышал — те не выполняли приказов, но Серёга был уверен, что управляет событиями.

Окончательно разворотив весь вход, вслед за кунгом в «Юбиль» заехала пожарная машина — красно-белый ЗИЛ-130 с двойной кабиной и с какими-то трубами на крыше: из-за них автоцистерна напоминала реактивный миномёт. Пожарные в грубых робах быстро размотали брезентовые рукава и струями воды смыли пламя с горящего кунга. Собровцы перехватили брандспойты и ударили струями по завалам на лестницах и по «афганцам» на балконах. Спецмашин с лафетными водомётами в мирном городе Батуеве не имелось, но и пожарка, врубив сирену, была мощным оружием городского боя.

— Дымовухами их!.. — орал с балкона Серёга.

«Афганцы» кинули вниз несколько дымовых шашек. Бурлящий бурый дым замутил весь объём фойе.

В ответ собровцы боевыми выстрелами разбили несколько стеклопанелей фасада, чтобы мглу вытягивало наружу.

Подцепив за трос, собровцы грузовиком дёрнули завал из вешалок на правом лестничном марше. Завал с лязгом разъехался, освобождая подъём на второй этаж. «Афганцы» бесновались на своих балконах, как бандерлоги.

— Тащите кресла из кинозала! — в упоении орал Серёга.

«Афганцы» выломали двери кинозала и поволокли наружу кресельные секции на железных рамах — они пистолетно хлопали фанерными сиденьями. «Афганцы» кидали эти секции на лестницу, нагромождая новые баррикады.

Собровцы подметали балкон длинными водяными залпами, сбивали тех, кто подтаскивал кресла: обороняющихся роняло и уносило, вращая плашмя по мраморному полу, как на ледовом стадионе. Катились мусорные урны, в ручьях по мрамору плыли стенды Дворца культуры — «Ребятам о зверятах», «Наши чемпионы», «Хочу всё знать!». С балкона собру на шлемы и на крыши машин лились вода и пена вместе со всяким мусором.

Струи брандспойтов ударяли в косые плоскости кресельных завалов и разъезжались веерами, но и баррикада на лестнице в пузырящихся потоках шевелилась и сплывала вниз по ступеням, грузно разваливаясь на части.

Сражение зацепило зимний сад Дворца, и сад погибал. В перекошенных клетках истошно верещали птички. Прощально взмахивая остролистыми гривами, пальмы трагично падали на решётки оград, как при землетрясении. Фойе превратилось в непролазные дождевые джунгли, сотрясаемые воем сирен и матерными воплями, где дым перемешался с метелью из разноцветных попугайчиков. Собровцы с дубинками бежали вверх по маршам лестниц, на балконах сшибались с «афганцами» — а дальше валили и пинали друг друга.

В толпе осатанелых людей мелькали окровавленные лица. Жека Беглов корчился со сломанной рукой. Расковалова уминали сразу трое собровцев, и Вован натужно рычал, ворочая всю толпу. Готыняна приковали к перилам: он исступлённо бился в наручниках, как припадочный. Рафик Исраиделов прокрутил противнику маваши-гери — удар ногой в ухо, и бойца швырнуло в стену. Демьян Гуртьев, парализованный ниже пояса, на своей инвалидной коляске покатился по ступеням на собровцев, размахивая какой-то палкой; он орал и рыдал в истерике — и собровцы, бездушные в спецзащите, как марсиане, в падении поймали Демьяна на руки и бережно отнесли в сторону.

А Серёга Лихолетов посреди боя просто сидел на стуле, закинув ногу на ногу, и курил, щерясь в наглой улыбке. Его не терзала тоска обречённости. Герой должен пройти через испытание поражением — вот Серёга и проходил.

Стул Серёги стоял под огромным панно с крейсером «Аврора». Крейсер громоздился над Серёгой всеми своими башнями и трубами, словно защищал Серёгу в бедламе разгрома. Лихолетов понимал, что СОБР всё равно сломает его оборону и повяжет его парней, но проигрывать следовало правильно.

К Серёге пробрался Витька Басунов. Он не ввязывался в общую драку.

— Сергей, ещё есть возможность уйти через качалку, — сказал он.

— Спокойно, Виктор, — надменно ответил Серёга. — Не надо суетиться.

— Не суетиться, — вдумчиво повторил для себя Басунов.

Собровцев вдруг стало вдвое больше: они посыпались с третьего этажа, начали вылетать из кинозала. Это в тыл «афганцам» ударили те, кого майор Щебетовский завёл во Дворец через кафе «Баграм». Свежие спецназовцы, не замордованные штурмом лестниц и баррикад, валили парней «Коминтерна» всех подряд направо и налево. Четверо бойцов бросились к Серёге, который сидел у всех на виду. Серёга ослепительно улыбнулся — и тотчас его снесло со стула сокрушительным ударом дубинки по скуле, а потом кованый носок берца сломал ему сразу три ребра, чтобы не захотелось вставать.

Через минуту майор Щебетовский узнал, что Лихолетов задержан.

Щебетовский отключил рацию и посмотрел на Германа и Таню. Теперь можно было разобраться и с этими. Майор знал их по разработкам оперов. Куделина — дочь тренера из «Юбиля», малолетняя сожительница Лихолетова, дура. Неволин — водитель автобуса «Коминтерна», приятель Лихолетова и сослуживец по Афгану, обычный — как все. Короче, эти двое — никто и ничто.

Они сидели в углу кафе, заполненного бойцами СОБРа. Герман боялся, что его упакуют и он не доведёт Таню до дома: ему казалось, что Таня очень уязвима. Герману было больно за неё; здесь, среди вооружённых мужчин, Таня виделась ему зайчонком среди волков — любой клацнет зубами, и всё.

— Лихолетов арестован, — сообщил Щебетовский Герману и Тане.

— Арестован? — тихо переспросила Таня.

Майор устало присел возле Тани. Он обезглавил «Коминтерн», он решил проблему «афганцев», а потому ощущал себя стратегом, мудрым политиком, великодушным человеком, понимающим чужую слабость. Эти двое не были нужны майору, а снисхождение к ним приносило ещё и моральную победу.

— А вы свободны, молодые люди, — сказал Щебетовский.

— Свободны? — переспросил теперь уже Герман.

— Вам, девушка, я советую прервать отношения с Лихолетовым хотя бы до совершеннолетия, — майору сейчас хотелось быть назидательным. — А вы, Неволин, при встрече передайте Лихолетову, что он должен быть благодарен мне за то, что я забрал его как солдата, а не за растление малолетней.

Щебетовский не удержался от форса: пояснил Неволину, что всё равно одолел бы Лихолетова, так пусть ценят, что это сделано не подло. Но Герман в тот момент думал не про Серёгу, а про Танюшу, которая лишилась Серёги.

Они вышли из «Баграма», щурясь, и торопливо пошагали прочь, а потом Герман вдруг взял Таню за руку, и они вообще побежали. «Юбиль» оставался позади — громадный, громоздкий, окружённый людьми и машинами. Люди галдели и суетились, машины улюлюкали спецсигналами. Многие окна в «Юбиле» были разбиты, из пробоин в стеклянном фасаде курился дым.

А вокруг был город Батуев с его типовыми пятиэтажками и апрельскими тополями. Провода, трамваи, светофоры, легковушки, ларьки и пешеходы. Небо синело высоковольтным электричеством. От недавней зимы оставалось много воды — лужи горели чистыми цветами оголённого спектра. В ручьях растекались отражения окон, карнизов, крыш и облаков, улицы зеркально опрокидывались сами в себя, стены и углы домов улетали в небо, а это небо, трепеща, плыло по тротуарам и водоворотами падало в колодцы ливнёвки.

Герман и Таня бежали по лужам, расплёскивая город, и Таня просто радовалась, что вырвалась из страшной облавы, а Немец впервые с приезда в Батуев осознавал, какое это огромное и почти недостижимое счастье — жить лишь своей маленькой жизнью, недоступной никому, кроме своей женщины.

* * *

Танюша любила Германа, но не ощущала, что её любовь — с оттенком «лучше так, чем никак». Герман всегда был номером вторым: он замещал собою то, что Танюше не дал и не мог дать Серёга. Но Герман не был хуже Лихолетова, просто с Серёгой Таня встретилась ещё девочкой-невестой, у которой всё впереди, а с Германом — уже Вечной Невестой, которая никогда не станет женой. И об этой своей беде она думала больше, чем о Германе.

В пятницу 14 ноября 2008 года Тане не дали доработать до конца смены. В «Гантелю» — в салон «Элегант» — нагрянул милицейский наряд, и опер попросил Куделину срочно поехать с ним, а её недокрашенную и недовольную клиентку с извинениями перепоручили другому мастеру.

Танюшу привезли в горотдел милиции, и здесь, в казённых коридорах, её опять опахнуло холодной тяжестью тех давних свиданий с Серёгой, когда он сидел в СИЗО. Но теперь следователь — капитан Дибич — был приятным и обходительным мужчиной, примерно ровесником. Таня поверила его умным, пушистым глазам и не-милицейской миловидности. Такой человек не будет мучить, не убьёт её чудовищным известием... А капитан допытывался про Германа: о чём говорил в последнее дни, с кем встречался, какие имел планы.

— Он жив? — замирая, спросила Танюша.

— Кто? — весело испугался Дибич. — Неволин? Разумеется, жив!

Таня едва не заплакала от неимоверного облегчения. Жив! Это главное! А остальное как-нибудь наладится. Дибич подал Танюше салфетку.

...Да ничего такого Герман не рассказывал, никаких особенных встреч у него вроде не было... Впрочем, она ведь не следила... Какие изменения у них произошли? Тоже никаких. Всё — житейское, обыденное... Да, год назад Гера ездил в Индию к своему армейскому другу. Загорел там в декабре. Ну и что?.. Да, они продали старую дачу в деревне Ненастье. Но при чём тут это?..

Однако про дачу Дибич выспрашивал очень подробно.

За сколько продали? За семьсот тысяч. Почему вдруг затеяли продажу? Потому что по кооперативу «Ненастье» давно летал панический слух, что деревню будут сносить ради какого-то строительства; Герману позвонил покупатель — и Герман с Таней решили избавляться от дачи, пока не поздно и покупатель даёт хорошие деньги. Когда был звонок от покупателя? Ещё перед поездкой Геры в Индию. После Нового года начали оформлять бумаги, потом пришёл нотариус. Деньги покупатель выплачивал в рассрочку и закончил платежи в августе. Но во всём этом нет никакого преступления!

Однако Дибич продолжал дознание. Как профессионал, он почуял — тут что-то спрятано... Связан ли покупатель с Неволиным или с Куделиными? Нет! — даже слишком пылко заявила Танюша. Снос деревни — правда или вымысел? Этого никто не знает, не только Герман. Где хранятся деньги, полученные за дачу? На сбербанковской карте Танюши. На какие нужды Герман предлагал их потратить? Ни на какие. Дача принадлежит Яр-Санычу, и деньги — тоже Яр-Саныча. Но Гера... Но Гера их уже потратил.

Дибич, торжествуя, напрягся в предвкушении. Вот она — ниточка.

Таня рассказала, что Герман попросил её пока доверить эти деньги ему. Он их вложит в какое-то дело, а к концу года обязательно вернёт Яр-Санычу всё до копейки; есть шанс, что он сумеет немного заработать и для них самих. В какое дело Герман хочет вложить деньги, Танюша не спросила. Ей было всё равно. Она верила Герману безоговорочно. Они вместе уже столько лет, и Герман ни разу её не обидел. И Таня просто отдала ему свою карточку.

— Всё ясно! На эти ваши деньги он и раскрутился, Татьяна Ярославна, — удовлетворённо сказал Дибич. — Такое дело без подготовки не осуществить.

— А какое дело? — наконец, замирая, спросила Танюша у Дибича.

— Герман Неволин ограбил спецфургон с выручкой Шпального рынка, — сообщил Дибич и сделал печально-задумчивое лицо. — Взял огромный куш. Наверняка он подготовил себе пути отхода и обеспечил легализацию после операции. Видимо, он оплатил себе новую личность и новую безопасную жизнь.

На это и ушли деньги с продажи вашей дачи. Он и вас тоже обокрал, Татьяна Ярославна. Вы доверились преступнику. Простите, что огорчаю.

Из горотдела Танюшу привезли в общагу. Оперативники провели обыск. Никто при этом не злобствовал и не зверствовал. Все понимали, что ничего особенного в комнатушке шофёра и парикмахерши не найти; улики, которые прольют свет на загадочное преступление, — из детективов. Оперативники старались действовать аккуратно, вещи перекладывали осторожно, ничего не мяли, не рвали и не кидали на пол. Понятые — парни из соседних комнат — курили и посмеивались. Девчонки по очереди утешали Танюшу.

Опера доделали своё дело уже поздно вечером; они сунули Танюше и понятым на подпись протоколы обыска, извинились и ушли. Зоя Татаренко, приятельница Танюши, заперла разорённую комнату и увела Таню ночевать к себе — муж у Зойки сегодня работал во вторую смену. Она налила Танюше стакан портвейна, и Танюша сразу опьянела, легла на чужую койку и уснула.

В субботу Танюша не пошла в свой салон. Она закрылась у себя в комнате и наводила порядок после обыска. Она собирала в стопку рубашки Германа, развешивала на плечиках его брюки и пиджак, укладывала в ящик его носки, трусы, майки, и вдруг не выдержала, зарылась лицом в эти вещи и зарыдала, запихивая бельё себе в рот. Пустота на месте Германа, чудовищное зияние выворачивали ей душу. Ей казалось, что Германа казнили, посадили в тюрьму на всю жизнь, угнали на войну погибать.

Он же был самым-самым лучшим человеком, первым и последним её мужчиной, единственным на всю жизнь, её любовью, верой, спасением, светом в окошке. Он такой смешной, такой наивный, нелепый, неуклюжий, добрый! Он же сделал это ради неё! Ну зачем он так поступил?! Зачем?! Как исправить эту его глупость? Как выпросить прощения у милиционеров, у охранников, у хозяина тех денег?.. Он никого не хотел унизить или обидеть, он хотел как-то помочь ей, своей Пуговке, но придумал неправильно! За это нельзя убивать, нельзя сажать в тюрьму на долгие-долгие годы, пожалуйста, простите его, отпустите, позвольте ему всё вернуть, не отнимайте его у неё, у неё же и так ничего больше нет, пожалуйста, пощадите её, пощадите...

А потом, настрадавшись, она уже ненавидела Германа. Он сделал это ради неё? Ну конечно, ага! Он про неё и не думал, он не сказал ей ни слова, он её обманул, предал, обрёк на такую муку! Он продал дачу её отца, и ведь она сама помогала усыпить бдительность Яр-Саныча! Она Герману просто надоела; он содрал с неё всё, что смог, и сбежал! Он не женат, у него куча денег, нафига ему бесплодная баба с чокнутым папашей, какая-то жалкая парикмахерша, у которой никогда ничего не будет, даже детей, а у него вся жизнь впереди! Он же мужик, солдат, ему нужна блядина, водка, шашлыки! Он был на войне, у него нет тормозов, подумаешь — раздавить какую-то мышь, шагнёт, наступит и не поморщится, они же звери, сволочи, эгоисты...

Силы у Танюши иссякли, растраченные на любовь и ненависть. Она лежала на кровати лицом к стене и плакала. Она боялась того, что за спиной, что вокруг. Её проклятье настигло её. Невидимая ведьма догнала и набросила на Германа свой покров, омертвляющий человеческое. Этот покров падал на её мать и на её отца; там, в тюрьме, он опустился на Серёжу; однажды он окутал её саму — и она стала Вечной Невестой. И вот теперь Герман — былая последняя надежда... Уладится всё или нет, уже неважно. Отныне она одна. Одна-одна до всех-всех-всех краёв вселенной. Ей надо учиться жить одной. На какой-то миг рядом с Германом ей казалось, что она вместе с кем-то, хоть у неё и нет детей, — но это был мираж, наваждение. Она одна. Ей страшно.

Выходные Танюша пряталась в общаге, а в понедельник всё-таки пошла на работу. Девчонки в салоне поджимались и боялись заговаривать с ней о подвиге мужа, однако смотрели как на какое-то диво дивное — одновременно с презрением и восхищением, будто Танюша обманом выиграла в лотерею.

Анжелка явилась на работу уже после обеда — она теперь была большой начальницей, директрисой «Гантели», и сама уже не обслуживала клиентов. С Митькой Лещёвым она развелась («хорэ кормить алкаша») и вернула себе девичью фамилию Граховская. Она крепко раздалась в заду и в грудях и выглядела бабой на сорок, хотя в учаге занималась в одной группе с Таней.

Анжелка, вернее, Анжела Игоревна, изводила Танюшу всё с той же бессмысленной настойчивостью пэтэушницы. Анжела Игоревна давно бы вышибла Куделину с работы, но нежные руки Танюши нравились хозяйке «Элеганта», которая предпочитала стричься, завиваться и краситься у своего мастера. Да и вообще: постоянных и богатых клиентов у Куделиной было куда больше, чем у любой другой парикмахерши. Поломать Таньку об колено Анжелка не могла, но отравить жизнь — это легко, это пожалуйста.

Анжелка запёрлась в зал и уселась в пустое кресло. Танюша стояла у раковины умывальника в своём дальнем углу и тёрла щёткой-очистителем двустороннюю расчёску-страйпер. Под бегущей водой из крана в раковине у неё мокла чашка из-под краски и плотная кисть для окрашивания волос.

— Ну, как настроение, Куделина? — спросила Анжелка. — Недоделок-то твой начал зарабатывать, я гляжу? Куда бабки потратите? Ребятёнка себе не наскребли, а самим-то вам ничего уже не поможет. Слушай, Куделина, купи себе ёбаря нормального, а? Твой-то дристозавр всё равно девочек начнёт заказывать, ему небось перловая каша надоела, — ну и ты себя побалуй.

Танюша не отвечала. Она закусила нижнюю губу и продолжала мыть расчёски, роняя слёзы в раковину. Девчонки наблюдали за Таней.

— Или муженёк твой тебя бросил? — куражилась Анжелка, поворачиваясь в кресле туда-сюда, будто напоказ. — Деньги забрал, и адью? Нахрена ты нужна ему, моль варёная? Я удивляюсь тебе, Куделина! — искренне заявила Анжелка и оглянулась на других парикмахерш, словно требовала поддержки. — Это какой же надо быть, чтобы вот так всё в жизни просрать? Лихолетов тебя бросил, как только вышел из СИЗО, теперь вот Неволин бросил, как только бабки срубил. Правильно тебя бог детей лишил. Нахера такие гены нужны? Таких, как ты, натурально надо отселять за сто первый километр.

Танюша не понимала, почему Анжелка изводит её столько лет. Она никогда не переходила Анжелке дорогу, не сделала ей ничего дурного, ни разу не ссорилась с ней. Если бы Танюша знала причину Анжелкиной злобы, то всё исправила бы в своём поведении. Но причина была неизвестна, и Танюше оставалось лишь плакать от бессилия и обиды, терпеть и отступать.

— Знаю, почему вы снюхались с Неволиным, — Анжелка лепила всё, что лезет на язык. — Вы же оба воры. Неволин тырил там у себя по шофёрской части, мне Митька рассказывал, а ты здесь приворовываешь. У вас в салоне вообще перерасход и недостача. Ты ведь подтягиваешь, Куделина, да?

Танюша сквозь слёзы увидела себя в зеркале. Она — что-то смазанное, белое, в общем, ничто. Её никто не пожалеет, она никому не нужна. Раньше она могла прибежать к Герману, он обнимет, укроет, утешит, отгородит собой от любого зла, потому что он знает, какая она хорошая, а сейчас?.. Сейчас, когда она совсем одна, Анжелка Граховская просто растопчет её, вытрет об неё ноги, уничтожит из подлого желания поглумиться. Сейчас её никто не защитит — надо защищаться самой, сколько есть сил.

— Ты гадина, гадина! — задыхаясь, закричала Танюша Анжелке.

— Женщина, успокойтесь! — повернув голову, с негодованием сказала Танюше клиентка в соседнем кресле; ей сушили волосы гудящим феном.

— Говно забулькало? — победно улыбнулась Анжелка.

— Гадина! — завизжала Танюша.

Она схватила зубастую щётку-брашинг и швырнула в Анжелку.

Танюша никогда не сопротивлялась, и Анжелка опешила от внезапной ярости этой блёклой тетёрки. Танюша хватала со своей стойки и, нелепо заламывая руки, кидала в Анжелку щётки, тюбики и кисточки. Гнев Танюши был некрасивый, истеричный, но Анжелка испугалась. Закрываясь руками, она опрометью бросилась из зала, как жирная кошка с кухонного стола, и уронила кресло. Другие парикмахерши, обомлев, глядели на Танюшу.

Танюша рыдала, скривив рот. Вокруг её стойки валялись расчёски, зажимы-уточки и флаконы, на полу растекалась лужа. Танюша попятилась от всех к окну, держа перед собой раскрытые филировочные ножницы.

— Не трогайте меня! — кричала она. — Не трогайте меня! Не трогайте!..

Этот понедельник оказался очень тяжёлым и для Яр-Саныча, хотя у него уже давно не было с дочерью ничего общего: его жизнь рассогласовалась с жизнью в целом, словно в механизме повышибало зубья шестерней.

Средоточием вселенной для Ярослава Алксандровича стал огород на даче в деревне Ненастье. Он был для Куделина и райскими кущами, где царит безмятежность, и собственным королевством, и бомбоубежищем. Яр-Саныч вращался по орбите вокруг своего огорода, а все остальные люди были обязаны соответствовать порядку вещей, который Яр-Саныч считал правильным; должны были поддерживать этот порядок, а на худой конец — не мешать. Нарушение порядка приводило Куделина в бешенство, он кричал, а мозг его закипал готовностью к инсульту. Вот так Яр-Саныч организовал свою старость: в 2008 году ему стукнуло шестьдесят шесть.

Люди, даже самые близкие, перестали для него что-либо значить. Он никогда не вспоминал покойную жену. Никогда не вспоминал старшую дочь. Танюша для Яр-Саныча была обнаглевшей и бесстыжей рабыней, которая не желает выполнять свои святые обязанности. Где Танюша работает, как у неё дела, где она живёт, с кем она — это Яр-Саныча не интересовало. Если даже Танюша начинала ему что-то рассказывать, он молча пропускал мимо ушей. Не важно. Не мешайте. Не отвлекайте от главного — от одиночества.

Германа Яр-Саныч путал с Русланчиком: он не уловил того момента, когда Руслан заменился Германом. И Германа Куделин побаивался: это был пережиток отношения к Руслану, вбитого ещё женой. Яр-Саныч был уверен, что Герман хочет его облапошить, а поэтому избегал контакта, не подпускал Германа ни к чему, всё от него прятал и экономил на нём, как мог: выключал ему свет, уносил с собой из кухни сахарницу, брился бритвами Германа.

Делить кров с Яр-Санычем было невыносимо, хотя Герман и Танюша оплачивали коммуналку за квартиру и несли все расходы за дачу (Яр-Саныч об этом не задумывался). Можно было снимать жильё, однако получалось неудобно, и Герман с Таней жили в общаге. В середине апреля Яр-Саныч складывал вещи и уезжал в Ненастье, а Таня и Герман перебирались в его городскую «двушку» — всё-таки не общага: кухня, ванная и туалет отдельные и свои собственные. В конце октября Яр-Саныч завершал огородный сезон и возвращался домой, а Танюша и Герман уматывали обратно в общагу.

Танюша ухаживала за отцом: стирала и гладила ему бельё, стригла его, покупала продукты (Яр-Саныч ничего не покупал — считал, что он сам себя обеспечивает), готовила. Но её усилия по сохранению человеческого облика отца пропадали впустую. Яр-Саныч из экономии одевался в обноски и ходил как бомж. Он не доверял врачам и лечился сам: при кашле мазал горло керосином, при радикулите пил картофельный сок. Он тащил с улицы домой разный мусор — безногие стулья, драную обувь, рейки с ржавыми гвоздями: дескать, на даче всё пригодится. Таня потихоньку выбрасывала все обратно.

Квартиру свою Яр-Саныч захламлял за три дня. Поверх ковров он расстилал газеты, на которых сушил россыпи картошки и лука. Вдоль стен он ставил ящики под рассаду, мешки с удобрениями и какие-то канистры. Яр-Саныч не смотрел телевизор, не разговаривал с соседями. Целыми днями он читал старые сельскохозяйственные журналы, которые остались от жены, — всегда одни и те же, но очень внимательно. Он разговаривал сам с собой и делал какие-то выписки, но тетрадь с ними всякий раз весной забывал дома.

Впрочем, он не впал в маразм и в некоторых вопросах сохранял полную вменяемость. Он завёл знакомство с какой-то бабой-продавщицей в овощной палатке на районном рынке и носил ей свой товар: мытую картошку и морковь, отшелушенный лук и чеснок. Баба-продавщица как-то мухлевала и продавала овощи Яр-Саныча мимо кассы. Каждый день Яр-Саныч не ленился являться на рынок к восьми часам вечера, к закрытию палатки, и забирал выручку: десять рублей — хорошо, двадцать рублей — хорошо, тридцать пять рублей — очень хорошо. Все деньги, в том числе и пенсию, он складывал на сберкнижку, а сберкнижку прятал в старом матрасе на антресолях.

Яр-Саныч ни сном ни духом не ведал, что его дачу продают. Сам бы он не согласился на продажу ни при каких обстоятельствах, пускай хоть вулкан открывается на месте Ненастья. Герман и Танюша оформили документы без него, пригласили на квартиру покупателя и нотариуса, и Яр-Саныч в диком раздражении подмахнул бумаги, лишь бы чужаки скорее убрались вон из его дома. Он не вникал в суть того, что подписывает. А Герман с Таней решили объяснить ему всё лишь тогда, когда покупатель выплатит полную сумму. С деньгами на руках можно будет сразу купить Яр-Санычу другую дачу.

Вообще-то Герман надеялся увезти Яр-Саныча в Индию. Не всё ли ему равно, в какой стране копать грядки. Он же не смотрит на мир вокруг себя и никакой разницы не заметит. Пересадить его с места на место, как дерево, — из русской деревни Ненастье в индийскую деревню Падхбатти. Правда, про Падхбатти не знала и Танюша. Он расскажет ей потом, когда будет можно.

В общем, Яр-Саныч не ведал, что его лишили логова. Он мирно копал свой огород весь сезон 2008 года — так договорились, пока покупатель не рассчитался полностью, и потом дача в Ненастье стала чужой собственностью. Сторож кооператива Фаныч за своё молчание получил ящик водки. Но Фаныч и не приятельствовал с Куделиным, чтобы разболтать.

Правду Яр-Саныч узнал днём в понедельник 17 ноября, когда капитан Дибич пришёл к нему на квартиру с расспросами о Германе Неволине.

Яр-Саныч не смотрел новости и не имел друзей, с которыми мог бы сплетничать, а потому и не слышал, что Герман — грабитель. Впрочем, это его всё равно бы не заинтересовало. Ну, спёр он что-то — дак он же всегда воровал у Яр-Саныча: в позапрошлом году украл грабли, в прошлом году взял со стола двадцать рублей и выкрутил лампочку. Люди для Яр-Саныча делились на воров и бездельников. Герман — вор, Танька — бездельница.

Однако Яр-Саныча поразило известие, что Ненастье продано: деньги за дом и участок, оказывается, выплачены, а у него, у Яр-Саныча, больше нет убежища!.. Яр-Саныча так встряхнуло и окатило жаром, что он даже не завопил, а словно бы застыл внутри себя в полуобморочном и перевёрнутом положении. Он не понимал, как ему относиться к этому факту. Принять — невозможно. Просто никак невозможно. Яр-Саныч ощущал себя жуком, которого опрокинули на спину, а он механически шевелит лапками.

Дибич ушёл, а Яр-Саныч этого уже не заметил: он привычно занялся хозяйством, но с тупым упрямством опрокинутого жука пытался понять, что же означали слова милиционера — кроме того, что они означали реально? Нет, не может быть, что у него нет Ненастья. Наверное, милиционер говорил всё это к тому, что налоги повысят. Газ хотели провести — деньги вымогают. Или Танька не заплатила взнос за вывоз мусора, вот ему и угрожают...

В половине восьмого вечера Яр-Саныч оделся и потащился на рынок забирать свои деньги в овощной палатке. Не заберёшь сразу — не отдадут совсем, мошенники. На обратном пути Куделина и подкараулил Герман.

Сначала он просто двигался за Яр-Санычем, со стороны рассматривая старика, — глупого, злого и противного человека. Яр-Саныч был в рваной телогрейке и цигейковой ушанке, точно зэк. Никто его не сопровождал; если оперативники хотели взять Германа у тестя, то, наверное, сидели в засаде на квартире, а не таскались за хрычом по тёмным и заснеженным улицам. Возле угла дома Яр-Саныча Герман догнал старика и остановил, взяв за плечо.

Яр-Саныч увидел Германа, попятился к сугробу и затрясся, хлопая ртом.

— Ми... милиция! — скрипуче и негромко крикнул он.

— Саныч, перестань, — поморщился Герман. — Слушай меня внимательно.

— Украл!.. — крикнул Яр-Саныч. — Он украл!..

Герман, озлобляясь, пихнул тестя в грудь и схватил за телогрейку.

— Сейчас как дам по морде, старый дурень! — негромко рявкнул он. — Ну-ка слушай меня! Кивни мне, если соображаешь!

Яр-Саныч испуганно кивнул, но всё равно не соображал.

— Твоя дача пойдёт под снос, — внятно и внушительно заговорил Герман. — Я её продал, пока дают деньги. Вот эти деньги, смотри!

Герман повертел у лица Яр-Саныча пачкой тысячных купюр, потом показал полиэтиленовый пакет, в котором лежали ещё шесть пачек.

— Здесь семьсот тысяч. Столько стоит твоя дача. Я отдал тебе все деньги, Саныч. Ты понял? Все деньги до копейки. Принимай!

Герман расстегнул пуговицу на телогрейке старика и принялся пихать пакет старику за пазуху. Затем застегнул телагу и положил ладонь Яр-Саныча поверх выпирающего на его животе свёртка.

— Держи вот так рукой, чтобы не выпало. Теперь иди домой. Я прослежу тебя до подъезда. А ты иди домой. Деньги у тебя, — Герман повторял, будто заколдовывал старика. — Танюша тебе ничего не должна. Повтори это.

— Домой, — проскрипел перекошенный Яр-Саныч. — Танька не должна.

— Ты не будешь на неё орать, понял? Ты не будешь её ничем попрекать! Ты будешь её слушаться, усвоил? — внушал Герман. — Если она мне на тебя нажалуется, я найду и убью тебя, понял? Я тебе морду разобью! Всё, иди.

Герман подтолкнул старика в сторону его подъезда. Прижимая рукой деньги, Яр-Саныч сутуло посеменил к двери. Герман дождался, пока старик войдёт, потом ещё подождал, пока загорится окно в квартире Яр-Саныча, потом повернулся и пошагал к остановке, где дежурили такси.

Он сделал всё возможное, чтобы Яр-Саныч не изводил Танюшу. Вообще старик был пень пнём, но про деньги он кумекал шустро. Герман считал: никто не сумеет доказать, что эти деньги украдены из фургона. Они вполне могут быть честной выручкой с продажи дачи. Следовательно, оперативники не изымут их у Куделиных. К тому же формально Куделины Герману никто, ведь он не женат на Танюше. И на эти деньги весной или летом Таня и Яр-Саныч смогут законно выехать в Индию.

А Яр-Саныч и вправду отлично помнил, что такое деньги. Жена, дочки, совесть, любовь, смерть — про это он забыл, а про деньги не забыл. И только зрелище купюр доказало ему, что у него больше нет деревни Ненастье, его убежища, единственного его наслаждения и утешения. Яр-Саныч разбросал синие купюры по бурой картошке на газетах, а потом сел на пол и заплакал. Они его обокрали. Они его выгнали и хотят убить. Суки позорные. Суки!

В холодильнике у него хранилась бутылка водки для компрессов. Он поднялся на дрожащие ноги и побрёл к холодильнику.

В половине двенадцатого ночи в прихожей Яр-Саныча звякнул звонок. Яр-Саныч не слышал; пьяный, он спал на полу. Входная дверь приоткрылась —

Яр-Саныч забыл запереть её. В квартиру осторожно заглянул Витя Басунов.

Он явился, чтобы порасспрашивать Яр-Саныча о Германе. И с первого же взгляда он узнал всё, что мог узнать. По всей квартире горел свет. В большой комнате на полу в грязной картошке валялся грязный пьяный старик. А вокруг были разбросаны денежные купюры — сотни синих купюр.

Ясно, что деньги занёс Неволин. А старпёр, похоже, ужрался от радости. Значит, Неволин где-то рядом, никуда не делся из Батуева, прячется.

Басунов вошёл в комнату, переступил через ноги храпящего Яр-Саныча, наклонился и подобрал купюры — ну, штук тридцать можно взять: столько и не заметят. Затем Басунов снял с ковра на стене двуствольное ружьё «Зауэр» — карабин-бокфлинт, когда-то подаренный Куделину Лихолетовым. Ещё бы патроны к нему... Басунов ходил по комнатам и выдвигал ящики в шкафах и столах. Ага, вот и коробка с патронами — среди гвоздей и шурупов, рядом с электродрелью. Басунов сунул коробку в карман. Ружьё он завернул в ватник Яр-Саныча, чтобы донести до машины незаметно, вышел в подъезд и аккуратно защёлкнул за собой дверь. Никто не узнает, что он здесь был.

Часа в три ночи Танюше на сотовый телефон позвонила соседка Яр-Саныча тётя Роза. Танюша ещё по-прежнему жила в общаге.

— Тань, ты бы приехала к отцу своему, — попросила тётя Роза. — Он тут пьянущий в жопу, никогда его таким не видела. Ходит по подъезду, звонит в квартиры, просит водки продать. Купи ему там флакон по дороге...

Таня собралась, вызвала такси и поехала домой.

Она увидела деньги среди картошки — и без сил опустилась на диван.

Яр-Саныч на кухне звенел горлышком бутылки о рюмку, а Танюша в пальто и берете сидела на диване и ревела от счастья.

Конечно, деньги — от Германа. Он здесь, в городе! Он отдал Яр-Санычу долг за Ненастье. Он ничего не забыл. Он никого не бросил. Он не забыл и не бросил её, свою Пуговку! Просто ему надо сейчас прятаться. Так получилось. Но он рядом, хотя и невидимый. Он ходит мимо неё, глядит на неё из толпы, он молчит, он в темноте, но всё равно он её охраняет от зла, оберегает от беды! Потом он придумает способ и заберёт её, увезёт её, унесёт, спасёт. Как она могла подумать, что он предал её? Дура, дура, дурёха! Он её никогда не оставит! Это же Герман, Гера, Герочка, её солдат!

А он в это время ехал плацкартом в поезде Казань — Тюмень. Почему-то он не смог заснуть: ворочался под байковым одеялом на своей нижней полке, наконец, встал, оделся и заказал себе чай с печеньем. В полутёмном вагоне среди спящих людей Герман пил чай, смотрел в окно и слушал, как громко и раскатисто под полом вагона бьют по рельсам колёса, а в ответ тихонечко позвякивает ложечка в стакане на его столе. Он думал о том, что совершил.

Всё сделано безупречно. Он взял фургон и никого даже не поранил. От погони ускользнул. Положил деньги на счета — вернее, завёз Флёрову. Отдал долг Яр-Санычу. Надёжно спрятал мешки с наличкой в Ненастье. Замёл следы. Сейчас при нём новые паспорта и банковские карточки, внушительная сумма, достаточная для жизни на нелегальном положении. Но почему в душе ощущение катастрофы? Откуда это невыносимое гнетущее томление?

Он старался не думать о Танюше, переключал себя на мысли о тайнике. Эти мешки в старом погребе... Хорошо ли он замаскировал полянку? А вдруг натоптал тропу?.. Он напрягался, но не мог вспомнить, куда дел лопату, которой закапывал яму?.. Бросил рядом в кустах?.. А если из-за того, что под землёй пустота, грунт сверху дольше сохраняет тепло, и его полянка обтаяла, хотя всё вокруг заснежено, и любому специалисту будет ясно, что под этой полянкой что-то находится?.. И точно ли его никто не видел?.. Кажется, через участок от него в каком-то домике светилось окно...

Герман понимал, что сам себя терзает беспричинной мнительностью, но не мог остановиться, успокоиться. Так бывало, когда уйдёшь из дома и вдруг начинаешь переживать: «А ведь я утюг не выдернул из розетки!..» Истомившись, Герман сунул ноги в ботинки, вышел в холодный тамбур и прижался лбом к окну. Мешки в погребе... На дачу наверняка рано или поздно явятся следователи — хотя бы просто так посмотреть, проверить... Вдруг их насторожит, что на даче нет погреба?.. А вдруг дачу снесут уже зимой?.. Он не контролирует ситуацию, а потому изнывает впустую...

В тамбур выглянула проводница.

— Зуб болит? — с сочувствием спросила она.

— Болит.

— Загляни, анальгин дам.

Герман смотрел на тёмные пространства, по которым катился его поезд. Луна в бледно подсвеченном размыве бегущих облаков. Какие-то тревожные массы — наверное, перелески. Гудящее ощущение высоты, пока состав летел по насыпи, а понизу россыпью мелькали дробные косые плоскости, словно темнота стеклянисто замёрзла узкими гранями и рёбрами: это были скаты заиндевелых крыш в спящих посёлках. Тоскующе взмахивали крылья полей.

Нет, пока что он не может уйти из Ненастья. Ну никак, хоть ты сдохни. Из него словно душу высасывает. Что его тянет обратно? Страх за мешки с наличкой? Любовь к Танюше? Память о прожитых в Батуеве годах? Да не важно. Просто он не может уйти. На ближайшей станции он покинет этот поезд и возьмёт билет обратно до Батуева. Иначе задохнётся.

Вот так же было в Афгане, в тех камнях у моста через речку Хиндар. И уйти невозможно — и оставаться незачем: это бессмысленно, опасно и нелепо. Шумела ледниковая вода на валунах под балками моста; с треском горело масло в погибшем танке; посечённые пулями чинары торчали сквозь пыль, что висела над стенами расстрелянного с вертолётов кишлака Хиндж... И что делать солдату, чтобы не погибнуть и не пропасть без вести?

* * *

Автоколонна завела моторы в самое глухое время — в половине пятого утра. На дивизионном КПП караульные сбросили на дорогу цепи и вручную откатили с проезда насаженное на колесо толстое бревно с шипами из стальных уголков. Ярко-синяя афганская луна озаряла долину Шуррама не хуже осветительной авиабомбы, но машины, проезжая мимо капонира перед КПП, всё равно выключали фары, соблюдая на марше светомаскировку. Колонну составляли три БМП, десяток БТР и полтора десятка грузовиков: «наливники» с дизельным топливом, трёхосные «зилки»-кунги,

«Уралы» повышенной проходимости и пара плоскомордых «шишиг» с брезентовыми фургонами. В центре, задрав длиннющую пушку, двигался командирский танк Т-62, обвешанный плитками динамической защиты.

Передовой бронегруппой были две БМП разведроты. Следом за ними катился тентованный «Урал-375», за рулём которого сидел рядовой Герман Неволин по прозвищу Немец. По капоту «Урала», а изредка и прямо в лобовуху стучали комья земли, выброшенные гусеницами БМП. Эти удары пугали бы, напоминая выстрелы душманов из засады, однако Неволин не дёргался: он хронически недосыпал, а потому был словно контуженый. Он тупо смотрел на едва светлеющую в темноте обшарпанную корму БМП с большими люками для десанта, квадратными и выпуклыми.

В кабине рядом с Неволиным находился второй водитель — Саня Кощеев по прозвищу Кощей. Точнее, конечно, первым водителем назначили как раз Кощеева, а Неволин был его сменщиком, вторым номером. Кощеев служил в Афгане уже больше года и теперь наслаждался положением «деда», а Герман служил в Афгане четвёртый месяц и считался ещё «чижарой», «черпаком».

— Кощей, — окликнул Неволин напарника. — Я засну.

— Если морду защемишь, я тебе душу пробью, без базара, — беззлобно и вяло пообещал Кощей, заваливаясь дремать в угол кабины.

— Я сегодня только два часа спал. Меня просто клинит.

— Служи родине, воин. Станешь «дедушкой» — отоспишься.

Кощей сам собирался «надавить на массу» и не хотел уступать это удовольствие «молодому». Раннее утро, когда уже не холодно и ещё не жарко, — лучшее время для сна. А «черпила» пусть рулит. Поблизости от дивизионного городка дороги ещё не так опасны.

Колонна «полезла за хребты» — так говорили в городке, имея в виду рейд в ущелья. Городок, большая советская военная база, стоял в предгорьях, в пойме речки Шуррам возле афганского селения Шуррам. Этой весной, весной 1985 года, Сороковая армия и спецназ опять принялись выколупывать душманов из убежищ. «Деды», которые всё знали, и командиры из числа тех, кто не считал бойцов «туловищами», рассказывали, что все «бабаи»-осведомители шепчут про идущие из Пакистана длинные караваны с пулемётами и героином и про то, что жестокий Ахмад Шах Масуд снова готовит мятеж в Панджшере, в долине Пяти Львов.

Командование усиливало гарнизоны застав на стратегически важных перекрёстках и перевалах. На такую заставу в районе седловины Ат-Гирхон и направлялась колонна, в которой ехал Неволин. От армейского понтонного моста через Шуррам убитая грунтовая дорога поворачивала к горам. Герман помнил инструктаж на разводе перед выездом: после моста двадцать километров вверх по предгорьям — и мирный кишлак Ачинд, потом шестнадцать километров вверх по ущелью речки Хиндар — и разгромленный кишлак Хиндж, потом двадцать три километра — и застава. Учитывая малую скорость при движении с сапёрами, колонна должна была прийти на седловину Ат-Гирхон к концу светового дня.

В кабине «Урала», который ехал за второй БМП, «дедушка» Кощей начал всхрапывать. Неволин время от времени встряхивал головой и тёр лицо ладонью. На сиденье между Кощеем и Германом лежали два «броника» и обе разгрузки, утыканные автоматными рожками, — в этих «лифчиках» неудобно было рулить, неудобно было дремать. Сверху валялись подсумки и фляжки. На грязном полу кабины стояли вещмешки и автоматы с матерчатыми ремнями. Не отпуская руля, Неволин потянулся направо и пихнул Кощеева кулаком в бок.

— Кощ-щей, проснись! — позвал он.

— Я ща кому-то по зубальнику пну, — рассерженно ответил Кощей, завозился, выпрямляясь, достал фляжку и присосался к горлышку.

— Кощей, правду говорю, голова совсем не держится.

— А я-то при чём?

— Порули ты. Я подремлю немного и сменю тебя.

— Ну ага! — возмутился Кощей. — Может, лимонаду с ирисками хочешь?

— Чего ты как ишак? — Герман продолжал уламывать Кощея. — Ты спал, а я работал за тебя — масло менял, заправлялся, под погрузкой стоял.

— Тебе положено.

— Ну и что? Тебе легче будет, если я засну, съеду на обочину, и мы на фугасе подпрыгнем? Я же не специально.

Кощей моргал, соображая. Он был из какого-то воронежского колхоза, трусоватый, по-крестьянски хозяйственный, обстоятельный, и сейчас явно взвешивал, что лучше: «дедушка» выручит «молодого», хотя это ему не по чину, а западло, или же оба вместе взорвутся на мине, зато по правилам?

— Ладно, блин! — обиженно сказал Кощей. — Как будем сапёров высаживать, поменяемся. До кишлака пущу тебя отбиться. Гад ты, Немец.

Постепенно светлело. Где-то вдали за сказочными Гималаями вставало древнее солнце Азии, и небосвод на востоке широко озарялся ангельской, нежной и невозможной лазурью. Вокруг дороги, по которой шла колонна, в лощинах между землисто-бурых холмов, точно разрыхлённых бороной, ещё плавали дымчатые сумерки, но за холмами мощно вздымался матово-стальной ярус хребта. А над ним в чистом воздухе миражом висели какие-то розовые складки и морщины — так фантастично восход высвечивал сколы и гребни Гиндукуша. Его непроницаемый, твёрдо огранённый массив вытаивал из прозрачного неба, как нечто стеклянное и острое из чего-то ледяного и гладкого. Пронзительная красота Гиндукуша вызывала вспышку счастья.

Колонна притормозила. Справа от дороги, завалившись боком в канаву, громоздился обгорелый танк, красный от ржавчины. Орудие его смотрело в сторону, крышки обоих люков на покатой башне были подняты: казалось, что танк настороженно встопорщил уши и застыл в незавершённом движении. Для советских караванов этот танк служил ориентиром — границей зоны контроля. Из десантного отсека головной БМП, зевая, выбрались солдаты боевого охранения и сапёры с собакой; они обошли бронемашину и пошагали по колеям дороги перед автоколонной. Колонна, почти вхолостую срабатывая горючее, медленно поползла вслед за людьми. Теперь до самой седловины Ат-Гирхон она будет двигаться со скоростью сапёров.

Водителям грузовиков и бронемашин скорость пешехода была хуже пытки, но ничего не поделать:

осатанелые «духи» минировали всё подряд. Не только дороги, тропы и дома, но даже брошенные вещи, или осликов, мирно пасущихся на обочине среди верблюжьей колючки, или ветки персиковых деревьев, с которых солдат-«шурави» может потянуть румяный персик.

Из пешаварских лагерей тайные караваны везли во вьюках шведские, американские, итальянские и английские мины; «духи»-минёры покупали их у курбаша на свои кровные афгани, и поэтому ловушки ставили со всеми ухищрениями — чтобы отбить расходы гонорарами за удачные подрывы. Впрочем, бывало, что «духи» выплавляли тол из неразорвавшихся советских авиабомб и кустарно мастерили фугасы, заливая взрывчатку в банки из-под консервов, в пластиковые пакеты, в канистры и чайники. И мины у «духов» были самые головоломные: на третье колесо, на самих сапёров, на износ замедлителя в детонаторе, когда взрывалась только двадцатая или сотая машина, проехавшая по заряду; встречались даже мины на вертолёт.

В дивизионном городке для автоколонны на Ат-Гирхон не нашлось свободной ИМР — инженерной машины разминирования: имеющиеся ИМР отправили на более важные и опасные направления. Два расчёта сапёров посадили в БМП разведроты и прикрепили к ним по два бойца охранения. Расчёты должны были сменять друг друга каждый час.

Сапёры двигались перед колонной в рабочем порядке. Первым шагал вожатый с минно-розыскной собакой на поводке: обученная овчарка бежала зигзагами и обнюхивала дорогу. Через пятнадцать метров уступом шла основная группа из трёх сапёров с миноискателями и щупами; стальные хоботки щупов, отшлифованные землёй и камнями, блестели на солнце. Ещё через пятнадцать метров шли уже бойцы охранения, готовые лупить из автоматов по любому шевелению за обочиной. Сапёры обливались потом: на них были надеты пудовые бронежилеты, а поверх «броников» висели мотки прочного троса с карабинами, сапёрные лопатки и «кошки», широкие спецножи с зазубринами на лезвии, тротиловые шашки для уничтожения неизвлекаемых мин, магнитные приборы обнаружения проводов.

Солнце потихоньку поднималось над дорогой и палило всё сильнее, словно прямой наводкой. Хлебно-бурый склон горы, под которым на трассе растянулась автоколонна, казался прожаренным, как ржаной сухарь; он крошился каменными осыпями. Здесь всё обманывало. Полярная синева зенита должна была остужать, но обжигала глаза, будто кислота; фарфоровое небо дышало зноем, как печной свод. Внизу в валунах бурлила река Хиндар, но шум воды в этом пекле звучал треском горящего масла на сковороде.

Колеи покрывала белая тонкая пыль, едкая, как пепел. Сапёры читали историю дороги по этой пыли, по камешкам, по рытвинам. Всё оставляло свои следы, и сапёры научились понимать их, а иначе тут не выжить. Вот лежат три одинаковых булыжника — не знак ли это на закладку?.. Вот болтик: откуда он здесь?.. Вот ровная проплешина — а не яма ли это с фугасом на дне, засыпанная щебнем и плотно утрамбованная ногами? А вот на песке мирная вышивка крестиком: это прыгали лёгонькие кеклики, афганские воробьи.

За сапёрами медленно тащилась вся разномастная колонна, сдержанно рычала моторами и дымила выхлопными трубами. Броня раскалялась на солнце, и все дверцы и люки машин были открыты; от вибрации корпусов дребезжали слабо закреплённые железяки; пыльные стёкла автомобильных кабин полыхали бликами, нестерпимыми для глаз; в оптике вроде триплексов наблюдения или бинокулярных прицелов линзы горели как прожекторы.

Прапорщик Сергей Лихолетов сидел на свёрнутом спальном мешке на крыше БМП, курил и рассматривал сапёров. Эти парни — смертники. Если «духи» нападут из засады, первыми они скосят сапёров. Конечно, перед маршем дорогу прочесали «вертушки», проверили на душманов, но разведка с неба — не гарантия. Лихолетов был готов к атаке «бородатых» в любой момент. Даже на крыше БМП он расположился так, что в наиболее вероятном секторе обстрела его прикрывала башня. Лихолетов вёл себя как американский рейнджер и выглядел не по-советски: каску свою он обтянул куском маскировочной сети и не снимал чёрных очков-«хамелеонов». Разве что короткие рыжеватые усы намекали на то, что прапорщик — русский.

Он командовал боевым охранением всей колонны, однако предпочитал находиться на самом опасном месте — возле сапёров. Он присоединился ко второму расчёту, который ехал во второй БМП. Расчёты уже сменились дважды: сапёры отрабатывали час — и залезали отдыхать «на броню», уступая пост. «На броне» было легче, чем в десантном отсеке БМП. В отсеке стенки и потолок раскалились от солнца, а банная жара не вытекала из приоткрытых кормовых дверей: в общем, днём машины превратились в душегубки.

Сапёры, мокрые от пота и грязные от пыли, сидели на крыше БМП, заставленной патронными ящиками. Ящики были прикручены к скобам и проушинам проволокой и служили багажниками десанту, которому в тесном отсеке не хватало пространства для вещмешков и разного снаряжения. Здесь, наверху, духота не давила на грудь, хотя людей иногда заволакивало густым дизельным выхлопом из сопла, расположенного тоже на крыше. Сапёр-вожатый даже затащил «на броню» свою собаку: снял с неё намордник, усадил рядом с собой и прижал рукой. Большая чёрно-рыжая псина тяжело дышала, вывесив язык, и косилась на незнакомых ей солдат охранения.

— Ноги из люков достаньте, мужики, — посоветовал прапорщик сапёрам. — Случится подрыв — может отрезать. Бывало, и головы срезало.

Около полудня, на пятом часу марша, колонна добралась до кишлака. О его приближении свидетельствовали маленькие зелёные поля возле дороги, заботливо огороженные стенками из камней или глиняными валами.

— Тормознёмся? — спросили у Лихолетова. — В дукан заглянем.

В это время из люка на башне по плечи высунулся командир экипажа в замасленном ребристом шлемофоне и крикнул:

— «Тобол» передал, стоянки не будет!

«Тобол» — позывной командира колонны.

— С машин не слезать! — приказал Лихолетов. — Ссым с брони на траки.

Кишлак Ачинд считался безопасным, «советским», при въезде над углом какого-то дома на палке висел выгоревший красный флаг. Сюда из Шуррама доезжали подразделения царандоя — афганской милиции; для самообороны тут был сформирован небольшой отряд, вооружённый страшными местными самопалами — «мультуками», и старинными английскими винтовками «Ли Энфильд», которые остались от времён британской оккупации. Эти винтовки были без магазинов и с большими стальными шарами на рукоятках затворов; называли их «бурами». Хотя верить красным флагам и афганским царандоям не следовало. Афганцы миролюбиво улыбались «шурави», но кто знает, кого «буры» и «мультуки» Ачинда выцеливали по ночам.

Дорога делила Ачинд пополам. Лихолетов с БМП разглядывал нижнюю часть кишлака, расположенную на склоне между дорогой и бурливым Хиндаром. Толстые глинобитные стены, глухие и шершавые; если и есть в них окошко, то маленькое и занавешенное изнутри. Здания — будто огромные коробки, плоские крыши устланы сеном или циновками. Из-за этих плоских крыш кишлак сверху напоминал неряшливую шахматную доску, где каждая замусоренная клетка — на своей высоте. Во дворах за оградами-дувалами Лихолетов видел крохотные садики с пышными и кривыми плодовыми деревьями; открытые галерейки с объёмистыми горшками, полными всякой зелени; широкие, тоже глинобитные ступени — дастарханы, крытые коврами; низенькие печи из камня-плитняка — тандури. Это была невероятная, но совершенно реальная жизнь из арабских сказок про падишахов и джиннов.

Автоколонна медленно проехала вдоль шеренги дуканов — маленьких афганских лавчонок, забитых всяким пёстрым товаром от одеял и чайников до индийских джинсов и корейских магнитофонов. Торговцы-дуканщики размахивали руками, зазывая к себе солдат-«шурави», и что-то возбуждённо кричали, но их не было слышно за рокотом моторов и лязгом гусениц.

Сквозь дизельный чад пробивались запахи кишлака: сочное зловоние навоза, горечь кизячного дыма, чистое благоухание шелковиц. Автоколонна подняла над кишлаком птичью тучу. На улицах мужчины поворачивались к дороге и рассматривали колонну, приставляя ладони козырьком к бровям, а женщины в голубых паранджах куда шли, туда и шли, будто механические куклы, и не останавливались. В одном проулке Лихолетов заметил пустую «барбухайку» — восточный грузовик с высоченным кузовом. Кабина и кузов были ярко разрисованы тиграми, павлинами, драконами, слонами, какими-то узорами, а может, сурами из Корана. «Барбухайки» у афганцев служили автобусами. Лихолетов не раз встречал эти колымаги на дорогах войны: люди ехали в кузове вместе с овцами и коровами; те, кому не хватило места, лепились на подножках и сидели на крыше кабины. Громоздкие грузовики, подвывая и шатаясь, изо всех сил лезли в гору по серпантину или, наоборот, сжигая тормоза, дымя и сотрясаясь, спускались с горы.

Кишлак закончился мусорными кучами, в которых рылись здоровенные жёлтые собаки, а потом за поворотом дороги показалось кладбище: пустырь, усыпанный крупными камнями и обнесённый оградой из таких же камней. Среди груд и развалов вертикально торчали плоские глыбы, обозначающие могилы, и всюду были натыканы деревянные шесты с зелёными тряпками.

Прапорщик Сергей Лихолетов отпил из фляжки и закурил сигарету.

В кабине «Урала», который катился за БМП Лихолетова, водитель Сашка Кощеев толкнул своего напарника Герку Неволина:

— Немец, подъём! Твоя очередь рулить.

* * *

В 1977 году, ещё до ввода войск в Афганистан, советские гидротехники обследовали долину речки Хиндар на возможность построить электростанцию. Подходящее место нашли в километре от кишлака Хиндж, где долина сужалась. Правый берег Хиндара был склоном водораздельного хребта, а с левого берега к речке придвинулся утёс — край длинной скальной стены, нижнего уступа долинной террасы. Огромный глыбовый развал от утёса докатился до речки, и Хиндар здесь клокотал и ярился на шивере.

Дорога проходила по правому берегу над шумным быстротоком и плавно спускалась к мосту, построенному советскими строителями. Сооружение это было несложным: десяток длинных швеллеров уложили в ряд над рекой и с испода приварили к ним арматуру; под опорными концами балок в скальных лбах просверлили шпуры и забили анкеры. Мост пересёк Хиндар в узком месте — на повороте, а груды глыб, отколотых от утёса на левом берегу, громоздились возле съезда с моста немного ниже по течению.

В начале лета в горах ещё продолжалась весна, ледники таяли, и Хиндар был полноводен. Сапёры обследовали мост и не нашли ничего, внушающего подозрения. Две БМП, составляющие передовую бронегруппу, прикрывая друг друга, переползли на левый берег, визгливо скрежеща стальными траками по стальным балкам, и просигналили, что путь открыт и безопасен.

Неволин спускал свой «Урал» вниз к мосту на тормозах, примериваясь, чтобы точно попасть колёсами на швеллеры. Лучше бы, конечно, грузовик вёл Кощей — у него опыт, а Герман практиковался в рулёжке только дома, в школе ДОСААФ перед призывом. Но сейчас некогда было отвлекаться и будить Кощея. Грузовик скатывался медленно и неумолимо. Под колёсами хрустели мелкие камешки. Герман сосредоточенно смотрел только вперёд.

— Не виляй, косяпорина, — вдруг раздалось рядом. Кощей проснулся сам, протянул левую руку и тоже положил ладонь на руль, опасаясь, что Немец не справится. — Пролезем. У бээмпэшки колея на полметра шире нашей.

«Урал» прокатился по ржавым швеллерам, которые слегка пружинили от тяжести грузовика. Герман видел, как за крылом машины, глубоко внизу, под мост уносятся струи Хиндара — то блещущие, то белые от пены. На выезде с моста Герман дал по газам и вытолкнул грузовик на пригорок.

Отсюда открылся вид на долину. Пологие холмы. Слева под высоким и крутым склоном хребта — речка с бурунами. Невдалеке — обширные руины заброшенного кишлака Хиндж. Дорога обходит кишлак справа, почти под скальной стеной, ограничивающей долину по эту сторону Хиндара. И совсем вдали, недосягаемые, словно не от мира сего, — белые короны Гиндукуша.

Колонна двинулась к селению на прежней скорости пешехода. Впереди шагали четверо сапёров с миноискателями и собакой и два бойца охранения, за ними на расстоянии ползли БМП головной бронегруппы. На крыше второй бронемашины сидели и курили сапёры сменного расчёта. За БМП ехал «Урал» Немца и Кощея; Герман рулил и разглядывал сапёров с их понтовым командиром — прапорщиком в лохматой каске и в чёрных очках.

Кишлак, видимо, расстреляли с вертолётов НУР-Сами, неуправляемыми ракетами, — остались только развалины, словно какой-то склад поломанных ящиков для стеклотары: серые дувалы и стены, кучи жёлтых и щетинистых саманных кирпичей, торчащие расщеплённые брёвна, песок... Среди пустых и дырявых глиняных скорлуп стояли пыльные чинары с подсечёнными ветвями. Размерами выделялся чардивал — двухэтажная крепостица местного хана или князя. По углам у неё кособочились обглоданные взрывами грузные башни с округлыми, как на коржике, осыпающимися зубцами.

Сапёрный расчёт поравнялся с развалинами. Передовая БМП повернула башню, нацелив пушку на руины; бойцы охранения внимательно рассматривали кишлак — Герман даже издалека видел, как они напряжены. И вдруг собака сапёра-вожатого подняла морду от колеи и залаяла в сторону селения. «Унюхала чужака?..» — подумал Герман. И тотчас слева из развалин ударил пулемёт, а потом сразу торопливо застучал другой.

Дорога вспенилась фонтанами пыли. Собака взвизгнула и закувыркалась на колее. Сапёры и бойцы охранения кинулись пластом на землю, будто нырнули, и непонятно было, живы они или убиты. БМП гулко забренчала под очередями. Над развалинами с граем взвились испуганные стаи ворон.

— Зас-сада, ё-моё!.. — охнул в кабине Кощей. — Тормози!

Герман увидел, как на загривке второй бронемашины, которая катилась перед его грузовиком, всполошились солдаты сменного расчёта.

— Всем с брони! — закричал им понтовый прапор в лохматой каске.

Солдаты дружно посыпались с крыши БМП на дорогу; они падали под защиту камней на обочине и, лёжа на брюхе, сразу пристраивали автоматы для стрельбы по кишлаку. Герман вдавил педаль тормоза. Заскрипев, «Урал» остановился. А БМП, скинув пассажиров, шаркнула гусеницами и с рёвом устремилась к селению, воинственно выдувая вверх толстую струю чёрного дизельного выхлопа. Рядом с Германом Кощей свирепо заворочался с боку на бок, вдеваясь в «броник» на «липучках» и натягивая разгрузку-«лифчик».

— Вали отсюда назад! — крикнул водилам «Урала» лежащий на дороге прапорщик в лохматой каске и солнечных очках. — Давай к мосту!

Впереди забабахали выстрелы башенных пушек обеих БМП. Развалины кишлака начали быстро зарастать пыльными кустами разрывов. Со звуком откупоренных бутылок сработали гранатомёты дымовой завесы — они кинули снаряды в глубину селения. Прятать бронемашины за дымовым экраном было уже поздно — слишком малым оставалось расстояние до противника, но зато можно было погрузить «духов» в толщу глухой химической мглы, чтобы ничего не видели перед собой. Из геометрически правильного лабиринта глиняных коробок полезли тёмные и плотные клубящиеся тучи.

На фоне бурного дымового потока две БМП, ярко освещённые солнцем, одинаково развернулись поперёк дороги и слаженно, как на учениях, лупили из автоматических пушек по развалинам Хинджа.

— Крас-сотки! — злобно и удовлетворённо хмыкнул Кощей.

И вдруг пыльные взрывы вскочили на правой обочине дороги, за кормой бронемашин. «Духи» ударили из гранатомётов с противоположной стороны — со спины. Видимо, они засели где-то под скальной стеной, ограничивающей долину: с этой позиции они могли обстреливать БМП с левого борта и с тыла. Задняя бронемашина прикрывала собой переднюю — ей и достались обе долетевшие гранаты. Одна ударила в каток, а другая — в угол кормы.

БМП подбросило и до холки окутало беглым пламенем взрыва. Потом пламя исчезло, и Герман увидел, что гузно бронемашины замято и дочерна опалено, створка десантного люка начисто сорвана, а крышки других люков распахнуты и вывихнуты кумулятивным ударом. Контуженая машина дёрнулась, видимо, пытаясь развернуться, но лопнувшая левая гусеница со звоном потекла с катков и, лязгнув, замертво расстелилась в пыли на колее.

«Урал» с клокочущим мотором по-прежнему стоял на дороге, нелепо возвышаясь над лежащими сапёрами уцелевшего расчёта. Немца ошарашила стремительная гибель БМП, а Кощея — взбесила. Он выставил ствол автомата в открытое окно двери и дал несколько очередей в сторону скал.

— Ты по кому там?.. — не понял Немец.

— Басмачи, с-сука, в пещеры забились!

Герман знал, как на угрозу реагируют парни, которые давно служат в Афгане и побывали в боях: мгновенная перегруппировка и ответная агрессия — встречный огонь, атака, свалить врага и тотчас добить. Ни секунды на размышления. Сразу прыжок. Сразу удар. Нападение — лучшая защита.

— Дави на педулку, дятел! — рявкнул на Немца Кощей. — Сдавай задним ходом! «Духи» щас колонну херачить начнут!

Автоколонна остановилась, как только началась стрельба в кишлаке, и затем начала пятиться. На левый берег реки успели заехать семь грузовиков, и теперь они реверсом выползали снова на мост, убираясь из гибельной долины перед Хинджем. Движение фургонов через мост задом наперёд, такое неестественное и даже сюрреалистичное, казалось обратной промоткой какого-то кошмарного и невыносимого кино.

Водилы «Уралов» и «зилков» не разобрались, откуда стреляют «духи», но поняли, что вслед за БМП «бородатые» примутся из тех же гранатомётов жечь грузовики. У душманов порой появлялась хорошая артиллерия — ПТУРСы или полевые орудия, лёгкие японские пушки-безоткатки. И точно: в воздухе по-разбойничьи засвистало. Вдоль дороги, разбрасывая камни, взметнулись клубы окутанного пылью пламени — «духи» взялись окучивать колонну. Для грузовиков правый берег Хиндара теперь означал спасение.

«Урал» Немца и Кощея осторожно, будто сдерживая себя, пробирался задним ходом. Облака белой пыли не оседали, а висели в горячем воздухе тяжёлой, сухой, удушающей мглою, от которой жгло в глазах, и где-то в носоглотке от грязного дыхания сбивался цементный ком, будто пробка. Кашляя, Герман смотрел в открытое окно, в тусклое зеркало на кронштейне, чтобы не выпереться на заминированную обочину. В зеркале качалась каменистая дорога, и над ней в меловом тумане мелькала морда «зилка», который тоже отступал, ворочая громоздким кунгом. После каждого разрыва Кощей злобно матерился и с хрипом отхаркивал за борт. Кроме дороги, Герман почти ничего не видел в мути, а потому и не боялся, но его угнетало ощущение, что с неба кто-то вслепую лупит по долине молотом: повезёт тебе — он промахнётся, не повезёт — тебя расплющит.

Каким-то чудом автоколонна выходила из-под миномётного обстрела без потерь. Но, когда на левом берегу Хиндара осталось только два грузовика, в том числе «Урал» Немца и Кощея, чудеса, похоже, закончились. А может, «духи» пристрелялись. Мина упала совсем рядом, справа, где-то напротив кабины — от разрыва даже потемнело в окошке. Тяжёлый «Урал» мощно качнуло, как лодку на боковом накате. Затрещал рвущийся брезентовый тент, заскрежетало распоротое осколками железо кабины, подскочила вверх, закрывая передний обзор, изуродованная крышка капота, что-то громыхнуло в кузове. Немца осыпало колючим битым автостеклом, и в правое плечо ему грубо толкнулся Кощей, отброшенный ударной волной.

— Отвали! — рявкнул Герман, освобождаясь от Кощея.

— Х-х-хука!.. — просипел Кощей.

Но мотор «Урала» предательски умолк, и машина тупо встала на дороге. «Духи» продолжали обстрел, вокруг грузовика свистело и грохотало, камни и комья глины колотили по кабине. Герман впустую выжимал сцепление, дёргал рычаг скоростей, давил на кнопку запуска двигателя — всё напрасно.

— Кощей, мы заглохли! — крикнул Герман и поглядел на напарника.

Кощей умирал. Осколки мины посекли ему «броник» на правом боку, вошли под руку между рёбер, попали в шею и в голову. Кощей вытянул ноги, растопырил руки и трясся, с губ у него, как слюни, летели брызги крови.

— Кощей, ты чего?.. — обомлев, спросил Герман.

— Х-хука... — повторил Кощей.

Герман понял, что он говорит «сука».

Что делать?!

Герман открыл дверь и высунулся осмотреться. Дорога, едва различимая в пыльном мареве, поворачивала к мосту, до него оставалось совсем немного. Последний грузовик — «зилок», который всё время маячил в зеркале заднего вида, — похоже, уже заезжал на швеллеры. Там, за рекой, — автоколонна, врач, защита, спасение. Кощея до своих можно донести на руках.

Герман торопливо спрыгнул на дорогу — грунт хрустнул под толстыми подошвами ботинок. А Кощей тихо, будто надломленное деревце, лёг боком на водительское место. Герман уцепил Кощея за наплечники «броника» и потянул из кабины. Кощей волочился как длинный мешок.

Герман подхватил его под мышки, пачкаясь в липкой крови. Безвольные тяжёлые ноги Кощея грохнули о подножку кабины, потом со стуком упали на дорогу. Герман осторожно уложил напарника на землю рядом с огромным рубчатым колесом «Урала»: оно было всё в засохшей грязи, а в прорези протектора набился гравий. Кощей крупно задрожал, глядя в марлевое от пыли афганское небо, и затих. В это мгновение Немцу показалось, что где-то в воздухе рядом с ним открылась и закрылась огромная невидимая дверь.

Немец на коленях стоял перед умершим Кощеем, чувствовал коленями острые камешки и от этого как-то особенно внятно осознавал, что он-то — жив, жив, и сам себе талдычил, как сумасшедший: «Не меня! Не меня!..»

Глава пятая

Прапорщик Серёга Лихолетов видел, как была подбита БМП, на которой ехал его расчёт. Если бы сапёры сидели в десантном отсеке, их бы размазало по стенкам, точно масло по бутерброду. Серёга сразу вспомнил, что название «БМП» солдаты ехидно расшифровывали как «братская могила пехоты»...

Лихолетов растянулся на дороге поперёк колеи. Рядом вдоль обочины залегли, готовые стрелять по кишлаку, бойцы с его бронемашины — четверо сапёров и двое рядовых боевого охранения. Неподалёку, будто брошенный, стоял грузовик с клокочущим мотором. Серёга приподнялся на локтях, оглядываясь; его чёрно-радужные очки-«хамелеоны» яростно запылали от солнца. Пальцем подцепив на шее тесёмку, Лихолетов вытянул из воротника ХБ тренерский свисток, свистнул, привлекая внимание, и закричал:

— Бойцы, угроза справа! Басмачи в скалах, а не в кишлаке!

Лихолетов имел неплохой опыт боестолкновений и усвоил правило: на своих надо смотреть глазами врага, тогда будет проще уцелеть. Вот и сейчас стало ясно: долина — идеальная западня. В развалинах кишлака сидела засада, которая остановила колонну. Под скалами наверняка оборудованы огневые позиции, откуда вся дорога от кишлака до моста — в пределах дальности поражения из РПГ, ручного гранатомёта. БМП развернулись на кишлак — на приманку из пулемётчиков — и подставили под обстрел гранатами свои тылы и борта с тонкой бронёй. А мост — «бутылочное горлышко» этой долины; если «духи» его закупорят, то легко устроят на дороге форменную бойню.

Серёга приподнял очки, разглядывая скалы. Что там за тёмные дыры у подножия?.. Пещеры?.. Басмачи любят пещеры... Внезапно эти норы одна за другой изнутри начали озаряться вспышками — выхлопами из патрубков РПГ. Синие дымки взвились на трассе полёта гранат. А потом дорогу с грохотом обсадило пыльными и огненными кочанами разрывов.

— Ёптыть! — прошептал Серёга, засвистел в свисток и крикнул: — Всем прижаться и лежать! «Бородатым» не отвечать! Слушать мои приказы!

Серёга понимал, что бойцы могли испугаться или растеряться, и потому им следовало напомнить, что они ещё на этом свете, а не на том, и приказы им пока что отдают не архангелы, а командиры советский армии.

Уцелевшая БМП с рокотом выкрутила башню пушкой назад и принялась лупить по пещерам в скорострельном режиме. Дальние утёсы окутала пыль. На затылке башни БМП несколько раз хлопнуло, и вслед за снарядами под скалы улетели дымовые гранаты. Затем бронемашина взревела двигателем, развернулась на пятачке и покатилась, чтобы прикрыть корпусом подбитую БМП, на которой стрелок и водитель, оба в шлемофонах и чёрных комбезах, вытаскивали из башенного люка своего командира с окровавленным лицом.

Бронемашина смяла гусеницами булыжную гряду обочины — и там сразу рвануло. Огненная пружина подкинула БМП, раздирая днище, срезала два катка, а ударная волна из отсека распахнула люки на крыше и десантные двери в корме. Бронемашина грузно клюнула широким рылом и застыла рядом с первой БМП, тоже подбитая. Её двигатель достучал по инерции и замолк. Фугас жахнул прямо под моторным отделением, и экипаж БМП, если выжил, был контужен и без сознания.

— Твою мать... — тихо сказал кто-то рядом с Лихолетовым.

Обочины афганских дорог были просто валами из камней — их отгребали в сторону бульдозерами, чтобы не мешали арбам и «барбухайкам». В эти валы «духи» прятали мины. Сапёры даже не обследовали горы булыжников — слишком хлопотно. Существовало правило: двигаться только по колеям.

В первую очередь Лихолетов подумал о том, что оба офицера из БМП выведены из строя, значит, командовать на этом участке должен он, старший по званию среди дееспособных бойцов. В себе Серёга ничуть не сомневался.

Итак, что делать? Он осмотрелся. Грузовики уползали к мосту, чтобы укрыться на правом берегу. Бронемашины — в ауте. Без их поддержки бойцы не подавят огневые точки «духов». Значит, надо подобрать раненых возле БМП и тоже отходить за мост. Сейчас Серёга очень нравился себе: он чётко оценивал ситуацию и определял цели. Вообще он считал себя прирождённым лидером и потому был доволен стечением обстоятельств, воодушевлён предстоящим делом. Он сунул в зубы свисток и снова засвистел.

— Так, мужики, — сказал он. — Я командир. Ставлю задачу. Мы скрытно перемещаемся к БМП, подбираем только «трёхсотых» и вдоль речки отходим к мосту. Огонь по «зверям» разрешаю с ближней дистанции. Приказ ясен?

Бойцы лежали на дороге и глядели на Лихолетова.

— Да всё тут ясно, давай мотать отсюда нахер, — злобно ответил рядовой Рамиль Шамсутдинов по прозвищу Шамс.

Шамс и второй рядовой — Ваня Дедусенко по прозвищу Дуська — были из боевого охранения, которым командовал Лихолетов. Остальные четверо — сапёры. Как у них кого зовут, Лихолетов не знал. Плюс собака.

— Воины, ура, за родину вперёд ракообразно! — скомандовал Лихолетов, ловко вскочил на ноги и, пригибаясь, побежал к кишлаку.

В дыму под скалами мелькали вспышки выстрелов: «духи» ожесточённо бомбили уходящую автоколонну и не обращали внимание на подбитые БМП. До бронемашин Серёгиным бойцам было метров двести, но это лишь на кроссе двести метров казались плёвым расстоянием, которое преодолевали за секунды. На войне метры и секунды превращались в огромные величины, сопоставимые с жизнью и смертью. Бежать в наклон было трудно: разгрузка-«лифчик», утыканная автоматными рожками, не давала согнуться, нижний край «броника» упирался в ноги, каска съезжала на глаза. Серёга слышал за собой тяжёлый хрип солдат, грубый топот солдатских берцев и сапог. Серёгу весело обогнала спущенная с поводка собака сапёра-вожатого.

Все, кто уцелел при гибели головной бронегруппы, собрались между подбитых бронемашин. Стрелок и водитель из экипажа первой БМП, оба в чёрных комбинезонах, и один из сапёров сидели на дороге, привалившись к каткам, и курили. Контуженый командир БМП и раненый сапёр лежали прямо в колеях без сознания. Под зубчатое колесо бронемашины втиснулся, скорчившись, боец охранения: он выл и стучал по земле культей, обмотанной тряпками и ремнём, — крупнокалиберной пулей ему отсекло руку ниже локтя. Культя была в жирной грязи — кровь замешалась с пылью в бурое тесто.

Серёгины бойцы, выложившись в броске, обессиленно валились на дорогу рядом с ранеными. Лихолетов опустился возле подвывающего бойца и сразу принялся рыться в подсумках, разыскивая пластмассовую коробку с походной аптечкой. Попутно он спросил у парней из экипажа БМП:

— Слушайте, джигиты, в ауле кто-то был, кроме пианистов с роялями?

Из оранжевой аптечной коробочки Серёга бережно вынул шприц-тюбик с промедолом, сдёрнул колпачок и воткнул иглу через штаны в бедро бойцу, потерявшему руку. Промедол — наркотик, который кололи, чтобы раненый солдат не умер на поле боя от болевого шока и дотянул до врачебной помощи.

— Нихера там никого не было. Только две «дэшки» сидели.

«Дэшками» называли пулемёты Дегтярёва-Шпагина — ДШК и ДШКМ.

— А с этими что? — Серёга кивнул на двух других раненых.

— Наш с контузией, у сапёра пулевое в живот.

— Чалмы явно из «Василька» по дороге бьют, — сказал Серёга. — «Броня» сюда не придёт. Будем выходить сами. Мужики, у кого пакет близко?

— У меня, — сказал кто-то.

— Снимите с него его сбрую, — Серёга указал на сапёра, — прижмите дырку тампоном и забинтуйте нахрен вкруговую. А я тут пошуршу.

Он обогнул БМП и невдалеке на дороге увидел тела погибших — ещё два сапёра и боец охранения. Рядом с сапёром-вожатым упала и его собака, а над ней уже топталась овчарка, что прибежала вместе с группой Лихолетова, и недоверчиво обнюхивала мёртвую напарницу. Пахло гарью и дизтопливом, висели клочья дыма от завесы, которую разворошил ветер. Серёга поглядел на скалы с пещерами и через открытое пространство бросился к погибшим.

Все были «двухсотые», то есть «груз 200». Кровь впиталась в светлый афганский грунт, и грунт казался тёмной и мокрой русской землёй. Серёга перетряхнул тела, проверяя, и потом метнулся обратно к БМП. «Бородатые» не замечали, что на дороге бобиком вертится кто-то из недобитых врагов.

Серёга влез на БМП и заглянул в водительский отсек. Водитель лежал под двурогим рулём бесформенной кучей, чёрной и замасленной. Серёга шагнул к башне и с натугой приподнял взвизгнувшую крышку башенного люка. Командир и стрелок сидели на своих местах, одинаково наклонив головы набок. Глаза у них были открыты, рты и подбородки залила кровь из носа. Жуткая неподвижность объясняла сразу всё.

И тут над головой Лихолетова с урчанием прошла пулемётная очередь. «Духи» промахнулись — взяли высоко. Серёга успел укрыться за башней, и через секунду обе БМП загромыхали под пулями, как барабаны.

Серёга переждал обстрел и спрыгнул вниз к бойцам и раненым.

— Всё, засекли нас, мужики, — весело сказал он. Лихолетову приятно было ощущать себя рисковым, ловким, правильным и техничным. — Короче, разбираемся, кто кого понесёт, и выходим. Идём по окраине кишлака вдоль дувала до речки, дальше по берегу речки до моста. Подъём, мужики!

У Серёги было девять бойцов и трое раненых, не способных двигаться; группе предстояло преодолеть около километра под пулемётным обстрелом, причём вторую половину пути — ещё и под минами. Но Серёгу ничего не смущало. Его гордыню тешило, что от него зависит жизнь бойцов; Серёга легко брал ответственность на себя, потому что был уверен: он тут самый лучший. Его нервную систему будто переключили на высокое напряжение, и он не колебался: инстинкт срабатывал быстрее сознания, главное — чтобы размышления не тормозили реакцию. Действуй, а думать будешь после.

Бойцы бежали по каменистой и пыльной земле Афгана мимо щербатых глиняных дувалов кишлака Хиндж, а впереди сверкала огнями речка Хиндар, рокочущая на валунах под крутым склоном, реденько поросшим кривыми кедрами. Потом группа повернула вдоль речки. Душманские очереди падали на валуны россыпью щелчков, стежками вспарывали грунт. Дымная долина пахла порохом, раскалённым металлом, сгоревшей на броне краской, чадом форсированных дизелей, плавленой резиной, человеческим пóтом, смертью.

За каменным плечом правого берега, за излучиной речки показался мост, по которому задом наперёд ехал грузовик. Придерживая рукой каску, Серёга посмотрел в сторону пещер и увидел на дороге знакомый «Урал», но теперь его брезентовый фургон был продырявлен, а капот вскрыт, будто консервная банка. Грузовик явно был подбит. Рядом с ним возился водила — вытаскивал из кабины напарника. А кругом клубилась пыль, которую дёргало взрывами.

— Шамсутдинов! Дедусенко! — хрипло крикнул Серёга. — За мной!

Лихолетов повернул к «Уралу».

Водила, нескладный длинный парень, стоял, потрясённый, на коленях над своим сменщиком, лежащим на дороге возле колеса грузовика. Сменщик был мёртв, его лицо заляпала кровь. Серёга подошёл сзади, задыхаясь после бега, сплюнул вязкой бурой слюной и сказал нарочито небрежно:

— Хорош рыдать. Подъём, воин. Отходим к мосту — и на правый берег.

Водила растерянно обернулся на Серёгу, не понимая, откуда тот взялся, поглядел на Шамса и Дуську в грязных ХБ, чёрных от пота под мышками.

— А Кощей? — спросил он.

Серёга понял, что Кощеем звали погибшего.

— Ему уже всё похер, — сказал Серёга. Грубость и цинизм укрепляли в нём чувство превосходства и уверенность в своём праве командовать. — Ты забудь о нём. «Броня» сюда заедет — всех подберёт. Сопли смотай, и двигаем.

Серёга присел на корточки над погибшим и быстро повытаскивал из карманов его разгрузки рожки с патронами — это всегда пригодится.

А парень-водитель будто не мог поверить, что его товарищ убит (как та псина возле сапёров, вспомнил Серёга). Он неуверенно перебросил через плечо ремень автомата и пошёл как во сне, словно всё ждал, что товарищ окликнет его, мол, я пошутил! Серёга догнал и толкнул парня в спину, точно конвоир. Вокруг в воздухе что-то свистало, пыль колыхалась парусами.

— Эй, гонщик, тебя как зовут? — сипло спросил Серёга.

— Немец, — кратко и как-то по-фронтовому ответил парень-водитель.

На бег по колдобинам среди каменных глыб уже не хватало ни сил, ни воздуха в груди, и бойцы Лихолетова, да и сам Серёга передвигались, будто поломанные механические игрушки на остатках завода. Они спотыкались, хрипели и хватались руками за валуны. Внезапно сзади ахнул такой мощный взрыв, что землю свирепо тряхнуло, едва не свалив солдат с ног. Дуське и Шамсу было так плохо, что они только пригнулись, а Серёга и Немец всё же повернули головы. Брошенного грузовика больше не было. Мина упала сквозь дыру в брезентовом фургоне прямо в кузов, и шарахнул бензобак. От «Урала» вмиг остался только чёрный остов: кабина горела изнутри, словно череп демона, вкруговую горели колёса, в кузове пылали ящики, и на дугах фургона таяли в пламени последние клочья брезента.

В долине за горящим грузовиком Серёга заметил «духов»: они всё же вылезли из пещер и торопливо подтягивались к мосту. Несколько басмачей толпой катили по ямам колёсный миномёт (Серёга убедился, что по звуку мин он верно определил советский «Василёк», видно, трофей «бородатых»), некоторые несли на плечах РПГ, остальные были с «калашниковыми».

С поворота дороги наконец-то открылся мост. Лихолетов увидел, что по ржавым швеллерам, шатаясь от изнеможения, бредут бойцы его группы, отправленной вперёд, и волокут раненых. А перед въездом на правом берегу стоит танк — Т-62 командира колонны. Танк дождался, когда все грузовики переберутся на правый берег, а теперь пропускал последних солдат. И Серёга понял: главное сражение состоится между танком и полевой артиллерией душманов. Сейчас «бородатые» обрушат на мост и на подступы к нему всю свою огневую мощь, и здесь запылает ад. А он со своими бойцами уже не успеет перебежать на правый берег, и поэтому они очутятся в самом пекле.

— Ложись! — заорал Серёга. — Все ложись!

В этот момент «духи» начали обстрел, а танк, страшенная пятнистая зверюга, лязгая и грохоча, полез на мост. Выпуклый висок башни отсвечивал матовым солнечным бликом, а на макушке костлявым птеродактилем сидел пулемёт. Длинное орудие с утолщением посередине ствола покачивалось хищно и твёрдо, как палка, и отбрасывало прямую и тонкую тень. Плитки динамической защиты казались чем-то вроде богатырского панциря.

С неба полетели мины; они падали в воду или взрывались ворохами огня и пыли на обоих берегах реки — басмачи были неопытными артиллеристами. Над Серёгой и его бойцами, фырча, сквозили гранаты; они тоже пролетали мимо танка, но одна всё-таки ударила в башенный лоб и словно пробудила чудовище. Башня повернулась, пушка дрогнула, и танк гулко залаял так, что где-то заахало эхо. На позициях «духов» земля заскакала на дыбах.

Танк со скрежетом полз по мосту, словно вжав башку в плечи, и ничто не могло его остановить, потому что он был силён и неуязвим, потому что он прожигал и проламывал себе путь сквозь любое сопротивление врага, потому что он был бездушен и не мог испугаться. Он казался какой-то безжалостной древней рептилией. Он вращал зубастыми колёсами и дрожал напряжёнными мускулами брони; он загребал траками и отрыгивал дым; он напоминал гигантскую мясорубку, ожившую и фантастически вывернутую наизнанку.

И вдруг танк споткнулся посреди моста. На самый краткий миг могучая бронемашина словно окуталась сияющим облаком электричества, а потом с мученическим рёвом и с жутким звоном лопнула, будто чугунный пузырь. Башня подскочила на столбе пламени и грузно перекувырнулась с моста вниз в речку. Это в танке на попадание снаряда сдетонировала боеукладка. Волна смертного жара кольцом разбежалась вокруг эпицентра катастрофы — Серёга почувствовал тепло скулами. Ущелье загудело как при схождении лавины. Обезглавленный стальной мамонт с бешеным треском полыхал, загораживая собой весь мост. Чёрные струи дыма с натугой били вверх, раздуваясь и закручиваясь, а ветер валил их и стелил по левому, душманскому берегу.

Обе стороны Хиндара затихли, не очень-то поверив в случившееся. Как это удалось «бородатым»? Может быть, Аллах с неба поточнее уронил мину «Василька»? Или шайтан поддержал кого-то из «духов» под локоток, чтобы граната из РПГ полетела, куда требуется? Или просто у моджахедов нашёлся обученный под Пешаваром «истребитель» с ПТУРСом?..

А прапорщик Лихолетов лежал, глядел на взорванный танк, и ему было ясно: с тремя бойцами он отрезан от своих. Мост наглухо загромождён горящей машиной, не протиснуться мимо, не перелезть, а бурную горную речку не перейти вброд и не переплыть. «Духи» сейчас побегут к мосту — и наткнутся на «шурави». И тогда конец Шамсу, Дуське, Немцу и прапорщику.

Но Серёга Лихолетов не собирался погибать. Он живучий. Он упрямый. Он самый умный. Он сам не сдохнет и другим не даст. Серёгу пробила дрожь нервного возбуждения. Он на одних локтях толчками быстро пополз вперёд, ближе к своим бойцам. А где-то рядом завопили «духи» — радовались победе.

— Соображаете, в какую мы жопу попали? — шёпотом спросил Серёга.

Бойцы смотрели на него ошалелыми глазами.

— Нам нужно укрытие. Чтобы отсидеться, пока наши не вернутся.

— За мостом гора из глыбин, может, туда? — предложил Немец.

— Правильно мыслишь, боец, — одобрил Серёга. Для себя он уже всё давно решил. — Туда и метнёмся. Лишь бы нас басмачи не унюхали.

Он повернулся на бок и вытащил из подсумка две дымовые гранаты.

— Учитесь, дрищи, — сказал он, — всегда нужно иметь дымовухи. Одну я сейчас бросаю вон туда, в ямку. Вторую — за дорогу. Через пятнадцать секунд встанет завеса. По моей команде сдёргиваем все вместе и гоним, как мама заругает. Кто отстанет — пристрелю. Наша цель — вон те скальные развалы. Забираемся и шкеримся по щелям, как тараканы под плинтус. Задача ясна?

Шамс лежал лицом вниз, обхватив себя за каску. Дуська плакал.

— Покурим — вдруг напоследок? — весело и зло спросил Серёга у Немца.

— Курить вредно для здоровья, — хмуро ответил Немец.

* * *

Глыбовый развал оказался удачным убежищем. Он начинался под скальной стеной (вернее, скальная стена, разрушаясь, превращалась в развал) и тянулся до речки. Многие глыбы размерами превосходили грузовик или даже автобус. Расщелины между этими громадами были забиты крупными обломками и каменным крошевом, но хватало места и для людей. В тесных лабиринтах было жарко, как в утробе натопленной русской печи, и пыльно; ноги то и дело проваливались в какие-то косые пустоты.

Серёга, Немец и Шамс друг за другом пролезли в узкий зазор и оттуда выглянули наружу, как из траншеи полного профиля. Открывался вид на всю долину Хинджа, ярко освещённую солнцем, на изрытую воронками дорогу и на мост с сожжённым танком. А Дуську ничего уже не интересовало, он сел на дно в углу расщелины и скорчился.

Советская автоколонна потеряла сапёров, БМП головной бронегруппы и танк с командиром; двигаться дальше или оставаться на месте означало самоубийство, и колонна в рокоте моторов уползла назад, в Шуррам. Дорога опустела, пылища улеглась, дым разнесло. На мосту тихо курился обгорелый Т-62 — будто жуткий железный пирог на противне.

Сорванная танковая башня валялась в реке в кипящих бурунах и напоминала огромный ковш.

Серёга наблюдал за долиной. Душманы выбрались из своих пещер, ходили по воронкам, осматривали машины, что-то делали, переговаривались, хотя голоса до развала не доносились. Серёга прикинул, что «духов» около полусотни. Одеты как обычно: ботинки или сандалии-чабли, тёмные штаны мешком, длиннополые светлые рубахи, жилетки или пиджаки, круглые шапочки (в Шурраме их называли пуштунками) или чалмы. Многие «духи» обмотаны через плечо пулемётными лентами. Серёга не сумел определить, кто у «духов» командиры-курбаши, но понимал, чем заняты «бородатые»: ищут трофеи, минируют расстрелянную технику и трупы врагов.

— Слышь, Серый, я думаю, что за нами вертушки пришлют, — жарко зашептал Шамс. — Мост-то перекрыт... Сколько ждать, по твоей прикидке?

— От базы зависит, — сухо ответил Лихолетов, размышляя о другом.

«Шурави» всегда возвращались на место боя — увозили тела убитых и проводили акцию возмездия, если заставали «духов». На это и рассчитывали бойцы Лихолетова. Но душманы явно не собирались уходить из долины, значит, бойцам эвакуация не светит — «духи» не подпустят их к вертушкам. «Черпаки» ещё не поняли, что они все — в западне, а прапорщик Лихолетов, конечно, понял, но молчал: у него теплилась слабая надежда, что вертолёты сядут возле моста или хотя бы зависнут над танком. Бойцам же не следует знать правду раньше времени. Лихолетов этим салагам не доверял.

Впрочем, один из салаг — Немец, водитель «Урала», — опасений вроде не внушал. Поначалу Серёге показалось, что этот парень потерял контроль над собой, заистерил, перестал соображать, короче, обоссался. Но потом Серёга убедился: да, Немец крепко напуган, однако всё делает правильно и быстро; он вменяемый и управляемый, он слышит командира. (Кстати, он вытащил из кабины грузовика своего раненого напарника — это плюс...)

А вот Дедусенко скиксовал. Он втиснулся в свой угол и плакал. Автомат валялся рядом на камнях, как что-то лишнее и бесполезное. Серёга подумал, что не напрасно сами «черпаки» презирали Дедусенко и называли Дуськой.

Ваня Дедусенко, нежный домашний мальчик, страшился всего. Афганцы вызывали у него омерзение, как пауки. Война была Ване противоестественна, и в столкновении с противником он вёл себя как крыса, внезапно угодившая на свет: метался, готовый юркнуть в любую дырку. Драться Дуська не умел и боялся «дедов». Командиров Дуська тоже боялся, потому что они заставляли бежать туда, где ужас и страдания. И сейчас Ваня сторонился Лихолетова: от прапорщика исходила угроза. Такие, как Лихолетов, всегда гонят на гибель — в марш-броски или на боевые выходы. Дуська даже дрожал от напряжения — настолько он не хотел видеть прапора, не хотел слышать его приказы.

Но Серёга не обращал внимания на ненависть Дедусенко, Дуська — ноль; Серёга следил за третьим бойцом — за Шамсом. Страх не размазывал Шамса, как Ваню; от страха Шамс начинал быстро думать и быстро действовать, но не примерялся к действиям других бойцов и мог всех подставить под удар. Он выгадывал позиции, удобные только ему. Он вырывался из опасности, не заботясь, что кому-то придётся за него расплачиваться. Рамиль Шамсутдинов научился воевать, но в одиночку. И командиров он считал дебилами.

— Кажись, вертушки на подходе, — сказал Серёга, разглядывая долину.

— С чего ты решил? — тотчас вскинулся Шамс.

— «Бородатые» забегали. В норы прячутся, — Серёга поправил чёрные очки. — Наверное, по радио услышали, что много шайтан-арба летит.

Шамс и Немец сощурились на ослепительное небо.

Сквозь шум реки пробилось дальнее клокотание, быстро усилилось, и вдруг из-за скальной стены вынеслись два камуфлированных вертолёта. Это были «крокодилы» — боевые Ми-24. В Афгане вертолёты ходили парами. Поджарые и длинные, они накренились в повороте, и в двойных пузырях кабин блеснуло солнце. Растопыренные короткие крылья словно отогнулись вниз под весом прицепленных блоков с вооружением. Винты рубили воздух широко и мощно. На бортах «крокодилов» Серёга заметил красные звёзды, номера и нарисованных драконов с огромными ракетами в когтистых лапах.

Серёга не сомневался, что пилоты сверху уже внимательно рассмотрели обстановку на мосту. Наверное, они поняли, что трупы экипажа из танка не выколупать: при детонации боезапаса танкисты пригорели к стенкам, будто шкварки к сковородке. Значит, вертолёты не сядут на берегу возле развала. Значит, бойцам Лихолетова не улететь. Их просто не заметили — и не заберут.

Вертолёты уходили к кишлаку. Они держались высоко, чтобы в ущелье не угодить в котёл воздушных потоков от своих винтов. По-собачьи опустив стеклянные рыльца, они задрали хвосты и словно бы откуда-то из подмышек ударили по селению ракетами: пышными дымными перьями обозначились трассы выстрелов. Кишлак дрогнул и вспух густой тучей пыли, в которой мелькали тусклые полотна огня. Подсвеченные взрывами, в тёмной мути призрачно оседали, разваливаясь, стены чардивала, будто глиняная крепость врастала в землю. «Крокодилы» ещё и ещё вонзали в тучу стрелы ракет, и весь кишлак превратился в гору из дыма, подобную огромной лепёхе дрожжевого теста.

Один вертолёт остался в воздухе для прикрытия, а другой высунул колёса и сел прямо на дорогу. Двигатель он не выключил; вихри от винтов прибивали дым и отгоняли тучу, оголяя ближние развалины и обе погибшие БМП. На левом борту вверх и вниз раскрылась двустворчатая дверь грузовой кабины, и на дорогу выпрыгнули десантники в касках, вроде человек пять.

— Почему «духи» не стреляют по вертолётам? — вдруг спросил Немец.

— Из «Василька» не попасть, — задумчиво сказал Лихолетов. — Для РПГ, наверное, заряды кончились, палили же как обосранные... Из стрелкового — слону дробина. Короче, «звери» боятся себя обозначить. Если засветятся, летуны их ракетами поджарят прямо в пещерах, как в горшках.

— А как думаешь, когда за нами полетят? — нетерпеливо спросил Шамс.

Дуська поднялся на ноги и тоже выглянул из расщелины.

— Никогда, — помолчав, сухо ответил Лихолетов.

— Не понял, — с угрозой сказал Шамс, будто Серёга был виноват.

— Чего не понял-то? Вертушки нас не увидели.

— Бля, надо как-то сигнал подать! — раздражённо засуетился Шамс.

— Ну, подай, — мрачно хмыкнул Серёга. — Пёрни погромче. Рации у нас нет, ракетницы нет, а дымы вы не берёте, долдоны, «черпаки» херовы...

Сигнал «Я здесь!» подавали шашкой с оранжевым дымом. Но Серёга сжёг обе свои дымовухи, прикрывая бросок бойцов мимо моста к осыпи. А бойцы, неопытный «молодняк», не брали в рейд сигнальные гранаты, чтобы облегчить тяжеленный боекомплект и снарягу. Стрелять же, чтобы привлечь внимание вертолётчиков, бесполезно — не услышат за клёкотом винта.

— И что нам делать? — спросил Немец.

— Ничего. Сидим на жопе ровно и ждём, когда «броня» сюда приедет.

— Да когда она приедет-то!.. — рыдающе закричал Дуська.

Серёга презрительно посмотрел на Дедусенко.

— Когда-нибудь да приедет. Заставе на седле по-всякому грузы нужны. Жратва, вода, оружие, топливо. На вертушках возить заколебёшься. Дорогу всё равно расчистят для новой колонны. Тягач пригонят, чтобы танк с моста стащить. А мы ждать будем. Сутки, двое, трое. Сколько потребуется, короче.

— Ты охерел? — взбесился Шамс. — Да нас «духи» через час тут вычислят!

— Громко бздеть не будешь, так не вычислят.

— Нет! — отчаянно замотал головой Дуська. — Нам надо к вертолётам!..

Дуська изнемогал под гнётом опасности и ничего не хотел понимать.

Возле вертолёта и разбитых БМП на дороге несколько раз бабахнуло — это десантура подрывала под трупами сапёров те мины, которые подложили «духи». Пусть мёртвых порежут осколки, им уже всё равно, зато целее будут живые. В Афгане жалели раненых, а убитый становился просто вещью.

— Давай, Серый, щас тихонько вдоль берега к вертушкам побежим, — еле сдерживаясь, предложил Шамс. Он чувствовал, как ужас охватывает его, разрушая самообладание. — Добежим! «Духи» из пещер нас не засекут!

— Я тебе, бля, не Серый! — злобно ответил Лихолетов. — Я тебе, бля, товарищ командир, понял? Никто никуда не побежит! Я приказа не давал!

Спасение казалось таким близким — вот же вертушки, в километре всего-то! Шамса колотило от желания помчаться к вертолётам, как заяц мчится от волков. Вложить все силы в бросок — и выскочить из этого кошмара.

— Ты сам сказал, что они боятся засветиться! — почти закричал Шамс, наплевав на Серёгино требование субординации. — Не будут они стрелять!

Герман слушал и старался представить ситуацию в объёме.

— Нет, «духи» нас не пропустят, — убеждённо возразил он.

— Ты вообще молчи! — взвизгнул на Германа Дуська. — Мы через мост не успели, потому что к тебе побежали! Это всё из-за тебя, с-сука!

Дуська ничего не мог поделать с собой, не справлялся со своим страхом, а потому нашёл виноватого, на котором можно сорвать душу, — Немца. Однако никто не обратил внимания на выпад Дуськи.

— Серый, реально говорю! — в нездоровом оживлении твердил Шамс. — Бежать надо скорее! Давай я первый чесану, ты за мной, потом эти!..

Шамс решительно задрал ногу на каменный уступ, чтобы выскочить из расщелины и сломя голову мчаться через долину под душманскими пулями. Дуська взволнованно топтался, готовый кинуться вслед за Шамсом. Но Лихолетов цапнул Шамса за разгрузку на спине и грубо сдёрнул обратно.

— Ты чего, мокрожопик, оглох? — выдохнул Серёга. — Я кому сказал: нет?

— Да пош-шёл ты! — остервенел Шамс, выдираясь из Серёгиной хватки.

Герман рукой в грудь отодвинул Дуську назад:

— Без приказа нельзя вылезать.

— Собрался всех тут зарыть, да? — ощерился Шамс на Лихолетова. — Сам очкуешь под стволами бежать и другим не даёшь? Я ваще в одного стартану!

Серёга даже побледнел сквозь загар и грязь.

— Ты выскочишь и всех нас выдашь «духам», — сказал Немец Шамсу.

— Так тоже давай за мной на рывочек, баба! Шевели батонами!

Серёга перетянул автомат с бока на живот и взялся как для стрельбы.

— Выйдешь — в спину весь рожок всажу, — сквозь зубы предупредил он.

Он тихо закипел: оборзевший салага, этот ссыкун, хлестал его прямо по самолюбию — и мужскому, и командирскому. Но и Шамса сорвала с тормозов ненависть к прапору, который не пускал спасаться в одиночку.

Шамс тоже быстро нацелил автомат на Серёгу.

— А я могу прямо щас завалить! — бешено прошипел он.

Немец понял, что эти двое «на нерве» сейчас постреляют друг друга. Он сунулся вперёд и осторожно руками отвёл стволы автоматов в стороны.

— Земляк, остынь, — сказал он Шамсу. — У нас командир прапор, а не ты.

— Стреляй! — не слыша Немца, охваченный яростью Лихолетов глядел в глаза Шамсу, как гипнотизёр. — Убитый человек две с половиной секунды ещё способен на разумные действия, и я даже мёртвый тебя кончу...

Серёга не смог бы объяснить, откуда взял фантастические сведения про жизнь после смерти, — они придумались как-то сами собой, чтобы сломить Шамса психологически. В тот миг Серёга был уверен, что проживёт две с половиной секунды после смерти и прострочит Шамса из автомата, и даже захотел, чтобы его убили, а он уже мёртвый застрелил бы Шамса — и таким образом восторжествовал бы над этим козлом. Но Шамс понял, что Серёга, убив его, достигнет своей цели — накажет, а вот он, убив Серёгу, своей цели не достигнет — не спасётся. И Шамс медленно опустил автомат.

В небе над развалом гулко заклокотало. На мгновение заслонив солнце, блистая полупрозрачным диском винта, в вышине как-то очень увесисто проплыл тяжёлый боевой вертолёт, а за ним, левее и выше, — другой.

* * *

К грузовику они пробирались со всеми предосторожностями — сгибались почти вдвое, прятались за камнями, перебегали через лунный свет из тени в тень. Серёга держался поблизости от речки, чтобы шум бурунов заглушал звуки движения, но всё же не выходил совсем на берег, чтобы караул «духов» (если, конечно, «духи» выставляли караулы) не заметил тёмные фигуры солдат на фоне потока, бегуче отблёскивающего под звёздами.

— Легче вообще на карачках ползти, — запыхавшись, прошептал Немец.

— Это вариант, — согласился Лихолетов.

Герман думал, что Серёга даже ночью не снимает очки-«хамелеоны», понты — они всегда понты; чёрные стёкла придавали Серёге непроницаемый и самоуверенный вид оккупанта и коммандоса. Но Лихолетов очки снял, и оказалось, что лицо у него простое и наглое, как у вора или бабника.

Пробираясь к грузовику, Серёга и Герман отлично видели среди скал пещеры «бородатых». Небольшие походные очаги или примусы освещали эти пещеры изнутри, словно летние эстрады-ракушки в советских парках. На неровных багровых сводах шевелились тени людей, сидящих возле огня. «Бородатые» негромко переговаривались, лязгали железом, курили анашу.

— Пещеры — это кяризы? — тихо спросил Герман.

В дивизионном городке Шуррама «деды» рассказывали жуткие истории про афганские кяризы — глубокие шахты-колодцы, выводящие в систему подземных галерей-водотоков. В этих подземельях «духи» прятали арсеналы; из тихого колодца посреди советского лагеря могла внезапно вылезти целая армия басмачей с ножами и пулемётами. «Шурави» сразу взрывали кяризы.

— На шиша тут кяриз, если речка рядом? — ответил Серёга. — Башкой-то работай. Кяризы — на равнине, где сухо, где степи и пустыни. А здесь так, просто норы. «Бородатые» любят норы копать, потому что строить не умеют.

— Кишлак-то построили, — возразил Немец. — Зачем им эти норы?..

Серёга размышлял, шевеля короткими усами.

— Думаю, пещеры выкопаны для тех, кто обстреливал мост, — сказал он. — Давно копали, ещё в начале века. Тогда ракет и гранат не было. А сейчас один заряд из РПГ — и пещера будет для «духов» общим склепом.

— В начале века мост из швеллеров? — скептически спросил Немец.

— Швеллеры положили уже наши. А мост тут всегда был. Не знаю, какой — каменный или из брёвен... Здесь для него самое удобное место на реке.

— И от кого «духи» отбивались?

— От английской армии. Англичане из Индии через Пакистан шли, как раз где мы. Видел в дуканах «буры» — британские винтари? С тех времён.

— Англичане победили?

— Афган никто не завоевал, даже Македонский, — сурово сказал Серёга.

Ему приятно было это говорить: непобедимость Афганистана придавала войне настроение мрачной и величественной обречённости, и это настроение превращало агрессоров в пострадавших, потому что советским парням не хотелось ощущать себя агрессорами — они же не по своей воле сюда пришли.

— Откуда ты всё знаешь?

— В учебке политнасосы в уши дули. Про древнюю историю они правду накачивают, только про нас самих звездят.

Серёга давно не верил в интернациональный долг. Он видел, как живут афганцы, и понимал, что им ничего не надо от СССР: ни заводов, ни плотин, ни колхозов, ни тракторов. «Бородатые» камнями подтираются — и довольны жизнью, ничего ни у кого не просят. Значит, Союз ничего не должен Афгану.

— Да я проспал там все занятия, — просто ответил Немец.

— Нихера ты не герой, — помолчав, с горечью сказал Серёга.

А Серёга был героем: он собирался сидеть в осаде и держать оборону. Ещё днём он провёл ревизию всего, что донесли до убежища Немец, Шамс и Дуська. Патронов к АКМ и гранат хватило бы на три минуты сражения, а потом война бы закончилась. Бой застал солдат врасплох, никто не потащил с собой под огонь вещмешок с пайком, спальником и котелком.

— Что-то как-то невесело, — подвёл итог Серёга и задумался.

— Я же говорил — на вертушки нам надо... — пробурчал Шамс.

Он угрюмо курил сигарету за сигаретой, как приговорённый к казни. Лихолетова он не простил, но не лез на конфликт и держался наособицу.

— Слушай, Немец, а ты чего на седло вёз?

— Не знаю, — Герман пожал плечами. — Я видел, что грузили коробки с сухпаем, ящики какие-то, бочки, цинки. То, что нужно гарнизону.

— Надо будет ночью смотаться и пошарить вокруг твоего «Урала».

— Наверное, «духи» уже подобрали всё, что взрывом раскидало.

— Чего-нибудь да затерялось в камнях, — уверенно сказал Серёга. — К тому же жратва. Свинятину они поднимать вообще не будут, не халяль.

— Чего?.. — не понял Герман.

— Халяль — дозволено Аллахом, — сказал Шамс. Он хотел показать, что разбирается в ситуации не хуже Серёги. — Харам — не дозволено. Знать надо.

— Если всё знаешь, пойдёшь со мной, — ухмыльнулся Серёга.

— Под пулемётами тушёнку искать будем? — опять разозлился Шамс.

— Драпать к вертушкам под пулемётами ты не ссал, — напомнил Серёга.

Шамс отвернулся в сторону, подрагивая челюстью.

— Давай я пойду, — миролюбиво предложил Немец. — Моя же машина.

— Лады, — согласился Серёга. — Значит, мы с тобой сейчас отбиваемся, а Шамсутдинов и Дедусенко — в караул. Это приказ, товарищи дрищи. Ясно?

— Ясно, — тихо и в сторону ответил Шамс.

— Не слышу ответа по уставу.

— Так точно, товарищ прапорщик.

И вот ночью Серёга и Герман вылезли из скального развала и тихо прокрались мимо пещер к сгоревшему грузовику. В долине Хинджа «духи» чувствовали себя в безопасности; даже мост они оставили без караула, лишь заминировали взорванный танк. Серёга объяснил Немцу: похоже, у басмачей в кишлаке Ачинд какой-то бабай наблюдает за дорогой и всегда предупредит по радио, если на дороге появятся «шурави». А дорога тут всего одна.

Небольшая, но ослепительная луна висела над долиной. Всё вокруг было высвечено так, что каждый валун, каждый мелкий камешек и каждая грань отбрасывали яркие тени. В лунной оптике чёрно-белый мир стал убедительно подробным, как галлюцинация, до рези контрастным и безжизненным.

Вдали, в высоком створе ущелья, в густой синеве медузами всплывали расколотые трещинами ледяные конусы Гиндукуша. А такого мощного неба Герман не видел никогда: оно казалось цветным и туманным, математически сложным и многоярусным, его опутывала блистающая и бредовая арматура созвездий, а по светилам — точно в окнах — текли волны зелёного и красного пламени, невозможного над русскими перелесками.

Они добрались до грузовика, точнее, до его чёрного остова. Покрышки прогорели, и машина стояла на ободьях колёс. Раму выгнуло взрывом. Борта развалило, дуги торчали как рёбра, кабину искорёжило. Вокруг везде валялся разбросанный груз — всё помятое, опалённое, облепленное бурой дрянью. Серёга присел на корточки, поднял какую-то головешку и потёр о штаны.

— Батарейка, — удовлетворённо сказал он. — Целая, только грязная. Жаль, ни фонаря, ни рации нет. Ищи давай, Немец. Чую, мы хорошо разживёмся.

Серёга принялся деловито рыскать по рытвинам и между валунов, будто служебная собака, а Герман увидел Кощея. «Духи» подобрали его, почистили после взрыва от песка и хлопьев копоти, как пиджак, и усадили спиной к колесу, к дырявой покрышке. Герман сразу понял, что Кощей заминирован.

Странно, страшно и невыносимо было осознать, что Саня Кощеев теперь стал предметом — будто бы превратился в инопланетянина. Герман смотрел в лицо Кощея, и казалось, что Кощей не открывает глаза по какому-то умыслу, он терпит внимание к себе, потому что так надо. Он хочет быть мёртвым.

В живом Кощее не было ничего потустороннего. Он вообще был дурнем из колхоза. Но вот теперь он ушёл туда, за поворот, и узнал то, чего здесь и академики не знают. По какому признаку можно понять, отчего смерть увела именно Кощея, а не его, Немца? Смерть словно бы подошла так близко, что непременно должна была кого-то взять, а тупой Кощей обозвал её сукой... Что дальше делать, чтобы уцелеть без Кощея, который больше не прикроет?

Лихолетов приволок пару широких лоскутов брезента и складывал на них свои находки. Получалось очень даже неплохо: груда консервных банок, целых или бесформенных, рваные пакеты с сухпаем, какие-то пластмассовые коробки, два зелёных патронных цинка с шифром «7.62 ПСгс обр.43».

— Теперь повоюем, — удовлетворённо сказал Серёга, усаживаясь рядом с Немцем напротив мёртвого Кощея. — Твоего дружбана я разминирую. И на мосту с танка мины сниму. Поставлю перед нашим развалом понизу. Будет нам дополнительный рубеж обороны. Найти бы ещё гранат для растяжек...

— Ты и за сапёра можешь? — вяло удивился Герман.

— Я в Афгане уже всему научился, разве что Аллаху молиться не умею.

Герман молчал. Серёга подтащил к себе какую-то кривую лохань, которая раньше явно была алюминиевой канистрой. В лохани плескалось.

— Нашёл канистру со спиртом. Раздавленная, но спиртяги там дохрена. Я перелил во фляжку, а это осталось. Хряпнем?

— Прямо здесь?

— Хорошее место, — пожал плечами Серёга. — Кто нам тут помешает?

Он достал ложку и аккуратно зачерпнул спирт из лохани, как микстуру.

Герман подумал и тоже хлебнул спирта из ложки; горло обожгло, а Серёга протянул зажевать галету из сухого пайка.

— Сколько служишь? — спросил он.

— Четыре месяца, — просипел Немец.

— В бою бывал?

— Только под обстрелом.

— Первый раз друга убитого видишь?

— Раньше незнакомые были... Да он мне не друг. Но всё равно...

— Ты считай, что убитый — это как бы кто дембельнулся, но без тела. Незачем его жалеть. Пожалеть можно его мать, но она далеко. Вот боксёр Мохаммед Али говорит: на ринге порхай как бабочка и жаль как змея. И на войне так же: будь чуткий как белка и бесчувственный как носорог. Понял?

Серёга приобнял Немца, как бы для поддержки. На самом деле он был даже благодарен Немцу за возможность поучить того суровой правде войны.

— На войне «убивать — не убивать» — не вопрос. Убивать. Бывает, пленного возьмут, везут в вертолёте, допрашивают, и он уже сдался, надо помиловать, а он понимает, что капец. Потом ему дверь откроют, и он сам домой на горы прыгает. Или караван перехватят — всех расстреливают, и погонщиков, и верблюдов. Это даже верблюды знают, в глаза не смотрят. Война, брат. Надо.

Лихолетов говорил, а Немец слушал — ему было всего девятнадцать лет, и про войну ему никто ещё ничего не объяснял. А Лихолетову было двадцать пять, и в Афгане он служил уже четвёртый год. Ему было что рассказать.

— Выброси из головы, — внушал Серёга, черпая спирт. — Не думай про убитых, не вспоминай, не говори про них, а то за собой уведут. Эта примета железно работает. Если в первом бою тебя не убили и не ранили, значит, пока всё с тобой ништяк, но перед дембелем надо будет сильно опасаться.

Герман слушал, слушал — и вправду ощущал какое-то освобождение.

— Видишь, как Дуська и Шамс обсираются? Потому что надо уметь себя держать. Есть приметы — соблюдай их, и будет легче, — Серёга ножом резал банку с тушёнкой им с Немцем на закуску. — Не брейся перед боевым выходом. Не фоткайся. Не прощайся за руку. Не говори «я пойду», говори «меня послали». Не говори «последний», говори «крайний». Не корешись с теми, кто в Афган добровольцем приехал, — их смерть видит. Добудь себе автомат, из которого человека убивали, — он вкус крови знает, не подведёт. Это всё не бабкины сказки. Это реально помогает.

Луна заливала долину и дальние скалы каким-то космическим светом. Остов грузовика казался спускаемым аппаратом с межпланетного корабля. Два солдата, обнявшись, сидели на земле среди камней и хлебали ложками спирт, а третьим в их компании был мертвец, который сидел напротив.

Герман догадывался, что все приметы, правила, убеждения (вроде того, что погибших не надо жалеть) выдуманы лишь для того, чтобы уцелеть на войне: сохранить рассудок, победить страх, преодолеть себя. Это способ выжить в Афгане. Но Серёга-то и вправду думал так, как говорил. Он не лукавил. Конечно, он знал, что автомат, из которого застрелили человека, всё равно может дать осечку, но вот погибших Серёга не жалел — это уж точно.

* * *

Пройдёт много лет, но Герман не забудет, как в июне 1985 года Серёга Лихолетов втянул его, солдатика-салабона, в запой прямо посреди Афгана и афганской войны. Затея была совершенно лихолетовская: нажраться спирта под стволами у «духов». Серёге нравилось противоречить не закону даже и не воинскому уставу, а здравому смыслу, опыту и чувству самосохранения — чтобы сама судьба делала для него исключения.

Серёга и Немец почти до рассвета просидели возле разбитого грузовика и заминированного мертвеца, хлебали спирт ложкой и тихо разговаривали. Потом Серёга снял мину с трупа, а Немец увязал добычу в узел из обрывка брезента. Немец понёс узел, а Серёга — мину и канистру со спиртом. Перед развалом Лихолетов ухитрился установить мину на растяжку и не взорваться.

Оба они, Серёга и Немец, желали продолжать пьянку. А Шамс и Дуська ошалели от того, что их командир нарезался в дугу. Серёга и Немец оставили себе канистру и несколько банок и перебрались на другую сторону развала. Они уселись в глыбах рядом с речкой, чтобы удобней было бодяжить спирт.

— И хрен с этими дрищами, — сказал Серёга, снимая с брюха ремень. — Смотри, салага. Затачиваешь край пряжки и пользуешься вместо штык-ножа!

И он ловко вскрыл пряжкой ремня консервную банку с тушёнкой.

Конечно, дело было не в том, что Серёга и Немец дорвались до выпивки. Считалось, что в дивизионном городке царит сухой закон, однако любой «черпак» мог раздобыть бухло. Кто скопил «афошек», тот покупал в дукане кишмишевку — местную самогонку. «Деды» в каптёрках сооружали аппараты и гнали пойло, которое «лакировали» урюком. Родную бражку для крепости настаивали на карбиде. Глотали «шпагу» — отработанный авиационный спирт. Варили чифирь. Пьянка у солдат была и отдыхом, и доблестью, и не мешала боевым частям оставаться быстрыми и страшными для басмачей.

— Самыми лютыми воинами в древности были викинги-берсерки, — сообщил Немцу пьяный Серёга. — Перед боем они пили настой из мухоморов. Не для смелости, а для силы. А басмачи шмаляют дурь для смелости. Наши тоже могут взорвать по косяку на рыло перед боевыми. Но это западло.

Бачата — вездесущие афганские мальчишки — всегда имели на продажу «шурави» палочки чарса, гашиша. Офицеры не могли истребить заразу: по обкурке долдоны не опознавались, а поймать воина с самодельным чилимом из медицинской капельницы или с папиросой, набитой ганджубасом, было нереально. Хотя «деды» не давали «молодым» разгуляться — себе не хватит.

Говорили, что с чарса ловят кайф и «смотрят картинки». По слухам, амбалы из разведроты засаживают так, что потом перемещаются над землёй легко и бесшумно, как кошки, и видят в темноте. Герман не курил вообще, но пару раз его уломали попробовать дурь: его вогнало в «шубняк» — в ступор. Серёга, хотя и смолил сигареты, чарс из принципа не пробовал ни разу.

— Дурь — это диверсия ЦРУ, — пояснял он Немцу возле речки Хиндар, — чтобы наших подсадить на наркоту. Я сам видел бачат по локоть без руки. Если они продают чарс дороже, чем велено, курбаши им руки отрубают.

Серёга хотел быть крутым коммандосом вчистую, без подкачки дурью. Наркота — для слабаков или недоразвитых, а чемпион побеждает без допинга.

Немец рассматривал Лихолетова, который полулёжа развалился между валунами и курил. Высокие шнурованные берцы. Камуфлированное ХБ. Рукава закатаны. Левое запястье охватывал широкий кожаный ремешок с большими «Командирскими» часами. Немец увидел на циферблате звезду и силуэт «МиГаря» — часы были пилотские, не пехотные. На правом запястье у Серёги болтался браслет-цепочка с жетоном, на котором значились фамилия, группа крови и резус-фактор. Жетон обычно делали из блесны, гравировали в санчасти бормашиной, а личного номера Серёга не имел — не был офицером.

Укороченный приклад автомата Серёга обмотал медицинским жгутом — на случай надобности в бою. Каску обтянул куском маскировочной сети: в дивизионном городке все были уверены, что снайперы «духов» стреляют на блеск каски или на огонёк сигареты. Курил Серёга не советские «Охотничьи» из довольствия, а пакистанские *“Red & White”*. Конечно, он мирно покупал их в дукане, но пачки выглядели как трофейные, отнятые у поверженного врага. А чёрные очки-«хамелеоны» придавали Серёге иностранный вид.

— Серый, а как ты попал в Афган? — спросил Немец.

— Доброволец, — усмехнулся Серёга. — А потом на сверхсрочку остался.

— Ты же сказал, добровольцев смерть видит.

— Да пусть видит. Я не пионерка, бабку-ёжку не боюсь, не описаюсь.

Пьяный Серёга в те дни рассказал Герману о себе. Он был младшим в большой семье, его баловали, и он привык командовать. Родители работали на мебельной фабрике в районном городишке. Они опирались на старших детей и не требовали помощи от младшего, поэтому после школы Серёга уехал в Батуев, в областной центр, и поступил в железнодорожный техникум, лишь бы жить в Батуеве. Он отучился и ушёл в армию. И застрял в Афгане.

Дело было не в зарплате чеками Внешторга — всё равно платили мало. Мстить за погибших друзей Серёга тоже не собирался: он считал «духов» дикарями, «зверями», к которым не следует относиться как к людям. Серёге просто понравилось в Афгане. В жизни на гражданке он стремился скорее стать эдаким бывалым и авторитетным человеком, который сразу вызывает уважение. Но карьера — это годы роста, для спортивных побед у него нет данных, в тюрьму чего-то не хочется, а пустопорожние понты Серёга презирал. Оставался один путь — сходить на войну.

От моста, от скального развала раскатывалась нисходящая перспектива ущелья, на дне которого металась и пенилась речка Хиндар. Низкое раннее солнце осветило один склон, и он будто вылинял, а другой оставался густого гончарного цвета. Серёга полез ополоснуться, стащил ХБ, и Герман увидел на плече у Серёги синюю татуировку — факел и буквы ДРА: Демократическая Республика Афганистан. Серёгино желание не быть никем, стать хоть кем-то вызывало у Немца большее уважение, чем людоедский опыт войны.

У него у самого-то было что-то подобное? Нет. Немец вспоминал свою коротенькую судьбу. Куйбышев. Волга. Мама — отца не было никогда. Двор:

здесь его уважали, потому что он разбирался в мопедах и мотоциклах. Школа и курсы ДОСААФ. В армию он ушёл спокойно: автомеханики и шофёры всем нужны, и всё у них в порядке. Герка не задумывался, как ему жить.

Под диктовку военкома призывники написали рапорты о своём желании выполнить интернациональный долг, и вскоре Немец очутился в учебном лагере под Ташкентом. Новобранцев гоняли на физподготовке и морили на занятиях в классах. Потом обкололи из пневмошприцев сыворотками, загнали по двести «туловищ» в ИЛы-76, и эти «скотовозы», воя турбинами, грузно поплыли над бурыми и ржавыми хребтами Азии.

В Баграме на аэродроме Немец впервые увидел штабель из гробов — улетающий в СССР «груз-200». Пока «молодыс» ждали рейса на Шуррам, Немец услышал и навсегда запомнил эти странные и беспощадные, словно лязг кандалов, названия: Герат, Шиндант, Кундуз, Кандагар, Кабул, Газни.

На поле аэродрома, растопырив длинные хвосты и крылья, стояли тощие бомбардировщики Су-17, похожие на комаров-карамор. Наждачный ветер февраля нёс покойницкий холод дальних ледяных хребтов. Где-то за ними был жуткий Пакистан, «страна чистых», откуда приходили вереницы убийц: взятым в плен они отрезали яйца, выкалывали глаза, отрубали головы. Такое невозможно было представить дома, в СССР. О таком никто не рассказывал. Герку, недавнего школяра, научили чистить автомат и ввинчивать запал в гранату, но не научили, как понимать этот мир и жить рядом с таким ужасом.

Хотя там, у Хиндара, Серёга учил вроде бы тем же военным хитростям.

— Занимаешь огневую позицию — обложись камнями, — говорил он. — Выстрелил — сразу откатись, чтобы тебя по пламени не засекли. При взрыве разевай пасть, а в бою вообще ори, а то барабанные перепонки лопнут. Если последний рожок остался, один патрон возьми в зубы, — это для себя.

Серёга даже в пьянке не забывал, что он командир. Время от времени он покидал Германа и, шатаясь, с матюками лез на другую сторону развала проверить, как Шамс и Дуська несут боевое дежурство и караулят «духов».

— Суки вы с Немцем, — злобно сказал Серёге Шамс.

— Щель зажми, — ответил Серёга. — Кто ходит за трофеями, тот и бухает.

В части Германа распределили в автобат, и здесь Кощей взял его к себе «прошарой» — тем, кто «шарит», промышляет для «дедушки». Дедовщину Немец принимал как должное. В учебке пацаны убеждали друг друга, что в Афгане «деды» не зверствуют, потому что на войне могут получить пулю в спину, и в бою идут впереди — прикрывают «молодых». Но это были сказки.

У «молодых» сразу выгребли деньги, поменяли новую форму на старую, а кожаные ремни на «деревянные», из кожзаменителя. Будто не было войны. «Черпаки» работали за «дедов» как на родине, спали по четыре часа. Каких-то измывательств «дедушки» не допускали, но случалось, что «шлангистам»-бездельникам они «пробивали фанеру». Однако Немца угнетали не драки, не изматывающая работа и даже не унижения, а жестокая и назойливая корысть «дедов». Таким парням, пускай они опытнее, невозможно было доверять.

Дембеля же казались вообще блаженными. Они ни в чём не участвовали. Как сумасшедшие дети, они жили в своём отдельном мире: раскрашивали альбомы, собирали комплекты значков, проклеивали целлофаном погоны, обтягивали фуражки чёрными околышами, потому что красные околыши, пехотные, были впадлу. Они спали на голых сетках, чтобы не увезти вшей, утюжили «парадки» в каптёрках и вели фантастический счёт дней до отъезда: сорок второе февраля, тридцать девятое марта... Дембеля были уже не здесь.

«А офицеры?» — думал Герман, глядя на Серёгу. Офицеры были ещё более чужие, чем дембеля. Солдаты нехорошо завидовали им. Офицеры получали зарплату, ездили в отпуск в Союз и пили не «шпагу», а водку. Её привозили из дома по норме — литр, а ещё заливали в бутылки вместо разрешённых вина и пива. Бывало, ради водки вытряхивали домашнее варенье из банок.

У офицеров были бабы: вольнонаёмные подруги из штаба или санчасти. Молодые и борзые летёхи ходили в Шуррам: там в глухих тупичках можно было отыскать дома с красными занавесками в окошках — местные бордели.

Среди офицеров встречались настоящие мужики. Они говорили бойцам: «Ваше дело — выполнить приказ, а думать буду я». В бою они могли погибнуть за солдата, а на базе всё равно подчинялись общим порядкам. Немец видал, как после возвращения из рейда пропахшие порохом командиры мрачно отворачивались, когда особисты обыскивали уцелевших бойцов на предмет трофеев — оружия, боеприпасов, всяких нужных солдату вещей.

— Ищи импортную снарягу, — поучал Серёга. — Наши спальники ватные, семь кило, а штатовские лёгкие, на гусином пуху. Японские тоже ничо, но тебе короткие будут. Индпакеты лучше тайские. Броник — бундесверовский. Наш — полтонны, а в этих ни одной железной детали, носишь как спортивный костюм. ПМ и в упор не пробивает, а автомат только ближе ста метров.

— Где же добывать всё это? — спрашивал Немец, стараясь запомнить.

— Убитых «духов» шмонай. Это нормально. Или копи чеки и покупай. Не пропивай бабосы, салага. Купи в запас хотя бы пару рожков для автомата.

Немец смотрел на Серёгу Лихолетова — пьяного, наглого, с кирпичной мордой, с выцветшими усишками. Серёга устроился в тени между глыбин, а для понта положил над собой на валун белый бараний череп с закрученными рогами — подобрал здесь же, в камнях. Серёга и Немец ели тушёнку из тех банок, что отыскали ночью. Теперь у них была посуда — плошки из жестянок.

Как командир, Серёга бодяжил спирт. Он черпал воду прямо из реки, но всякий раз крошил в плошку хлорную таблетку: в Афгане запрещали пить сырую воду и выдавали таблетки для дезинфекции. Серёга бормотал:

— Алкашку жрать надо с хло-орочкой, а то будет у нас холе-ерочка...

Немец сидел пьяный, но трезво понимал: может, другие офицеры тоже смелые и сильные, но рядом с ними всё равно страшно, а рядом с Серёгой — не страшно. И Немец ощутил, что жизнь пришла к правильному состоянию. Он — солдат. А Серёга Лихолетов — его командир. Других командиров нет.

Их обоих срубило в полдень, когда солнце оглядывало землю из зенита словно в коллиматорный прицел. Белая гряда Гиндукуша покрылась огнями и звёздами, насквозь просвечивая долину. Серёга и Немец дрыхли среди глыб и консервных банок, а рядом на камне лежал, не моргая, бараний череп.

На «пьяную» сторону развала осторожно пробрались Шамс и Дуська.

— Я с них херею, — пробурчал Шамс. — Вот почему Серый не пришёл...

— Давай у них спирт выльем, — предложил Дуська.

— Они нас за это с похмелья расстреляют.

— Оружие заберём...

— Камнями забьют... Скоты. От «духов» мы гасимся, называется...

Дуська только заплакал. Его воля за эти сутки так раскисла, что Дуська уже привык плакать по любому поводу — от слёз ему становилось легче.

Серёга и Немец проснулись только вечером, раздавленные похмельем. Бурое ущелье дышало керамическим жаром, но от речки веяло прохладой.

— Подлечимся, боец, — решил Серёга, доставая канистру со спиртом.

— Серый, а ты не боишься, что нас пьяных в плен возьмут? — без голоса спросил Немец, выпил из плошки, которую протянул Серёга, и зажал рот.

Конечно, Серёга опасался, что бородатые обнаружат их логово, но всё же надеялся, что этого не произойдёт. Зато когда придут свои, советские, рискованная попойка под носом у моджахедов окажется подвигом духа.

— Не скобли изоляцию, — ответил Серёга, подумал и добавил: — Басмачи пьяных в плен не берут, а на месте расстреливают. Так что мучить не будут.

— Почему пьяных не берут?

— Аллах пить запрещает. Харам.

Серёга всё это выдумал сей момент, чтобы успокоить Немца, да и себя.

— Нам вообще надо быть благодарными Афгану, — вдруг сообщил он.

— Это ещё за что? — мрачно удивился Герман.

— Да за эти горы, кишлаки... Тут всё другое. Тут Македонский сражался на слонах... Понимаешь, Афган — другая планета. Значит, мы видели уже две планеты — эту и свою. Значит, мы вдвое больше остальных про мир знаем.

Наверное, Серёга был прав. Герман вспоминал свои первые впечатления от города Шуррама. Чужая жизнь, чужая эпоха... Город — как бескрайняя свалка глинобитных коробок, из которых торчат кипарисы. Улицы — будто пропилы. Ослики с арбами. Под саманными стенами — узенькие арыки, и над ними из дувалов растут кусты дикой розы. Пыль и вонь. Мухи. Старики в чалмах тащат на сутулых спинах огромные бутыли, оплетённые верблюжьей верёвкой. Какие-то бородатые мужчины сидят прямо на улице в парусиновых креслах и курят анашу. Красные раздолбанные автобусы без стёкол, люди в них едут вместе с овцами и козами. Женщины — как ходячие рулоны ткани.

На холме — древняя осыпающаяся крепость с волнистой линией стен и пустыми бочками башен. В крепости — казармы царандоя. От крепости виден весь городишко, по центру утыканный глиняными морковинами минаретов. Под холмом в саду — дворец местного владыки: приземистый, с деревянной колоннадой, с мозаикой по стенам. Возле ворот дворца — ржавый танк.

Через город ехать приходилось медленно, и рядом с кабиной грузовика неизменно бежала орава мальчишек, бачат, наперебой выпрашивая бакшиш и предлагая все блага Шуррама: лепёшки, мешочки с сушёным тутовником, горшки с пайваном — густыми сливками, насвар — жевательный табак, чарс — гашиш. А за городом бачата обкидывали грузовики камнями и удирали.

Но больше, чем экзотика Востока, недавнего школьника Герку Неволина в Афгане поразила оголтелая торговля. Бойцы бегали в дуканы — в лавки. Тут продавали всё: фрукты и крупы, мангалы и тазы, птицу и скотину, ковры и наркотики. Парни из СССР охреневали от того, сколько в нищем Гавнистане разного дефицита: косметика, кроссовки, магнитофоны «Шарп», дублёнки-«пустины», термосы, подтяжки, очки-«хамелеоны», джинсы, одноразовые бритвы. «Бакшиш, фамиди?» — угодливо улыбались бойцам дуканщики.

Впечатляло, как торгуют свои же — несут в дуканы всё подряд: одеяла, столовские ложки, консервы из пайка, форму. За автозеркало дуканщик давал тысячу «афошек», за колесо от «КамАЗа» — двадцать тысяч. Продавали и патроны — правда, сначала их вываривали в кипятке, чтобы не выстрелили. Дуканщики брали даже мусор из военного городка — на вес, грузовиками. Что ж, Серёга прав. Дома такого не увидишь. Афганцы многому научат.

— А ты говорил, что афганцы — звери, — с осуждением напомнил Немец.

— Хочешь победить в войне — считай их зверями.

— Зачем? Чтобы убивать было легче?

— Не в убийстве дело, — Серёга закурил, глядя на буруны реки. — Просто в виде зверей легче понять, что «духи» тебе не враги, не соперники. Ну, как у боксёра груша — не враг. Нельзя с грушей боксировать до победы. Поэтому «духи» — только препятствие. А соперники тебе — свои пацаны. Это с ними ты соревнуешься. Кто выжил — тот победил, кто не выжил — тот проиграл.

— Не понял, — изумился Герман. — Своих, что ли, надо стрелять?

— При чём тут это? — разозлился Серёга. — Я тебе объясняю, какая у нас война, салабон! Мы с тобой тут сидим, с кем бодаемся? С «бородатыми»?

Герман открыл рот — и закрыл, не зная, что ответить.

— Мы соревнуемся с Шамсом и Дуськой. Если бы они вынудили нас бежать к вертушкам, нас бы всех покосили, и мы бы проиграли. А я оставил нас всех тут, мы живы — и мы выигрываем. И нахера мне стрелять в этих мудаков? Я вообще их спас, когда не пустил под пули. Не дал им проиграть. Вот это и есть война, а не кто больше басмачей завалит. В Афгане вся война такая. Все наши в дивизионном городке сидят так же, как мы в этих камнях.

Пройдёт много лет, и в русской деревне Ненастье Герман поймёт, о чём тогда на афганской речке Хиндар говорил ему Серёга. Но пока он в пьяной задумчивости наблюдал, как вдали, словно языки огня, в нежной синеве неба разгораются вершины Гиндукуша, подожжённые закатом. Герман вспоминал советский дивизионный городок близ Шуррама, где ему выпало служить.

Казармы — ряды армейских брезентовых палаток с дощатыми полами и панцирными койками в два яруса. Казённый безликий быт: рваные матрасы, байковые одеяла. У офицеров — общаги: бледно-зелёные щитовые модули. Огромная халабуда — столовка с кухней. Питание в три смены, тем не менее ложек не хватает. Еда, вода, застиранное бельё — всё отдаёт хлоркой.

Банно-прачечный барак дымит трубой печки-вошебойки. Строгий блок санчасти на лютом солдатском безбабье овеян волшебными историями о снисхождениях медсестричек. Стучит помпа, качающая воду из скважины.

Большой и добротный штабной дом: с одной стороны в нём магазин, где можно купить печенье, чай, кильку в томате и авторучку; с другой стороны в нём клуб с кинозалом и красным уголком, где солдаты смотрят телевизор. У крыльца штаба — застеклённый стенд с газетой «Фрунзевец» и с «Боевым листком», настуканным на пишмашинке. Ещё рядом стоит фанерный обелиск «Памяти павших» со столбиком имён, написанных масляной краской.

В стороне — спецзона. Склады, реммастерские, цистерны с топливом. Гудят дизельные электростанции. Много разной техники: танки, БТР и БМП, тягачи, грузовики. Артиллерийский парк с зачехлёнными стволами. Свалка.

Дивизионный городок огорожен двойной линией колючки на столбах, маскировочными сетями на кольях, минными полями с табличками. Вышки с прожекторами и пулемётами, по пути движения боевого охранения — грибки с телефонами. Окопы. КПП на въездах, шипастые брёвна и капониры.

Эта жизнь была организована сложно и разнообразно. Кто-то спал, кто-то работал, кто-то изнывал от скуки на гауптвахте. Двести человек в столовке принимали пищу, триста человек топали по плацу, а три парня лежали возле санчасти в гробах и ждали санитаров, которые вынесут в вёдрах их руки и ноги, разложат по владельцам и запаяют ящики «груза-200». И при чём тут экзотический Восток, «мужание в боях», интересы СССР? Бытовые хлопоты военной базы бесконечно воспроизводили сами себя. Зубчатые колёса будней вращали друг друга вхолостую. Во всём этом Герман не видел смысла.

— Серый, а ты и дальше собираешься служить? — спросил Герман.

— Не знаю, — пожал плечами Лихолетов. — В прапорах сидеть — тупо, а на офицера учиться не хочу. И начальников слишком много. Подумаю потом.

Серёга принялся перешнуровывать ботинки.

— Дембельнусь, так приезжай ко мне в Батуев, Немец, — вдруг пригласил он. — Я имею в виду не побухать, а на работу. Чего-нибудь заварганим.

Германа окатила тёплая волна дружества. А Серёга поднялся, потопал, разминаясь, поддёрнул штаны и поёжился:

— Холодно тут ночами, бля... Я пойду на мост, мины с танка сниму. Обещал же. А то скоро руки от пьянки затрясутся, ничего тогда не сделать.

Серёга говорил так просто, будто направлялся в продмаг за картошкой. Он легко запрыгнул на валун — не поверить, что он квасил сутки напролёт, — и скрылся за глыбами. Звука шагов вообще не было слышно за шумом реки.

Над ущельем и над Германом опять зажёгся странный, многоэтажный небосвод, в туманной толще которого на разной высоте неясно шевелились яркие светила, точно созвездия, как звери на охоте, крались друг за другом по кругу Зодиака. На фоне веерного движения небесных радиусов мёртво сияли неоновые зубцы Гиндукуша, голубые сколы определяли их геометрические объёмы. Герман не понимал: почему в Шурраме он не замечал этой высоты?..

Серёга не придал особого значения их осадному сидению: случилось — ну и пофиг. Однако и для Серёги, и для Немца в этом сидении заключался совершенно очевидный смысл: они спасались. И Герман понял, что не может уйти отсюда. Он будто прикован, приколдован к этому месту. Он не хочет перебираться в безопасный дивизионный городок, потому что в рутине уже привычной службы никакого смысла он не видел. А тут смысл был.

Герман вспоминал жизнь в дивизионном городке. Офицеры и «деды» не давали «черпакам» ходить пешком, заставляли всегда бегать по городку — это называлось «попутными тренировками». Утром на построение отводили пять секунд, и «молодые», конечно, не успевали на «взлётку», а их сладострастно гоняли туда-сюда: на шконку — со шконки, на шконку — со шконки. Строевая. Кроссы. Опостылевший футбол на плацу. Бляху ремня драили пастой ГОИ: должна блестеть, «как яйца у кота». Чесотка. Фурункулёз. Недосып. Жрать всегда хотелось. Луковица считалась яблоком. В кисель солдатам добавляли бром, чтобы на баб не тянуло. Бойцы сбивались в землячества по городам, да что толку? Магазин держали чечены, столовку — грузины, баню — азеры, а русским оставался плац да сортиры на сорок два очка. Зачем всё так?..

Служили, стараясь ни о чём не думать. Шкурничали, иначе капец. Завидовали хлеборезам — хавают от пуза; завидовали заправщикам — сливают горючку и продают в дуканы, богачи... Письма из дома — святое: их читали в уединении, окружив себя удобствами, какие только были достижимы. Не верилось, что есть Союз: электричество у всех, деревья растут, машины по ночам не гасят фары, можно ездить и ходить везде — не заминировано...

Война оказывалась желанной: бойцы ждали боевых выходов. Конечно, они быстро поняли, что с Афганом их обманули: война ненастоящая. Значит, нужно думать не о победе, а о себе. Для себя и стремились в рейды, потому что в рейде было легче, нежели на базе, в тылу. В гарнизоне всё обрыдло, а тут — впечатления. И питание куда лучше. Консервированная каша с мясом — без хлорки. Сгущёнка. Немец объединялся с Кощеем: у «черпака» в котелке грели кашу, а у «дедушки» заваривали чай (чтобы Кощею не мыть посудину).

Немцу ещё не приходилось терять машину или сталкиваться с «духами». Да, попадали под обстрел. По команде «занять оборону!» выкатывались из кабин и залегали «под мосты». Стреляли. Басмачи отрабатывали боезапас и отступали. Колонны шли дальше. На обочинах торчали обелиски из крупных осколков авиабомб: кого-то «духи» здесь поджарили. Но к чужой боли парни оставались равнодушны — радость, что сам живой, была сильнее сострадания. И бухали после рейдов посильнее, чем сейчас, в глыбах. Просто ужирались...

На фоне белого Гиндукуша Герман увидел тёмную фигуру человека. Это возвращался Серёга Лихолетов. И Герман вдруг почувствовал неимоверное облегчение. Всё понятно. Он солдат. У него есть командир. Они защищают крепость. И ему из этого порядка вещей не вырваться, не уйти, не убежать.

* * *

Рамиль Шамсутдинов считал, что сидеть в глыбовом развале, ожидая возвращения советской колонны, нет никакого резона. Неизвестно, когда ещё «шурави» предпримут вторую попытку пройти через Хиндж. Продержится ли группа Лихолетова столько суток? Возможно, что заставу на седловине Ат-Гирхон будут снабжать с вертушек или вообще снимут. Короче, здесь, в скалах на Хиндаре, они зашкерились лишь потому, что Лихолетов тупо хочет добить халявную канистру со спиртом. А объективной причины нет.

Шамс ненавидел алкашей. Он и в Афган попал из-за отца-алкоголика.

В школе Рамиль учился почти на отлично, шёл на медаль, но чуть-чуть не дотянул. Поступать он собирался в педагогический институт на факультет иностранных языков, в английскую группу. Привлекала Шамса, конечно, не педагогика. В индустриальном городе ценились переводчики: они встречали на предприятиях иностранные делегации или уезжали за рубеж работать в торгпредства. Знание английского обеспечило бы Рамилю жизнь в достатке.

Поступить на иностранные языки считалось нереально. Чуть ли не все места занимали дочки городских и областных начальников. Но Шамс нашёл лазейку: председатель приёмной комиссии согласился зачислить мальчика из простой семьи за взятку в двести рублей. Огромная для Рамиля сумма.

Рамиль всю зиму подрабатывал дворником и скопил эти деньги. Однако пожадничал и решил сначала попробовать поступить на общих основаниях — он же знал английский на пять. Вдруг получится сэкономить? Но на экзамене председатель комиссии завалил Шамса: не хитри, а делай, как договорились. Рамиль отправился за деньгами, однако было поздно. Пока он выкруживал с экзаменами, отец не выдержал искушения и пустил его капитал на пропой.

Отец работал в стройуправлении бетонщиком, бухал, а семью тянула мать, повариха в заводской столовой. Сберкнижки у неё никогда не было, а быстро где-то занять деньги она не сумела, и у Шамса рухнули все планы. Поступить в другой вуз он не успевал, потому что на экзаменах потерял время; заплатить военкому, чтобы отмазаться от призыва, ему было нечем. Отец пропил судьбу сына. Рамиль ушёл в армию.

И скоро он опять жестоко пролетел. После учебки перед ними, салагами, выступил офицер. Он объяснил, как всем вместе им будет хорошо служить, если они поедут в Афганистан, ведь у них сформировался здоровый крепкий коллектив. Помогите Родине, ребята. Пацаны согласились, и Шамс тоже. Он просто постеснялся при всех отказаться от Афгана. Будут презирать.

В Афгане Шамс озлобился. По-татарски терпеливый, он служил, словно стиснув зубы, и настраивал себя: больше нельзя терять свою выгоду, больше нельзя выкраивать у самого себя, колебаться, идти у кого-то на поводу. Если получится некрасиво — ну и пусть, зато его не обделят. Эгоизм стал ответом Шамса на несправедливость судьбы. Боязнь новых напастей превратилась в подозрительность. Шамсу казалось, что он всё про всех понимает.

Здесь, на Хиндаре, Шамс был уверен, что Серёга удерживает всех в этих скалах из своего личного интереса. Он врёт, что всем (и Шамсу тоже) лучше сидеть в развале, как тогда, в учебке, офицер врал, что всем (и Шамсу тоже) лучше служить в Афгане. Но второй раз на такую байду Шамс не купится. Сейчас хорошо не Шамсу, а только Лихолетову: он бухает. Но Шамс не хотел, чтобы Лихолетов пробухал его жизнь, как отец пробухал его будущее.

Серёга и Немец пили спирт у речки, на дальней стороне развала: пили ночь, пили день, и ещё ночь и день. Шамс и Дуська дежурили, наблюдая за долиной. Шамс почувствовал себя главным. Пьяный Лихолетов таскался к Шамсу и Дуське посмотреть, как обстановка. Он отупел, и такого командира Шамс уже не боялся. Шамс начал думать о том, что надо отсюда уходить.

«Бородатых» в долине Хинджа стало гораздо меньше, наверное, человек пятнадцать. Они что-то делали с БМП — оттуда долетал звон металлических ударов. Может быть, «духи» пытались починить подбитые бронемашины, а может быть, сбивали и свинчивали вооружение. Мост басмачи не охраняли: заминировали погибший танк, и всё. А мины тихонько снял Лихолетов.

На третью ночь Шамс решил, что ближе к рассвету он уйдёт.

— Меня тоже возьми, я тут больше не выдержу, — взахлёб упрашивал Шамса Дуська. — Такое напряжение... Я спать не могу трое суток...

Дуська, Ваня Дедусенко, как-то быстро опустился, исхудал, опаршивел. Он был готов шакалить хоть для кого, лишь бы избавиться от страха. Шамс послал Дуську за Лихолетовым: надо поговорить. Серёга приполз с Немцем. Оба они только что проснулись, были хмурые, очумевшие с похмелья.

— Мы с Ванькой уходим, — объявил Серёге Шамс.

Он держался с Лихолетовым как равный с равным.

— Чё-то кто-то волюшкой залупотребляет? — хищно скривился Серёга.

— Серый, я нормально тебе говорю, — нервно ответил Шамс. — Мы могли уйти, пока вы там валялись, ужравшись. А я предупреждаю, скажи спасибо.

Они сидели в той расщелине, которая была похожа на траншею. Отсюда открывался вид на лунную долину, на хребет Гиндукуш — «убийцу индусов».

— Вы не дойдёте, — предупредил Серёга. — В кишлаке вас повяжут и в Пакистан продадут. А по горам в обход вы троп не знаете.

— А хера тут сидеть? — разъярился Шамс. — Ни жратвы, ни патронов, когда наши придут — неизвестно! А до базы — тридцать километров!

Шамс всё равно не рискнул высказывать недовольство пьянкой Серёги.

— Да в рот тебе турбину, — самолюбиво сказал Серёга. — Если спасаемый не врубается, что его спасают, следует прекратить спасательные работы.

Серёга понял, что Рамиль Шамсутдинов, обманутый жизнью, никому не доверяет, и Серёгиному опыту тоже не доверяет. Значит, свою правоту Серёга мог доказать лишь тем, что отпустит Шамса на поражение.

— Может, записку матери напишешь? — спросил Серёга у Шамса. Серёга знал, что Шамс — его земляк, тоже из Батуева. — Я передам, как дембельнусь.

— Я тебя ещё сам в Батуеве встречу, — с угрозой пробурчал Шамс.

Серёга хмыкнул, доставая из подсумка пластмассовую коробку аптечки.

— Немец, подсвети зажигалкой, — попросил он. — Шамсутдинов, присядь.

Серёга и Шамс одинаково присели на корточки.

— Держи... Вот эти пакетики — стрептоцид в порошке. Присыпай раны и ссадины, а то загноятся, — Серёга совал препараты Шамсу в руки. — Хлорные таблетки для воды. Сиднокарб, стимулятор. Жрите, если силы закончатся. Как на пружинах подымает. Этот «озверин» я у разведчиков купил.

Затем Серёга разделил рожки и патроны, приказал проверить автоматы.

— Дальше, мужики, — продолжал он, — напишите две записки со всеми вашими данными. Одну сюда, другую сюда, — Серёга шлёпнул ладонями себя по груди и по бедру. — Подпрыгнете на мине или прострелят из калибра — порвёт; надо, чтобы в каждой половине тела была записка. Карандаш есть?

— Иди ты, — огрызнулся Шамс.

— Калему будетс учить? Это молитва. Если попадёте басмачам в руки, кричите калему, тогда на месте не убьют, а хотя бы уведут до курбаша.

— Ну, давай, — угрюмо согласился Шамс.

— Запоминайте. «Ла илях илля миах ва Мухаммед расул Аллах».

— А это что значит? — с ужасом спросил Дуська.

— «Нет бога, кроме Аллаха, и Магомет — пророк его», — сказал Шамс.

— Откуда знаешь? — удивился Лихолетов.

— Я же татарин. У меня бабка в мечеть ходила. Рассказывала.

— Нифига себе, — Серёга недоверчиво хмыкнул. — И ещё. Там на мосту на танке осталась мина. Я не смог снять. Не прикасайтесь к люкам, ясно?

Лихолетов тщательно проверял Шамса и Дуську перед марш-броском. Серёга не верил, что эти двое доберутся, но не хотел потом винить себя.

— Да хватит! — Шамс раздражённо отстранил Серёгу. — Пора нам уже.

Он отвернулся и, не дожидаясь напутствий, полез из расщелины.

Серёга и Немец наблюдали, как Шамс и Дуська осторожно спускаются вниз по развалу к мосту. Они терялись среди валунов в хаосе лунных бликов и теневых пятен — их словно развеяло на лоскутки света и темноты. Долина простиралась в ночи длинная, ровная и пустая, как палуба авианосца, и над ней в косой проекции горела бессонно-фосфорическая гряда Гиндукуша.

— Красиво тут, правда, Серёга? — задумчиво сказал Немец.

— На мост зашли, — ответил Серёга, который следил за ушедшими.

Кто-то из двоих, Шамс или Дуська, замирая при каждом движении, как ящерка, перелез через уродливую угловатую громаду обезглавленного танка, перебежал по мосту на правый берег и махнул напарнику рукой. Второй человечек неловко вскарабкался на броню, к горловине жуткого кратера от сорванной башни, дёрнулся вперёд — и тут вдруг бабахнуло. На две стороны распахнулись полотнища огня, и в ярком пламени мелькнул чёрный силуэт летящего в воздухе человека. А потом бултыхнула вода под мостом.

— Да й-й-ош-ты в душу твою м-мать! — взревел рядом с Немцем Серёга.

«Люк!» — вспомнил Немец предостережение Серёги. Под люком — мина!

— Кто живой?! — открыто заорал Серёга уцелевшему бойцу.

— Дуська... Дуська подорвался... — донеслось через шум речки.

И тут из долины, из пещер в скалах, застучали два пулемёта. Длинные светящиеся строки трассеров перечеркнули пространство и гулко загремели по танку: его мёртвая и неподвижная туша покрылась бегучими новогодними огнями от пулевых ударов. «Духи» сразу сообразили, что случилось.

Пулемёты остановились. Во внезапной чуткой тишине Герман и Серёга услышали взволнованные голоса поднятых тревогой басмачей.

С правого берега двумя короткими очередями басмачам ответил Шамс.

— Ой, деби-ил!.. — охнул Серёга.

Герман еле успевал сообразить, что происходит. Перепуганный Шамс обозначил себя. Значит, теперь «духи» узнали, что за мостом кто-то есть ещё. По куцей стрельбе они поняли: там не подразделение «шурави», а одиночка.

— Шамс, назад! — негромко крикнул Серёга, приставив ладонь ко рту.

— Нет! — издалека отозвался Шамс.

Герман увидел, что по лунной долине от скал с пещерами к мосту уже несутся «бородатые». Их с десяток. Одежды у них развеваются, а в руках — автоматы. Через минуту басмачи окажутся на мосту и перескочат через танк. А если они перескочат через танк, значит, Шамсу конец. Это без вариантов. И неважно, ввяжется Шамс в бой с преследователями или будет убегать от них. Если бой, то басмачи — вдесятером одного — расстреляют Шамса, а если бегство, то на дороге «бородатые» всё равно догонят беглеца и зарежут.

— Неволин, у тебя двадцать секунд, чтобы дриснуть до Шамсутдинова, — вдруг холодно сказал Серёга, поднимая со дна расщелины свой автомат.

— Зачем? — удивился Немец.

— Вдвоём вы ещё сможете добраться до наших, если повезёт.

— А ты?

— А я задержу «духов» перед мостом. Сколько получится.

Герман поглядел на Серёгу. Наглая, одичавшая в пьянке Серёгина морда была бледная от луны. Растопыренные усы срослись с грязной щетиной. Обозлённый Серёга отомкнул и примкнул обратно рожок автомата, проверяя, передёрнул затвор. Тяжело дыша, он думал, что надо пропустить басмачей по мосту на правый берег — пусть догонят и убьют Шамса: Шамс это заслужил. Зато басмачи не узнают про оставшихся в убежище... «Да чтоб он сдох, этот Шамс! — ярость прокатилась по Серёге ознобом. — Мудак! Мудак!..»

Серёга опять повернулся к реке и ладонью направил свой голос:

— Шамсутдинов, уходи! Я задержу «духов» перед мостом!

Потом Серёга уставился на Германа — отчуждённо и бешено.

— И чо мы чешемся? Поезд отправляется! Живее за Шамсом!

Герман понял, что Серёга сейчас будет стрелять по басмачам. Он же командир, вот он и прикроет огнём отступление Шамса и Немца. Для Серёги это правильно. А что делать ему, Немцу? А у него ведь всё по-прежнему. Он — солдат. В этих пыльных глыбах на излучине афганской реки он обрёл свою крепость и своего командира. Как он может бросить крепость и командира?

— Серый, я не пойду, — просто сказал Герман.

На правом берегу Шамс убегал вверх по дороге прочь от моста.

— Так, блин, я и думал, — облегчённо ухмыльнулся Серёга. — Тогда твоя огневая на том конце расщелины. Давай туда. И жди волшебное слово...

Герман перебрался на указанную Серёгой позицию, положил рядом с собой на каменную полку пару запасных рожков и выставил автомат.

Моджахеды приближались к мосту.

— Коси их, салага! — крикнул Серёга.

ЧАСТЬ ВТОРАЯ

Глава первая

После разгрома «Юбиля» в батуевский следственный изолятор автозаки привезли чуть ли не сотню избитых «афганцев». Это был перебор, и «афганцев» начали скорее выкидывать, но сорок с лишним парней получили по десять-пятнадцать суток за административные нарушения. В итоге к маю 1993 года в СИЗО осталось шестнадцать человек — все члены Штаба «Коминтерна», которые попались, и самые борзые драчуны.

«Юбиль» стоял посреди площади как неживой: разбитые окна закрыты картоном, развороченный парадный вход заколочен досками и загорожен строительными лесами. В здание проникали через боковой подъезд; фойе — тёмное, захламлённое и сырое — никто не ремонтировал; почти все конторы «афганцев» временно не работали, их двери были опечатаны. Немец, водитель «барбухайки», и Дюша Воронцов, водитель «трахомы», играли в «тридцать одно» на заднем крыльце «Юбиля», если пригревало майское солнце.

В мае Немца дважды вызывали в горотдел милиции на допрос, в третий раз вызвали в июне. В кабинете Герман увидел Серёгу. Тот вразвалку, руки в карманах, сидел на стуле под плакатом «Валюты государств Европы».

— Я пять минут на перекур, — недовольно сказал следователь, подёргал ящик своего стола, проверяя, заперто ли, и вышел в коридор.

— Наш, «афганец», — снисходительно пояснил про следователя Серёга и расшарашил ноги до середины кабинета. — Охранял тоннель на Саланге.

Герман понял, что Серёгина «афганская идея» помогала и тут: «афганец» выручал «афганца». В следственной бригаде нашёлся опер, который устроил Лихолетову короткую встречу с доверенным человеком один на один.

— Как Татьяна? Нормально довёл до дома?

Герман догадался, что Серёгу заботила папка, которую вынесла Таня.

— Всё нормально, Серёга, всё тогда было в порядке. А как ты?

— Заебись! — Серёга ощерился в улыбке, словно был страшно доволен, и напоказ потянулся, как после сладкого сна. — Отдыхать — не подыхать! Голодом не кормят, здоровье не болит, работаем умственной деятельностью!

Он балагурил неестественно — убеждал себя, что всё прекрасно, всё по плану, всё под контролем. Но Герман видел, что Серёга подавлен тюрьмой.

— Серый, тебе дали пять минут, — напомнил Герман. — Говори о главном.

— Короче, Немец, нас тут, бля, приделали накрепко, — тотчас негромко заговорил Серёга. — Оттопчутся, гады. Надо мостырить нам гавнистию. Я всё придумал. Слушай внимательно. Бескровный вариант, парням не подстава.

Подавшись вперёд, Серёга быстро и чётко изложил свой план действий «афганцев», чтобы вынудить начальство до суда освободить арестованных лидеров «Коминтерна». Герман в очередной раз удивился выдумке Серёги. Конечно, деятельному Лихолетову киснуть в СИЗО было невыносимо.

— Всё понятно? Запомнил? Передай Бычегору. Надеюсь на тебя, Немец.

Герман шагал по бульвару от горотдела к остановке трамвая, щурясь на солнце, разглядывал девушек, таскал фисташки из пакетика и размышлял: почему он и почему Егор? Серёга всё рассчитал точно. Из реальных лидеров «Коминтерна» на воле остались Гоша Лодягин — секретарь, Билл Нескоров, Гайдаржи, Воха Святенко и Бычегор, который во время штурма «Юбиля» валялся в больничке со швом, открывшимся, когда ломали «Чунгу» и Бобона. Но только Егорыч не зассал бы организовать то, что задумал Серёга. Однако следак не согласился бы дать с ним встречу — все знали, что за зверь Егор. И поэтому Серёга вызвал Германа: и надёжный, и властям не подозрителен.

Серёга придумал перекрыть железную дорогу, но не так, чтобы парни легли на магистраль, а занять небольшую станцию — вокзал и диспетчерский пункт. И не надо загораживать пути: начальство наверняка само не выпустит поезда на линию, где потерян контроль. А вокзал — это не «рельсы-рельсы, шпалы-шпалы», здесь можно держать оборону от ОМОНа. И властям не в чем будет обвинить «афганцев» — они всего лишь проникли в служебные помещения. Серёга даже указал, какую станцию надо взять, — Ненастье.

В тот же день вечером Немец пошёл к Быченко домой.

Бычегор получил квартиру в левом доме «на Сцепе» на четвёртом этаже. Герман никогда не бывал у Бычегора. В Батуеве везде ставили на подъезды железные двери, а двери в высотках «на Сцепе» пока что оставались прежние — фанерные и расхлябанные: никакие домушники не рисковали соваться к «афганцам». Немец поднялся пешком и позвонил в квартиру Быченко.

Егор был женат, Немец не раз видел его жену — маленькую, красивую и фигуристую бабёнку. Её звали Лена. Во дворе она ни с кем не дружила, не звала в гости, и её считали стервой. Она открыла дверь.

— Егорыч дома? — спросил Герман.

Лена молча закрыла дверь, и Герман опешил: как это понимать? Он постоял на площадке, не зная, что делать, а потом дверь опять открылась.

— Заходи, — сказал Бычегор, будто Герман выдержал какую-то проверку.

Герман разулся в прихожей.

— Пусть тапки наденет, — из дальней комнаты приказала Лена.

У Быченко была большая трёхкомнатная квартира. Герман вспомнил, как Егор приносил в жилищную комиссию «Коминтерна» справки, что будет заселяться с тёщей, тестем и сестрой жены, но даже из прихожей было ясно: Егорыч с женой живут вдвоём, без родни. «Смухлевал!» — с удивлением понял Герман. Могучий Егор как-то не вязался с мелким бытовым обманом.

— Иди в кухню, — кивнул Быченко.

Он посадил Немца за кухонный стол и грузно уселся напротив.

— Когда сам не пью, другим не предлагаю, — сурово сказал он и окликнул жену в глубине квартиры: — Ленка, налей нам чаю.

Пришла Лена в лёгком восточном халате с драконами. Обдавая запахом парфюмерии, она поставила две фаянсовые кружки с надписями «Егор» и «Наш друг», сноровисто налила кипяток, двумя пальцами бросила в воду пакетики чая, экономно положила в вазочку варенья и молча ушла.

— Что у тебя за проблема? — напрямик спросил Бычегор.

— Не у меня. Я сегодня встречался с Серёгой. У него для тебя план.

Герман пересказал Егору Серёгин замысел. Быченко слушал, постукивая пальцами по столешнице. Он был в майке-тельняшке и длинных спортивных трусах. Какой всё же Егор могучий, подумал Герман. Плечи как футбольные мячи, грудь как бочка, толстые руки торчат в стороны, как вековые ветви. Парни любили Егорыча, потому что он был сильный и прямой, но Герман понимал: раскачан Бычегор от анаболиков, а прямой — потому что недалёкий.

Егор выслушал Немца и сказал устало-начальственным тоном:

— Ясно. Я подумаю, что тут можно сделать.

Он молчал, будто думал: принять предложение Серёги или отвергнуть?

— Вообще-то, Егорыч, это план для исполнения, а не для обсуждения, — осторожно напомнил Герман. — Серый и сейчас командир «Коминтерна».

— Он даже на киче всё такой же, — с досадой и презрением сказал Егор. — Суетится как молодой, с каждым чёртом договаривается: ты мне друган, я тебе друган. Кто обосрётся, он газетку мнёт. Пионербол, бля. В Афгане такие с брони в бинокль смотрели, когда я с вертушки на перевалы камнем падал.

— Егор, не бурей, — холодно ответил Герман. — Давай о деле.

— Свожу я бойцов в этот культпоход, не вопрос, — Егор повёл мощным плечом, словно освобождаясь от чего-то. — Но не так всё надо. Ясельки, бля.

Из кухни Герман видел гостиную Егорыча — полутёмную от пышных портьер с кистями, заставленную массивной полированной мебелью. В шкафах рассыпчато блестел хрусталь; хрустальная люстра, диван и кресла были прикрыты чехлами; на полу и на стенах распростёрлись багровые ковры. Это была гостиная директора гастронома, а не командира спецназа.

— А как, по-твоему, надо, Егор? — будто чужой, поинтересовался Герман.

Быченко упёр кулачищи в бока и с треском расправил грудь.

— Лихолет сделал из «Коминтерна» стройотряд, а мы — армия, — весомо сказал он. — Мы бантики завязываем, тортики печём, бабусек через дорогу переводим, а у нас — сила! — Егор показал Немцу огромные ладони, будто просил положить в них оружие. — Мы в городе кого угодно раздавим! Мы даже ментов раздавим! У нас тыща бойцов, и не угланы, а солдаты с Афгана. Нахера нам со всеми задруживаться, как Лихолет делает? «Коминтерн» — это два пехотных батальона! Пришёл, бля, отгондошил, победил!

— Если Серёга не прав, почему его выбирают командиром?

Об этом Егор не задумывался. Ему хватало общих расхожих убеждений, которые возникают сами собой из простейшего опыта и потом существуют неизменными, как деревья в лесу. Например, сила есть — ума не надо.

— Ну, больше его и не выберут, — уверенно пообещал Егор.

— Считаешь, «афганская идея» в том, что для нас вся жизнь — война?

— Мне похер на заморочки Лихолета. Был боец, стал замполит.

— А что должен делать боец? — Герман хотел узнать до конца, что думает Бычегор (удивило его пренебрежение к Серёге). — Если перекрыть железку, чтобы наших выпустили, — не тема, то предлагаешь СИЗО штурмовать?

— Вариант, — спокойно и снисходительно кивнул Бычегор.

— Я с тобой не согласен.

— А кто тут тебя спрашивает, Немец? — надменно хмыкнул Бычегор.

Но сделал всё он так, как придумал Лихолетов.

Акцию Серёга назначил на 2 августа, день ВДВ; это был понедельник. Уже с утра, опохмеляясь после выходных, по городу шатались десантники в тельниках, пятнистых штанах и голубых беретах. Они стаями ходили по рынкам, выискивая, к чему прицепиться, сидели на газонах, распивая пиво, во дворах с гоготом качали друг друга на детских качелях, толпой в обнимку выпирались на проезжую часть улиц, блокируя движение. Горожане терпели, уклоняясь от злобно-весёлой десантуры, готовой к быстрой обиде и драке.

Серёга рассчитывал, что менты будут заняты «голубыми молниями» в Батуеве и проворонят все события за городом. «Афганцы» затеряются среди вэдэвэшников, и акция в Ненастье грянет неожиданно, как подрыв танка.

Ненастье находилось в двадцати километрах от Батуева: десяток путей, переходный мост, двухэтажная диспетчерская башня, платформа и перрон, сквер и вокзальчик с буфетом, кассой и залом ожидания. Станция считалась главной для райцентра Ворошилово — крупного и близкого города-спутника Батуева, но собственный пристанционный посёлок был небольшим. Вообще же Ненастье стояло на магистрали Казань — Оренбург: не Транссиб, конечно, однако затор здесь неизбежно станет сюжетом федерального масштаба.

В день ВДВ — Ильин день — летняя жара повернула на грозу. От Батуева вдоль линии горизонта, медленно вскипая, ползли бугристые тучи. Чистый зенит ожесточённо сиял. Деревья в сквере то вдруг взволнованно шумели, и тени их ветвей махали по стенам вокзала, то разом умолкали. Электричка из Батуева подкатила к Ненастью с ошалевшим видом, словно вырвалась из боя.

Несколько окон были разбиты, а в остальных светлели лица: пассажиры с облегчением наблюдали, как из электрички на перрон вываливают одетые в камуфляж «афганцы». За полчаса пути они прессанули весь поезд: орали, пили и курили в вагонах, у кого-то обшарили рюкзак, кому-то дали в торец. Они выгружались с уверенностью оккупантов: из одного тамбура с гоготом тянули за собой каких-то перепуганных и визжащих девчонок, с которыми в электричке и познакомились, из другого тамбура, матерясь, вытаскивали велосипеды, отобранные у попавшихся на пути туристов.

«Афганцы» сразу заполнили собой весь перрон перед вокзалом. Здесь на ящиках сидели старушки, продавали пирожки и семечки; их сразу окружили, в суматохе чьи-то руки разобрали пирожки, горстями выгребли семечки из мешков. Обомлевшим бабкам на колени бросили смятые купюры, сыпанули мелочи, но всё равно на станции стало как в небе — тревожно и опасно. Дверь вокзальчика подтягивала пружина, чтобы внутрь не прошмыгивали бродячие собаки, — пружину оторвали, и «афганцы» хлынули в зал ожидания.

— Станция закрыта! — по-хозяйски объявил Быченко и отпихнул ногой с дороги чей-то баул. — Шмотки в зубы, и всем свалить! Даю пять секунд.

Пассажиры торопливо засобирались, стараясь не глядеть на захватчиков.

— Война, что ль, какая, ребята? — бестолково спрашивала у «афганцев» пожилая тётка деревенского вида. — А поезд-то будет, или отменили?..

— Не будет поезда, мать, — ответил Жека Макурин. — Шуруй до хаты.

Дачники с рюкзаками и вёдрами, толкаясь в дверях, выходили из зала.

— Чё такое-то? — удивилась буфетчица за стойкой. — Как это закрывают?..

Лёлик Голендухин прошёл за стойку, отодвинул буфетчицу, вытащил откуда-то снизу ящик с бутылками пива и, улыбаясь, брякнул на прилавок.

— Угощайся, братва! — Он взгромоздил рядом второй ящик.

Он радовался своей щедрости, будто не отнял, а нашёл угощенье, как грибы в лесу. «Афганцы» обступили буфет и, хохоча, разбирали бутылки.

— А платить?.. — спросила буфетчица и закрыла рот ладонями.

Голендухин выставлял на прилавок всё, что было в закромах буфета, — «сникерсы», коржики и пирожки в лотках, кейсы с банками газировки.

Зал ожидания уже освободился от ожидающих, только в углу на скамье спал растрёпанный пьяный мужик. Лёха Бакалым и Чича подняли скамью и вывалили спящего на пол. Мужик ударился головой и завозился, охая.

Егор Быченко и его приятели — Джон Борисов, Тамбулатов, Ян Сучилин — прошли в служебные помещения вокзала. В окошко билетной кассы Егор увидел, что кассирша запирает сейф. Растерянный начальник вокзала сидел в своём кабинете за столом и накручивал диск телефона. Парни загромоздили кабинет. Быченко бережно отнял у начальника трубку и положил на рычаги.

— Связи отбой, дядя, — снисходительно сказал он.

— Кто вы такие? — нервно спросил начальник. — Что всё это значит?

— Щас буду объяснять, — пообещал Егор и придвинул себе стул.

На небольшой площади перед вокзалом раскинулся рыночек: несколько железных ларьков, раскладные полотняные палатки с одеждой, неизменная гора дынь и арбузов. Из лужи возле водоразборной колонки пили голуби.

Едва из вокзала побежали пассажиры, весь рыночек всполошился.

— Вэдэвэшники приехали! — пронеслось по торговцам.

Тётки-палаточницы кинулись срывать с вешалок шмотки, распихивая их по сумкам как попало. Из ларьков выскочили продавщицы, чтобы закрыть витрины железными ставнями. Кавказцы просто исчезли, бросив всё. На автобусной остановке сбилась беспокойная толпа, готовая к панике.

Пятнисто-зелёные «афганцы» потекли из дверей вокзала на площадь.

— Гаси магомедов! — крикнул кто-то, увидев арбузы и дыни.

К остановке подъезжал рейсовый автобус — ушатанный и дребезжащий ЛиАЗ. Водитель ещё не успел затормозить, как толпа кинулась на посадку и раздвинула хлипкие двери-гармошки. Выйти из автобуса не удалось никому — испуганные люди ломились в салон, занося друг друга. Водитель отчаянно просигналил и медленно тронулся, а толпа, яростно ругаясь, поволоклась за автобусом по дороге, как борода из пчёл, когда пасечник достаёт рой.

В это время, отвлекая «афганцев» от ЛиАЗа, на привокзальную площадь с шоссе вывернули «трахома» и «барбухайка». Немец и Андрюха Воронцов привезли из города продукты (тушёнку, коробки бич-пакетов, бидоны с пивом) и девчонок, жён «афганцев», которые согласились помочь в буфете.

Впрочем, главная задача решалась в диспетчерской башенке.

Лихолетов отучился в железнодорожном техникуме и знал, что станцией управляет не начальник вокзала, а дежурный на посту маршрутно-релейной централизации. Но Бычегор почему-то не поверил Серёге и на командный пункт станции направил Басунова, который после разгрома «Юбиля» отсидел пятнадцать суток. Басунов взял с собой тех, с кем охранял Серёгу: Дудоню, Жеку Беглова, Гришу Хрипунова по прозвищу Минёр и Темурчика Рамзаева.

Они прошли по перрону к башне, стоящей поодаль от вокзала, выбили дверь и поднялись на второй этаж. Диспетчерский пост имел óкна на три стороны, чтобы видеть всю станцию. В небольшом помещении полукругом выстроились пульты с рядами переключателей, индикаторов и циферблатов. Перед пультами, не загораживая панорамы, стояли стенды, расчерченные линиями и светящимися пунктирами. В крутящихся креслах сидели две тётки в форме. Одна деловито говорила по телефону, вмонтированному в панель:

— Платонов, принимаем на четвёртый путь до маршрутного сигнала.

Тётки оглянулись на вошедших «афганцев».

— Немедленно вон отсюда! — властно приказала та, что была потолще.

Басунов уже проинструктировал парней, как себя вести, и парни молча ухмылялись, игнорируя приказы диспетчеров. Минёр и Жека сели на пустые стулья, Дудоня притулился на угол пульта, Темурчик закурил у окна. Сам Басунов как посторонний разглядывал приборы, читал подписи: «размык.», «автовозвр.», «контр. батарей», «переезд 1», «выдержка времени», «неиспр.».

— Тамара Ильинична, может, милицию вызвать? — негромко спросила у толстой начальницы младшая диспетчерша.

Басунов слушал и наблюдал. Ему приятно было видеть, какую большую и неустранимую помеху он собою создаёт для работы этих тёток-дежурных.

— Долго вы тут будете? — всё поняв, спросила старшая тётка.

— Сколько потребуется.

— Мне надо сообщить по смене и начальнику дистанции, — сказала старшая диспетчерша. — У меня шесть поездов на линии. Это серьёзно.

— У нас тоже серьёзно, — ответил Басунов.

— Не трогай нигде, дебил! — крикнула младшая тётка Дудоне, который повертел пластмассовый переключатель с подписью «снятие извещения».

— Дадите полчаса на блокировку хода? — снова спросила старшая тётка.

Она быстро и умело переключилась на режим чрезвычайной ситуации.

— Мы ничего не делаем и ничего не приказываем, — пожал плечами Басунов. — Мы просто так пришли. Делай, чего хочешь.

Диспетчерша взяла с пульта телефонную трубку.

— Двенадцать, полста семь, говорит Ненастье, — сказала она. — У нас ЧП. Станцию и пост заняли какие-то люди в военной форме. Их много.

Басунов наклонил голову, слушая. В трубке что-то горячо поясняли.

— Ясно. Ясно. Да, — тётка кивала. — Понятно. Нет. При них работать нельзя. Они тут везде ошиваются, кто знает, что у них в мозгах? Которые в посту — вроде трезвые. Нет, неуправляемые. Нет, невозможно. Без гарантий.

Басунов слегка прижмурился в глубоком удовлетворении.

— Перекрываем всё движение по магистрали, — положив трубку на пульт, сообщила старшая диспетчерша. — Это вам было надо, парни?

— Мы только погулять вышли, женщина, — улыбнулся Басунов.

В это время на привокзальной площади разгружались «барбухайка» и «трахома», Немец таскал продукты из автобусов в вокзал. На разгрузке главной была Марина Моторкина. Герман познакомился с ней два года назад, когда «афганцы» заезжали в дома «на Сцепе», и сейчас Марина вела себя с Немцем как со старым знакомым: всю дорогу до Ненастья стояла у него за спиной, болтала и смеялась. Герман ощущал её присутствие, как тепло от печи. Ему нравилась Марина: красивая, весёлая, пышная, какая-то осязаемая.

Марина командовала организацией питания. На вокзале она заняла разграбленный буфет и маленькую кухоньку-подсобку, где были стол, мойка и плита. Сюда Герман и Дюша Воронцов принесли коробки и бидоны. Ленка Спасёнкина в наклон подметала пол, толкаясь попой с Олей Канунниковой, которая прибиралась на витринах. Марина надела кокетливый кружевной фартук, игриво покачала крутыми бёдрами и сказала Немцу:

— Как для ролевых игр в порнухе. У меня дома и халат медсестры есть.

— Зовёшь Немца зайти? — ехидно спросила Спасёнкина, шуруя веником.

— Ты ещё пять минут кверху задом постой, и он уже к тебе пойдёт.

Герман давно растерял всех подруг, потому что девчонок некуда было приглашать: в его «блиндаже» всё время торчали и квасили дозорные. Чтобы не терзать себя соблазном возле Марины в буфете, Герман вышел на привокзальную площадь. Здесь хозяйничали «афганцы», продолжая праздник, который они считали для себя главным, — день ВДВ.

На одной стороне площади затеяли волейбол, вернее, дикую и свирепую игру арбузами: две толпы — одна в тельниках, другая голая по пояс — орали и скакали друг перед другом, яростно перешвыриваясь увесистыми зелёными бомбами. Удар «арбузера» сносил с ног, но уклониться считалась западло — надо было поймать снаряд и залепить обратно в противника. Весь асфальт под ногами команд был закидан кровавыми кусками разбитых арбузов.

В центре площади на газоне кружили в спаррингах борцы: сцеплялись, застывали и вдруг переворачивали кого-нибудь к небу белыми кроссовками «саламандра». У борцов надувались жилистые шеи, а трицепсы растягивали вытатуированных драконов, парашютистов и сисястых девок с кинжалами.

— А на́ в жбан! — кричал Анзор Зибаров, показывая высокие удары ногой.

Зрители сидели на скамейках и на асфальте, лежали на пыльной траве обочин, пили пиво и водку, курили, ржали. Вокруг вертелись собаки, воробьи и голуби. Солнце жарило перед грозой; блестели окна автобусов, циферблат часов на фронтоне вокзала и длинные ряды пустых рельсов за сквером.

Пашка Зюмбилов, его приятель Фочкин по прозвищу Фоча, Димарик Патаркин и другие такие же болваны развлекались тем, что валили железные киоски. Подступившись с одной стороны, они приподнимали короб ларька и целиком обрушивали набок. В металлическом коробе что-то грохотало и звенело. Фоча на карачках лез в киоск и выбрасывал банки и упаковки.

Над вокзалом и площадью киномеханик Лёха Бакалым по трансляции пустил разухабистый хриплый шансон, упоённый своей непристойностью: «Мы знаем, что водка вредит организму, но есть один хитрый секрет: поставьте себе в жопу с водкою клизму: и запаха нет, и в дуплет!»

Герман присоединился к компании Готыняна и Гайдаржи. Они пили текилу — модное бухло коммерсантов. Птуха напузырил Немцу полстакана. Немец огляделся. Впервые со штурма «Юбиля» душе его стало легко. После разгрома ему казалось, что всё кончено, а сейчас он увидел, что нет — всё по-прежнему. Тут, на станции, было почти как тогда, при заселении в дома «на Сцепе»: парни, движуха, бестолковая радость ни от чего, жажда девчонок и подвигов. Немцу хотелось влиться в толпу, выпить хоть с кем, — он и выпил.

Потом он пошёл побродить, поздороваться со знакомыми, и выбрался на перрон. Здесь парни расставили привезённые с собой мангалы и жарили шашлыки, поломав на дрова штакетник, ограждавший клумбы и сквер.

— Держи штык, — Рафик Исраиделов сунул Герману шампур с мясом.

Герман присел на край перрона и свесил ноги. Рядом вдруг появилась Марина Моторкина, оперлась на его плечо и осторожно уселась бок о бок.

— Мужчина, не угостите девушку шашлыком? — лукаво спросила она, сладко дохнув ликёром. Лифчик под просторную футболку она не надела.

Герман молча протянул шампур остриём кверху, словно цветок.

— Готовлю там, готовлю, как рабыня Изаура, а они тут на улице всякую дрянь жрут, — сказала Марина и зубами стащила с шампура кусок мяса.

Они ели шашлык по очереди и понимающе улыбались друг другу. Пахло дымом, мясом и дёгтем шпал. Растянутые в обе стороны рельсовые пути неслышно звенели от напрасного нервного напряжения. Над ржавой крышей вокзала и над проводами станции носились и верещали жаворонки.

Марина отдала шампур и привалилась спиной к плечу Германа.

— Хоть так к мужику прислониться, — притворно вздохнула она.

Герман искоса поглядывал на неё, видел в вырезе футболки её тяжелые груди и вспоминал: Марина — разведёнка, мать-одиночка, сестра Мопеда...

А потом она поднялась и отправилась обратно в буфет, и Герман тоже снова двинулся на площадь, чтобы ещё с кем-нибудь накатить.

Парни на площади были уже пьяные: они кучами сидели на горячем асфальте, как настоящие афганцы в кишлаках. В одной такой толпе резались в карты на фофаны; другая толпа, не замечая шансона по радио, подпевала Ване Ксенжику, который бренчал на гитаре; в третьей толпе отжимались от кирпича на спор и, лёжа в траве на пузах, состязались в армрестлинге. Чича устроил тир: раздал духовые пистолеты и продавал пульки; стрелки хлопали по голубям, что ходили по площади среди бутылок и арбузных корок. Кто-то спал, обгорев до красноты. Кто-то обливался возле водоразборной колонки. В железных коробах поваленных и ограбленных ларьков шуршали собаки. По трансляции над площадью гремели глумливые раскаты: «Чтоб с какой-то лярвой я время проводил? Был бы кореш старый, он бы подтвердил!»

Рассматривая площадь, Немец вспомнил Серёгу. Всё-таки чувствуется, что его тут нет. Что-то здесь не то. Вроде примерно так же всей дивизией ужрались после заселения «на Сцепу», но... При Серёге они понтовались по принципу «кто круче сделает», а сейчас по принципу «кто круче сломает». Эта разница пока была почти незаметна, однако Герман её уловил.

Вечером на привокзальную площадь с шоссе съехали два автобуса ПАЗ — наконец-то пожаловала милиция. Однако менты оказались не громилами из ОМОНа, а обычными и потому будто бы недоделанными: в синей форме и городских ботинках, а не в камуфляже и берцах; бронежилеты и каски точно чужие, щитов нет. «Пазики» остановились на дальней стороне площади. Менты, все распаренные от жары, выбрались наружу и стояли гурьбой — курили, пили воду из пластиковых бутылок и рассматривали «афганцев».

«Афганцы», словно израненный гарнизон, устало сидели и лежали по обочинам замусоренной площади, в сквере и в тени под стеной вокзала. Их было раза в три больше, чем ментов. При виде противника «афганцы» ожили, зашевелились, принялись опохмеляться. На площадь выперся голый по пояс Джуба — Жиенбек Джубаниязов, пьяный и злой; он ходил мимо ментов туда-сюда, фантастически ловко вертел вокруг себя нунчаки и, задирая локти, быстро перехватывал убийственные палочки то под мышкой, то на загривке.

К «пазикам» подкатил ещё и милицейский «бобик» с мигалками, оттуда вылез полковник Свиягин. Не обращая ни на что внимания, словно был свой и ничего не боялся, Свиягин в одиночку деловито прошёл в вокзал. Он как-то сразу понял, где искать руководителей акции. В многолюдном зале ожидания пахло пролитым пивом, специями китайской лапши и анашой — здесь хавали, кто проголодался, и отдыхали от жары. Свиягин пересёк зал, перешагивая через ноги, и открыл дверь с табличкой «Служебное помещение».

Шансон по трансляции вдруг прекратился, и на всю площадь захрипели какие-то трескучие шорохи, потом раздался огромный хмельной голос:

— Лёха, пусти, бля... Сюда говорить? Алё-алё... Раз, два, три. Внимание! Говорит военная база! Объявление для ментов! Все менты — пидоры!

В динамиках заржали. Это в диспетчерскую к Бакалыму влезли шутники — Зюмбилов, Фоча, Голендухин, Лещёв. Парни-«афганцы» на площади тоже заржали. Отпихивая друг друга, шутники принялись орать в микрофон:

— Боец, который не может встать, наступает лёжа!

— Пьяный десантник страшнее танка!

— Первый удар — это удар, остальные — издевательство над трупом!

— ВДВ, бля!!! Молитесь, падлы!!!

Воробьи шарахнулись с площади в небо. Менты хмуро слушали.

— Пьяный десантник сшибает самолёт кирпичом!

— Менты, суки, щас узнаете, из какого места адреналин выделяется!

— Очко десантника в полёте перекусывает колючую проволоку!

— Где кончается ад, начинается Афган!!!

В это время в кабинете начальника вокзала полковник Свиягин, закрыв дверь, без свидетелей разговаривал с Егором Быченко. Иван Робертович был жутко раздражён: после разгрома «Юбиля» он отчитался, что ликвидировал «афганскую» ОПГ и ждал поощрения или повышения, а тут — захват станции. Значит, ОПГ не ликвидирована. Более того, бандиты перекрыли железную дорогу, а за такое Свиягину вообще звёзды свинтят! Но полковник не хотел показывать Быченко, насколько действенной была угроза «афганцев».

— Как же вы меня заебали, парни! — добродушно вздыхал Свиягин.

Он делал вид, что «афганцы» для него — как бы пацаны, сорвиголовы, мелкие и юркие хулиганы; они не опасны всерьёз, но дерзкие и назойливые: то и дело отвлекают важного и занятого дядю, дёргая за штанину.

— Давай, значит, так, сынок, — Свиягин похлопал Бычегора по ручище. — Сейчас к вам высылаю электричку, и вы дружно освобождаете станцию.

— Ты про наших на киче забыл, — свысока напомнил Быченко.

— Так вечер уже! — с досадой ответил Свиягин. — Администрация СИЗО сдала дежурство! Всех ваших выпустим завтра, не обосрутся. Слово офицера.

— Мне твоим словом подтереться. Если завтра наши не откинутся, мы вам снова жопу на глаз натягивать будем.

— Вот ведь какие вы все молодые-горячие! — по-стариковски посмеялся Свиягин, хотя с большей охотой влепил бы этому амбалу пулю в лобешник.

«Афганцы», наглецы и отморозки, никого не уважали, ломили своё силой, нарушали порядок и нагло залезали туда, где принимают решения. Сам Свиягин протискивался сюда три десятилетия, выслуживался и угождал командирам — а эти заскочили, как на подножку вагона попутного поезда.

Свиягин понимал, что сейчас «афганцы» переиграли ментов. Лидеров «Коминтерна» надо выпустить. «Афганцы» должны уйти со станции сегодня, и тогда акцию в Ненастье полковник спишет на десантуру, оборзевшую в день ВДВ. Если хулиганит десантура, то к Свиягину нет претензий, у всех так, а если «афганцы» — значит, полковник соврал, что ликвидировал ОПГ.

Быченко и Свиягин выпили коньяка, и Свиягин пошёл к своим. Вскоре на привокзальной площади менты побросали недокуренные сигареты и с явным облегчением полезли в автобусы. «Пазики» развернулись и уехали.

Над площадью по трансляции загремел голос Бычегора:

— Внимание, приказ по фронту! Победа, мужики! Мы их сделали! Завтра наших выпустят из СИЗО! — Вокзал и площадь взревели. — В общем, всем дембель! Скоро нам подгонят электрон, так что готовьтесь к погрузке!

Гроза всё-таки докатилась до станции Ненастье. Потемнело, как ночью, и похолодало, будто осенью. Герман успел перетаскать обратно в автобус неизрасходованные продукты из буфета и укрылся от грозы в «барбухайке». Марина тоже оказалась в салоне. Они сидели рядом на клеёнчатом диванчике и смотрели, как по всем окнам снаружи одинаково струится вода. Крыша автобуса рокотала, и «барбухайка» чуть раскачивалась, словно корабль.

Ливень столбами стоял со всех сторон, как шумящий лиственный лес. Вдали в небе за кронами сквера иной раз широко и бледно освещались какие-то бесформенные взрытые пустоты — мокрые молнии мелькали там с треском и шипеньем в быстрых корчах среди клочьев пара. Здания и деревья при вспышках казались кособоко отлитыми из чёрной стекломассы. В подвижной глубине дождя огни станции шевелились, будто длинноволосые звёзды.

— Чего ждём, почему не едем? — насмешливо спросила Марина.

— Если честно, то мне нельзя, я же пьяный, — ответил Герман.

— Кто тебя увидит? Возьми да сделай! — Марина говорила с вызовом, с двойным смыслом, с жаждой подчиниться беззаконию. — Не мужик, что ли?

— При чём тут мужик или не мужик? — хрипло сказал Герман.

Марина умело потрогала его пальцами поверх штанов.

— Короче, Немец, — с весёлым и опасным напором зашептала она, — или сейчас мы с тобой трахаемся, или я за себя не ручаюсь!

Она состояла из округлостей, которые бесстыже выпукло отсвечивали в полумраке. Герман загребал их в ладони, словно собирал горячие плоды на тучных райских плантациях, словно отрясал отягощённые ветви сказочных яблонь, словно снимал фрукты в оранжерее, переполненной урожаем.

И после для Немца началась новая жизнь. Марина Моторкина сделалась его женщиной, а Егор Быченко — его командиром. Дело в том, что третьего августа власти и вправду выпустили из СИЗО активистов «Коминтерна» — всех, кроме Лихолетова. Он остался за решёткой, один за всех «афганцев». А «афганцы» на ближайшем собрании выбрали Егора Быченко, освободителя пленных, командиром «Коминтерна» — вместо отсутствующего Серёги.

* * *

Марина Моторкина оказалась девушкой хваткой. Она пришла к Герману в «блиндаж», заночевала, потом снова, снова, а потом осталась уже насовсем.

— Ладно, уломал, попробуем пожить, — насмешливо сказала она, хотя Герман её не уламывал. — Ничего-то вы, мужики, не можете решить сами.

Марина работала на Шпальном рынке, продавала ширпотреб в палатке. Хозяйкой у неё была Валентина Танцорова, Танцорка. Со времён побега Владика с Таней Куделиной Танцорка уже раскрутилась: у «Коминтерна», владельца Шпального рынка, она арендовала четыре площадки. Несколько «челночниц» возили ей товар из Китая и Турции, а девицы вроде Марины или её неразлучной подруги Ленки Петуховой торговали на местах.

Замуж Марина не выходила; в девятнадцать лет она залетела и родила от другана своего брата Гошки по прозвищу Мопед. Сына назвала по моде на древнерусское — Елизаром. Елька не запомнил папашу; папаша бухал и был послан нахер ещё до того, как сын начал говорить. Марина вообще умела держаться твёрдо. Жила она в общаге и разборчиво примеряла парней по очереди — кто годится на роль мужа, а Ельку воспитывали бабка с дедом: всё равно им на заводе почти не платили, и вкалывала в семье Марина.

Она навела справки про Немца и даже удивилась: как такой выгодный вариант оставался не приватизированный? Мужику двадцать восемь — самый раз. Работает. Не пьёт. Не алиментщик. Не урод. Наверное, свобода Немца объяснялась тем, что у него не имелось нормального жилья, хотя бы комнаты в общаге, чтобы наладить отношения с бабой. В его «блиндаже» несла вечное дежурство пьяная компания «афганских» корефанов. Но война закончилась, Лихолетова посадили, а компанию, если умеючи, можно выпихнуть вон.

Герману понравилось, как уверенно Марина внедряется в его неловкое существование — словно доктор явился и вылечил. Германа волновало вызывающее бабство Марины, когда она в одних трусах стирала на кухне бельё, или когда садилась на унитаз, не закрывая двери туалета, или когда со смехом нагло и без спроса залезала к нему в ванну, расплёскивая воду на пол.

Пьяные дежурства в «блиндаже» Марина искоренила за две недели.

— Вы мальчики, что ли, да? — спрашивала она у парней, выпивающих на кухне, и игриво толкала кого-нибудь бедром. — Слезайте со стакана и валите! Не при вас же мы с Немцем будем делать чик-чик — ах-ах. Понимать надо!

Парням приходилось убираться, иначе прослывут мальчиками.

Марина требовала от Немца регулярного и крепкого секса, как землекоп — сытной еды. Марина ничего не стеснялась и ничем не очаровывалась.

— Что за дыры на потолке? — интересовалась она, лёжа на диване голая.

— В том году в окно стреляли. Пугали.

— Надо тебе весной отремонтировать тут всё. Обои вон на углу порваны, в кухне потолок прокурили, плинтус отодрался. Не люблю срача.

Вечерами перед сном Марина выставляла Герману по три бутылки пива и одну — себе. По пятницам Герман начал получать бутылку водки.

— Я вообще-то не пью, — осторожно заметил он. — Я же водитель.

— Да ладно тебе, — отмахнулась Марина. — Лучше тут, у меня на глазах, чем где-нибудь в гараже. Не верю я, что мужик вечером выпить не хочет.

— Как мальчик, да?

— Живи как все, Неволин, не выёживайся, — сердито отвечала Марина.

Сама она была не прочь выпить, но никогда не напивалась. Теперь вместо корефанов Немца в квартиру 147 приходили подруги Марины — все девицы под стать ей крепкие и весёлые, и каждый день была Петухова. Марина, с подругами устраивала посиделки за вином и запиралась на кухне. Если Герман совался за какой-нибудь надобностью, ему дружно кричали:

— Ты чего подслушиваешь? У нас вообще секретные разговоры!

— Знаю я все ваши секреты, — смеялся Герман. — Светка с любовником поссорилась, Нинка беременная, а Петухова страдает, что задница толстая.

— Проваливай, мразина! — яростно орали девки. — Марья, не давай ему!

Вечером, завиваясь на бигуди, Марина спрашивала:

— Ты почему всякий раз к нам лезешь?

Герман терялся: что ответить? Забавно же, вот и заглядывает на кухню.

— Я вижу, как ты смотришь на Петухову, — без тени сомнения говорила Марина. — Предупреждаю, от таких закидонов я быстро тебя отучу.

У Марины были свои представления о Германе, точнее, о всех мужиках, а Немца она считала вариантом общего правила. Все мужики хотят выпить — поэтому им надо наливать, но понемножку. Все хотят налево — поэтому надо следить за ними. Никто не желает работать, поэтому надо заставлять. Никто не может принять верное решение, поэтому всегда решает женщина.

— Слушай, Германец, — как-то сказала Марина, — я тут подумала, чтобы ты зарплату вот сюда в тумбочку ко мне ложил. Так будет правильно.

Герман соглашался, что им надо определиться с деньгами на хозяйство.

— И как ты предлагаешь вести общие дела? — аккуратно спросил он.

— Общие дела у нас в койке, — улыбнулась Марина и поправила грудь. — А тут — одни мои дела, а ты просто на стуле сидишь. Если мы семья, конечно.

— А мы семья?

— Надо пойти расписаться. Давно пора, между прочим. Держишь меня, как блядь на заборе — ни на двор, ни в переулок. Нехорошо это.

«А почему бы и нет?» — подумал Герман. Марина будоражила его, будто к нему подключали какую-то мощную электробатарею. Ему приятно было, что

Марина такая деятельная, жадная до жизни и даже что она такая упёрто-бабская. Тихий и послушный пятилетний Елька тоже не был обузой.

— Я не против, Марин, — улыбнулся Герман. — Только свадьбы не хочу.

Он не мог вообразить себя участником глупых представлений, которыми терзают женихов; он не будет петь серенад под окном, не будет выкупать невесту у похитителей, не будет с завязанными глазами на ощупь определять молодую жену по голым коленям, причём какой-нибудь шутник обязательно задерёт штанину и подсунет свою волосатую ногу.

— Я хочу всё как у людей! — строптиво заявила Марина. — Белое платье, фату, свидетелей с лентами! Я первый раз замуж выхожу, между прочим!

— Организуем застолье, — согласился Герман. — Но без фокусов.

— Ладно. Но ты мне за это должен, понял, Неволин?

Они расписались в ЗАГСе в последнюю пятницу декабря. Марина осталась на прежней фамилии, чтобы не переоформлять кучу документов на себя и на сына. Покатались по городу и поехали отмечать в «Юбиль», в «афганское» кафе «Баграм». Марина была в пышном белом платье и в фате, Герман — в костюме, который ему одолжил Гайдаржи. Все столы сдвинули в один общий стол. Слева от Марины села Ленка Петухова с алой лентой через плечо — свидетельница, а справа от Германа — Володя Канунников, свидетель. Гостей набралось человек двадцать, в основном подруги Марины.

Праздник раскачался быстро. Пили шампанское и кричали «Горько!». Марина много хохотала, целовалась со всеми, от смущения держалась как-то напоказ простецки, словно извинялась: «Ну, что уж есть! Не судите строго!» Впрочем, она упивалась тем, что у неё — свадьба, как у всех, с кольцами и «Волгой». Петухова, вставая, читала стихи из красивой папки вроде альбома:

— Две судьбы в одну слились, пусть счастливой будет жизнь!

А Герману стало немного грустно. Он не испытывал трепета, будто гости собрались на обычный день рожденья. И ещё не хватало Серёги.

— Как Лихолетов? — негромко спросил у Германа Володя Канунников.

— Не знаю. Видел его только в сентябре. Внешне — без перемен.

Объявили танцы, врубили музыку. Девицы, подвыпив, хотели показать себя в движении: какие они соблазнительные, зажигательные и раскованные.

— Коровы, а тоже копытами бьют, — оглядываясь, хихикал Гоша Мопед.

Он торчал за столом напротив Немца и Володи и пил за двоих.

Девицы и вправду были уже не в комплекции дискотек. Молодясь, они надели платья в обтяжку и туфли на каблуках, накрутили кудри, как куклы.

— Фа-ина, Фай-на-на, ах, какое имя, Фаина — Фа-и-на! — гремел бумбокс.

Марина наклонилась над столом, показав в вырезе платья щедрые груди, и спросила у Васи Колодкина, который сидел рядом с Мопедом:

— Колодкин, эй! Скажи-ка, а у тебя можно выписать ссуду на свадьбу?

Колодкин в Штабе «Коминтерна» отвечал за социалку.

— Марин, я не знаю теперь. Я ведь уже не в Штабе.

— Жаль, — вздохнула Марина о ссуде, а не о Васе.

— А что с тобой случилось? — удивился Володя Канунников.

— Штаб пересмотрел задачи организации. Мой пост упразднили.

— А подробнее?

— Неохота, мужики, — поморщился Вася. — Обидно, блин. Бычегор начал реформу «Коминтерна». Перетряс Штаб. Меня сняли, ещё Воху Святенко, Кирьяна Лоцманова, других, даже Лодягина, хотя куда без секретаря-то?

— И в чём суть реформы? — вникал Володя Канунников.

Герман очень уважал Володю. Подтянутый, спокойный и правильный, Володя заканчивал политех и воспитывал двоих сыновей. Пускай работа по профессии ему не светила, он не скатывался к раздолбайству и быдлячсству, как скатывались почти все остальные парни, и не только «афганцы».

— Я не в курсе, Вовка, в чём суть. Вокруг Егорыча вообще как-то мутно стало. Может, ты чего слыхал, Немец? Ты же в «Юбиле», как и раньше.

— Я только водитель. А у Быченко на всё военная тайна.

— Долгие годы желаем прожить, верно любить и любимыми быть! — орала новый тост Петухова, и все гости лезли друг к другу чокаться.

— Военная тайна — потому что война будет, — заявил Мопед. — Отвечаю.

— Какая война? Кто тебе сказал? Каиржан?

Мопед шестерил при Гайдаржи, который был членом Штаба и вообще приближённым человеком Егора Быченко. Мопед мог что-то пронюхать.

— Без Лихолетова вся борзота в городе возбудилась, — Мопеда слушали внимательно, и его раздувало от важности. — Хачи наших торговцев начали бить, бобоновцы пару «комков» у нас на «земле» открыли, а спортсмены даже на Шпальный заходили, присматривались. Верняк война будет.

— Если война, то понятно, почему нас из Штаба убрали, — сказал Вася.

— И почему? — спросил Володя.

— Чтобы не мешали Быченке нужные решения принимать. Он всё же не царь, и в Штабе голосование. Но остались одни те, кто будет делить добычу.

Вася очень переживал, что он так вкладывался в «Коминтерне» в работу по социалке, а его попросту выгнали — без уважения и без благодарности.

— Вообще-то у тебя свадьба, Неволин, — насмешливо и зло напомнила Марина. — Мог бы и потанцевать с женой, или всё на Петухову пялишься?

Герман выбрался из-за стола вслед за Мариной; они вышли на танцпол, и Герман положил руки на крепкую, подвижную талию Марины.

— А вот пожелания мужу молодому! — подбежала и заорала Петухова, переворачивая листы в своей папке: — «Желаем, чтоб тебя жена в стриптиз пускала, а сама... э-э... готовила и, всё убрав, тебя ждала в одних чулках!»

Герман вернулся за стол к Володе, Васе, Мопеду и делам «Коминтерна».

— Считай, каждый член Штаба должен иметь свою бригаду, — закурив, свысока вещал Мопед. — Ну, Завражный понятно, ему-то бойцов не надо, потому что он там сёси-боси трёт с начальниками в этом, в горисполкоме...

— Сейчас называется городской администрацией, — поправил Володя.

— А Каиржан набирает себе пехоту, у него Чича рулит. Билл Нескоров тоже набирает, у него там этот, Джуба, что ли... Про Дису Капитонова я тоже чё-то слыхал. У самого Егорыча то ли Виталя Уклонский бригадир пехоты, то ли Витёк Басунов. Короче, мужики, всё пиздец серьёзно.

— Ничего хорошего не ожидаю, — мрачно сказал Володя Канунников.

— Наоборот, зёма ты, зёма! — широко улыбнулся Мопед. — Лихолет дела заморозил. Куда пацанам было двигаться? Только торговать или в конторах пухнуть. А мы же не бабы. Мы, блядь, армия! Будем себе фирмы отжимать! Чего раньше бобоновские или спортсмены крышевали, теперь мы возьмём.

Герман понял, с чьих слов поёт про пехоту глупый Гоша Мопед.

— Если это правда, я поставлю на голосование вопрос о командовании Быченко, — зло заявил Вася Колодкин. — Он из «Коминтерна» делает банду.

В Афгане Вася командовал ротой инженерно-сапёрного батальона; в Сулеймановых горах, когда прорывали осаду города Хост, на перевале Нарай Васина рота попала под череду атак «бородатых»; Вася был ранен. «Грузом-300» его вывезли из Хоста сначала в Герат, а потом в СССР, полгода держали в госпиталях, потом демобилизовали по инвалидности.

«Посмотри в глаза, я хочу сказать: я забуду тебя, я не буду рыдать!» — рыдала песня, и пьяные девицы, танцующие при светомузыке без кавалеров, визгливо и самозабвенно кричали, словно вспоминали что-то личное:

— Я хочу узнать, на кого ты меня променял?!

«На кого ты меня променял?..» Герман тоже вспомнил, как через это кафе, через «Баграм», во время штурма «Юбиля» он пытался вывести Таню, а их тут сцапали собровцы, но потом отпустил майор Щебетовский...

Витрины кафе были украшены звёздами и снежинками, вырезанными из фольги, и буквами: «С Новым 1994 годом!». За витринами в декабрьской темноте, как сцена, белела заснеженная площадка, освещённая прожектором. Герман увидел, что на эту площадку заезжают чёрные блестящие джипы.

— Неправильно это, — заметил Володя. Он тоже смотрел в окно. — Нехорошо, когда члены Штаба один за другим покупают себе такие машины...

Герман был согласен. Серёга, например, вообще не имел никакой тачки.

Бычегор впёрся в кафе, будто медведь; он был в огромной распахнутой куртке-аляске с косматым капюшоном. За командиром «Коминтерна» шли какие-то парни, человек пять–семь; в мелькании светомузыки Немец узнал Джона Борисова, Басунова и Уклонского. Девицы радостно завопили. Егор грузно опустился на стул и локтем, не заметив, уронил со стола фужер.

— Какой приятный сюрприз, Егор! — улыбаясь, сказала Марина.

— Штрафную! Штрафную! — кричали девицы, усаживая новых гостей.

Егор тупо смотрел на Марину, всю такую пышную, в платье и фате.

— Женился, Мопед? — едва выговорил он. — Поздра... дравляю...

— Да это не жена, а сестра моя, — засмеялся и засуетился Мопед, хватая бутылку. — У меня жена дома... Накатишь, Егорыч?

Герман вдруг понял, что Быченко вдребезги пьян. Или обдолбан.

— Мудак ты, Мопед, а жена у тебя красивая, — вяло сказал Быченко, вставил в рот сигарету и застыл, ссутулившись, в ожидании огонька.

Басунов поднёс Быченко зажигалку и с превосходством глянул на Германа. Он невзлюбил Немца с первой же встречи и ревновал к командиру «Коминтерна», но Лихолетову Немец, товарищ по Афгану, был куда ближе Басунова, а вот с Быченко — наоборот. Басунов был доволен тем, что Егорыч портит свадьбу Немцу, и тем, что бухой командир сам позорит себя.

— Васюта? — вскинулся Егорыч, увидев Колодкина.

— Это что за маппет-шоу? — стараясь не встречаться глазами с Быченко, недовольно спросил Вася Колодкин у Виталия Уклонского, который подсел к компании. — Вы нахрен его сюда приволокли в таком виде?

— Разве его остановишь? — негромко ответил Уклонский. — Он сам рулил.

— Васюта, прости, брат! — прорычал Быченко. — Прости, так надо было!

Герман понял: Егор кается за то, что Колодкина выгнали из Штаба.

— Егорушка, а баиньки не пора тебе? — ласково спросила Марина.

— О! — обрадовался Егор, будто впервые заметил Марину. — Ты хто такая, храс-савица? Иди к папе сюда! — Егор застучал ладонью по столешнице.

— Быченко, ты ко мне на свадьбу пришёл, — одёрнул Егора Немец.

— И че? — Быченко с трудом сфокусировал взгляд на Германе.

— Ведёшь себя как ублюдок, — прямо сказал Герман.

— Это я? — сквозь хмель удивился Быченко. — Это ты мне, сука?

По лицу Басунова было видно, что он надеется на драку.

— Егорыч, это мы, свои, это Немец, ты чего? — Уклонский, успокаивая, приобнял Быченко и похлопал его по груди. — Егорыч, ау!

— Ты же командир, — сказал Герман. — Лихолетов так себя не вёл.

— Напрасно ты о нём напомнил, — тихо заметил Уклонский.

Быченко рванулся к Герману, куртка-аляска вывернулась оранжевой изнанкой наружу. Уклонский и Джон Борисов еле удержали Егорыча.

— Поедем домой, Егор, — твёрдо сказал Джон, загораживая собою Немца.

Парни окружили Быченко и повлекли на выход.

— Вот жизнь! — весело сказал Мопед вслед Бычегору и его товарищам. — Бухаешь, людям нервы портишь, на крутой тачиле гоняешь — и командир!

На свадьбе все тоже были изрядно пьяные, и ссора с Быченко быстро стёрлась из сознания, а настроение восстановилось.

— Выпьем за нас, девочки, за молодых и красивых! — снова с рюмкой в руке орала Петухова. — Пусть плачут те, кому мы не дали, и сдохнут те, кто у нас не просил! Выпьем за лося! Чтобы нам пилося, а мужикам моглося!

Всё-таки свадьба удалась. Уже после полуночи Андрюха Воронцов на «трахоме» отвёз всех «на Сцепу», однако и во дворе компания ещё долго стояла на детской площадке среди ледяных горок и снеговиков: курили, допивали шампанское, смеялись, договаривались назавтра прийти в гости.

Герман и Марина поднимались на свой третий этаж пешком. В подъезде было темно и пусто. На лестничной площадке они остановились у почтовых ящиков; Герман с трудом попал маленьким ключиком в замочек.

— Ты отразил, что Гошка говорил про вашу войну? — спросила Марина. — Быченко будет новые фирмы под ваш «Коминтерн» переводить.

— Это рэкет, Марин, — ответил Герман. — Серёга всегда был против.

— Твой Серёга сидит. А другие люди будут подниматься. Неволин, я не хочу быть нищей. Тебе надо пойти к Быченко, чтобы он тебя взял.

— Ты забыла, что Быченко сегодня нам устроил?

— Ну и что? — Марина прижала Германа спиной к ящикам. — Даже лучше. Ему станет стыдно перед тобой, как перед Колодкиным, и он тебя возьмёт.

Марина расстегнула Герману ремень и рукой шарила у него в брюках.

— Я же не бандит, — тяжело дыша, сказал Герман.

— А по-моему, бандит, — навалившись на него, прошептала Марина.

— Квартира рядом...

— Бандит делает что хочет и где хочет...

Она была в короткой мутоновой шубке поверх длинного и пышного свадебного платья. Не поддёргивая подола и белых кружев, она встала коленями прямо на мокрый затоптанный пол лестничной площадки. Её ярко накрашенный рот в полумраке казался чёрным.

* * *

Огромное бетонное корыто стадиона «Динамо» лежало на берегу пруда за ЦПКиО. Уже лет пять на стадионе торговали подержанными иномарками, а ещё мебелью и стройматериалами прямо с грузовиков. Делами рулила группировка спортсменов. Когда-то на «Динамо» они бегали по тартановым дорожкам, тайком выпивали в раздевалках и вырабатывали олимпийскую волю к победе, а теперь взяли под контроль автомобильный и мебельный бизнесы Батуева и заходили на тему строительства и недвижимости.

По городу у спортсменов было несколько рынков (мелких, не чета Шпальному), десяток ресторанов и коммерческих магазинов — «комков». Спортсмены крышевали на своей «земле» и боролись с конкурентами. Когда стало ясно, что Лихолетов прилип прочно, они рискнули зайти на Шпальный рынок: на контейнерном дворе Сортировки случилось свирепое побоище, в котором «афганцы» грохнули бригадира «динамовцев». Следовало ожидать, что спортсмены ответят, и Быченко решил нанести упреждающий удар.

У спортсменов было четыре лидера — Артур Горегляд, братья Батищевы и Чемп. Егор поставил задачу: убрать всех. Потом «Коминтерн» заберёт себе темы и активы «динамовцев». Разведка донесла: командиры спортсменов съедутся вместе на день рождения Чемпа — Романа Медведева по прозвищу Чемпион. По таким поводам спортсмены всегда бухали в «Нептуне».

Подобраться к ресторану «Нептун» удобнее было через парк. Мглистые и холодные мартовские сумерки обволакивали ЦПКиО, где давно погасли фонари, — парк был заброшен. Летом здесь шевелилась донная жизнь: бомжи спали у костров, опустившиеся проститутки затаскивали за кусты клиентов, на полянках ширялись наркоманы и квасили алкаши. Зимой всё вымирало.

С дороги в заснеженную аллею парка свернули два армейских кунга и два джипа — колонна Быченко. Могучие грузовики, рыча, прорыли траншею и остановились по ноздри в сугробах среди высоких сосен. Слева и справа на полянах громоздились железные остовы аттракционов, на лёгком ветерке с пруда в них что-то раскачивалось и скрипело. Ограды торчали из снега, как на кладбище. Мрачно чернел скелет детского кафе с уцелевшей весёлой вывеской «Каруселька» — при дележе ЦПКиО кафе сожгли то ли кавказцы, то ли бандюки Бобона. Над соснами парка возвышалось облупленное колесо обозрения: его кабинки висели будто авиабомбы, готовые к сбросу.

Из кунгов и джипов вылезали парни в зимнем бело-синем камуфляже. У некоторых в руках были автоматы. Быченко пошагал по снегу от машин к прогалу за соснами, на ходу вынимая из кофра большой армейский бинокль. За Егором пошли Басунов, Ян Сучилин — охранник, и Виталя Уклонский.

Егор остановился на опушке парка и, оскалившись, смотрел в бинокль. От опушки распростёрлось ровное бледное поле с тёмными пятнами — пруд, ещё покрытый льдом, но уже с проталинами. Пруд в Батуеве был довольно просторный, однако мелкий и неухоженный. На дальнем берегу, примерно в полукилометре, горели огни пятиэтажек. Поближе, где заканчивался парк, на окраине ледяной равнины светился маленький дворец ресторана «Нептун».

Изначально «Нептун» был спортбазой и гребным клубом. Двухэтажный дебаркадер — железный понтон с деревянным теремом — плавал возле берега, намертво закреплённый якорями. С берега на дебаркадер вёл мостик. Терем на обоих ярусах опоясывала галерея. Всё выглядело свежо и красиво: белые столбики и наличники, синие стены, красные спасательные круги, по бортам понтона — покрышки, чтобы прогулочные лодки и спортивные ялы не бились о железо. На «Нептуне» занимались гребцы и работал лодочный прокат.

Когда парни со стадиона «Динамо» превратились в группировку, они закрыли гребной клуб и прокат и открыли кабак и казино. Разведка добыла Бычегору план нового «Нептуна»: в трюме — кухня, хозяйство и помещение охраны, на палубном этаже — увеселительные заведения, на втором этаже — комнаты для свиданий и несколько офисов. По галереям ходят караульные.

Егор в бинокль осматривал ресторан. Возле будки дежурного на берегу у мостика столпился табун дорогих автомобилей. Водителей и секьюрити не взяли в кабак к боссам — там тесно; они сидели по тачкам, и к ним подбегали официанточки в фартучках. А на дебаркадере праздник уже начался: все окна сияли, освещая лёд, и гремела музыка. Над входом, к которому вёл мост, в полукруг горела надпись: «С днюхой, братуха! С днём рожденья, Чемпион!»

Егор ещё раз прокручивал в уме план операции. Бывший разведчик, он примерялся «к ландшафту» и оценивал, эффективно ли решение тактической задачи по уничтожению противника, разработанное Штабом «Коминтерна». На другом берегу пруда в это время готовилась к броску вторая группа.

Группой командовал Джон Борисов. В её состав Быченко включил Германа. Вторая группа прикатила на двух обычных автобусах. Парни ехали почти в темноте, потому что окна были зашторены; сидеть в зимней одежде было тесно, и казалось, что они находятся в десантном отсеке БМД. Оружие. Бронежилеты.

Никто не пил, не курил, не шутил — так в Афгане отправлялись в рейды. В автобусах «афганцев» охватило полузабытое ощущение войны.

При Лихолетове они гоняли на дело на «барбухайке» и «трахоме», и всё происходило не так. Парни пили, орали и куражились; их рыдваны летели по улицам нагло, с гудками, с визгом тормозов, — глядите, «афганцы»! Серёга проводил акции напоказ, чтобы город знал. А Бычегор требовал скрытности. От этого было и страшновато, и неловко, словно ехали не воевать, а воровать.

— В Афгане мы световухам, нахер, не доверяли, — задумчиво сказал Лёха Бакалым. Он сидел рядом с Немцем и вертел в руках светошумовую гранату. — В рейде только с боевой. Заходишь в кишлак, пинаешь дверь в халабуду, сразу херак туда лимонку — и за стену. Там бацдах. Потом посмотришь — каморка мясом закидана, бабы, дети и козы на куски разорваны...

Герман не отвечал. Вообще-то гранатой человека на куски не порвать. Хотя лично он в кишлаки не заходил — он был шофёром. Но парням зачем-то требовалось помнить о тех зачистках, вот и поддавали ужаса.

Они выгрузились из автобусов в кусты на обочине, отошли от дороги и оказались на краю просторного ледяного пруда. Смеркалось. В густо-синем небе чернели плоские тучи. Вдали как волшебная хрустальная шкатулка светился «Нептун». Лещёв и Лебедухин притащили бренчащий ворох лыж.

— Крепления — просто петли, — сказал Лещёв. — Любой башмак влезет.

— К спортсменам пойдём по-спортсменски, — добавил Лебедухин.

Парни раскручивали на лица маски-балаклавы, напяливали маскхалаты. Понятно было, что к дебаркадеру надо подойти незамеченными, иначе постреляют. «Коминтерн» и сам приготовился предельно серьёзно: Темурчик Рамзаев и Анзор Зибаров с надменным видом придерживали на плечах ремни вытянутых, будто щуки, чехлов СВД — снайперских винтовок.

На груди у Джона Борисова загудела рация, зацепленная за карман.

— Джон, готовность ноль, — прошуршал смешной, мультяшный голос Быченко. — Всё по плану. Выводи пехоту. Отбой связи.

Длинными скользящими шагами «афганцы» на лыжах понеслись по льду к другому берегу пруда, туда, где ресторан «Нептун» переливался огнями, словно игрушка с новогодней ёлки. В прозрачно-чёрном сумраке дебаркадер выглядел ласково и гостеприимно. Атакующих было человек сорок. Они бежали так стремительно, будто исстрадались по теплу и уюту.

Никто из них не испытывал никакого воодушевления боя. Им было жарко и неудобно в тяжёлой одежде, и больше всего хотелось скорей достичь «Нептуна» и отдышаться. Когда они пересекали тёмные промоины, где вода проступала сквозь лёд на поверхность, лыжи расплёскивали снежную кашу. Парни сжимали автоматы — усилия бега требовали ещё и действия рук. И с каждым мгновением нагнеталось ожидание очереди с дебаркадера.

За двести метров до ресторана Анзор и Темурчик остановились и быстро заняли стрелковые позиции, опустившись на одно колено. Темурчик должен был очистить от караульных первый этаж, Анзор — второй. Длинные стволы с трубками пламегасителей зависли в какой-то мучительной неподвижности.

Едва «афганцы» выскочили в зону, озарённую иллюминацией ресторана, Анзор, припав бровью к прицелу, туго стегнул выстрелом. Рядом хрястнула винтовка Темурчика. В галерее на втором этаже охранник осел на пол. В «Нептуне» орала музыка, и другие охранники не слышали выстрелов с пруда.

Невысокая ржавая стенка понтона и белая сетчатая ограда по борту дебаркадера находились уже совсем близко от «афганцев». Однако вокруг понтона был самый опасный лёд — расколотый на куски и хрупко спаянный заморозком. Со странным всхлипом и жестяным шорохом Димоня Фочкин вдруг по грудь ухнул в промоину. Сломанная лыжина встопорщилась дыбом. Фоча сорвал с лица балаклаву, словно она мешала, — и без крика погрузился в чёрную воду.

Джон Борисов вытащил из-под маскхалата ракетницу и пальнул в небо.

Угроза утонуть вслед за Фочей пугала парней куда сильнее, чем схватка с противником. Где-то внизу подо льдом Фочкин ещё бился в холодной воде, умирая, а парни пинками сбрасывали лыжи, прыгали на борт «Нептуна», хватались за перила и карабкались наверх. И Немец тоже прыгнул, уцепился, вскарабкался, перевалился в чистую и светлую галерею.

«Афганцы» знали, кому что делать на дебаркадере. Отделение Чабанова ломанулось по лестнице на второй этаж; боёвка Вани Новохижина ринулась по галерее в обход налево, а боёвка Леги, Олега Тотолина, — направо; отделение Тамбулатова полезло в трюм. Немец был в группе Тотолина.

Перехватив укороченный «калаш» в позицию стрельбы, он побежал по галерее первым, перескочил лежащего охранника, завернул за угол и увидел впереди другого охранника — растерянного, с открытым ртом, с пистолетом в руке. Опыт Афгана сработал в Немце мгновенно: Немец стукнул короткой очередью, и охранник отлетел назад, ударился спиной о фигурный столбик галереи. Немец как ветер проскочил мимо и завернул за другой угол.

В эти секунды на берегу пруда возле моста к «Нептуну» грузовик отряда Быченко бампером сдвинул будку дежурного и остановился, перегородив собою выход на мост. Второй кунг развернулся бортом, и из его окошек, будто из амбразур бронетранспортёра, засверкали огни автоматов. Длинные яркие трассеры брызнули поверх стада лимузинов и джипов, столпившихся перед будкой дежурного: их стёкла и капоты полыхнули отражениями.

— Внимание на парковке! — голосом Быченко загремел из грузовика мегафон. — Даю две минуты свалить отсюда! Потом жжём тачки из РПГ!

Теремок дебаркадера, сияющий, как торт со свечами, вдруг словно взбесился: окна его одно за другим начали лопаться, будто их вышибало изнутри заревом и напором грома — так в кино старинные фрегаты палили из пушек. Это «афганцы» закидывали помещения светошумовыми гранатами.

Водители и секьюрити, прижатые на парковке трассерами, видели, что происходит в «Нептуне». «Афганцы» обрушились на ресторан чёрт знает откуда, с тёмного неба, как десант. Атака бывших солдат была страшной штукой, потому что солдаты нихера не колебались и били на упреждение. А напонтованные бандиты, лежащие на снегу под колёсами своих лимузинов, в сравнении с атакующими были просто дворовыми хулиганами.

— Полторы минуты! — оповестил Быченко по мегафону.

Парковка ожила. Люди подскакивали с земли и торопливо хлопали дверками; вспыхивали фары, автомобили трогались с места, разворачивались и уносились прочь, ошпаренно светя красными сигналами на задах.

Немец стоял в галерее у разбитого окна и держал под прицелом тех, кто находился в кабаке. А в кабаке царил полный разгром. Гостей там контузило грохотом и вспышками, однако в замкнутом объёме гранаты-световухи имели ещё и кумулятивный эффект: ударные волны нескольких разрывов смели посуду со столов, повалили танцующих, раскидали официанток.

— Всем лежать мордой в пол! — Лега Тотолин в маскхалате и балаклаве вертелся посреди зала с автоматом, вздёрнутым к плечу для стрельбы, и трещал берцами по хрусталю и фарфору. — Всем лежать, суки!

На полу ресторана среди сломанной мебели и рваных скатертей кучами лежали мужчины и женщины, облитые вином и осыпанные осколками. Кто-то ворочался, кто-то стонал, женщины рыдали. Парализованная цветомузыка беззвучно переключалась с жёлтого на синий, с синего на красный. В пустых окнах торчали идолы с автоматами и в масках. По дебаркадеру ещё гремел топот, слышались крики и одиночные выстрелы, что-то падало через ограду со второго яруса, но было ясно, что «афганцы» захватили весь «Нептун».

Немец смотрел на мужские спины, обтянутые пиджаками, на женские зады под платьями и думал: убил он того охранника в галерее или нет? Он не будет мучиться совестью, если убил, но узнать всё-таки хотелось бы.

По мостику, стуча берцами, на дебаркадер бежали бойцы из команды Бычегора. Сам Быченко шагал тяжело и уверенно — он вступал во вражескую крепость, взятую штурмом. Его встречали Чибис, Новохижин и Тамбулатов.

— Отработали пароход, Егор, — отчитался Новохижин. — Четверых наших зацепило, но, в общем, без проблем, трое двухсотых, Фоча сыграл под лёд.

— Джона Борисова вальнули, — сказал Чабанов.

— Да ёптыть! — обозлился Быченко. — Джона-то как?

— Парни взяли Чемпа и притащили к Джону. А Чемп — он же кикбоксер. Он с пола и крутанул Джону в висок ногой, а сам через борт прыгнул.

— Догнали?

— Пойдём, покажем.

Чабанов повёл Егора по галерее к торцу дебаркадера. За Егором шли Новохижин, Уклонский, Басунов, Саня Завражный, Лоцманов и Гайдаржи.

— У «динамовцев» семь трупаков, пять раненых. Старшего Батищева и Горегляда Лега в кабаке под стволом держит, — по пути заканчивал отчёт Новохижин в широкую спину Быченко.

— А младший Батищев?

— Он вообще сегодня не приходил сюда. А Чемп вон купается, гляди.

«Афганцы» стояли на галерее дебаркадера. Лёд перед дебаркадером был освещён окнами «Нептуна». В чёрной развороченной полынье неподалёку от стенки понтона плавал человек в блестящем костюме. Это был Чемп — Роман Медведев, лидер «динамовцев», сегодняшний именинник. Он погрузился в воду по плечи и цеплялся за рыхлый, потемневший лёд. Он видел «афганцев» на галерее, но молчал, тяжело дыша. Может, грудь стиснуло стужей, а может, не верил в пощаду. Быченко внимательно рассмотрел бывшего соперника.

— Чак Норрис, бля, — с презрением сказал он, достал из кармана гранату, сдёрнул кольцо и бросил на лёд рядом с полыньёй.

Граната залипла в мокром снегу, покрывающем лёд. Чемп в полынье зажмурился. Егор растопырил руки, отодвигая парней от борта. Бабахнуло. Осколки лязгнули по железу понтона, вонзились в дощатый потолок галереи. «Афганцы» подались вперёд. Полынья увеличилась вдвое и была пуста.

А Немец по-прежнему стоял с автоматом у разбитого окна и смотрел в зал ресторана, где на полу, закрывая ладонями затылки, лежали люди: бармен и диджей, официанты, гости Чемпиона, повара́ и посудомойки из трюмных помещений, охранники, которые успели сдаться, проститутки из номеров на втором этаже. Немец вспоминал, что нечто подобное было в «Чунге», когда они, «афганцы», загнали в бассейн бандюков Бобона. Но там они куражились и глумились — и не более, а здесь было ощущение, что пленных казнят.

Лега Тотолин, держа автомат в левой руке, упёр ствол в загривок кому-то из лежащих, а сам грыз яблоко. В зал вошёл Быченко, а за ним — его толпа: Гайдаржи, Витька Басунов, Сучилин, Лоцманов, остальные.

— Вот старший Батищев, вот Горегляд, — Лега поднял «калаш» и указал стволом. — У стены — Малинин, там — Штангист, это — Киселёв и Лыков.

Одна из женщин заползла, насколько смогла, под опрокинутый столик и рыдала. Басунов поставил ногу ей на задницу и подвигал берцем, точно проверял, надёжная ли опора. Женщина зарыдала ещё громче.

— Быченко, давай договариваться, — не поднимая головы, глухо сказал старший Батищев, распростёртый под ногами «афганцев».

— А я тебя предупреждал, Саня, — с назиданием ответил Быченко, — когда я двину пехоту, никаких разговоров уже не будет.

— Тебя за нас до катушки размотают...

— Ах ты падла! — выдохнул Басунов и вдруг всадил в Батищева очередь.

Он будто бы торопился опередить Егора, который на примере Чемпа уже показал, как теперь следует решать вопросы.

Батищев загрёб руками, словно поплыл, «афганцы» отпрянули — все, кроме Бычегора, а женщина под ботинком Басунова взвизгнула.

Быченко молча достал из-под ремня большой прямоугольный пистолет Стечкина и взвёл затвор. Это действие явно предназначалось для Басунова.

— Витюня, я ведь не давал тебе приказа, — спокойно произнёс Егор.

Басунов понял, что Быченко легко может пристрелить его. Для Быченко всё — война, и на войне не бывает преступлений против врагов. Но если собственный солдат выходит из-под контроля, он тоже становится врагом.

— Не убивайте! Боже мой, не убивайте! — задыхаясь, внезапно закричала женщина под ногой Басунова и заелозила, как раздавленная.

Люди на полу зашевелились и задёргались в судорогах ужаса.

— Лежать, твари! — бросив огрызок яблока, рявкнул Лега Тотолин.

Витю Басунова словно умыли электричеством — такой яркой вдруг стала жизнь, так мощно зашумели чувства. Подобную накачку энергией, наверное, испытывают наркоманы, когда героин раздувает мозг. Басунов знал: сейчас требуется перетерпеть страх, а подзарядка будет действовать ещё долго.

— Извини, Егорыч, — так же спокойно ответил он. — Надо же было дело доделать... Афган включился. Пойми по-братски.

На самом деле никакой «Афган» у Басунова не «включался». В Афган Басунов попал студентом радиофака и служил в ПВО — противовоздушных войсках — мотострелковой части в Шинданде: сидел под бронёй зенитной самоходки «Шилка» оператором бортовой РЛС, радиолокаторной станции, не очень-то нужной на войне, в которой у врага не было авиации. В рейды или на зачистки, когда добивают всех врагов, «Шилка» Басунова не ездила.

— Лежать! — снова рявкнул Тотолин и пнул кого-то в рёбра.

Басунов произнёс «Афган» и «по-братски» — и напомнил Бычегору про Серёгину идею. Бычегор плевал на Лихолета, но сейчас почему-то уже не мог садануть из «стечкина» в лоб оборзевшему солдату и лишь тупо смотрел на Басунова. Лихолетовское «братство» пересиливало «войну» Быченко.

Басунов ничего не высчитывал, просто по интуиции повернул ситуацию так, что Быченко теперь решал другую задачу: ему требовалось определить, для чего он вытащил пистолет. «Ствол как член, зря не достают!» — когда-то высокомерно поучал сам Егор. Он мог застрелить последнего из захваченных командиров, но был риск, что вспыхнет паника, пленные рванутся к дверям, парни из окон откроют огонь, и получится форменная бойня. А Басунов тихо торжествовал, видя замешательство неукротимого Бычегора.

Конечно, Быченко запланировал ликвидацию «динамовских» лидеров — но не публичный расстрел, не своими руками... Вот ведь бляди! Быченко опустил пистолет, пальцем переводя скобу на автоматический режим, и дал внятную, долгую очередь в спину и затылок Артуру Горегляду.

Люди на полу подпрыгнули, скорчились, но удержались от борьбы.

Больше в «Нептуне» никого не убивали.

У Егора аукнула рация — это отрапортовали автобусы, которые привезли отряд Джона Борисова. Высадив бойцов Джона, автобусы обогнули пруд и подкатили к «Нептуну» со стороны ЦПКиО. Пора было эвакуироваться.

Людей, взятых в плен, подняли с пола и взашей погнали с дебаркадера — валите отсюда нахер куда угодно, пока живы. По мосту надо льдом в свете фонарей побежали, спотыкаясь, мужчины в измятых костюмах и женщины в одних лишь тонких платьях. Мужчины тащили раненых. Женщины, хватаясь за всё подряд, ковыляли на каблуках или, скинув туфли, ступали по снегу почти босиком. Все они казались погорельцами.

«Афганцы» рыскали по дебаркадеру, собирая перед уходом трофеи: норковые шапки и перчатки, пейджеры, борсетки. Многие рассовывали по карманам бутылки и пачки сигарет. Пашка Зюмбилов для смеха взял ананас.

Немец вернулся на тот угол, где стрелял по охраннику. Здесь никого не было. Вообще-то Быченко распорядился все трупы с «Нептуна» перенести в грузовик. Но Немец не полезет искать в кунг. Лучше не знать.

Шмон продолжался недолго. На берегу загудели машины.

— Отбой пехоте, — сказал Быченко, влезая в джип. — Сполосните бандуру.

В трюме «Нептуна» глухо бабахнуло несколько взрывов.

Кунги, автобусы и джипы «афганцев» разворачивались и друг за другом уезжали по заснеженной сосновой аллее парка мимо скелетов каруселей.

Безлюдный дебаркадер, залитый вином и кровью, сиял бессмысленно-восторженной иллюминацией обоих ярусов. Над входом, к которому вёл мостик, забыто ликовала надпись из выгнутых неоновых трубок: «С днюхой, братуха! С днём рожденья, Чемпион!» Сквозь разбитые окна были видны ярко освещённые помещения — вроде бы уютные, но заваленные поломанной мебелью. За дебаркадером распростёрлись тёмные ледяные пространства.

А потом дебаркадер моргнул огнями и вздрогнул, точно что-то осознал, сокрушённо качнул галереями. Лёд вокруг разом растрескался, будто его отдёрнули, и под железными бортами понтонов заклокотали буруны чёрной воды. Со скрежетом отделился мостик. Дебаркадер медленно погружался — словно вставал в пруду на колени перед колесом обозрения.

В трюме дебаркадера что-то хлопало и урчало — это воздух вырывался из затапливаемых помещений. Едва палуба ресторана сравнялась с уровнем пруда, вся махина грузно, как лифт, поехала вниз, в воду. Огни погасли все разом, и тёмный, мёртвый дебаркадер встал на дно, затонув до второго этажа.

* * *

— Собирайся, Неволин. Все девки уже видели, а я одна, как дура, — нет.

Марина хотела посмотреть супермаркет — первый в городе Батуеве. Под него переделали бывший Центральный гастроном на площади Октября. В воскресенье Марина нарядилась, будто в театр, и Герман повёз её в центр.

Огромный супермаркет был полон покупателей. Гардеробщицу, которая раньше принимала сумки, заменили длинными секциями камер хранения. Охранник в униформе прогуливался вдоль ячеек, словно пограничник.

— Собаку бы ещё взял, карацупа, — проворчала Марина. Она оробела от масштабов и сложности супермаркета, и это её разозлило. — Небось ключи к ящикам все одинаковые. Сумку тут оставить — всё равно что подарить.

Всё здесь удивляло. Удивляли турникеты на входе, колёсные тележки-корзины, классическая музыка по трансляции, транспаранты, висящие под потолком: «Хлебобулочные изделия», «Молочные продукты», «Консервы».

— Сто пудов у них все тележки укатят, — заявила Марина. — Самое то на даче возить чего-нибудь. Я бы тоже такую отработала, только дачи нету.

Герман молчал. Что тут скажешь? Супермаркет — это круто.

Марина сердито бросила в корзину пару глянцевых журналов со стойки, точно это были учебники: неохота, а надо читать. Она словно согласилась, что к уровню жизни, при котором супермаркет — норма, следует готовиться.

— Бли-ин, сколько всё сто́ит... — с досадой сказала Марина, рассматривая витрину с алкоголем. — Слушай, Неволин, мы, оказывается, голодранцы. Мне нужны деньги. Ваще, ё-моё... Мне нужны деньги, деньги, денюжки...

Марина медленно шла вдоль полок, разглядывая товары один за другим. Герман шагал поодаль и катил тележку. Другие покупатели в супермаркете ничему не удивлялись; они что-то деловито складывали в свои корзинки и вели себя спокойно; их уверенность раздражала Марину, вызывала зависть.

— Неволин, почему тебе Быченко ничего не дал после вашей войны? — напрямик спросила Марина, перебирая упаковки с колбасной нарезкой.

Весь город знал, что «афганцы» развоевались с «динамовцами», убили их командиров и утопили плавучий ресторан. Марина сразу догадалась, что Герман участвовал в этих баталиях, хотя сам Герман ничего не рассказывал.

— Мариша, я просто водитель, — мягко ответил Герман.

— У Лихолетова ты тоже был просто водитель, а получил квартиру. Почему сейчас ничего не получаешь?

— С Егором у меня не такие отношения, как с Серёгой.

— А ты не понтуйся перед ним, а попроси.

— Мариша, давай не будем об этом.

Разговоры о деньгах у них с Мариной случались всё чаще.

— Жрать-то мы, значит, будем, а говорить не желаем? — Марина что-то швыряла в тележку. — Какой-то ты неправильный мужик, Неволин. У тебя, между прочим, семья — жена, ребёнок. А ты жопу греешь на зарплате.

— Мы поссоримся, — предупредил Герман.

— Ладно-ладно, поросюка, — сдалась Марина. — Я расстроилась, потому что тут столько всего... Смотри, «Грильяж в шоколаде». Я только один раз на Новый год такой пробовала. Да за него я кому угодно дам, куда скажут.

К Марине и Герману подошёл охранник.

— Девушка, вы или берите коробочку, или положите на место, а колупать не надо, — негромко попросил он.

Охранников в супермаркете вообще было много. Поглядывая направо-налево, они стояли почти в каждом проходе между стеллажами с товарами, словно здесь был не работающий магазин, а следственный эксперимент.

— Сука, — тихо сказала Марина, возвращая коробку на полку.

— Мы живём лучше многих, Мариш, — сказал Герман. — Сколько парней без работы сидят? Гуртьев или Сашка Флёров — те вообще на одну пенсию.

— Давай шоколадку своруем? — вдруг предложила Марина. — Я могу под одежду спрятать — не заметят. Не будут же на кассе мне юбку задирать.

— Не превращайся в шпану.

Цветастое изобилие почему-то было неприятно своим самодовольством. Оно портило настроение так, как никакая бедность прилавков не портила.

— Ваши парни без работы, потому что прописки нет, — сказала Марина. — А прописки нет, потому что вам ордеров не выдали. Зря вы железную дорогу перекрывали, дурни. Мы с девками решили сами к мэру пойти и требовать ордера. Ельку я «на Сцепу» забираю, а сдать его в садик — нужна прописка.

— Про Ельку могла бы и со мной посоветоваться.

— Ты что, против? — тотчас ощетинилась Марина.

— Я не против, Мариша. Но о таких вещах надо советоваться.

Марина не выносила быть виноватой. Виноват всегда мужчина.

— Как с тобой советоваться, если ты нихрена не хочешь денег добывать? На садик тоже деньги нужны! Даже с пропиской туда без взятки не устроят!

— Что-нибудь придумаем, — мягко сказал Герман.

— Придумаем, ага, — скептически сморщилась Марина. — Давай лучше на обедах экономить. Будем сюда ходить и жрать втихаря. Я серьёзно, Неволин.

Они остановились у кассы. Марина расплачивалась и метала в Германа гневные взгляды, будто обвиняла в том, что приходится отдавать купюры кассирше. Герман молча перекладывал покупки в пакеты.

— Поймай тачку, — на улице угрюмо сказала Марина Герману, щурясь на июньское солнце и листву тополей. — В трамвае всё, что купили, раздавим.

В такси — разношенном, как тапок, «москвиче» — они сели на заднее сиденье. Марина молчала, а потом вдруг прижалась к Герману и схватила его за промежность — сразу хищно и ласково (ей вообще нравилось приставать к Герману в самых неподходящих местах или обниматься у всех на глазах).

— Германец, у меня к тебе дело, — жарко зашептала она.

— Я ни о чём не могу думать, пока там твоя рука, — еле выдавил Герман.

— Помнишь, я тебе говорила про свою работу? — Марина убрала руку.

Конечно, Герман помнил: Танцорка — бывшая «челночница», четыре палатки на Шпальном, Марина и Петухова — продавщицы...

— Я узнала, что Танцорка никому не отстёгивает. Платит за место, и всё. У неё нет крыши. Она тут так давно, что все думают, будто она под кем-то.

— И что с того?

— За неё никто не впишется. Мы с Петуховой можем её выпихнуть. Дело будет наше. Танцоркины «челночницы» всё равно свой товар к нам принесут. Будем рулить всей конторой вместо Танцорки. Там уже нормальные бабки.

Из магнитолы рвался запредельный глумливый рёв «Сектора Газа»: «Как у леса на опушке соловей ебёт кукушку! Только слышно на суку: чирик, пиздык, хуяк, ку-ку!»

Герман искренне подумал: может, он уже чего-то не понимает в жизни? Вполне вероятно. Раньше, при Серёге Лихолетове, он был солдатом. Но кто он сейчас? И командир ли ему Егор Быченко?

— Мариша, это всё какой-то бандитизм, — осторожно сказал Герман.

— Танцорка и так и так спалится. Её вычислят. А навар заберут другие. А мы с Петуховой выкупим у неё всё и в рассрочку заплатим ей отступные.

— Ну, вам виднее, — Герман недовольно пожал плечами. — При чём тут я?

— Как при чём? Надо сломать ей рога. Сама-то она ничего нам не отдаст. Вот ты и приди с парнями. Она не вякнет — вы же «афганцы», вас все боятся. А твоя жена будет иметь палатки на Шпальном. У многих «афганцев» так.

Тачку потряхивало на разбитой улице. В окнах зеленели нестриженые скверы, по лицам бежали пятна света, словно машина ехала по лесу.

— Слушай, Мариш, я не хочу криминала, — признался Герман.

— Ага! — Марина с презрением отодвинулась от него. — Для Бычегора ты с пистулькой скачешь за голимую шофёрскую получку, а мне — так «отсоси»? Попутал ты, Неволин. В войнушку играешь, как мальчик, а мама титю даст?

Герман растерялся. Марина, конечно, была права. Но очень не хотелось соглашаться с её правотой. Германа охватило озлобление против Быченко: нахрена он повернул так, что теперь кругом — война?

— Ты не смотри, что у нас браку полгода, я ведь разведусь без проблем, — холодно сообщила Марина. — Мне нужен мужик, который реально помогает.

— Не пережми с угрозами, Марина, — ответил Герман. — Я подумаю.

Начало июля 1994 года в Батуеве потонуло в дождях, и город выглядел как алкаш: весь в отросшей нечёсаной зелени, загорелый и одичавший. В тёплых лужах сияли пыльные тучи, ручьи несли всякий мусор, зарешеченные окна первых этажей были приоткрыты. Мужчины ходили по улицам голые до пояса и в пляжных сланцах, продавщицы в киосках сидели в купальниках. Углы домов и остановки были густо залеплены объявлениями, повсюду торговали букетами, пахло беляшами и бензином.

Пугать Танцорку Герман отправился с Мопедом, брательником Марины, с Птухой и Лещёвым. Компания получилась дурацкая, но составляла её Марина, и Герман не стал спорить. Поехали на старом «форде» Мопеда.

Шпальный рынок сейчас представлял собой огромное торжище, которое еле умещалось в бывшем товарном терминале. Здание, конечно, никто не достраивал, но «Коминтерн» привёл его в худо-бедно пригодное состояние: вместо внешних стен приварили железные листы, соорудили лестницы и провели электричество. Получилось нечто вроде торгового центра в духе голливудских боевиков про жизнь после ядерной войны.

Вырулить к терминалу Мопед не смог. Былая дорога-бетонка затерялась, затоптанная и заезженная; территорию вокруг терминала загромождали беспорядочные парковки, фуры, склады стройматериалов и тары, площадки с контейнерами, свалки, какие-то шанхайчики — платные туалеты, перелётные пивнухи и шашлычные. Пришлось бросить «форд» и пойти пешком.

По пути Герман увидел застрявший в этих трущобах кортеж Бычегора. Быченко, его свита и нынешние командиры «Коминтерна» ездили на чёрных «гелендвагенах» и «крузаках». После расстрела «динамовцев» машину Егора всегда сопровождали два автомобиля с охраной. Сейчас весь кортеж стоял возле какого-то ларька: опустив тонированное стекло, Егор расплачивался с продавщицей за чебурек. Испуганная тётка не знала, сколько стоят двадцать долларов, чтобы дать сдачу. Егор похохатывал — он был слегка под кайфом. Два других внедорожника дожидались угрюмо, словно боевые роботы.

На входах в терминал дежурили посты «афганцев».

— Свои-свои! — вальяжно сказал Мопед знакомому парню. — Стволов нет!

Огромные, по-вокзальному гулкие пространства терминала, освещённые промышленными светильниками, были тесно заставлены рядами торговых палаток на каркасах из тонких трубок. Внутри палаток по стенкам ручьями струилась разноцветная синтетика, что-то стеклянно-пластмассовое, яркое и блестящее. Всюду ходили и примерялись к товарам легко одетые бабы — и пожилые, и совсем девчонки, и порой казалось, что вокруг — женская баня. Под ногами хрустели песок и шелуха семечек. Колыхался людской гомон.

Герман и компания по дощатой лестнице поднялись на второй этаж, где располагались «точки» Танцоровой. Вообще Танцорку поймать на Шпальном рынке было нелегко: она всё время бегала по каким-то деловым встречам, в Сбербанк или налоговую. Чтобы Герман сумел выцепить хозяйку, Марина и Петухова в этот день отпросились с работы. В таких случаях жадная Танцорка не нанимала замену, а ставила в палатку сына и становилась сама.

Возле лестницы, которая в терминале называлась левой, находились две палатки Танцорки, где работали близнецы Жанка и Дашка — симпатичные и глупенькие девчонки с лисьими мордашками, потешно одинаковые, словно грибы-маслята. Обе они были в цветных топиках и джинсовых курточках.

Вокруг близняшек топтались два качка в обтягивающих майках. Качки заигрывали, а близняшки, привыкшие к мужскому интересу, отбивались.

— Девчонки, а парни у вас тоже близнецы, как вы? — спрашивал качок, у которого на майке был изображён Дольф Лундгрен с большим пистолетом и лазерным прицелом в глазнице.

— Мы с ним, кстати, похожи, — говорил другой качок, кивая на приятеля.

— У нас тут работа, а вы нам мешаете, — важно отвечала Дашка.

— Давай мы поможем что-нибудь, — навязывался «Дольф».

— Лучшая помощь — когда не мешают, — так же важно отвечала Жанка.

— Девчонки, а вы не пробовали вдвоём пошар-каться?.. — Второй качок весело потёр ладони. — Это же как в зеркало, да?

Мопед просунулся между качками к близняшкам.

— Пацаны, у меня рабочий вопрос, — пояснил он, чтобы избежать ссоры, — Дашка, Жанка, где хозяйка?

— На той стороне, там Владька торгует, — сказала Дашка.

— За столбом, на котором цифра семьдесят два, — сказала Жанка.

— Предупреждаю, пацаны, они обе дерутся и ку-саются! — быстро сказал Мопед качкам и добавил, исчезая: — И обе — целочки!

— Пошёл ты в жопу! Иди в жопу! — дружно закри-чали Дашка и Жанка.

Герман, Мопед, Лещёв и Птуха двинулись на дру-гую сторону терминала через толпу между рядами па-латок. Сетчатые стойки витрин, раскладные прилав-ки, кроссовки и бейсболки, парфюмерия и бижуте-рия, яркие упаковки, плечики с одеждой, коробки, флаконы, сумки и пакеты, пластиковые женские ноги в чулках и пластиковые женские торсы в бюст-гальтерах...

За бетонным столбом с намалёванным номером «72» сразу на две палатки дежурил высокий, костля-вый и губастый парень лет двадцати — Владик Танцо-ров. От армии он откосил, работал у матери и уже приобрёл характерный для рынка вид излишней опытности. Сейчас Владик был в длинной футбол-ке-хламиде и в шортах ниже колен; под футболкой на животе у него обозначалась поясная сумка для денег, карточек и ключей.

— Где мать? — оглядываясь, спросил у Владика Мопед.

— Я могу её заменить, — сказал Владик.

— Не можешь, — ответил Мопед презрительно, будто главарь мафии.

Они вчетвером нелепо переминались у столба «72» в ожидании хозяйки. Владик с подозрением поглядывал на них и трогал сумку под футболкой.

— Может, она узнала про нас и сдриснула? — предположил Лещёв.

— Сейчас вернётся, — раздражённо сказал Герман. Ему всё не нравилось: не нравилось дело, не нравилась компания, не нравился замысел вообще.

Мимо прошли парни, которые клеились к близняшкам. Видно, у них ничего не получилось. Герман оставил свою компанию и отправился вдоль ряда прилавков, разглядывая людей: загорелые крашеные тётки-продавщицы — в белых обтягивающих брюках и в дутом золоте; вечно сомневающиеся покупательницы; дети с мороженым — чтобы не ныли; бабки с бидонами на колёсиках — торговки пирожками; грузчики, до сухожилий высушенные водкой и трудом; какие-то молодые люди сучьего вида в чёрных очках...

— Чего вам надо-то? — не выдержал Владик Танцоров.

Мопеда так и подмывало показать власть. Вздохнув, он зашёл в палатку к Владику, достал нож и с видимым удовольствием разрезал сверху донизу спортивный костюм, который висел на плечиках. Потом — второй костюм. Потом — третий. Лещёв и Птуха отгородили собой прилавок от людей на улочке; Лещёв снял с витрины пластмассовые электронные часы и надел на запястье, а Птуха взял баллон туалетного освежителя и пшикнул себе в пах.

Лицо Владика дрогнуло. Владик быстро глянул по сторонам.

— Вы от кого? — спросил он. — Я Нескорову скажу, он из «Коминтерна».

Билл Нескоров держал здоровенную автобазу и не крышевал палатки.

— Пиздишь, — сказал Мопед. — Мы сами «афганцы». Зови мамочку.

Танцорова уже бежала к своей палатке, с расстояния почуяв опасность.

Герман тоже развернулся к палатке Владика, но вдруг заметил невдалеке какое-то быстрое движение. Там в толпе заметались два парня в майках — те самые, которые недавно заигрывали с близняшками. Парни нырнули в ближайшую палатку и отпихнули продавца; из баула с товаром, что стоял в углу, они выхватили автоматы Калашникова с укороченными прикладами.

По лестнице, которую на рынке называли правой, поднимался Быченко.

Тот парень, что был с Лундгреном на майке, упал на колено, вскинул автомат и всадил в Егора очередь. Второй парень тоже дал от живота очередь по Егору и зацепил кого-то из свиты Быченко. Вокруг стрелков завизжали женщины. Люди кинулись врассыпную — прочь от места схватки.

Это был ответ «динамовцев» на разгром «Нептуна». Олег Батищев, брат расстрелянного Сани Батищева, четвёртый и единственный уцелевший лидер группировки спортсменов, прислал киллеров к Бычегору.

Подобраться к Быченко было сложно. Устроить засаду в домах «на Сцепе», где находилась старая квартира Егора, «динамовцы» не помышляли. А новая квартира Быченко располагалась в закрытом и охраняемом жилом комплексе, где селилась городская знать; к тому же почти половину квартир в подъезде Егора заняли члены Штаба «Коминтерна» (едва Егора избрали командиром, «Коминтерн» оплатил членам Штаба элитное жильё). По городу Быченко перемещался бессистемно. Для западни оставался только рынок.

Рынком теперь управляла Лена Быченко, жена Егора. У неё в терминале появился свой офис: участок на втором этаже, выгороженный стенками из гипсокартона. Лена сидела здесь среди телефонов, громоздких компьютеров и факсов и разбирала бухгалтерию. Ей приятно было ощущать себя властной директрисой. Егор приезжал за Леной в конце дня, и это ей тоже льстило.

Спортсмены подготовили ловушку прямо на Шпальном.

Летом, когда все ходят в трусах и майках, киллеры Олега Батищева не смогли бы сами пронести в терминал автоматы. Поэтому они присмотрели торговца, который имел палатку неподалёку от офиса Бычегоровой жены, и прессанули его. Торговца знали на рынке давным-давно, и он не вызывал подозрений «афганской» охраны; он и пронёс на работу баул с автоматами и гранатами. А киллеры тёрлись возле офиса, будто обычные покупатели.

В тот день в июле 1994-го Бычегор приехал на Шпальный с Саней Завражным и обычной охраной — с Четырёхиным по прозвищу Чёрт, с Анзором Зибаровым, Вованом Расковаловым, Яном Сучилиным, Дудоней и Минёром. Они поднимались на второй этаж к офису по лестнице, которую на рынке называли правой. Первым шёл Сучилин — он и зевнул автоматчика.

Очередь «Дольфа» сшибла Быченко и уронила на Завражного, который двигался сзади. Но никто не подумал, что это — покушение; всем показалось, что Егор просто оступился под кайфом. Чёрт открыл рот, чтобы пошутить, и вторая очередь полоснула его от левого плеча до печени. Четырёхин ещё не понял, что он мёртв, а Зибаров уже с двух рук бил по киллерам одиночными из чеченского пистолета «борз». Говорили, что в Афгане Анзорчик служил в мусульманском батальоне и мясничил не хуже пешаварских басмачей.

Вокруг боя мгновенно раскрутилась спираль паники. Люди побежали кто куда, не понимая, что стряслось и где опасно. Повалились палатки, что-то посыпалось и разлетелось, покатились, бренча, баллончики дезодорантов. Киллер с Лундгреном на майке из-под огня «борза» отскочил в сторону, в толпу, а второй киллер, который застрелил Чёрта, вдруг встал столбом прямо напротив противника, опустил руки и рухнул набок. Анзор его убил.

Завражный и Дудоня потащили Егора вниз по лестнице; Егор выгибался и хрипел — пули попали ему в лёгкое. Анзор, Минёр и Расковалов залегли на дощатых ступенях, как на откосе траншеи, готовые стрелять хоть по людям. Сучилин укрылся в офисе Лены Быченко и выглядывал из двери. Киллер-«Дольф» дал ещё одну очередь, полыхнувшую цепочкой огней по бетонному полу, и бросился вглубь терминала — добить Быченко он уже не мог.

— К левой лестнице уходит! — крикнул, сообразив, Сучилин.

Он метнулся вслед за «Дольфом», хотя убийство киллера уже ничего не решало. Проворонив нападение, Сучилин ещё надеялся оправдаться головой нападавшего. «Дольф» обернулся и, не примериваясь, хлестнул очередью.

Ему надо было на пару секунд вырваться из поля зрения противника, и тогда он затерялся бы в толпе. Он бросил автомат и рванулся через суматоху, раскидывая встречных и роняя хлипкие витрины. В хаосе паники, будто в барабане стиральной машины, мелькали цветные тряпки — махали рукавами и штанинами; в разные стороны вылетали то кроссовки, то панамы; сыпались и кувыркались коробки; в мусоре на полу скакал какой-то стеклянный горох.

Люди, что разбегались по терминалу, не спасали свой товар, как было в далёком октябре 1991 года, когда Серёга привёз «афганцев» воспитывать торгашей Шпального. Сейчас люди спасали себя — падали на пол, пытались убраться куда-нибудь на край зала, к стене. Да, Лихолетов приказывал бить торгашей — но он всё-таки видел, кого били. А сейчас людей в расчёт не брали ни киллеры «динамовцев», ни бойцы «Коминтерна». Люди уже как бы не существовали: драка группировок разгорелась не из-за них.

Герман и его компания замерли возле прилавка Танцорки. Они поняли, что «Дольф» прорывается к ним — ну, не к ним, а к левой лестнице, но мимо них. Киллер тоже заметил Германа и парней (они не суетились) и тотчас безошибочно опознал в них «афганцев», врагов. У «Дольфа» ещё оставалась граната, чтобы расчистить себе путь. Он выдернул её из кармана просторных штанов, на ходу взвёл и катнул по направлению к палатке Танцоровой.

Птуха, Лещёв и Мопед пластом упали на пол. Стальной зелёный орех катился по мусору и тряпкам к башмакам растерянного Владика Танцорова. Герман прыгнул на Владика и приплюснул к широкому бетонному столбу с номером «72». По другую сторону столба бабахнул взрыв. Воздух взбурлил ударной волной, ближайшие палатки полегли друг на друга, точно домино. Владик истерично заколотился, не поняв, что Герман спас его от гранаты.

Взрывная волна толкнула Яна Сучилина — Сучилин бежал за киллером, подобрав его автомат. «Дольф» опять оглянулся: взрыв гранаты освободил пространство от людей, и «афганец»-преследователь мог чисто срубить его очередью в спину. На рывок до лестницы «Дольфу» не хватало пяти секунд.

Киллер юркнул между палаток и наткнулся на девчонок-продавщиц, которые, обнявшись, прятались за коробками, словно лисята от волкодава. И Сучилин, готовый нажать на спусковой крючок автомата, внезапно увидел, что киллер появился перед ним уже с двумя заложницами в руках, с живым щитом: «Дольф» за шкирку держал перед собой близняшек Дашку и Жанку.

Наверное, они впервые реагировали по-разному. Дашка молча цеплялась за руку киллера и извивалась, а Жанка закрывала лицо ладонями и визжала:

— Мама! Мама! Мама! Мама!

«Дольф» пятился к лестнице, волоча близняшек. Оружия у него не было. Сучилин, мелко семеня, наступал с автоматом наперевес и не мог отвести взгляда от загорелых девичьих животиков, оголённых под легкими топиками.

Четыре секунды. Три. Ещё одна — и тогда киллер, отшвырнув заложниц, спрыгнет в проём лестницы и уйдёт, растворится в народе на первом этаже.

Сучилин нажал на спуск и, трясясь, отработал рожок до опустошения. Киллер в майке с Дольфом Лундгреном и две рыжие сестрёнки-близняшки в джинсовых пиджачках заплясали, как припадочные, пока в воздухе вертелись гильзы автомата, а потом обвалились на пол кучей друг на друга.

...В тот день Герман вернулся домой поздно — он шёл от Шпального рынка «на Сцепу» пешком, чтобы остыть. Напиваться он и не думал, шагал просто так, размышлял обо всём, но особенно — о Лихолетове. Марина уже знала про бойню в терминале. Она сидела в кухне с Ленкой Петуховой и водкой поминала близняшек Дашку и Жанку — всё-таки работали вместе.

Герман разувался в прихожей, впотьмах искал ногами тапочки.

— Ни в каком бизнесе, Марина, я тебе помогать не буду, — сказал он.

— Дристун, — холодно ответила Марина.

* * *

Фирма Каиржана Гайдаржи называлась «Факел». Не очень оригинально, но Гайдаржи и не стремился к оригинальности. Он жил как все: все делали бабки — и он тоже. А сделать больше прочих ему удавалось лишь потому, что он был миролюбивым, хотя, говорят, калмыки по характеру воинственные.

Каиржану не нравилось что-то доказывать — он не ценил лихолетовских понтов; ему не нравилось нагибать людей — он не ценил быченковской агрессии; ему проще было договориться, зайти с тыла, решить с другими. По мере сил он избегал и акций устрашения, и побоищ. Он легко находил общий язык; если случались конфликты, он уклонялся и просто терпел, пока всё закончится; втайне он даже гордился теми недостатками, в которых его, бывало, обвиняли, — гордился, что он такой корыстный и коварный.

Фирма «Факел» вросла в «Электротягу», комбинат силовых агрегатов. По существу, фирма продавала всё, что можно было урвать на комбинате. Агенты и приятели Гайдаржи, разные замначальники цехов или снабженцы заводоуправления, выводили по документам, покупая по дешёвке, приборы, двигатели, трансформаторы и ТЭНы — всё то, что ещё выпускал умирающий комбинат, или просто крали со складов запчасти, кабель, кислоту, цветмет, оборудование. Таким бизнесом — обдиранием упавших гигантов индустрии — занимались многие деятели, не один Гайдаржи. Работники «Факела» сидели на телефонах, обложившись газетами с объявлениями, и обзванивали всех, до кого дотягивались, в Батуеве и других городах страны, а наспех обученные брокеры бегали на товарную биржу «Коминтерна», куда у фирмы Каиржана был бесплатный доступ, потому что Каиржан числился членом Штаба.

Под биржу «Коминтерн» снимал актовый зал и несколько кабинетов в НИИ электротехники — ведомственном институте при комбинате. Зал был оборудован компьютерами и принтерами. За стойками для приёма заявок на покупку и продажу работали деловые юноши образца райкома комсомола: в белых рубашках и при галстуках. В зале толкалась беспокойная толпа: люди разговаривали по мобильным телефонам, прикрывая свободное ухо, что-то выясняли друг у друга, заполняли какие-то бумаги, шумели возле стоек.

То в одном конце зала, то в другом начинали спорить про аукционы и маржу, про фьючерс на доллар, про ГКО и про то, что мэрия здесь трётся с муниципальными облигациями. Кто-то продавал брокерское место, кто-то — ценные бумаги на предъявителя. Кому-то объясняли, что с его котировками и херовой дистрибуцией надо валить на биржу при главпочтамте. Курлыкали звуковые сигналы оргтехники и трещали матричные принтеры.

В курилке за кабинетом расчётной палаты биржи Каиржан неожиданно встретил майора Щебетовского. Они были знакомы ещё с 1985 года, когда Гайдаржи взяли за спекуляцию — он продавал дублёнки-пустины, привезённые на дембель из Афгана. Каиржан дал подписку о сотрудничестве. Майор не требовал никаких доносов, но время от времени напоминал о себе. В соглашении с Конторой Каиржан никакой беды не видел: подписал — ну и подписал, чего такого-то? В армии они дофига всякой хрени подписывали.

— Шпионов ловите, товарищ майор? — весело спросил Гайдаржи.

Он ничего не боялся, потому что не чувствовал за собой никакой вины.

— Не без этого, КаиржанУланович, — добродушно согласился майор. Он курил дешёвые сигареты «Стюардесса». — А вы что же, пали до брокера?

— Ни-ни-ни! — открестился Каиржан. — Это мои бульдожки тут грызутся, а я так, подышать вышел. Хотите, какой-нибудь совет по инвестициям дам?

— Вы уже стали фондовым специалистом? — удивился Щебетовский. — Я думал, «Факел» по-прежнему занимается продажей краденых аккумуляторов.

— Обижаете, — кокетливо смутился польщённый Каиржан. — Могу слить, что нашей лавке вообще скоро кердык. Заменим её на удалённый терминал с подключением к депозитам московской валютной биржи. Так что если у вас есть лишние баксы или ваучеры, то приходите. Моё поручительство.

Для Гайдаржи ситуация казалась понятной и естественной. Все химичат, выкруживают, используют свои связи, вот и майор решил что-то провернуть. Бывший поднадзорный — нормальная связь, ведь сегодня ты пасёшь, а завтра тебя пасут. Кто в теме, от такого не парится, лишь бы оставаться при деле.

— Про ваучеры и доллары мне спрашивать пока нечего, — сказал майор, — а вот про членство в «Коминтерне» я бы у вас спросил. Помнится, когда-то господин Лихолетов приглашал меня вступить в вашу организацию.

— Добро пожаловать! — широко улыбнулся Гайдаржи.

Щебетовский давно уже думал пойти в бизнес. Контора — хорошая база, но карьеры здесь не сделать, а майор считал себя достойным более высоких стандартов жизни, нежели у полковника на пенсии. Значит, надо уходить из Конторы. Однако покинуть Контору можно только один раз, поэтому бросок к удаче необходимо подготовить, используя возможности службы.

Майор потихоньку отслеживал процессы, протекающие в городе, но ни во что не вмешивался. Он ожидал удобных позиций. Правильное управление ходом дела — когда дело движется само, и надо лишь слегка подруливать. И сейчас Щебетовский опознал такой момент в ситуации с «Коминтерном». «Коминтерн» он рассматривал как один из вариантов новой деятельности.

— Рад гостеприимству, Каиржан Уланович, — кивнул майор, — но я хотел бы ещё стать членом Штаба «Коминтерна».

— Оп-па! — Каиржан сразу понял, что у майора есть некое предложение. — Штаб, товарищ майор, — это уже серьёзно. В одиночку я ничего не решаю.

— Каиржан Уланович, — покровительственно улыбнулся Шебетовский. — Я помогу вам стать командиром «Коминтерна», а вы проведёте меня в Штаб.

Командиром оставался Быченко, который сейчас сидел в СИЗО.

— Круто берёте, — уважительно заметил Каиржан. — Но у вас не прокатит закрыть Быченко, как Лихолетова. Мы забашляли одиннадцати адвокатам.

— Я в курсе. Тем не менее я могу провести вас на место Быченко.

Щебетовского вполне устраивал Каиржан. Он вменяемый, управляемый и договороспособный. Лихолетов был не такой: им руководили понты, гонор и самолюбие — плохо предсказуемые воздействия. И Быченко не такой: им руководили агрессия и анаша. Человека с анашой нельзя спрогнозировать. А вот мотивы Гайдаржи вполне определённые — бабки и благополучие. Майор был доволен тем, как точно он всё измерил, классифицировал и рассчитал.

— А какая мне выгода залезать на место Бычегора? — Каиржан изображал простодушие. — У нас что ни командир, то в СИЗО. Нахера мне это?

— Я оплачу.

— Подробнее, — приглашающе кивнул Каиржан и сладко сощурился.

— Льготы на спиртное, — сказал Щебетовский. — У вас биржа, вы отжали точки у «динамовцев». Что ещё надо? Торгуйте «Абсолютом» и «Ройялом».

— Бухлом банчит Бобон. У него синдикат и городская «ликёрка» на Затяге. Под ним хачи с бесланской водкой. Меня вальнут, товарищ майор.

— Синдикат неискореним, — согласился Щебетовский, — но остальные проблемы я могу решить.

В мэрии есть люди, которые за долю переиграют акционирование «ликёрки», а осетинский трафик я просто сдам москвичам.

— Где гарантия, что не будет бойни?

— «Афганец», и боится бойни? — саркастически хмыкнул Щебетовский.

— Не берите на слабо, — поморщился Гайдаржи.

— По нашим данным, назревает конфликт уголовников и кавказцев из-за героина. В Батуеве расстреляли криминальных лидеров Сафьяна и Овчару и сожгли кафе авторитета Гацыра. В город едут воры в законе Гаппо Малый, Бустан и Хадзимет. Бобону сейчас не до разборок с «афганцами».

— Не убедили.

— Аргументы закончились, — Щебетовский знал, что Гайдаржи заглотил наживку, хотя и не подаёт вида. — Дальше решать вам. Но льготы, Каиржан Уланович, — это большой, легальный и респектабельный бизнес, а не кража аккумуляторного свинца с «Электротяги». Думайте сами. Вам, «афганцам», государство должно. Не отдавайте свой долг уголовникам.

Гайдаржи прислушался к совету и решил вопрос с Быченко.

Егор считался заключённым СИЗО. Он лежал в тюремном госпитале, оправляясь от пулевых ранений в грудь. Следователи пытались соорудить ему хоть какое-нибудь обвинение, но адвокаты «Коминтерна» заверяли, что не выгорит: Быченко — свидетель и потерпевший, на Шпальном он был без пушки, не стрелял, не отдавал приказов. Он может выйти даже до суда.

Тюремный госпиталь подсказал Гайдаржи замысел акции. Непогожим сентябрьским утром Басунов направился в областную больницу. Он шагал по аллее больничного городка и в полиэтиленовом пакете нёс пятилитровую пластмассовую канистру, до пробки забитую самодельной взрывчаткой; сбоку в корпус канистры был врезан детонатор, укреплённый изолентой.

Дежурная не заинтересовалась Басуновым. В палаты пропускали всех и без вопросов: посетители приносили больным еду, бельё, даже медикаменты — больницы обнищали до предела. Чтобы не привлекать внимания, Басунов надел белый халат, прошёл в коридор, поднялся на третий этаж, повертелся возле кабинетов и наткнулся на какую-то каморку со шкафами, где лежали тюки и матрасы. Подпихнув тюк, Басунов пристроил в шкаф пакет с бомбой.

Он отлично понимал, что делает. Гайдаржи не скрывал про взрывчатку в канистре. Ну а фиг ли? Им надо надавить на власть, лишь тогда Быченку выпустят из СИЗО. Акция вроде захвата станции уже не напугает, требуется жёсткий удар по мозгам. А люди в больнице — это пушечное мясо войны; пехота, которая должна полечь, чтобы командир вырвался из блокады.

Басунов будто плыл от высокого напряжения своей миссии. Смыслом службы для Басунова всегда было предложить командиру его самого: стать Лихолетом больше Лихолета, стать Бычегором больше Бычегора. Требуется лишь уловить, в чём же суть командира. Басунов «поймал» Быченко, когда на плавучем ресторане расстрелял Сашку Батищева, лидера «динамовцев». И грохнуть кучу народа в больнице тоже выглядело очень в стиле Егора.

Днём в редакцию программы «За дело» (на городском телевидении она была самая рейтинговая) позвонил какой-то человек и, не представляясь, сказал: в областной больнице заложен заряд, и его взорвут, если власти не выпустят из следственного изолятора Егора Быченко, командира «афганцев».

Редактор «Заделки» связался с полковником Свиягиным, сообщил о теракте и пообещал не раздувать паники, но помаялся пару часов, изнывая от профессионального соблазна, и приказал вбросить новость в эфир.

В конце рабочего дня весь город сидел у телевизоров. Во всех новостях показывали экстренные репортажи из больничного комплекса. Санитары торопливо тащили по коридорам носилки с лежачими больными, а рядом бежали медсёстры с держалками для капельниц. Омоновцы вели толстых одышливых тёток в халатах и небритых стариков в пижамах. В парке при больнице толпились милиционеры, врачи и пациенты, одетые как попало.

— Как стало известно из неофициальных источников, — гневно говорил в камеру один журналист, — угрозой взрыва поликлиники бандиты пытаются вынудить правоохранителей освободить из-под стражи Григория Быченкова, ветерана Афганистана, а теперь главаря уже знаменитой шайки «афганцев»...

— Быченко командовал «эскадроном смерти» группировки «афганцев», — с видом знатока рассказывал другой журналист по другому каналу. — Он засветился на погроме Шпального рынка и на разборках с бандой уголовника Бобона. После ареста Сергея Лихолетова Быченко возглавил группировку. Нет доказательств, но эксперты уверены, что это Быченко руководил бойней в ресторане «Нептун» и расстрелом криминальных авторитетов Овчара и Сафьяна. При недавнем покушении на Быченко погибли мирные граждане.

«Афганцы», конечно, тоже не отходили от телевизоров — смотрели и слушали, как город извергается ненавистью к ним.

— Никакие они не солдаты! — рыдала перед журналистом растрёпанная пожилая женщина; она сидела в больничном парке на лавке. — Мой отец был солдат, а это фашисты! Людей миной взрывать!.. У меня шов разошёлся...

— Они уже краёв не видят! — трясясь, кричал по телику какой-то лысый и толстый дядька; он держал за руку дочку-школьницу в спортивном костюме. — Отморозки! Жилые дома захватывают, торгуют, убивают!.. В больницу динамит!.. Здесь же детское отделение интенсивной терапии!.. Варварство!..

Журналисты где-то отыскали Билла Нескорова, совали ему микрофоны.

— Всё подстава! — отбиваясь, рычал Билл. — Быченко и так не виноват! Он по-любому скоро выйдет! Зачем «Коминтерну» фугас в больничке?

— А кто мог устроить провокацию?

— Да обиженных дохрена! — зло огрызался Билл, не соображая, что только ухудшает и без того плохую репутацию «Коминтерна».

Басунов смотрел это интервью по телику и вдруг понял, что Билл прав. Бомба — подстава для Егорыча. Никто не решился бы взорвать эту бомбу. Но кто и для чего подставляет Быченко? Каиржан, который дал канистру? Он хочет стать командиром?.. Басунов и не думал обижаться на то, что Каиржан использовал его вслепую. Просто хотелось знать, что происходит, кто кого побеждает, кому требуются помощники — чтобы подоспеть вовремя.

Сапёры с собаками обшаривали здания больничного городка в поисках бомбы, а журналисты тащили в эфир всех, кого могли.

— Эти ребята психически обработаны, — рассуждал какой-то социолог из пединститута. — В Афганистане они воевали с народом, их так научили, и здесь война с народом им понятнее всего. «Афганцы» по-другому не умеют.

— Парни, вы меня знаете! — с экрана по-отцовски прямо обращался к «афганцам» Свиягин. — Вы были солдаты, а стали банда! Уймитесь, говорю!

— Бомба — только верхушка айсберга! — напористо и уверенно говорил какой-то депутат городской Думы. — А сам айсберг — коррупция! Все знают, что экономической базой «афганской» группировки является рынок в Шпальном посёлке! Это омерзительная клоака, где наркотики, подпольный импорт и чёрный нал! Почему мэрия терпит такое безобразие? Оно как-то выгодно мэру? Наша фракция требует разогнать и закрыть Шпальный рынок! Тогда в городе хотя бы одной криминальной группировкой будет меньше!

Вечером служебные собаки отыскали бомбу. Операторы под дождём включили камеры и показали, как милицейские машины направили фары на крыльцо больницы: из дверей медленно, будто Вий, вышел сапёр в огромном и неуклюжем бронекостюме. В специальном захвате вроде длинных клещей этот монстр нёс канистру со взрывчаткой. Рядом с крыльцом уже поджидал грузовик с мешками, заполненными песком. Сапёр бережными движениями поместил канистру в кузов — словно рогатиной поставил чугунок в печь.

Угроза закрыть Шпальный рынок была для «афганцев» куда серьёзнее, чем возможный срок Бычегора, и «Коминтерн» это понимал. К тому времени в Штабе осталось всего семь человек — не считая Быченко и Лихолетова. Как-то незаметно вышло, что все члены Штаба — «силовики» или «бизнесмены», все ездят на «мерсах», «крузаках» или «гелендвагенах», все живут в элитном доме, построенном ещё для обкомовских бонз, в одном подъезде с Быченко.

Экстренное собрание Штаба созвали Саня Завражный и Гайдаржи — ещё более-менее вменяемые командиры — вместе с выведенными из Штаба Васей Колодкиным (раньше он отвечал за социалку), Дисой Капитоновым и Гошей Лодягиным, бывшим секретарём. Парни, человек пятнадцать, собрались в ресторане «Шаолинь» — кабак был трофеем войны с «динамовцами».

Посетителей выгнали, многочисленная охрана осталась в главном зале, а командиры уединились в «салоне», где обычно заказывают приватные танцы; здесь сдвинули столы и расселись как попало. От Китая в ресторане были только занавеси из бамбуковых палочек, бумажные абажуры и росписи по шёлковым стенам — толстые, похожие на баб косоглазые мужики.

— Короче, все в курсе, — сказал Игорь Лодягин. — Давайте без обид за нынешний расклад, без предъявлений друг другу. Город пошёл на нас залупой. Надо решать, как вырулить из ситуации. Для затравки предлагаю восстановить прежний состав Штаба. Я — опять секретарь. Возражения есть?

Никто не возражал. Нынешние члены Штаба — Саня Чеконь, Завражный, Билл Нескоров, Борян Гополюк по прозвищу Гопа — хмуро отводили взгляд и закуривали: это ведь они подвинули товарищей и довели дело до скандала. Только Гайдаржи смущённо улыбался, будто его похвалили, — впрочем, этот Будда всегда улыбался. Однако и возвращённые члены Штаба не ликовали: нехорошо было тогда, когда их убирали, нехорошо и сейчас.

— Мы друг друга знаем, записывать не будем, — продолжил Лодягин. — Решение принято — верно, да? Тогда первый вопрос: как успокоить город?

— Да никак не успокаивать! — Саня Чеконь злобно плеснул себе вискаря из квадратной бутылки. — Положить нам на них! Покипишуют и затихнут.

— Нужно искать, кто подставу организовал, — заявил Билл Нескоров.

— А вы уверены, что это подстава? — осторожно спросил Воха Святенко.

Егор вывел Воху из Штаба, и Воха разочаровался в Егоре. Воха озвучил сомнения всех, кто был недоволен Быченкой: а вправду ли бомба — подстава? Быченко зарвался, он реально мог приказать заложить настоящую бомбу.

— Неважно, бойцы, — пресёк спор Игорь Лодягин. — Про это мы потом разберёмся прямо с Егором. Сейчас другая тема. Что нам делать?

— Какое-нибудь выступление организовать для народа.

— Журналюг нанять, чтобы отмазали.

— Или Свиягину откатить. Пусть найдёт лоха и выдаст за минёра.

— Эти депутаты в натуре кусок просят, вот и наехали на рынок.

Гайдаржи не лез в разговор: загадочно улыбаясь, он напряжённо ждал, когда зацепятся друг за друга зубчатые колёсики и закрутится механизм комбинации, которую он разработал вместе с майором Щебетовским.

— Мужики, это всё базар, — устало и раздражённо сказал Вася Колодкин. — Журналюги, депутаты, менты... Может, так, может, не так. Подействует — не подействует... Есть один способ наверняка заткнуть всем пасть.

— Ну и?

— Снять Егора с командования.

Быченко закрыл все социальные программы, которые вёл Колодкин, и Вася не скрывал, что осуждает стратегию Егора — за это и вылетел из Штаба.

— Договорились же — без личных предъяв, — пробурчал Лодягин.

— Он на киче, а мы его бортанём? — удивился Чеконь. — Нам не западло?

— Получается, мы его башкой рынок выкупаем, — добавил Гопа. — Стрём.

— Не надо, парни, всего этого! — Денис Капитонов пошевелил в воздухе пальцами, будто играл на рояле. Дису Егор тоже убрал из Штаба. — Это не предъявы и не кидалово. Быченко — не балерина, он «Коминтерн» под ружьё поднял, а это заблуда нехеровая. Решаем без соплей, и решаем не как Егору жопу прикрыть, а как сохранить Шпальный для «Коминтерна». Лихолетов, например, за наше дело сел. А Быченку всего-то с командиров попрут. Если он мужик, то для общего дела потерпит. Голосуем, бля, и всё. Я за отставку.

Денис поставил на стол локоть и поднял ладонь, как для армрестлинга.

Парни курили, думали и тоже поднимали руки. Против оказались только Билл Нескоров и Гопа, Борька Гополюк. Гайдаржи тихо торжествовал.

— Решено, Быченко разжалован, — нейтральным тоном подвёл итог Игорь Лодягин. — Тогда необходимо выбрать нового командира. Есть предложения?

— Завражного, — сразу сказал Кирьян Лоцманов. — Он же всегда с мэрией тёрся. Там его уважают. Пусть снимает «Коминтерн» с крючка.

— Саня — нормально, — поддержал Воха Святенко.

— Не гоните коней, мужики, — возразил Вася Колодкин. — Надо не просто командира поменять, надо поменять тему. Егор заявил войну. Но я — против.

В «Коминтерне» Васю ставили на социалку, так как все знали, что Вася всегда требует справедливости. А война — это несправедливость.

— Я в Афгане навоевался, мужики. А Егору, наверное, не хватило.

— Вася, я с тобой! — Гайдаржи улыбнулся, отдавая честь двумя пальцами. — Не надо воевать. За Афган нам и так все должны. Я заявляю, мужики, что нам надо брать, чего нам должны. А должны-то нам дохрена.

— Должны, да не отдают, — Чеконь чистил фисташки и мусорил на пол.

— Лихолетов взял нахрапом — вот и сел, — усмехнулся Лодягин.

— Неправильно — брать нахрапом. Правильно — размениваться.

Парни курили, выпивали, размышляли.

— Обоснуй, — сказал Каиржану Билл Нескоров.

— Я про это Егору говорил, но Егор не просёк. Нормальная маржа — в нормальном бизнесе, а не в гоп-стопе. Ну, отжали мы у «динамовцев» район, и что? Надо не торговые точки отжимать, а финансовые потоки. Нам нужен командир, чтобы он выводил организацию на финансовый поток.

Парни, которые собрались здесь, в «Шаолине», восемь лет назад были тощими и нищими солдатами в большом и равнодушном городе. Потом они организовали «Коминтерн» и стали его Штабом. При Лихолете были долгие и шумные заседания в «Юбиле» на «мостике». При Бычегоре были могучие и бесстыжие пьянки в саунах с блядями. Бывшие солдаты отожрались, натешились, заматерели. Они научились ориентироваться и нападать.

— Лихолетов подогнал под «Коминтерн» поток — организовал Шпальный рынок, — продолжал Каиржан. — А Быченко ни шиша не подогнал. Хотя есть охеренный ресурс, причём только наш, «афганский». Его и надо было брать.

— Ты про льготы, ясен пень, да? — спросил Лодягин.

— Думаешь, Каиржан, ты самый умный? — Завражный смотрел ревниво и зло. — Да мы с Серым два года бились за эти льготы — и в рот нам горбатого.

— Короче, мужики, — Каиржан обвёл всех взглядом и улыбнулся как-то виновато и беспомощно, — я могу направить этот поток к «Коминтерну». Но для этого мне надо быть командиром «Коминтерна».

— Круто ты шкурничаешь, Каиржан! Подтянул муде к бороде, ага!

— Мужики, вы меня знаете! — завертелся Каиржан. — В бизнесе всяко бывает, кому-то не помог, не с теми работал, но своих я не имел!

Каиржан лукавил: он же устроил Быченке подставу с больницей... Но Быченко вообще парней под пули посылал — и к нему не было претензий!

— Хорэ галдеть! — рявкнул Чеконь. — Давайте голосовать, и всё.

— Погодите! — Билл Нескоров поднял руку, привлекая внимание. — Пусть Гайдаржи распишет, как он там за эти льготы разменяется. Тогда решим.

— Всё просто, — улыбнулся Гайдаржи, вновь обретая опору. — У меня появился человек в мэрии. Ну, типа как я его перевербовал. Помните майора, который командовал штурмом «Юбиля»? Щебетовский Георгий Николаевич.

— Он играл в другой команде, Гайдаржи.

— Зато хорошо играл. Я ему заплатил — он перешёл в нашу команду.

— К нам вообще-то не за бабки, а за Афган попадают.

— Он «афганец». Три года служил на охране в спецкомендатуре Кабула. Сейчас написал заяву и вступил в «Коминтерн». Всё официально.

— Ну ты и жонглёр, Каиржан, — недобро восхитился Кирьян Лоцманов.

— И что этот майор может? — скептически спросил Завражный. — Мэрия не утвердит «Коминтерну» льготы, пока не решили с домами «на Сцепе».

— Мэрию майор утопчет. Прижмёт «ликёрку» и хачей с бодягой. Сведёт с поставщиками. А у нас — биржа и сети. Это честный навар, мужики, потому что нам должны, и пусть сюда положат! — Каиржан постучал пальцем в стол.

— Замануха ещё та, — пробормотал Гопа. — А при чём здесь ты, Каиржан?

— Тот человек у майора, который в мэрии, хочет работать только со мной. Не я так определил. Это Егорыч выставил «афганцев» как бандосов.

— Расклад ясен, — подытожил Билл Нескоров. — Давайте прокукуем, парни. Лично я не боюсь калмыка выбирать. Если он нас наебал — мы скинем его, как Егора, и всё, дело-то недолгое. А попробовать охота. Нам должны.

Парни задумались. Каиржан считался мутным типом, но сейчас почему-то выглядел ясным и понятным. Сам же он смотрел на парней с надеждой и замиранием. Его подмывало рассмеяться и спросить: ловко я вас всех сделал?

С перевесом в один голос Каиржана Гайдаржи избрали командиром «Коминтерна».

Глава вторая

Егор Быченко вышел из больницы на первый снег — в ноябре 1994 года. Сухая и жёсткая позёмка заметала тёмные, закоченевшие улицы Батуева. Егора привезли домой на «мерсе» в сопровождении кортежа — такой уважительностью «Коминтерн» подчёркивал, что у «афганцев» нет претензий к Быченко. А Егор ничем не проявил своего отношения к отставке, демонстрируя, что «у нас всё по-мужски: парни попросили меня командовать — я командовал, дали отбой — я отбился, всё без нервов».

Ничего иного Егору не оставалось: все, кто его поддерживал в Штабе, получили от Гайдаржи хорошие бизнесы на бухле. Благодаря Щебетовскому мэрия за месяц утвердила постановление о льготах на спиртное и табак для «Коминтерна», и «афганцы» начали раскручивать тему. Бабки на льготном алкоголе вертелись шустро, и бизнес вовлекал в себя так же властно, как и война. Парни из Штаба — Лодягин, Гопа, Святенко, Билл Нескоров, Чеконь, Завражный, все другие — поняли, куда тянул их Гайдаржи.

Егор оказался в отчуждении. Парни были охвачены новыми заботами, непонятными Егору. Гайдаржи побаивался Быченко и не предлагал вступить в дело, а Егор считал западло просить об этом первым. Парни должны были сами прийти и позвать Егора, то есть извиниться, потому что они оскорбили его отставкой — усомнились в его умении командовать. А ведь он командовал разведвзводом и получил орден Красного Знамени: в 1982-м брал в Панджшере вершины, на которых в ячейках, обложенных каменными валами, сидели моджахеды с британскими ручными пулемётами «Брэн».

В своей роскошной квартире Егор лежал на роскошном итальянском диване, курил анашу, пил водку и бесконечно смотрел по видаку кассеты с шоу рестлеров, тупо гадая, постановочные или настоящие эти чудовищные поединки полуголых длинноволосых монстров. На большом экране дорогого телевизора американские гладиаторы швыряли друг друга на помост, ломали рёбра и падали коленями на спины поверженных. Чем дольше продолжалась изоляция, тем больше Егор убеждался, что его не оскорбили, а предали.

Напрасно Лихолетов говорил про «афганское братство». Парни кинули своего командира, пока он был в госпитале, променяли на льготное бухло. Егор легко убедил себя, что он, конечно, сам ушёл бы в отставку, если бы его попросили, но ведь не попросили же!.. По-шакальи перетасовали втёмную. Сдвинули его с места, как бачок с помоями. Короче, нет никакого братства.

Этот калмык, торгаш хитрожопый, убрал Егора с командования, загрёб себе ресурс и подсадил парней на бабки... Небось он уверен, что «афганцы» друг за друга, поэтому «афганец» «афганца» не закажет... Ну ага... В мутном сознании Егора с трудом двигались тяжеловесные, грубо вытесанные мысли.

Лена, жена Егора, по-прежнему работала директором Шпального рынка — Гайдаржи демонстративно не покушался на активы Быченко. Но Егора не устраивало, что сам он утратил положение, а Ленка — нет. Это выглядело так, будто он — плохой командир, а Ленка — хороший, и по этой причине Штаб не тронул её. И вообще: Ленка тоже должна была пострадать вместе с мужем.

Однажды утром пьяный с ночи Егор впёрся в спальню Лены с сигаретой в зубах. Лена сидела перед зеркалом и накрашивалась для работы.

— Как там тебе под калмыком? — угрюмо спросил Егор.

— Нормально, — холодно ответила Лена, не отрывая взгляда от зеркала; она растирала по скулам тональный крем. — Гайдаржи в мои дела не лезет.

Лене с её склочным характером очень нравилось быть директрисой рынка — устрашать людей, контролировать, проверять и придираться.

— Тебе надо уволиться, — без выражения сказал Егор.

Лицо у Лены поплыло, пальцы с кремом словно смазывали его вниз.

— А если я не хочу?

Егор не знал, что ответить. В старой тельняшке, неуместной в будуаре жены, огромный и во хмелю неуклюжий, он стоял у Лены за спиной, смотрел в глаза отражению Лены, и пепел с его сигареты сыпался на дорогой палас. Егор понимал, что Ленка не пожелает уходить с работы, но что делать, если она не подчинится даже прямому его приказу?

— Застрелишь меня, что ли? — зло и жёстко спросила Ленка.

— Живи, — мёртво сказал Егор и загасил окурок в её баночке с кремом.

Ленка тоже предала его, как парни из Штаба. Все предали. Вокруг одни враги. Значит, везде война. Егору было чудовищно одиноко. Раньше он уже испытывал такое одиночество — в разведке под Гиндукушем. И ещё это было одиночество последнего боя: десантура не сдаётся, и война продолжается.

Выбираться из запоя Егор укатил в «Крушинники» — к бане и настойкам Иван Данилыча Чубалова, на конные прогулки по зимнему лесу. Обтирание снегом, домашний ядрёный квас и хвойные веники поставили Егора на ноги. Через три дня он вернулся в Батуев. Запарковав «паджерик» на заметённой стоянке во дворе своего дома, Егор столкнулся с Гайдаржи — Каиржан жил в одном подъезде с Егором и парковался на той же площадке.

— Здорово, Егорыч, — Каиржан внимательно вглядывался в Быченко.

Каиржан был незлобивым и лёгким человеком. Мрачное и угрожающее недовольство Быченко действовало ему на нервы.

— Здорово, — ответил Егор и, как-то даже отворачиваясь, протянул руку.

Каиржан торопливо стащил тонкую кожаную перчатку, будто готовился коснуться драгоценности, и пожал лапищу Бычегора.

— Работать будем? — воодушевлённо спросил Каиржан.

Он стоял возле своего запорошенного метелью чёрного «мерседеса» и радостно улыбался. Высокий, красивый, в коротком пальто и без шапки.

— Попробуем, — уклончиво пробурчал Егор.

Лицемерие его не смущало. На войне как на войне.

Гайдаржи уже подготовил «отжим» у Бобона ликёро-водочного завода: юристы «Коминтерна» и чиновники Щебетовского оформили необходимые документы, а суды приняли нужные решения. Оставалось только занять саму «ликёрку». Для такой операции Егор был бы лучшим командиром.

Из прежних приятелей Быченко в боевом подразделении «Коминтерна» состояли Лега Тотолин, Джуба — Жиенбек Джубаниязов, Виталик Уклонский, Басунов, Сучилин и ещё пяток парней. Егорыча они встретили, будто долго ждали. Быченко казался тем же: так же выпивал в компании по саунам, хотя держался замкнуто (но он всегда был как бирюк). Гайдаржи некоторое время приглядывал за бывшим лидером «Коминтерна», пока нс убедился, что Егор принял теперешние правила жизни и своё нынешнее положение.

Ликёро-водочный завод находился в гуще жилой застройки Батуева. Его комплекс из двух цехов, гаража с мастерскими, склада и здания управления, точно тюрьма, был огорожен бетонной стеной с колючей проволокой — чтобы не воровали продукцию. Внутрь попадали через проходную управления или через главные ворота. В торце главного цеха — этот цех вылезал за периметр стены на боковую улицу — были ещё одни ворота, но их давно заварили.

В новогодние праздники 1995 года, пока город веселился, а завод стоял пустым, к его проходной подрулили «барбухайка» и «трахома». Бойцы Быченко взломали двери и заняли цеха и административное здание, а двух сторожей выбросили в сугробы у ворот. Работников «ликёрки» (вернее, работниц) после праздников встретил строгий режим «Коминтерна», нового собственника: на всякий случай по всему заводу Егор расставил посты.

Прежние хозяева платили Бобону; Бобон просто обдирал предприятие без всякого расчёта: выживет — молоток, сдохнет — и хрен с ним. Персонал работал без зарплаты уже почти год и давно бы разбежался, но удерживала возможность тырить спирт. Новый владелец, да ещё такой деловой, возбудил в работниках надежду получить деньги, невыплаченные при Бобоне. Под окнами заводоуправления собрался митинг, примчались журналисты.

В директорском кабинете Гайдаржи разговаривал с Полиной Петровной — главным экономистом «ликёрки» и лидером протестующих. С Полиной пришли три какие-то блёклые тётки, а за столом Гайдаржи сидели Егор, Воха Святенко, Саня Завражный и Вася Колодкин. Полина Петровна говорила уверенно и раздражённо, будто глупые «афганцы» вывели её из терпения.

— У нас многодетные матери! — Полина по-учительски стучала в стол лакированным ногтем. — Вы получили завод не как дойную корову, а вместе с обязательствами прежнего владельца перед поставщиками и сотрудниками! Мы начнём забастовку до выплаты всех долгов, в том числе и по зарплате!

Полина не выглядела измученной безденежьем: красивая баба за сорок, крашеная и в очках, с густым греческим загаром и французским парфюмом. Чутьём торгаша Гайдаржи сразу уловил, что эта тётка имела хлеб от Бобона. Долги поставщикам — явно её личная маржа. Гайдаржи в этом разбирался.

— Дорогая Полина Петровна, — улыбаясь, сказал он. — Я не знаю, кто и чего вам должен. Но нам-то должны вы. Так что выходите и работайте.

— Там — голодные люди! — Полина указала пальцем в окно, развернув рельефно обтянутые блузкой груди. — У них есть права! Они позвали прессу!

Каиржан тоже указал пальцем на Егора:

— Этого парня расстреливали с двух автоматов, так что нам пофигу все ваши угрозы. Мы с Афгана. Это мы тут своё забираем, а не вы с Бобоном.

Каиржану запали в душу слова майора Щебетовского, что «афганцам» все должны. Эти слова многое оправдывали и объясняли, как надо жить.

— Да, зря СССР вошёл в Афганистан, — саркастически сказала Полина.

Митинг угас. Забастовка так и не началась. А Полину Каиржан уволил.

Бобон попытался отомстить за отжим «ликёрки». В конце января его бойцы спилили болгаркой петли на воротах, которые находились в торце главного цеха (он выдвигался на боковую улицу), потом, зацепив, дёрнули джипом и отодрали створку. Через проём в цех влетели два десятка бандюков с дубинками и велоцепями. Положив работниц на пол, бобоновцы заперли ворота, ведущие на заводской двор, и принялись громить оборудование: били стеклянные циферблаты датчиков, выкручивали вентили, резали резиновые шланги, выдёргивали провода из распределительных щитов.

Егор среагировал мгновенно. Он вскочил в кабину грузовика, что стоял у склада под погрузкой, и машиной вышиб закрытые бобоновцами ворота. Бойцы Быченко ворвались в цех. «Афганцы» дрались с налётчиками среди каких-то пронумерованных блестящих баков и мокрых труб с кранами, среди стеллажей с батареями цинковых баллонов медицинского вида и цистерн, закованных в арматуру. На боках эмалированных ёмкостей по трафаретам было написано «уголь. фильтр», «хим. очистка воды» или «сист. смягчения». Банный кафель на стенах был в грязных трещинах, пахло хлоркой и спиртом.

Бобоновцы отступили. Егор с «береттой» погнался за одним из бандитов — тот юркнул за массивный высокий бидон на консолях и побежал вверх по железной лесенке на решетчатую галерейку, что тянулась через торцевую стену над вскрытыми воротами. Егор тоже полез наверх. Но в конце галереи обнаружилась дверь, снизу не заметная за кожухом вентилятора. Когда Егор добрался до неё, было уже поздно. Дверь вела на монтажный балкончик, висевший на внешней стороне стены рядом с горловиной вытяжки; спуска вниз не имелось, и бандит спрыгнул с высоты третьего этажа. С балкона Егор увидел, как по заснеженной улице от цеха уезжают джипы погромщиков.

Отход через балкон Егор запомнил — сработала привычка разведчика.

— Слушай, Егорыч, — проникновенно обратился Гайдаржи, стараясь не обидеть и не разозлить Быченко, — такой бодяги с налётами нам сейчас вот пиздец как не надо. Шестнадцатого на «ликёрку» приедут из мэрии с большим шмоном. Хочу, чтобы тут всё было тихо, как в библиотэке.

Кто-то продолжал бороться с «Коминтерном» за «ликёрку», совал палки в колёса — может, Бобон, может, уволенная Полина или работники, которым Гайдаржи так и не выплатил зарплату. Теперь про «ликёрку» написали донос, что там в баках плавают дохлые крысы и производство надо закрыть. Мэрия направила на предприятие комиссию из санэпидстанции и начальников сразу трёх департаментов — потребительского рынка, экологии и ветеранских организаций. Гайдаржи должен был провести проверку по заводу.

В тот же день, как узнал об этом, Егор сам пошёл в «Чунгу» к Бобону.

Они встретились в «Ливерпуле», бандитском кабаке при «Чунге». Бобон сидел в «кабинете» за шторкой один и внимательно, будто учебник, читал цветастую газету «Мегаполис-Экспресс». Егор грузно опустился напротив.

— У меня предложение, — без предисловий сказал он. — Дай мне трёх стрелков, и забудешь про калмыка.

— У тебя свои стрелки есть.

— Я хочу выйти чистым. Все знают, что калмыка подписал ты.

Бобон аккуратно свернул газету и положил на стол.

— Какой мой навар за него?

— Калмык сам по себе не навар?

— Калмык-шалмык. Я его по-любому запакую и без тебя.

— Верну себе командование — отдам тебе «ликёрку».

По лицу не понять было, сколько Бобону лет. Лицо костистое и серое, будто неумытое; хрящеватый нос и тёмные, отвисшие подглазья; какой-то странный, всегда подвижный рот; непристойно-красные губы вампира.

— Лады, командир, замазались, — согласился Бобон.

Он ничего не выяснял о жизни «Коминтерна» и причинах Быченко, не удивлялся такой разборке внутри сообщества «афганцев». Он действовал как ящер: кто-то появился в зоне досягаемости — сразу щёлк челюстями, и съел.

Встретившись с Бобоном, Егор переступил черту. Пути назад не было.

Егор разработал план покушения на Гайдаржи. 16 февраля Каиржан сам лично будет водить комиссию по «ликёрке». Проверяющих, конечно, он затащит и в главный цех. А там с галереи над воротами киллер выстрелит по Каиржану из снайперской винтовки. Потом на десантере-моноспасе киллер спрыгнет на улицу с монтажного балкона и исчезнет. Все подумают, что он проник этим же путём — кто-то открыл ему дверь с балкона на галерею.

При покушении в цехе будут спрятаны ещё два стрелка. Если киллер на галерее облажается, то эти стрелки свалят Каиржана из автоматов, а затем рванут вслед за киллером через галерею, балкон и моноспасы. Если же всё пройдёт по плану, то стрелки тихо растворятся в суматохе после убийства.

Самое сложное — завести стрелков в главный цех на место засады. Егор придумал, как это сделать. Перед визитом комиссии, вечером 15 февраля, на «ликёрке» установят усиленную охрану. В подобных случаях «Коминтерн» привлекал чоповцев. Но бойцы из разных ЧОПов не знают друг друга — этим и надо воспользоваться. Егор будет сам размещать посты. Он внедрит в толпу чоповцев киллера и стрелков, запустит их в цех, а потом за ночь перетасует людей по сменам и по точкам, чтобы скрыть все следы.

Вечером 15 февраля Егор на своём «паджерике» подъехал к «Чунге». По договорённости с Бобоном он должен был забрать трех наёмников, которых отвезёт на «ликёрку» под видом чоповцев. Егор припарковал джип за сквером; обледенелые берёзы, освещённые сквозь стеклянную плитку фасада «Чунги», казались голубыми. Конечно, Егор вспомнил, как два года назад «афганцы» для устрашения громили «Чунгу», но не испытал сожаления, что жизнь изменилось. Как есть, так и есть; надо решать тактическую задачу. Если сейчас потребовалось убрать Гайдаржи — он уберёт.

Хрустя снегом, Егор пошёл к крыльцу. Кнырь, шестёрка Бобона, провёл его к хозяину. В кабинете у Бобона сидели трое парней в камуфляжных бушлатах и закатанных шапочках-балаклавах — так зимой одевались бойцы ЧОПов. У двоих были автоматы, у третьего — пятнистый чехол с винтовкой.

— Вот эти пацаны, — сказал Бобон. — Мишаня — снайпер.

— Чего взял? — спросил Егор, рассматривая снайпера.

— СВД складная. Оптика неродная, но «цейсс».

— Что за раскладуха? Переделка?

— Новая модель. Плечевой упор вместо приклада, ствол укорочен.

— Ясно, — кивнул Егор и обернулся к Бобону. — Годятся.

— Выходите отсюда через бойлерную, Кнырь проводит, — сказал Бобон. — У меня тоже стукачи. Не надо, чтобы вас, таких красивых, тут видели.

Бойцы молча раскручивали на лица шерстяные маски и превращались в каких-то рыб — только глаза и рты.

Кнырь повёл Егора и наёмников по коридору, по лестнице и дальше через переход в полутёмную бойлерную. Егор увидел толстые трубопроводы, обмотанные синтетической тканью, морды котлов с болтами по окружности, железные штурвалы, циферблаты манометров — почти так же, как в цеху на «ликёрке», но крупнее, грязнее, ржавее. Всюду плавал горячий пар.

Кнырь выпустил их через боковую дверку.

В «паджерике» Егора снайпер Мишаня с винтовкой уселся на переднее сиденье, а бойцы расположились сзади. Егор включил двигатель. Ядовито-зелёный свет приборной панели фосфорически озарил грузных рыбоголовых чудищ в салоне, словно Егор вёз инопланетян.

— Сейчас даю указания, что делать на первом этапе, — сказал Егор.

Джип выкатился из дворов и помчался по улице в оранжевом сиянии фонарей. Рыжий снег обочин, чёрные дома, прерывистые ряды жёлтых окон, чёрные автомобили, тропически-апельсиновые витрины, чёрные пешеходы, чёрная ель на площади Ленина, вся в медовых каплях гирлянд из лампочек, чёрное небо и долька луны... Что-то неправильное было в чёрно-оранжевом мире. Слишком мало оттенков чёрного — это настораживало...

Джип мчался по проспекту, Егор сжимал руль. Мимо летели огни, дома поворачивались, частили неоновые буквы магазинных вывесок, разгорались и гасли парные звёзды встречных фар, на перекрёстках перестраивались, как физкультурники, длинные шеренги столбов. Егор оборвал инструктаж.

Бойлерная... Полумрак, нихрена не различишь... Парни в балаклавах... Там, в бойлерной, можно было незаметно подменить одного бойца другим... И ещё эти глаза в прорезях маски, что отражаются в зеркале заднего вида... Опыт разведчика включился в сознании Егора, как автопилот.

Впереди была трамвайная остановка: трамвай уже замедлял ход, а люди возле павильончика готовились идти через проезжую часть на посадку. Егор жёстко бросил джип вправо и чуть повернулся, группируясь перед ударом. Машина подпрыгнула на бордюре и врезалась в угол железного киоска, что стоял перед остановкой. В джипе всех бросило вперёд; лобовуха лопнула мелкой сеткой, словно внезапно залепленная снегом. По дороге от джипа брызнули стекляшки, а люди на остановке с криками шарахнулись в сторону.

Егор откинулся от руля обратно на сиденье, распахнул дверку и выпал наружу, но тотчас поднялся с заснеженного асфальта и, шатаясь, бросился в толпу. Напротив остановочного павильона замер трамвай, из него хлынули потоки пассажиров и сразу заполнили всю проезжую часть. Егор мгновенно затерялся среди людей; если киллер не потерял сознание и решится стрелять прямо из джипа, то просто не увидит, куда Егор подевался.

Немного контуженный, Егор сквозь шум в голове слышал испуганные голоса свидетелей аварии, но сам двигался среди людей в сторону трамвая — вот уже его борт, ступенька, поручень... Егор тяжело вскарабкался в салон.

— Во втором вагоне поторопитесь с посадкой! — раздражённо сказал по трансляции водитель трамвая. — Двери закрываются!

— Уберите бошки свои с улицы! — крикнула кондукторша в салоне Егора — это зеваки высовывались, чтобы разглядеть сокрушённый джип.

Складные двери захлопнулись с визгом стылых шарниров.

Егор заметил пустое сиденье — на соседнем месте громоздился алкаш, который спал, уткнувшись ушанкой в заиндевелое окно, и никто не хотел находиться рядом с пьяным. Егор раздвинул пассажиров, шагнул и сел в пустое кресло. Голова Егора кружилась, в глазах всё плыло. Егор схватился за металлический поручень на спинке кресла напротив.

Вагон качнуло, люди впереди расступились, и Егор вдруг увидел Олега Батищева. Последнего из лидеров «динамовцев». Это его брата расстреляли на «Нептуне». Это он послал автоматчиков на Шпальный. Это его глаза были в прорезях балаклавы и в джипе смотрели на Егора из зеркала заднего вида.

Теперь балаклава Батищева была свёрнута валиком, как шапочка. На щеке — затёртый потёк крови. Бушлат расстёгнут, словно от жары. Батищев стоял лицом к Быченко. Левой рукой он держался за поручень, как обычный пассажир, а правую руку сунул за полу бушлата — там ствол. Он видел обе руки Егора на спинке кресла. И Егор уже ничего не мог изменить: не мог отступить, атаковать или выхватить «беретту» из кобуры под мышкой.

Егор всё понял, но как-то окостенел и тупо ждал. А Батищев медлил, дарил Егору время до ближайшей остановки. Трамвай, стуча и подрагивая, бежал по зимнему проспекту, но при тусклом вагонном освещении казалось, что за окнами, густо заросшими изморозью, не русский город Батуев, а Панджшерское ущелье, где в стратосферной тьме белеют гранёные и острые льдины Гиндукуша. Да, для Егора трамвай ехал через Панджшер, потому что Егор всегда был там, в Панджшере, и не было у него никакого дембеля.

На остановке «Сорок пятый комбинат» пассажиры сдвинулись с мест, и Олег Батищев, повернувшись боком, выстрелил сквозь бушлат из пистолета с глушителем. Егор Быченко закрыл глаза и лёг на похрапывающего алкаша. Батищев прошёл мимо, внимательно рассматривая Егора, и покинул вагон.

Кондукторша попыталась разбудить Егора Быченко только на конечной.

* * *

С Владиком Танцоровым судьба свела Германа через тринадцать лет после бойни на Шпальном — осенью 2007 года.

Герман сидел в лобби-баре на первом этаже бизнес-центра, пил кофе и ждал директора, которого привёз на какие-то переговоры. В этот момент и зазвонил телефон. У Германа была возможность ответить.

— Алё, — не здороваясь и не представляясь, развязно произнёс абонент, — это вы владелец участка три-шестнадцать в кооперативе «Ненастье»?

Владельцем был Яр-Саныч, но он с людьми не общался, и сотового телефона у него не было — он не желал учиться пользоваться трубкой. На всякий пожарный случай сторож Фаныч имел номер Германа.

— Вы в курсе, что Ненастье будут сносить?

— Этим уже три года пугают.

— Короче, всё серьёзно. Реальная ликвидация. Я из риелторской конторы звоню, скупаю в Ненастье участки под снос. Если хотите что-то получить за дачу, то приезжайте, обсудим. Короче, свой адрес эсэмэской сброшу.

Ближе к вечеру Герман приехал по указанному адресу. Окраина, бывшая промзона, офисное здание — некогда заводоуправление; второй этаж, секция на три кабинета, дешёвая мебель, секретарша — девица явно не для работы; в общем, шарашкина контора эпохи благополучия, когда всё можно хоть как.

Владик, развалясь, сидел во вращающемся кресле.

— Мы чё, знакомы вроде? — Он тревожно вглядывался в Германа.

За прошедшие годы Владик Танцоров одновременно заматерел и как-то разболтался. Высокий, поджарый, подвижный, губастый, рукастый и наглый — как раз тип рыночного продавца. Только время рынков миновало.

— Слушай, а Таньке ты кто, муж? — напрямик спросил Владик.

— Гражданский, — Герман опустился на стул. — Давай к делу.

— Лады! — Владик шлёпнул по столешнице ладонями. — Короче, возле вашего Ненастья будут строить НПЗ. У меня там, среди верхних, — Владик со значением указал пальцем в потолок, — есть человечек, он мне инфу сливает. Если НПЗ, то вокруг экологическая зона. Всех отселят.

— Что за НПЗ? — недовольно спросил Герман.

— Нефтеперегонный завод. А чё, удобно же. Близко к городу. Железная дорога. Трубопровод. Роза ветров... Короче, если не веришь, у меня есть копия закрытого постановления мэрии, десять тыщ баксов заплатил, блин...

Владик размашисто полез куда-то в недра стола.

— Да верю, верю, — остановил его Герман. — Когда начнут строить?

— Через год-полтора — пока всё утрясут... Но дачам, короче, хана.

Герман задумался. В новостях он слышал о проекте химкомбината.

— А тебе какая польза выкупать участки на отселение? — спросил Герман.

— Да какая всегда, — покровительственно ухмыльнулся Владик. — Купи подешевле, продай подороже. Я и не скрываю.

— А вдруг я сам продам подороже?

— Ничего ты не продашь, — Владик с видом превосходства откинулся на спинку кресла. — Кроме верхних, никому эти участки не нужны, а верхние только со мной работают. Короче, если не со мной, то участок у тебя изымет районная администрация, сунет тебе компенсацию в три рубля, и гуляй, Вася.

— А ты пять рублей сунешь, ага?

— Пять лучше, чем три. Но для тупых я объясню. Компенсация — триста косарей, не больше. Я беру участки в Ненастье за четыреста. Сдам верхним за семьсот. Разница — моя маржа. Между прочим, я на кредит сел, чтобы эти участки выкупать. Но у тебя я возьму участок за те же семьсот. Соглашайся.

— За что мне такая милость? — удивился Герман.

— За ту гранату на рынке, — важно ответил Владик. — Я же не мудак.

Герман ещё раз оглядел Владика. Может, и вправду не мудак?

— Я подумаю, — сказал Герман. — Дача-то не моя.

— Только, слышь, мне ждать-то особо некогда. Подсуетись, короче.

Владик растревожил его. Деньги давали возможность изменить судьбу.

После разговора с Танцоровым у Германа появились какие-то мысли о другой жизни для себя и для Танюши. Сначала эти соображения были странные и невнятные, вроде бы ни о чём, но потом Герман вдруг осознал, что вполне конкретно прикидывает, как ему ограбить спецфургон Шпального рынка. При детальном рассмотрении ограбить спецфургон оказалось делом техники. Куда важнее был вопрос о том, что делать после грабежа.

Из Индии Герман вернулся с ясной картиной будущего.

И почти сразу позвонил Танцоров.

— Ну чего, продаешь дачу? — спросил он. — Рожай быстрее, блин.

Герман не поделился замыслами с Таней — не надо её смущать: она не выдержит напряжения. К разработке операции он приступил в одиночестве. Дача в Ненастье должна была сыграть ключевую роль.

Продажа дачи принесёт деньги, а деньги нужны в первую очередь для того, чтобы купить новые паспорта, на которые он откроет банковские карты, — наличкой упереть бабло через границу невозможно (следует подобрать какой-нибудь международный банк, а счёт заводить в валюте). Также ему будет нужна незаметная машина. Плюс разные мелочи. Всё это должно быть подготовлено заранее, до ограбления, потому что потом он уйдёт в подполье.

И ещё. Дача, даже проданная, послужит отличным убежищем. Танцоров туда не приедет (зачем ему?), и оперативников вариант дачи, скорее всего, не заинтересует. Заглянут проверить, но не более. Он отсидится в Ненастье в первые дни, пока менты будут гонять как ошпаренные, а затем умотает куда-нибудь подальше. А на даче оставит тайник. Погреб отлично подойдёт для тайника. Закопать его — и никакая собака не унюхает. Танцоров говорил, что земельных работ на территории закрытого Ненастья не планируется, значит, погреб сохранится в неприкосновенности хотя бы год. Это лучше сейфа.

В общем, надо спешить, пока Танцоров готов заплатить полную цену. Меньших денег на документы и машину, увы, не хватит. Танцоров — это его шанс!.. Кто бы знал, чем аукнется та граната на Шпальном рынке... Под Новый год Герман собрался с духом и поговорил с Танюшей о продаже дачи.

— Ненастье всё равно обречено, — виновато добавил он в завершение. — Предложение того риелтора самое оптимальное.

Они с Танюшей лежали в постели и смотрели, как мигает огоньками гирлянда на маленькой пластмассовой ёлке, что стояла на тумбочке в углу.

— Как ты скажешь, Гера, — ответила Танюша. — Мне без разницы.

Она уже давно изжила любовь к Ненастью. Всё детское и хорошее, что у неё было связано с дачей, оказалось перекрыто тяжёлыми воспоминаниями о нелепом бегстве с Владиком, о бессмысленном труде ради прихотей матери, о расчеловечивании отца. Танюша любила лес, а не дачу в Ненастье, но ведь лес никуда не пропадал — садись в электричку и приезжай.

Цветные отсветы бегали по всей комнате. Незамысловатые переливы ширпотребной китайской игрушки почему-то завораживали Таню, она могла наблюдать за гирляндой целыми часами. Герман приподнялся на локте и рассматривал тонкое лицо Танюши. Потом пальцем осторожно потрогал её губы и кончик носа, провёл по бровям, будто рисовал.

— Герка, ты мне мешаешь следить за ёлочкой, — прошептала она.

— Ёлочка не убежит, — заверил Герман.

На следующий день они снова обсудили ситуацию с дачей и обоюдно пришли к выводу, что Яр-Санычу нельзя говорить о продаже. Он упрётся, разорётся, заткнёт уши, чтобы не слышать аргументов, накатает заявление в суд, что дочь и её сожитель силком отбирают у него последний кров.

— Он подпишет все документы, которые я ему дам, лишь бы отделаться, — сказала Танюша. — Он сам никогда не читает документы и не слушает, когда я читаю, не верит мне. Говорит, что только деньги важны, а бумаги — чушь.

— К осени нам перечислят всю сумму, и можно будет купить Санычу новую дачу. Как закончится его огородный сезон, так и скажем ему.

Герман договорился с Танцоровым, что лето 2008 года Яр-Саныч проведёт как обычно — на грядках в Ненастье. За такую уступку Танцоров получил право выплачивать Куделиным по частям, а не сразу. А молчание сторожа Фаныча Герман купил водкой.

— Тань, ты не будешь против, если я попробую прокрутить деньги за Ненастье? — осторожно спросил Герман. — Есть шанс немного заработать.

Когда-то Герман поступился квартирой ради душевного спокойствия Тани. Таня всегда помнила об этом и потому сейчас не возразила Герману. Он ведь уже доказал, как ему дорога Пуговка; он не обманет.

А Герману было тягостно говорить о деньгах за Ненастье, потому что он как раз и собирался обмануть Танюшу. Да, это для неё, и он потом всё отдаст Тане, всё исправит — но, тем не менее, сейчас он обманывал.

— Конечно, Гера, — кивнула Танюша. — Только будь осмотрительным. Мне кажется, что ты слишком доверчивый.

— Я чувствую себя подонком, — сквозь зубы, задыхаясь, сказал Герман.

— С деньгами всегда неприятно, — с видом знатока согласилась Танюша.

Всё получилось так, словно кто-то наверху зажёг Герману зелёный свет.

Танцоров с нотариусом приехал на квартиру к Яр-Санычу. Герман и Таня еле вытащили старика с кухни, где тот затеял что-то пилить ножовкой, и усадили за стол. Яр-Саныч, клокоча, выслушал, как нотариус зачитывает пункты документа. Чужое присутствие в доме было Яр-Санычу невыносимо; он ничего не понимал и желал лишь поскорее всё закончить.

— По завершении всех перечислений недвижимость и землевладение, являющиеся предметом настоящих соглашений, ранее принадлежащие Куделину Ярославу Александровичу, отойдут в собственность Танцорова Владислава Андреевича, — монотонно говорил нотариус. — О поступлении всей оговорённой суммы на указанный банковский счёт будет составлен надлежащий акт, после чего сделка будет считаться состоявшейся.

Яр-Саныч чувствовал, что всем этим людям что-то нужно от него, и потому страстно хотел избавиться от них, выгнать гостей вон. Ни в какую продажу дачи он не поверил — денег-то не дают, а бумаги — ерунда. Пусть говорят что хотят, его это не касается. Он быстро расписался, где указали, и раздражённо бросил ручку на стол. Всё, убирайтесь, убирайтесь!

— Вы действительно понимаете суть заключённой сделки? — с лёгким презрением спросил нотариус.

— Я вам не дурак! — крикнул Яр-Саныч. — Дудки! Уходите отсюда!

Нотариус пожал плечами. Он давно работал с Танцоровым, видал и не такое. Порядок соблюдён — гонорар получен — прощайте, господа.

Весной на карточку Танюши потекли деньги. Яр-Саныч уехал на огород. А где-то в невообразимой дали ждала Индия, и волны Аравийского моря катили шипастые раковины по красным пескам Малабарского побережья.

Подготовку к ограблению Герман начал с новых документов. Ему были нужны три паспорта, вернее, три липовых российских паспорта, на которые будут выписаны три настоящих загранпаспорта. Герман понятия не имел, каким образом жулики исхитряются подделывать документы. Но техника подпольных комбинаций — не его геморрой. Он должен просто найти человека, который всё сделает, и оплатить ему свой заказ.

Герман примерно представлял, какой человек для этого нужен. Ходил слух, что кто-то из «афганцев» имеет свою турфирму и отправляет народ на Кипр, в Египет и Таиланд; турфирма оформляет необходимые для выезда бумаги — и за хорошие деньги, пользуясь опытом, хозяин может организовать клиенту чистый паспорт. Герману требовалось найти этого деятеля.

Искать разумнее всего было через «Коминтерн». Учётом ветеранов и социалкой по-прежнему занимался Вася Колодкин. Его-то Герман и ждал на Шпальном рынке возле входа в административный блок секции «С».

В девять утра Вася припарковал «ленд ровер» на своём законном месте возле полосатой колонны, бибикнул сигнализацией и заметил Германа.

— Здорово, Герка! — обрадовался он, протягивая руку. — Тыщу лет не виделись! Пошли ко мне в офис, кофейку с коньячком выпьем.

— Погоди, — улыбнулся Герман. — Сначала у меня вопрос без свидетелей.

— Тогда давай обратно в машину сядем.

— Хорошая тачка, — сказал Герман в салоне и похлопал по рукояти на дверке. — А ты, значит, Вась, матпомощь в «Коминтерне» распределяешь?

— Распределяю, — несколько напряжённо согласился Вася. — И тачка у меня нормальная. А что ты хотел узнать, Немец?

— Можешь мне найти парня, он из наших, у которого своя турфирма? Имени не знаю, названия фирмы тоже. Хочу купить для себя паспорт с нуля.

— Поищем по базе, — кивнул Вася. — А тебе зачем корки?.. Ну да, блин! — Он спохватился и усмехнулся. — Слушай, Немец, многие думают, что они — самые хитрые, и этот способ сработает. Но я тебе ответственно говорю: в банках всегда проверяют кредитную историю, и если её нет вообще, то большой кредит тебе не дадут, потому что человек без финансовой истории внушает подозрения. А на нулёвую ксиву кредитной истории всяко нет.

Вася решил, что Немец задумал взять деньги на фальшивый паспорт.

— Вась, не хочу обсуждать, — виновато поморщился Герман. — Найдёшь мне человека — спасибо, нет — значит, нет.

— Найду, — заверил Вася. — Пошли в офис, там комп с базами.

На третий этаж они ехали в лифте.

— Недавно встретил Флёрова, — рассказал Герман, — он ругался, что «Коминтерн» отказал ему в кредите. Почему, Вась? Флёров же нормальный.

— Знаю, — не глядя на Германа, ответил Вася. — Но такие суммы — уже не моя компетенция. Это лично Щебетовский постановил. Он же командир.

— А ты?

— А я, Немец, занимаюсь доплатами к пенсиям, пособиями, страховыми полисами, гарантиями по ипотеке. Хочешь путёвку в санаторий «Зелёный дол» под Саранском? Или льготу на протезирование зубов? Это ко мне. Могу проездной за полцены подогнать. А за кредитами — к Николаичу.

Офис «Коминтерна» состоял из двух просторных светлых комнат. В одной за столами с мониторами сидели три девушки («зассыхи-умнявки» обозвал их Флёров), другая комната была кабинетом Васи Колодкина.

— Машенька, организуй нам кофе, — попросил Вася.

Герман сел в пухлое кресло, а Вася сразу сунулся в компьютер.

— Щас всё найду, — пробормотал он. — Слышал, Завражный переехал на ПМЖ в Чехию? Тоже мне, блин, чех. Только пиво дуть горазд.

Герман не знал, как к этому относиться. Он хотел в Индию.

— А как вообще парни живут? — спросил он. — Ну, в целом. Я теперь почти ни с кем не общаюсь, ничего не знаю.

— По-разному живут, — пожал плечами Вася. — Но ведь и раньше все по-разному жили, Немец, только имели одинаково — ни шиша. Кто-то работал, а кто-то бухал. Вот сейчас кто-то новую тачку покупает, а кто-то бухает по-прежнему. Дудоня спился и квартиру продал. Голендухин помер — цирроз. Лещёва жена выгнала, теперь он живёт у какой-то стервы, вместе покупают боярышник. Чича тоже от запоя до запоя: месяц слесарит, месяц керосинит.

— Я не бухаю, Вася, я работаю, — негромко сказал Герман. — Но хаты у меня нет. И тачки нет. Не «ленд ровера» даже, а простой «девятки».

— Что за намёки, Немец? — рассердился Вася. — Думаешь, я из общей кассы себе стругаю? Обижаешь, Герыч. Щебетовский мне хорошую зарплату положил. Да, я тут деньги Фонда распределяю, но сам я, блин, копейки чужой не взял! Чтобы «афганец» у «афганца» тырил? Похабство.

В соседней комнате закурлыкал телефон.

— Добрый день. Это Союз ветеранов Афганистана. Меня зовут Лиза, — ласково заговорила в трубку офисная девушка. — Чем я могу вам помочь?

Вася стучал по клавиатуре и злобно смотрел в экран.

— Почему, блин, меня все попрекают? — спросил он с застарелой обидой. — Чего такого я сделал-то? Этому проплатил, этому проплатил... Конечно, часто приходится отказывать, но куда деваться? По одному видно — дашь ему, а он спустит всё, что получит. Другой реально не заслужил таких денег: я же знаю наших парней. А третий на какую-то сущую фигню выпрашивает: «хочу свозить одноклассников своего сына по Золотому кольцу» — ну в рот пароход, чес-слово! Хотя, конечно, всё это обычные заморочки... жизнь... но я же сам — «афганец», и потому чувствую себя сукой.

Герман вспомнил, как пятнадцать лет назад Вася Колодкин боролся с Бычегором за восстановление социалки в «Коминтерне».

— А при Лихолетове не так было? — спросил Герман.

Вася смотрел в экран и крутил колёсико на «мышке».

— Вчера мне звонит Маша Ковылкина. Просит беспроцентную ссуду на холодильник. И я ей отказал. Она же не отдаст. Она разведёнка, двое детей, а Саня ей почти не помогает. Ну не отправлю же я к Маше коллекторов... А Лихолетов вызвал бы какого-нибудь Витю Басунова, приказал бы ему найти Саню и пробить ему фанеру, чтобы вспомнил про совесть и купил жене холодильник. Вот и вся ссуда по-лихолетовски. Но я так не могу.

— Те времена уже не вернуть. И отношения не вернуть.

За стенкой снова закурлыкал телефон, и уже другая офисная девушка заговорила таким же парфюмерно-заботливым голосом:

— Союз ветеранов Афганистана. Меня зовут Света. Чем вам помочь?

— Знаешь, Немец, я каждый день слышу про Щебетовского всякий хай, а ведь Николаич натурально тратит на благотворительность куда больше, чем уходило при Серёге, Егоре или Каиржане. Почему же его поливают?

— Потребности выросли? — предположил Герман.

— Не только. Просто многое не решить деньгами. Машу Ковылкину холодильник не спасёт. Ей нужно, чтобы муж вразумился. Но Саню ссудой для Маши не исправить. А у Николаича нет других средств, кроме денег.

— Вась, мне как-то несподручно жалеть Щебетовского, — сказал Герман. — Если тебе невмоготу — уволься. Дурацкий совет, но другого не имею.

— Я не могу, Немец. Мы так рвались сюда, а здесь тошно, и уйти некуда.

«Залезай в свой “ленд ровер” и гони на Малабар», — подумал Герман.

Васю он тоже не пожалел. У Колодкина отличная зарплата, нормальная работа, большая квартира, жена, двое детей... Это хорошо, что Вася мается и думает. Значит, душу он не продал. Но Вася — взрослый мужик. У него всё в порядке. И он бывший солдат. Сражайся. Где-то есть выход из ненастья.

Вася отыскал того человека, про которого спрашивал Герман, — некий Игорь Шульп. Владелец и директор турфирмы «Ветер странствий». Герман никогда не слышал ни про Шульпа, ни про его фирму. Но в «Коминтерне» числилось три тысячи парней, и не все из них были знакомы Немцу или Васе.

— Распечатай мне схему, где контора Шульпа, — попросил Герман.

Шульп оказался улыбчивым мужичком невысокого роста — редеющие светлые волосы, тонкие очки, белая рубашка с закатанными рукавами и галстук. Типичный благовоспитанный клерк с мягким рукопожатием.

Герман объяснил, что ему нужно, стараясь не называть вещи своими именами, и Шульп тотчас указал пальцем на дверь своего кабинета.

— Об этом лучше в рекреации, — пояснил он.

Комната отдыха находилась в конце этажа.

— Что-то я тебя в «Коминтерне» не встречал, — Шульп неожиданно перешёл на «ты». — Я с девяносто седьмого в организации.

— А я с девяносто первого. К девяносто седьмому я уже набегался.

— Ты мне подозрителен. Ты хотя бы примерно прикидываешь, почём тебе обойдутся шесть паспортов? Зачем тебе столько? И откуда деньги?

Под упругой резиной клерка Герман ощутил ржавое железо солдата.

— Много лишних вопросов, Игорь Палыч.

— Я под статью зайду. Я должен убедиться, что ты надёжный.

— Могу убедить только деньгами. Других аргументов нет.

— Колодкину, конечно, я доверяю, но что ещё можешь сказать о себе?

— Был бы Лихолетов — он бы сказал. Но его ты, наверное, уже не застал.

— Однако слышал. Ты где служил?

— Шестьдесят первая автобригада, сороковая армия, Шуррам, а потом Шахтджой, водила, ДМБ восемьдесят шесть.

— Наливник, кунг или бортовая?

— Сначала кунг, в восемьдесят шестом пересадили на «зушку».

«Зушкой» называли и зенитную установку — спарку зенитных автоматов, и бортовой грузовик, который возил в кузове такую установку.

— «Ирокезы» сбивал?

— «Союзы-Аполлоны». По горам работали. У зениток угол позволяет.

— Что у вас там было? Забиуллу брали в Шадиане? «Кареру» гасили? Чольбахир и Мугулан чистили?

— Я просто водила, не тигр снегов. Я вокруг Ханабада катался.

— «Лаи лях илля миах ва...»

— «Мухаммед расул аллах», — закончил Герман калему.

Шульп прощупывал Германа, чтобы на уровне генетики определить, свой или чужой этот человек. Свой — это который помнит Афган. Свой не сдаст. Герман подумал, что «афганская идея» Серёги Лихолетова работает до сих пор. Вот прямо сейчас, сей момент. Ради одних только денег Шульп не будет рисковать. А ради «афганца» — уже может.

— Ладно, убедил, — сказал Шульп и усмехнулся. — Смастырю.

Кроме документов, для ограбления Герману требовался ещё автомобиль. Какая-нибудь рядовая и не новая легковушка. Тот же Вася Колодкин навёл справки и сообщил, что Ванька Ксенжик продаёт свою старую «девятку». Герман созвонился с Ванькой, договорился о покупке, и в конце августа Ксенжик пригнал машину на парковку Шпального рынка.

Герман залез в «девятку» рассчитываться и удивился облику Ваньки. Ксенжик приехал в синих брюках с двойными красными лампасами, в камуфлированной куртке, под которой была тельняшка, и в какой-то странной сизой фуражке с красным околышем. На груди у Ваньки блестели яркие значки с всадниками и сабельными эфесами, аксельбант и две медали — серебряные кресты; на кокарде синели буквы «БКВФ»; предплечье украшала чёрная нашивка с золотой надписью «Спасибо, господи, что мы казаки».

— Ты чего такой расписной, Вань?

— Положено, — сухо ответил Ксенжик.

Раньше он был весёлый и открытый, играл на гитаре, а ссйчас держался замкнуто и даже надменно, будто показывал, что выше насмешек.

— Что значит «БКВФ» на шапке?

— Батуевские казачьи войсковые формирования.

— Ты что, казак?

Герман еле удержался, чтобы не спросить: «А где твой конь?»

— Я командир казачьих сотен Батуева. Это типа добровольных народных дружин. Офис — в молодёжном досуговом центре. Курирует мэрия.

— Никогда не слышал про такое, — признался Герман.

Он убрал в папку на молнии подписанный договор купли-продажи, а Ксенжик спрятал в борсетку деньги.

— Ты же, Немец, не ходишь на концерты, на всякие народные гулянья. А мы там милиции помогаем, стоим в оцеплении, следим за порядком. У нас занятия в школах, своя спортбаза, путёвки. Форму вот пошили.

— А почему казаки-то, Вань? Ты же в Афгане был миномётчиком.

— Казачество — опора государства. Я теперь занимаюсь патриотическим воспитанием молодёжи. Пора собирать страну. Хватит девяностых.

Они выбрались наружу. Ксенжик закурил, а Герман открыл багажник.

— «Афганцем» теперь западло быть? — спросил он. — Надо казаком?

— Ты чего до меня доёбываешься, Немец? — обозлился Ксенжик. — Кому ты сейчас Афган предъявишь? Кому он нужен? Он, блядь, как эта колымага! — Ксенжик пнул в колесо «девятки». — Ни вида, ни скорости, ни цены.

— Так выброси его, — холодно и испытующе предложил Герман. — Или ещё можно тюнинговать и продать?

— Пош-шёл ты, — ответил Ксенжик, развернулся и пошёл прочь сам.

«Он тоже в Афгане как в ловушке», — подумал Герман про Ксенжика.

Теперь у него была машина — первая собственная машина в жизни. А к началу сентября Владик Танцоров полностью рассчитался за дачу.

* * *

Владик Танцоров соврал Герману. Во-первых, администрация района за участки в Ненастье давала те же шестьсот-семьсот тысяч, а не триста (с каких щедрот Владик переплачивал бы вдвое против казённого?). Впрочем, официально о выселении администрация ещё не объявила, поэтому жители Ненастья не верили Танцорову и не хотели продавать ему участки.

Во-вторых, шестьсот-семьсот тысяч Владик платил за любой участок в Ненастье, а не только Герману. Просто нужно было подтолкнуть Неволина к продаже дачи, вот Владик и сказал, что купит его участок по самой большой цене, — типа как благодарен за спасение от гранаты. Развёл, короче, лоха.

Граната — гранатой, но ведь Марина, жена Неволина, отняла у Танцорки, матери Владика, торговые точки на Шпальном рынке. Так что Владик ничего не должен Герману. После покушения на Бычегора мамка вообще сломалась, не могла без рыданий вспоминать погибших близняшек Дашку и Жанку (она сама же и уговорила сестрёнок поработать у неё). Эх, был бы Владик тогда постарше — верняк, что поставил бы раком Жанку или Дашку, а то и обеих.

Мать уступила Марине свои торговые места, а сама, как простая, пошла за прилавок в палатку к подруге, завела себе любовника-кавказца и начала попивать. Марина выполняла обещание и выплачивала за отжатые точки, но не сразу и частями — и деньги быстро обесценивались, превращаясь в пшик.

Владик в то время был уже самостоятельным. После школы он ошивался на Шпальном, от армии откупился, на учагу наплевал, подрабатывал так и сяк и вполне освоился в жизни. На огромном рынке всегда находились какие-то дела: можно было скупать и перепродавать краденое или просрочку, быть на подхвате, соединять нужных людей друг с другом, выполнять поручения бригадиров, с пацанами разводить оптовиков и чужаков, да мало ли чего. В конце концов, Владик открыл при Шпальном свою шиномонтажку.

Как-то так получилось, что подруга, с которой он жил, Ленка, вдруг забеременела; он поленился рвать отношения, пока можно было, и оказался женатым; родился сын, а через полтора года — второй; судьба определилась сама собой. Ленка повязала Владика по рукам и ногам: подашь на развод — отсужу шиномонтажку. Он думал, что пропал, — отныне сидеть ему на цепи.

Однажды на дне рожденья Ленкиной сеструхи, когда все уже нажрались, Владик по пьяни прицепился к какой-то бухой, толстой и незнакомой ему девке (её звали Тамара), утащил её в ванную и второпях оттрахал. А Тамара, блин, залетела. Папаша её оказался человеком со связями и с гонором, и он сказал: или этот ёбарь женится, или загремит за изнасилование. И дальше, когда деваться стало некуда, всё получилось очень просто — чего он прежде так боялся?.. Владик легко подал на развод и уступил Ленке шиномонтаж, а потом женился — хоть на толстухе, зато на дочке не последнего чиновника.

Короче, жизнь поменялась. Тесть Владика, Левон Ильич, в мэрии был замдиректора департамента муниципальных имуществ, рулил вопросами городского жилфонда и землеотводов. Он определил Владика на кормление при своём департаменте: Владик зарегистрировал риелторскую контору и охотился по городу за добычей. Он покупал квартиры на первых этажах, а тесть помогал перевести их в категорию нежилой недвижимости и продать коммерсантам под магазины. Владик химичил с «резиновыми трущобами» — теми, которые шли под снос, и потому туда срочно прописывались толпы родственников, чтобы получить компенсацию. Тесть сливал информацию о планах мэрии и строительных магнатов, и Владик мог подмухлевать, чтобы снять пенки. Левон Ильич забирал солидный куш — пять процентов со всего размера сделки, но это не от жадности, а чтобы зять не расслаблялся.

Владику нравилось быть среди чиновников — среди этих самоуверенных, холёных и мордатых мужчин с убедительной речью. Вот так же в юношестве Владику нравилось быть среди «афганцев» с их понтами, трицепсами и стволами. Но не «афганцам» теперь сосали в саунах самые дорогие девочки, не «афганцы» ездили на сафари и покупали виллы. Не они победили.

Левон Ильич сообщил Владику, что мэрия приняла решение строить за городом нефтеперегонный завод (мэрия станет его соинвестором), и в зоне отчуждения НПЗ под снос уйдёт деревня Ненастье. Нефтяники не мелочатся, они заплатят за снос прилично — не меньше чем по миллиону за участок, а Левон Ильич проследит, чтобы они об этом не забыли. Левон Ильич даже подписал для банка поручительство от мэрии: пусть банк не боится выдать фирме Владислава Танцорова крупный кредит на выкуп участков в Ненастье.

С сентября 2007 года Владик трижды в неделю ездил в такую знакомую ему деревню и обрабатывал дачников. Каждый участок — триста или четыреста косарей навара, а то и больше: есть за что жопу рвать.

Владик отлично помнил, что с ним приключилось в Ненастье: как он приехал сюда с Танькой Кудельной, попытался её трахнуть, но она упрямо сопротивлялась, и в первый день у него ничего не вышло. На второй день он всё проспал, как мудак, а на третий день опять полез на девку, но тут на него будто с неба рухнул Сергей Лихолетов и отоварил по морде. Владик тогда струсил чуть ли не до обморока. Неприятно было осознавать, что Лихолетов восторжествовал над ним на глазах у Таньки, что Танька так и не дала ему, что Лихолетов и Куделина увидели его страх и позорное малодушие.

И Владик перелицевал воспоминания, чтобы не мучили, придумал всю историю заново и поверил в неё. Теперь дело выглядело иначе: он смело подбил клинья к подружке опасного командира «афганцев», привёз девку сюда, к ней же на дачу, раздел и почти поимел, но примчался разъярённый Лихолетов и отхуярил Владика, потому что был старше и натренированный.

Такие воспоминания не терзали душу, а тешили самолюбие, ведь сейчас Владик получил всё, к чему рвался в молодости, — деньги, девок и уважение. Комфортное настоящее помогло ему сделать комфортным и прошлое.

Он открыл калитку во двор Куделина с лёгкой добродушной насмешкой над своими подростковыми страстями. Да, дескать, были времена, когда его, Владислава Танцорова, могли побить за девчонку. Были времена, когда он заискивал перед тренером, старался, чтобы его заметили... Вон он, бывший тренер, — копает грядку на огороде. Всё поменялось: сейчас пусть тренер заискивает перед Владиком, чтобы тот выплатил нормальную цену за дачу.

Владик с интересом рассматривал Яр-Саныча — поседевшего и сутулого, но сухопарого и крепкого, хотя и одетого в тряпьё. Владик испытывал некое удовлетворение, словно старость была Яр-Санычу наказанием за то, что не оценил Владика в «Юбиле». Но Яр-Саныч и сейчас не узнал Танцорова. Он остановился, опершись на лопату, и начал слушать Владика, странно шевеля бровями, будто пытался что-то понять, а потом перехватил лопату и заорал:

— Ничего не продаю! Убирайся! Подонки! Вон отсюда!

После такого приёма Владику пришлось искать телефон Неволина.

Неволина Владик не принимал всерьёз. История с гранатой для него была ни о чём. Неволин — отстой. Денщик Лихолетова, не более. Лихолетов был мужик, суровый хер, жёсткий босс. Трахал девку, пока хотелось, потом сплавил денщику. А вот на Таньку посмотреть было бы любопытно...

Танюша испугалась, когда поняла, что покупатель Ненастья — Владик. Танюша не видела его уже лет десять, но слышала, что он дважды женат, у него дети, он руководит фирмой. Тане захотелось увидеть, каким он стал. Она не испытывала к Владику неприязни, даже наоборот — чувствовала вину и мягкое сожаление, что всё сложилось так нелепо. Ей казалось, что Владик вернёт ей что-то нежное, будто ей по-прежнему пятнадцать лет.

Танюша не рассказывала Герману о том, что у неё было с Владиком. Гере не надо об этом знать. И Герман, ничего не подозревая, привёл Владика на квартиру Яр-Саныча подписывать документы о продаже дачи.

Владик сидел на стуле в стороне от Яр-Саныча и украдкой озирался. Он злорадствовал, что Кудельны живут так бедно: старомодный поцарапанный гарнитур с пыльным хрусталём, зашарканные ковры, пластмассовые люстры, жёлтые обои. Даже двустволка на стене в комнате какая-то зачерствелая без стрельбы. Владик пытался скрыть ухмылку, типа «так и надо Таньке». Если бы тогда не кочевряжилась и дала ему, то жила бы сейчас, как сам Владик живёт: с мебелью из Италии, с плазменными экранами и стеклопакетами. (Владик не соотносил, что его благополучие — в первую очередь от жены.)

Но Таня, новая и взрослая, Владика заворожила. Её былое девичество словно раздвоилось на что-то очень детское и что-то очень женское. Владик с разных сторон присматривался к Танюше: она такая чистенькая, беленькая, тихая, послушная... Такую бы дожарить до румянца, раскрутить на крик.

И Таня тоже смотрела на Владика, но так, чтобы никто не заметил — в зеркало, на отражение в стекле, как-нибудь искоса. Владик превратился в мужчину. Большого, как Гера. Но какого-то одновременно развинченного и скованного, трусливо-нагловатого. Таня вспоминала Владика возвышенным, одиноким, надломленным, а увидела ухватистого типа с сочными губами. Неужели Владик — как все? Вырос, освинел, распоясался... Гера не такой.

Это впечатление о новом Владике Танцорове подтвердило правильность Танюшиного решения продать Ненастье. Ничего нет, потому что ничего и не было — значит, ничего не надо, и пускай ничего не будет.

Владик запомнил новую Танюшу и решил при случае подкатить к ней. Случай подвернулся через полгода, когда Владик закончил перечислять деньги. Надо было подписать акт. Владик созвонился с Таней и пригласил её в ресторан «Калигула» — типа как завершить дело и сразу обмыть. А Германа Владик попросил не брать. Им с Танькой есть о чём поговорить наедине.

Танюша очень редко ходила в рестораны, и всегда с Германом. Ей было очень стыдно скрывать свою встречу с Владиком, но чистая правда: Герману совершенно не следовало знать об этом — он начнёт переживать. Танюша не стала одеваться по-праздничному и пришла в «Калигулу» в будничном виде.

Заведение только называлось рестораном, на самом деле это был просто шалман, более-менее приличный днём и разнузданный вечером, когда тут расслаблялись главари местной гопоты: играли в бильярд, курили кальян, бухали и смотрели стриптиз. Но Владик считал «Калигулу» крутым кабаком. Он часто зависал здесь с приятелями, занимая компанией отдельный кабинет: компания заказывала приватные танцы и приставала к официанткам.

Владик усадил Танюшу в знакомом кабинете за бархатной портьерой. Официантка Лёлечка принесла меню и понимающе улыбнулась Владику. У них уже выработалась эдакая ролевая игра: Владик подтягивал Лёлечку к себе, а она сопротивлялась. Однажды Владик даже зажал Лёлечку в женском туалете, но она выкрутилась — клиент уйдёт, если всё получит.

Танюше в кабаке было неуютно. Ей казалось, что Владик привёл её в какой-то величественный храм, где всевидящий бог сразу поймёт, какая она грешница, и громогласно прикажет убираться вон. Танюша выпила вина, и ей сделалось ещё хуже — застучало в висках, затрепыхалось сердце.

Видя, как Танюшу развозит, Владик подливал вина. Он и сам сразу накатил двухсоточку «Джека Дэниелса» и расшатался. Он придвинулся к Танюше и положил руку на спинку её стула как бы в полуобъятии.

— Я же, Танька, так любил тебя, — шептал он сзади Танюше в затылок. — Я все эти годы помнил тебя. Все эти годы продолжал любить. Только сказать не мог... Ты мне снилась. Я искал, чтобы на тебя похожая была...

Конечно, Владик врал. Он всегда врал женщинам, чтобы побыстрее добиться секса. Он начинал говорить о самом главном, делал заход с самыми сильными аргументами — убеждал, что влюблён, уверял, что хочет жениться. Это было очень тупое враньё, лобовое, — но почему-то почти всегда оно действовало. Женщина соглашалась лечь в постель, а Владик укреплялся в убеждении, что все бабы дуры, а он — умный, ловкий и неотразимый.

Танюшу словно переворачивало вверх ногами и роняло в пропасть, потом снова вздымало и переворачивало. Она затеребила сумочку, и Владик отодвинулся, думая, что Танюша достанет носовой платок вытереть слёзы. Но Танюша достала купюру в пятьсот рублей.

— Я не могу, Владик, — еле выдавила она и положила купюру на стол.

Ей казалось, что сначала надо заплатить за вино и салат, только тогда можно уйти. Она вскочила и побежала из ресторана.

— Да бли-и-ин... — разочарованно протянул Владик сам для себя.

Подошла официантка Лёлечка и принесла тарелку с виноградом.

— Чё, Лёлька, садись рядом, короче, — усмехнулся Владик, пододвинул стул и похлопал по нему ладонью. — Угощаю. Я сегодня холостой.

А Таня быстро шагала по осенней улице домой, изо всех сил стараясь не плакать. Денег с собой у неё не осталось даже на трамвай, но не в этом дело.

Неважно, врал ей Владик или говорил правду, что столько лет её любил, — всё это слишком сильные слова для неё, слишком сильные переживания: любовь, отверженность, безнадёжное ожидание... Выйдя из тишины и покоя своей жизни, она не выдержит такого бурного движения. У неё никогда не было таких отношений, таких ярких страстей, — и никогда не будет. В том и горе, что не было и не будет. В том и беда, что у неё всегда ненастье.

Владик приставал к Тане лишь потому, что приставал почти ко всем женщинам, которые оказывались в зоне досягаемости. Никаких чувств к Тане до встречи в «Калигуле» он не испытывал. То, что было раньше, семнадцать лет назад, он давно обезопасил в памяти. Ему тридцать четыре, всё торчком, есть и время, и капуста, и всё у него сейчас с бабами в порядке.

Про Томку, нынешнюю жену, можно и не говорить — она не считается. Время от времени Владик по старой памяти таскался к первой жене. Была любовница Анюта: в основном для Кипра и Египта. Ну, секретарша Оксанка — так секретарши созданы сосать, не отходя от кассы. Ещё сауны с лебедями. Ради щекотки — приватные танцы в «Калигуле». Пару раз в год для отдыха — секс-тур в Таиланд. Короче, не о чем печалиться. Танька — херня. Да, забавно было бы отпежить ту, которая сто лет назад не дала, — но и всё, аллес.

Однако после «Калигулы» у Владика защемило самолюбие, от досады саднило душу. Он ревновал. Он говорил себе: понятно, почему в 1991-м Танька выбрала не его, а Лихолетова (хотя Таня тогда ничего не выбирала). Кем в те годы был Серёга и кем был Владик? Расклад ясен. Но сейчас-то кого Танька предпочла ему? Неволина? И тяжелее всего Владику было принять то, что Танюшу не купить и не своротить с её выбора.

А 17 ноября — в тяжёлый с похмелья понедельник — Владика ожидало новое потрясение. К нему в офис приехал капитан Дибич. И Владик, охренев, узнал, что Неволин, это чмо болотное, в одиночку грабанул бронефургон с четырьмя вооружёнными охранниками и скрылся с мешками денег. Йопт!

Владик не выдержал, прямо при Дибиче достал бутылку и опохмелился.

Капитан Дибич въедливо расспрашивал про Ненастье, и Владик в душе перекрестился, что у него всё чисто, никаких махинаций и подлогов. Дибич допытывался, зачем Танцоров купил дачу у Неволина? Какие у него были отношения с Неволиным? А с Куделиными? Как проходила продажа дачи? Бывал ли Танцоров на даче в ноябре? Как устроена жизнь в Ненастье?

Под конец Дибич попросил ключи и разрешение съездить на дачу. Ключи и дубликаты у Владика были как раз на работе — в сейфе, а против осмотра Владик не возражал. Дача под снос. Чего там беречь, за что бояться?

— И документы на дачу, можно и копии, держите при себе, пожалуйста, — добавил Дибич. — При следующей встрече я всё-таки посмотрю.

Весь понедельник, и весь вторник, и даже в среду Владик неотступно думал про Германа и Танюшу. Он рылся в интернете, отыскивая по сайтам сюжеты про ограбление, чтобы узнать, какую сумму заполучил Неволин. Внятной информации не нашлось, но более-менее было ясно, что несколько мультов баксами. Ёбу даться... Владик разглядывал фотки спецфургона, фотки охранников и ментов на месте преступления, фотки самого Неволина, разглядывал и понимал, что опять жестоко и по-мальчишески ревнует.

Герман добыл денег больше, чем весь капитал Владика за долгие годы лакейства перед тестем. И Герман добыл деньги быстрее, смелее и проще, чем добывал Владик. Владику не хватило бы соображалки, не хватило бы духа бомбануть фургон с охраной. Неволин оказался круче. Вроде бы обсос и тихушник, шустрил туда-сюда, пил-курил чем угостят, занимал пятихатку до получки, и вдруг — скоростной и яростный приём «мельница», и все летят через головы и валятся ему под ноги друг на друга, а он, весь такой в белом, уходит вдаль с мешком бабла. Понятно, почему Танька снова предпочла Владику другого мужика — отказала Владику там, в «Калигуле».

Владика мучила зависть. Он вспоминал те ночи с Танюшей в доме в Ненастье. Темнота, снег за окном, шум поездов, тепло от печки, запах дров и дыма, красный свет углей на балках потолка, робкая нагота Танюши... Чего ему тогда не хватило, чтобы доделать дело? Всё было в его руках! Почему он недотянул?.. А ведь трахнул бы он Таньку тогда — всё пошло бы иначе.

Он не липнул бы потом к Ленке, на которой в конце концов и женился, а без Ленки не появилась бы и Томка с её Левоном Ильичом — хер ему в очо... В душе Владика сквозь самодовольство проступило вроде уже вытравленное ощущение своей ущербности, подросткового неравенства с «афганцами» — злобными и храбрыми парнями, которые были на войне, а теперь в Батуеве объявили войну всему свету. И девки в Батуеве любили именно «афганцев», а не тех прыщавых дрочил, которые отирались вокруг «афганских» качалок.

В среду вечером Владик не выдержал и позвонил Танюше.

— Танюха, здорово, это я, — развязно сказал он. — Слышал про твоего муженька. Ну и чё, как он там? Как здоровье у него?

Танюша в это время возвращалась с работы домой. Она промолчала.

— Короче, слышь, я в курсе, где он с баблом гасится.

Разумеется, Владик этого не знал, но знал, на какие кнопки нажимать.

— Где? — тихо спросила Танюша.

— В Караганде, — ответил Владик. — С тебя — шпили-вили, ножки врозь, или я сдаю твоего зайца дедам Мазаям. Расклад ясен?

— Я не могу, — почти беззвучно ответила Таня.

— А ты всегда не можешь, — раздражённо сказал Владик. — Ну, как-нито напрягись! Завтра в восемь вечера жду тебя у твоей «Гантели». Не поедешь со мной — завтра в девять твой муженёк сядет в камеру. Отбой.

Таня направлялась в общагу, но по пути завернула в супермаркет, купила сосиски и картошку. Дома она переоделась, взяла кастрюлю и пошла на кухню готовить ужин. Хотелось запереться в комнате, спрятаться от всех, лечь на кровать лицом к стене и плакать, но Танюша не стала. Дело, понятно, было не в ужине, который никто за неё не приготовит. Просто раньше от всех своих бед она пряталась, а Гера окружал её заботой, утешал, отгораживал от мира. Она отдавалась печали, а Гера следил, чтобы ничто её не потревожило. Но сейчас некому было оберегать её. Сейчас в её пустом доме гулял ветер.

Она чистила картошку и думала, что Гера не просто так ограбил фургон. Он украл деньги — но как бы ведь не для денег. Он же никогда не гонялся за выгодой, не был жадным. Если бы он украл только ради миллионов, он исчез бы, скрылся бы далеко-далеко, насовсем, чтобы никто не отыскал. А он где-то здесь, он бродит рядом, он прячется. Он принёс долг Яр-Санычу. Почему он остаётся тут, будто на привязи? Что его держит? Она? Это всё из-за неё?..

Она знает его уже столько лет... Кроме неё, у Геры нет другой причины не покидать Батуев. Значит, и деньги он украл тоже для неё! Наверное, он хотел куда-то увезти её отсюда — туда, где хорошо. Например, в Индию. Он приехал из Индии такой лёгкий, будто нашёл там какой-то выход в счастье!..

Он ничего ей не сказал не потому, что решил бросить и забыть, а потому что она слабая. Даже нет, не слабая... Потому что она всегда думала только о себе. О своей печали. Вот поэтому она сейчас одна и ничего не знает о Гере.

А если она ошибается? А если причина всему — как всегда, корысть? Нет! Если она любит Геру, она должна верить, что Гера старался для неё. И сейчас ему грозит опасность, ведь Владик Танцоров выдаст его в милицию.

Гера совершил большое преступление, за ним гонятся все милиционеры города, его ищут предатели вроде Владика... А Гера один, и лишь она одна его любит, и никого никогда она не любила так, как Геру, дура, дура! Она не должна плакать. Она не должна быть слабой. Ей надо быть сильной. Она должна помочь Гере, хотя он об этом не просил — не просил, потому что не верил в неё, щадил её, миловал. И теперь ей нестерпимо горько, что Гера в неё не верил. Она сама виновата! Она ничего не делала для своей любви.

У Танюши, как в сказке, капали слёзы — капали в кастрюлю с картошкой.

— Эх, Танька, Танька, — вздохнула Зоя Татаренко. Зоя давно уже была в кухне, жарила котлеты, наблюдала за Танюшей, а Танюша её не замечала.

В восемь вечера в четверг, 20 ноября, Танюша вышла из «Гантели» и увидела припаркованный напротив салона чёрный джип «ниссан патрол». Таня сразу догадалась, что это — Владик, хотя не разбиралась в машинах.

Они поехали сначала по центральным проспектам, которые были щедро иллюминированы и освещены рекламой, потом — через спальные кварталы с математическими пунктирами фонарей, потом — через тёмные трущобы и промзоны. Танюша не спрашивала, куда её везут; она была сосредоточена на мыслях о предстоящем сексе с Владиком. Ей было стыдно и неприятно, как перед осмотром у гинеколога, но требовалось перетерпеть это. Она будет бороться за Германа. Она позволит Владику всё, что тот захочет, лишь бы он не сообщил про Геру в милицию. Она переломит себя. Ей уже не пятнадцать лет. Сквозь неё уже прошло самое страшное — пустота проклятия: чего уж теперь бояться... А неприкосновенность её была уничтожена давным-давно, уничтожена тем же Владиком — и побоями родителей после Владика.

Владик вёз Танюшу на дачу в Ненастье. Недалеко же от города. Там всё начиналось, там всё сбилось с толку — ну, там он и поправит самолюбие. Танька молчала и глядела на чёрную дорогу в белёсо заиндевелых полях; лицо её, подсвеченное от приборной панели, было юным и нежным. Владик думал, что в полутьме Танька выглядит как молодая — это хорошо. Будто всё вернулось в март 1991 года. А чё, и вправду разница незаметна. Танька не рожала — растяжек на животе и ляжках нет; и не кормила — сиськи не висят. Причёска сейчас другая, покороче и с завивкой, но это вообще фигня. Главное, он вставит в память новое впечатление вместе старого, будто диск поменяет, и все эти «афганцы», все эти Лихолетовы с Неволиными пускай идут нахер. Один в бегах, другой в аду, а он дрючит их бабу.

Ворота кооператива. Дом сторожа. Улица. Заборы. Мёртвые коттеджи. Небо. Поезд пролетел за деревней. Белые кудрявые яблони. А вот его ворота. Амбарный замок. Джип загнать во двор. Закрыть створки. Крыльцо. Дверь. Ключ. Тёмная комната с запахом чужого жилья. Выключатель. Свет.

Разговаривать им было не о чем. Танюша умело разожгла печку. Владик развалился на тахте, наблюдая за ней. И чего он так напрягался? Бывали в его жизни девки и получше Таньки... Ага, вот точно так же тогда красные блики плясали на дощатом потолке... Теперь у него всё есть. И отсвет этот, и такая же холодная ночь за окном, и бабок хватает на всё, чего захочется, и все ему завидуют, и Танька сейчас отработает и за те три дня, и за остальные годы.

— Сейчас дом согреется, — негромко сказала Танюша.

— Начнём с минета, — ответил Владик.

Оба они даже не подозревали, что над ними, на другой стороне потолка, в мансарде под самодельным топчаном, распластавшись, лежит Герман.

Он не мог убежать от ненавистного погреба с мешками. Когда вернулся в Ненастье — раскопал яму, залез, всё проверил, закопал обратно, — и засел в домике, ожидая неизвестно чего. Каждый день собирался уйти, но всякий раз переносил уход. Не хватало ощущения законченности дела, завершённости этапа, безопасности тайника. Будто бы освобождение ещё не дозрело.

Такого он не ожидал. Он настроился, что половину добытых денег переведёт на карточки, а половину будет хранить в тайнике, и вроде ничего уже не сковывало — всё разумно; однако лишние сто миллионов повисли на ногах, как пудовые гири. Они требовали что-то с ними сделать; невозможно было просто так покинуть их — пусть лежат-дожидаются. Герман знал о себе, что не алчный, но сейчас ощутил зависимость от своих мешков (точнее, от близости к ним), как от дозы. Пока они рядом — всё нормально, едва удалился — сходит с ума. Надо было как-то оборвать притяжение погреба, но как?

И вот теперь он расплачивался.

Он увидел, как улицу Ненастья широко озарили фары «ниссан патрола», и успел быстро прибрать за собой, пока Владик парковал джип во дворе и закрывал ворота. Но убегать было некуда, и Герман взлетел на второй этаж, а там закатился под кровать (точнее, под топчан), задвинул себя ящиком с каким-то тряпьём Яр-Саныча и замер, скорчившись, как маленький ребёнок.

Он понимал, что происходит внизу, слышал кряканье пружин в тахте и скрип половиц, дыхание, шлепки тел, приказы Владика, тихие стоны Тани. Он лежал под топчаном за ящиком — взрослый мужчина сорока трёх лет, бывший солдат, усталый человек с больной душой, — лежал и плакал, потому что был бессилен. Его любимую женщину трахал подонок, а он терпел.

А что ему делать? Выйти и выбить Танцорову зубы? И что дальше? Отпустить Танцорова? Тогда через два часа здесь будут менты, и они найдут погреб с мешками, даже если сам Герман сбежит. Или убить Танцорова? Но это не вариант. Так нельзя. Он брал деньги, чтобы спасать, а не убивать.

Герман лежал и плакал в отчаянии. Разве этого он хотел, когда грабил фургон? Разве он думал, что всё повернётся вот так? И разве деньги стоили всего этого — не унижения даже, не насмешки, а жестокой обиды от судьбы?

Он знал Танюшу и ни на секунду не сомневался, что возня там, внизу, — не супружеская измена. Видимо, Танцоров как-то запугал Танюшу, принудил насильно. Танцоров — гнусь, мерзота. Но виноват в первую очередь он сам, а не паскудный Владик. Не из-за Владика Танюша дслала то, что она сейчас делала, а из-за него. Он не ушёл, когда должен был уйти, ему не хватило сил, и Танюша отвечает за его подлое малодушие, за его постыдное и сладостное желание ещё чуть-чуть посидеть рядом со своей кучей денег...

Пусть скорее внизу всё закончится. Теперь у него есть воля, и он уйдёт из Ненастья — от мешков с миллионами — на свободу. Ему отсекло пуповину. Он изменит положение звёзд. Уедет, как и планировал. Свалит. Вырвется.

И внизу всё закончилось. Танюша поднялась с тахты и начала одеваться, не глядя на Владика. Владик передохнул, тоже встал, оделся и обулся, попил воды из чайника, залил угли в печке и вытащил из кармана ключи.

— Всё, полялькались, пора и домой, — деловито сказал он Танюше.

* * *

Герман не подозревал, что в эти ноябрьские дни 2008 года он угодил в ту же ловушку, что и Ярослав Саныч Куделин. А Яр-Саныч насовсем ушёл в Ненастье в 1995 году.

Жизнь Яр-Саныча посыпалась ещё в 1993-м, когда СОБР штурмовал «Юбиль». Куделина ошарашил вид разгромленного Дворца — затопленное фойе, выломанные с косяками двери, баррикады из мебели, дым в коридорах. Одно дело, когда такое творится в Таджикистане, Абхазии или Приднестровье, и ты видишь это в телевизоре; другое дело — когда подобное стряслось во Дворце культуры, где ты мирно проработал десять лет.

Запихав Лихолетова и других «афганских» командиров в СИЗО, власти принялись терзать сам «Коминтерн». Теперь в кабинете Заубера под сенью патлатой монстеры сидели юристы и экономисты следственной бригады, которые проверяли документы «Коминтерна». Яр-Саныч не вникал, какие грехи отыскали следователи у «афганцев», потому что его просто выбросили на улицу — сократили, как и многих других, кого пригрел Серёга.

После разгрома «Юбиля» Танюша тоже возвратилась домой. Вроде надо было радоваться, что справедливость восторжествовала и Лихолетов, похититель дочери, упрятан за решётку, однако радоваться оказалось нечему — Танюша снова потеснила собой домашних. Яр-Саныч опять не мог понять: почему так получается? Лихолетов плохой? Плохой. Он наказан? Наказан. Жизнь вернулась в русло? Вернулась. Но почему же стало только хуже?

Танюша вела себя очень тихо и послушно, старалась проводить дома как можно меньше времени, не мешаться под ногами, не мозолить глаза матери и сестре. Она оканчивала второй курс, и в училище у неё уже всё было благополучно. Иной раз у неё даже получалось подработать на квартирах — подстричь, покрасить или завить клиентку; свой заработок Танюша отдавала матери. В общем, проблем с ней не было, и её в семье перестали замечать. Внимание матери и сестры было поглощено яростной борьбой с отцом.

Без спортзала Яр-Саныч превратился в иждивенца. Выяснилось, что он ничего не умеет. Он никому, кроме «Коминтерна», не пригодился — а ведь Яр-Саныч считал «афганцев» бандой, которая уничтожила занятия спортом во Дворце культуры. Значит, он ошибся в оценке ситуации по этому вопросу; значит, Лихолетов снова был прав, а он — снова не прав, и без Лихолетова — плохо. Ну что же за проклятье-то! Яр-Санычу едва перевалило за пятьдесят, пенсия ему не светила, и он числился на бирже труда как безработный.

— Да какой ты мужик? — орала на него Галина, уже ничего не стесняясь. — Сидит у меня на шее! Мы с Иркой вертимся, как бляди в Первомай, а он два раза в неделю на учёт ходит, герой соцтруда! Всех заслуг, что не бухает! Если толка нет, едь в деревню, хотя бы на огороде чего-нибудь сделаешь!

Галина вовсе не злилась, даже наоборот — она так торжествовала. И её торжество могло продолжаться сколько угодно, Галина не утомлялась. Глядя на мать, Ирка тоже взяла моду орать на отца. Уклончивая улыбка Русланчика стала ещё поганей. И Яр-Саныч потерял веру в себя. «Юбиль» разгромили в апреле, а в середине мая Яр-Саныч уже уехал в Ненастье сажать овощи.

Он проторчал в деревне до октября, до конца сезона. Он окучивал, поливал, полол, удобрял. Галина с Иркой, Русланчиком и Танькой приезжали по выходным; Галина раздавала указания и выполняла самую сложную и тонкую (с её точки зрения) работу, Танька помогала, а Ирка с Русланчиком загорали. Яр-Саныч вкалывал и терпел. Он считал, что честно отрабатывал свой жизненный проигрыш — если не по деньгам, то хотя бы для морального удовлетворения Галины. И Галина с Иркой всё лето были с ним ласковы, как с человеком родным и равным. Они привозили свежие газеты и чистое бельё, удивляли одноразовыми китайскими дождевиками и картонными спиралями, которые надо поджечь — и в доме сдохнут все комары. Галина жарила Яр-Санычу картошку в сметане, а Ирка угощала дамским ликёром.

В октябре он застелил грядки под снег сеном, спрятал в сарае рамы от парника, наколол на зиму дров, прибрался в доме и наконец-то переехал из Ненастья в Батуев. Но дома мир и любовь закончились. Причиной новой ссоры стал древний «форд», который Ирка и Галина купили для Русланчика.

— На шиша колымага? — взбесился Яр-Саныч. — На эти деньги лучше было бы Ирке с её хмырём квартиру снять! Нам с ними разменяться надо!

— Не ты заработал, не тебе решать! — орала в ответ Галина.

— С машиной Русланчик свой бизнес начнёт! — орала Ирка.

Руслана к тому времени выперли с комбината «Электротяга», видимо, за бесполезность. Яр-Саныч ревновал, что к безработному Руслану у Галины с Иркой почему-то не было претензий. Русланчик подвизался на металлорынке — так называли край Шпального рынка, где продавали запчасти и разные узлы. Машина Руслану вовсе не требовалась — он же торговал за прилавком; собственный транспорт всегда был заветной мечтой садоводов-огородников. Русланчик получил автомобиль с условием возить Ирку и Галину в деревню и был очень доволен: на работе он играл в железки, дома — в машинки.

— Вам с этой колымагой картошка и морковь золотыми выйдут! — кричал жене Яр-Саныч. — Сколько на бензин и ремонт машины потратите!.. На эти же деньги вагон овощей можно закупить, дуры!

— А экология? — задиралась Ирка. — Купишь отраву, лечиться дороже!

— Свои деньги считай, бухгалтер сраный! — ругалась Галина.

Ирка и Галина понимали правоту Яр-Саныча. Но огород в Ненастье им был нужен не для продуктов, не для экономии, не для экологии. Наверное, в оборзевших бабах так выживала душа — выживала в древней и родовой тяге к земле. Крестьянское счастье страды и урожая было настоящим и божеским. Ненастье с его огородными заботами успокаивало и исцеляло. Объяснить это Ирка с Галиной не могли, и Яр-Саныч с его недовольством опять им мешал.

Ирка, понятно, бессознательно подражала матери, а Галина в деревне обретала мир. Однообразная работа на грядках не требовала усилий ума, не требовала нервов, переживаний, напряжения воли. В земледелии поровну было удачи и отдачи, то есть божьей милости и результата трудов. Толстая Галина, сопя, детскими грабельками рыхлила почву, развешивала кудрявые пряди гороха, подвязывала помидоры, заботливо ворошила и поливала из лейки огуречные кущи. Растения не обманывали, не упрямились, а на заботу отвечали зеленью и плодами. Галина не замечала за собой, что она зачастую просто молча стоит посреди огорода с ведром или лопаткой в руке и смотрит куда-то в никуда, слушает стук поездов на железной дороге.

Ничего такого Яр-Саныч не воспринимал. Огород — это семь вёдер огурцов, двадцать мешков картошки, двенадцать банок клубничного варенья, счёт за электричество, полгрузовика опила на подкормку, четыре кубометра дров для дома. Огород нужен ради продуктов. Если продукты с огорода обходятся дороже магазинных, то огород совершенно ни для чего не нужен.

Зиму Яр-Саныч работал сторожем вневедомственной охраны, сидел на вахте в проходной хлебозавода. «Юбиль» и спортзал, «Коминтерн» и Сергей Лихолетов остались где-то в прошлом, Яр-Саныч о них и не думал. А весной Галина потребовала от мужа увольняться и ехать в Ненастье.

— Ты объясни мне, дураку, зачем?! — надрывался Яр-Саныч. — Нахера твои огурцы? Нахера твоя малина? Люди ваучеры скупают, во всякие фонды вкладываются, деньги советские поменяли, доллары кругом, миллионеры, по телику реклама — МММ сто процентов годовых, а у тебя огород!..

Конечно, Яр-Саныч никого не переубедил. Галина и Ирка снова уломали его. Он уволился, и Русланчик вместе с рассадой увёз его опять в Ненастье. В общем, Яр-Саныч превратился в огородный агрегат, в сельхозтехнику. Он сдал все позиции до последней и отныне существовал лишь затем, чтобы готовить дачный участок для земледельческих упражнений жены. Яр-Саныч возненавидел деревню Ненастье, все эти парники и грядки, бочки и погреба.

Огородный сезон 1994 года Яр-Саныч пропахал на даче, зиму работал на Шпальном рынке дворником, весной 1995 года без сопротивления уехал в Ненастье. Понятно было, что такой порядок жизни для него сложился уже насовсем — то есть до тех пор, пока ноги носят.

Посередине лета — 21 июля — Яр-Саныч ждал, что вечером, как обычно по пятницам, Русланчик привезёт на дачу Ирку и Галину. Танька, получив диплом, уже работала и на огороде появлялась по средам и четвергам, когда в её парикмахерской были выходные. Но никто в тот вечер к Яр-Санычу не приехал. С неясной тревогой Яр-Саныч посматривал в сторону Батуева, где в небе висели воспалённо-сизые грозовые тучи, в которых время от времени беззвучно дёргались вспышки молний. Казалось, тучи только что вырвались из драки — они волочили за собой белёсые растрёпанные лоскутья, словно клочья мёртвой кожи. Гроза так и не добралась до деревни Ненастье; Яр-Саныч сам полил огурцы и пошёл в дом к чаю со зверобоем. Он не знал, что в пяти километрах от него в смятом «форде» пылают Галина, Ирка и Руслан.

Русланчик после работы выпил с парнями и потом гнал «форд», чтобы скорей продолжить веселье на даче, пока градус не выветрился. На ровной дороге он слишком резко увернулся от встречного грузовика, слетел с полотна, понёсся под уклон, спьяну не сообразив нажать на тормоз, и хлопнул машину в бетонную опору ЛЭП. Все трое погибли мгновенно, а «форд» вспыхнул и выгорел изнутри, будто чугунок, забытый в печи.

Ночью, рыдая, Танюша позвонила из милиции Семёну Исаичу Зауберу — ей не к кому больше было обратиться. Заубер поднял на помощь «афганцев», как делали в прежние времена при Лихолетове. «Коминтерн» взял похороны на себя. А за Яр-Санычем в Ненастье приехали только вечером в субботу.

На Затяге — батуевском кладбище за тяговой подстанцией — Куделин выглядел случайным человеком. Таня в чёрном платке плакала, окружённая тётками — сотрудницами Галины, а Яр-Саныч стоял один. Всем командовал «афганец» Лодягин, которого Яр-Саныч смутно помнил по спортзалу. За рулём траурного автобуса был «афганец» по прозвищу Немец — он всегда возил Лихолетова. А Куделин даже не спросил, откуда взялись «афганцы».

Галину и Ирину хоронили в закрытых гробах. Яр-Саныч не поверил, что в тех двух ящиках, которые опускаются в яму, — его жена и дочь. Любовь к ним у Куделина давно иссякла, и нельзя сказать, что он был убит горем. Эти толстые горластые бабы оставались близки ему лишь по воле обстоятельств. Он не увидел лица смерти, и потому Ирка и Галина для него словно бы ушли или уехали, как они уходили или уезжали из дома без предупреждения и без объяснения, — и закрыли дверь. Были — и исчезли, будто их выключили.

Энергия недовольства всегда поддерживала Яр-Саныча в форме, и за два дня после похорон, когда причина раздражения отменилась сама собой, Яр-Санычу сразу нащёлкало все его годы. Танька уходила на работу, а он лежал дома на диване под ружьём-бокфлинтом, словно пришёл с войны. Комната Ирки и Руслана была открыта. Телевизор молчал. Телефон молчал. Никто не курил. Никто не орал и не ругался. Никто не принуждал Яр-Саныча ехать в Ненастье и горбатиться на огороде. Всё. Свобода. Счастье. Покой.

В ночь на среду Яр-Саныч проснулся от ужаса. Он вдруг осознал, что в своей жизни он проиграл начисто. Он ничего не понял, он всегда ошибался и промахивался. Он не угадал ни одной угрозы, не отразил ни одного удара судьбы. Всё, чего он желал, ему дали — а стало только хуже. Он хотел, чтобы Галина отцепилась от него? Вот она отцепилась. Легче сделалось, а? Что ещё отнимет у него судьба? Он боялся за себя. Какую ещё часть судьба отрубит ему острым топором? Он же не увернётся. У него это никогда не получалось.

Наутро Танюша увидела, что отец собирается на дачу, как обычно: он укладывает в рюкзак свежее бельё из шкафа, заворачивает в полотенце хлеб, пересыпает в банку чайную заварку. В деревне Ненастье Яр-Саныч всё знал и всё умел. Умел готовить, умел выращивать овощи, умел поддерживать жильё в порядке. В Ненастье он контролировал всё и управлял своей жизнью. Здесь судьба не подкрадётся к нему врасплох с острым топором.

— Жара, — пояснил Яр-Саныч Танюше. — Четыре дня огурцы не поливал.

Он уезжал в Ненастье. Уезжал до зимы, но на самом деле — навсегда.

* * *

Глубину беды, в которой тонула Танюша, его Пуговка, Герман осознал не сразу. Поначалу ему казалось, что всё более-менее терпимо. Конечно, грустно, однако надо принимать судьбу, какая есть. Надо смириться, что тебе вовек не будет дано что-то бесконечно важное и нужное для тебя. А Танюша и не бунтовала. Просто жизнь в ней будто остановилась: она навсегда невеста — и навсегда не жена. Будто бы у других людей души нормальные, а её душу какая-то злая ведьма лишила бессмертия. Потери этой вроде никто и не замечает — а весь белый свет как чужой.

О чём плачет сердце Танюши, Герман понял, когда заявилась Марина. Это случилось через пару месяцев после выборов командира «Коминтерна» — в марте 1997 года.

«Блиндаж» Герман уступил Марине: сам переехал в её комнату в общаге на Локомотивной улице, а Марина с сынишкой заняла его «однушку» в «афганских» домах по улице Сцепщиков. Развестись официально Герман ещё не успел; ордер на квартиру ему тоже ещё не выдали, но Марина верила: Щебетовский выполнит условия их сделки по поводу выборов, и ордера в дома «на Сцепе» мэрия начнёт выдавать уже со дня на день.

В общагу на Локомотивке к Герману перебралась Танюша. Она не хотела жить с Яр-Санычем, пусть даже и в двухкомнатной квартире. Там слишком многое напоминало о матери и сестре, и слишком неприятным стал расчеловеченный отец, похоронивший себя в Ненастье. Рядом с Германом Танюше было хорошо даже в общаге — ну и пусть комната небольшая, а туалет и умывалка одни на целый блок. Зато почти все девки вокруг — тоже невесты, и Герман называет её Пуговкой, и нет вокруг «афганцев», которые говорят о Лихолетове. А Тане тогда был всего-то двадцать один год.

Марина не предупреждала о своём визите.

— Поболтать надо бы, муженёк, — задорно сказала она, когда Герман открыл на стук, и заглянула в дверной проём Герману через плечо: — Танюха, разрешишь бывшей супружнице на пару слов залететь?..

Таня склонилась над шитьём у настольной лампы.

Марина прошла в комнату и присела на стул, расстегнув норковую шубку. И без того крупная, фигуристая, в шубке Марина выглядела будто стог сена. Она сразу как-то ужала, стеснила собою и мелкую Танюшу, и Германа, который — формально — жил на чужой жилплощади. Марина была словно доктор, а Таня и Герман — как пациенты в больничной палате.

— Не обижают вас тут? — спросила Марина. — Обращайтесь, если что.

— Давай к делу, — Герман опустился на кровать, больше было некуда.

— Ты в курсе, Неволин, что я теперь любимая жена вашего командира Щебетовского? — Марина, рисуясь, игриво приосанилась, подбоченилась и гордо выпятила грудь. — Я же председатель комитета жён «афганцев».

Герман молча кивнул. «Афганские» жёны на выборах в «Коминтерне» поддержали Щебетовского, а Щебетовский обещал жёнам разные блага.

— Скоро мэр подпишет ордера в «афганские» дома, — сказала Марина. — Предлагаю сразу махнуться хатами. Давай ты отдашь мне свою квартиру «на Сцепе», а я отдам тебе эту комнату. Будет справедливый обмен.

— Как-то тебя сильно занесло, Марина, — оторопел Герман.

— Чего занесло-то? Ты ведь не просто так с бабёшкой морковку потёр, ты на мне женился. У тебя, считай, ребёнок. Ты должен ему помочь.

Герман смотрел на Марину. Она улыбалась и с озорством, и с наглецой.

Елька, Елизар, не был Герману сыном: Герман его не усыновлял, и даже не выяснил у Марины, кто его отец. Зачем ему? Тот алкаш в судьбу Марины больше никогда не вернётся. А Елька Герману нравился. Хороший мальчик. Наверное, сейчас пошёл в первый класс. Интересно, какие оценки получает?..

— Марина, ты сама знаешь, на что у тебя есть право, а на что — нету. И Елька тут ни при чём. Живи в моей квартире, пока нас с Таней устраивает твоя общага, но квартира — моя собственность. Лихолетов выписал её мне как ветерану Афгана. Почему я должен уступить её тебе?

Снег на шубе у Марины растаял, и теперь в боковом свете торшера и настольной лампы мех сверкал искорками водяных капель.

— Я мать-одиночка. Алиментов мне не платят.

— Мы разводимся, Марина. Твои проблемы — уже не мои.

Это прозвучало нехорошо, недобро, и Герман начал заводиться. Разве он в чём-то виноват перед Мариной? Почему же он чувствует себя подлецом?

— Объясняю для тупых, Неволин, — развязно заговорила Марина. — Если у меня есть проблемы и муж, то мои проблемы станут его проблемами. Даже если он бывший муж. Я ведь подам в суд на раздел имущества. Ордер на квартиру мы получим ещё в браке. Значит, квартира — совместно нажитое имущество. Суд присудит мне половину. А эту комнату я тебе уже не отдам.

Танюша в изумлении по-детски приоткрыла рот.

— Это я к тебе пока что ещё по-хорошему пришла, Немец, — добавила, усмехаясь, Марина и подмигнула Тане: — Верно говорю, Танюха?

— Подлая разводка, Марина, — сдержанно ответил Герман, не давая волю чувствам. — Но пусть лучше будет суд. У тебя — твоя семья, а у меня — моя: я распишусь с Таней. Посмотрим, как суд про нас решит.

— Ну, посмотрим. А знаешь, что на суде я буду говорить? А я про тебя с Танюськой расскажу, — Марина расчётливо рубила сплеча. — Скажу, что нет у неё ни сестры, ни матери — только папанька ёбнутый. И детей у вас после её аборта никогда уже не будет, ниоткуда не наскребёте. И вам, значит, уродам, две квартиры подавай, а законная жена с ребёнком шуруй в общагу, да?

Таня зажмурилась, словно её повернули лицом к адскому пламени.

— Только не надо на меня обижаться, Татьяна, — куражилась Марина. — Были бы свои дети, так понимала бы, что за них чего угодно сделаешь.

Танюша беззвучно зарыдала под настольной лампой, будто обожжённая. Душу Германа изнутри потянуло наружу, словно огромная клешня схватила его за сердце и выворачивала наизнанку, ломая рёбра. Как эта сытая сучка Марина посмела так безжалостно обойтись с его Танюшей, с его Пуговкой?

— Убирайся! — вполголоса бешено сказал Герман Марине, медленно, по частям поднимаясь с кровати, на которой сидел.

— Но-но-но, Неволин, без рук! — Марина, яростно улыбаясь, вскочила и запахнула шубку. В меху сверкнули её кровавые лакированные ногти.

Она отступила к двери и напоследок сказала:

— Всё-таки вы подумайте, буратинки, а то я заклюю.

Таня плакала весь вечер — тихо и безостановочно, словно в ней открылся источник бесконечного горя. Герман понимал, что у людей случаются беды и пострашнее, чем у Танюши, но отчаянье его Пуговки было ему нестерпимо. Что ему сделать? В церковь пойти или убить кого-нибудь? Как ему помочь этой маленькой сломленной женщине, дорогóй ему до помешательства? Откуда вообще берутся эти невесомые русские девочки-ландыши, как им здесь жить среди бульдозеров и экскаваторов?

А Танюше хотелось вырвать себя из себя, словно сорную траву. Вырвать свои воспоминания и надежды, свою судьбу, свою способность чувствовать боль, хотелось отупеть, одеревенеть в наркозе, ничего не понимать, спятить. Она бы наглоталась каких-нибудь таблеток и уснула без пробуждения, но её удерживал Герман. Для этого нескладного мужчины она стала тем, чем для неё самой была мечта о своём ребёнке. Если она лишит Геру себя, то сделает с Герой то же самое, что сделали с ней. А за такую муку — дорога в ад.

Ночью они лежали рядом на узкой общажной кровати и оба не спали.

— Гера, а ты хочешь быть со мной до самого конца? — спросила Таня.

— Да, Пуговка моя.

Танюша обнимала Германа и думала о том, что её когда-то родили ради квартиры, а теперь вот за квартиру убивают... Сама-то она ничего не стоит. Мать же говорила тогда, давно, когда била её за побег в Ненастье: дрянь! И сейчас она должна заплатить за то, чтобы её пощадили: не называли дрянью, не тыкали в глаза её уродством... А заплатить за неё может только Герман.

Он в это время тоже думал про «блиндаж». Для него как для друга эту квартиру организовал Серёга Лихолетов... Из-за Серёги Таня стала Вечной Невестой... И этой квартирой Герман может выкупить покой для Танюши, избавить от страданий, которыми грозит Танюше его бывшая жена.

— Сделай, как она хочет, — попросила Танюша. — У неё же ребёнок...

Так Герман потерял «блиндаж» — свою «однушку» в домах «на Сцепе». Ну и бог с ней. Миновало уже столько лет, а он не пожалел ни разу.

Сдав «блиндаж», он словно отсёк связи между собой и тем, что у него было. Конечно, он ничего не забыл, но отстранился, чтобы выйти из зоны притяжения своего прошлого. Марина и Серёга Лихолетов, парни из Штаба и парни с «афганского» мемориала на кладбище, — все они, эти люди, живые и мёртвые, уже не решали за Немца, что ему делать. Захват домов «на Сцепе», расклады по бизнесу, войны «Коминтерна» с бандюками, «динамовцами» и хачами — все эти события перестали определять, как Немцу надо поступать.

Марина, кстати, вскоре опять выскочила замуж, сразу родила двойню и в декрете разжирела. Она продала свои торговые места на Шпальном рынке, отжатые у Танцорки, и квартиру, отжатую у Германа, и в середине нулевых стала работать диспетчером в транспортной фирме своего мужа. Повзрослевшего Елизара, Ельку, Марина, наверное, уже сплавила куда-нибудь жить самостоятельно, чтобы не мешал маме строить новую семью.

А Танюша оставалась всё такой же, как в юности, — тихой, светлой и девически-тоненькой. Вечная Невеста. Она словно бы всегда пребывала в зачарованной полночи перед свадьбой, словно бы всегда — в ожидании жениха, и не простака вроде Германа, а настоящего волшебного королевича, который поцелуем расколдует её и пробудит к счастью. Но жених не приезжал. И не приедет никогда. И никто не ведает, почему так.

Герман и вправду оказался простаком. Раньше этой его простоты было вполне достаточно, чтобы существовать нормально, «не хуже всех других»; однако простоты не хватало на то, чтобы растормошить Танюшу и заставить её снова начать жить. Герман не знал, что ему надо сделать для этого. Кто он был? Не доктор и не священник, а обычный шоферюга, — не более.

Тогда, в конце девяностых, расследование по делу Лихолетова ничего не дало (а кто бы сомневался?). Парни из Штаба так и не осмелились объявить на весь «Коминтерн», что они думали или поняли про заказ на Серёгу. Исполнителя не нашли. Но если уж должность командира оказалась похожей на приговор, то Штаб постановил поменять структуру организации. Тем более многие бизнесы подкосил дефолт 1998 года.

После дефолта и реформ переверстанный «Коминтерн» превратился в «экономический союз»: более-менее прочную ассоциацию из нескольких самых разных бизнесов, каждый из которых принадлежал члену Штаба или заметному деятелю «Коминтерна». Со своих бизнесов владельцы отчисляли процент в Фонд ветеранов Афганистана — это и была социалка по новым правилам. Головным учреждением назначили, ясное дело, Шпальный рынок.

Командуя сразу и «Коминтерном», и Фондом (они теперь занимали всего несколько офисов в управлении рыночного комплекса), Щебетовский акционировал рынок и тотчас скупил его акции. Герман уже не мог уместить в сознании все те простые и одновременно немыслимые бюрократические превращения и комбинации, которые осуществил майор, чтобы огромный торговый комплекс, который «афганцы» создавали почти с нуля все вместе и по идее Лихолетова, вдруг оказался частной собственностью Щебетовского.

Официально Герман работал водителем автобуса в «Коминтерне» — в общественной организации. Когда «Коминтерн» был переподчинён Фонду и рынку, водителя Неволина автоматически перевели в транспортный отдел администрации Шпального. Герман не возражал. Суть перемен он ощутил, когда ему дали крепкий городской грузовичок «Вольво», а обшарпанную «барбухайку» списали — даже не на продажу, а в утиль.

С «барбухайкой» Герман прощался один: сел в салоне и выпил водки. Он вспоминал, как Серёга вручил ему этот автобус, и они тоже выпивали в салоне; вспоминал, как в «барбухайке» парни с кастетами и цепями гоняли на акции «Коминтерна», и всcь Батуев знал забубенный рыдван «афганцев» по вою движка и по визгу истёртых тормозов. В этом автобусе девки с детьми ехали «на Сцепу» на захват домов; здесь он, Герман, впервые потрахался с Мариной; здесь стояли гробы тех, кого увозили на Затягу... Целая жизнь.

А теперь — всё. «Барбухайку» — на свалку, и «Коминтерн» — туда же. Нет больше могучего и дерзкого союза «афганцев», есть масштабные и солидные бизнесы победителей, а на верхосытку при них — «Коминтерн» образца нулевых годов: скромный пункт выдачи подачек для неудачников.

В начале нулевых Щебетовский затеял грандиозное преображение Шпального рынка. Герман помнил огромный пустырь под железнодорожной насыпью, где все продавали всё; помнил, как под командованием Серёги «афганцы» дубинками и грейдерами загоняли «челноков» торговать шмотьём в недостроенное здание товарного терминала. Потом терминал превратился в чудовищный вертеп с ворьём и скупкой крадсного, с наркотой, минетчицами, контрафактом и чебуреками — но уже под контролем «афганцев».

В 2001-м тяжёлая техника сровняла с землёй все шанхаи вокруг терминала. На стройплощадке задымили асфальтовые автозаводы, самосвалы везли горы гравия, панелевозы сгружали плиты, всё заросло монтажными лесами, закрытыми сеткой, затарахтела пневматика, сновали рабочие-турки. Через полтора года на месте бывшего Шпального рынка распростёрлась площадь с двумя плоскими жёлто-серыми мегамоллами.

Это уже был дискаунтер вроде «Ашана» или *“IKEA”*. Фонтан у входа, шеренга флагштоков, весь первый этаж — парковка. Атриумы, эскалаторы, световые пирамиды вместо потолков, стекло и длинные витрины, указатели, кафе, тележки, банкоматы, персонал в униформе, и всюду — музыка. В первом корпусе — в былом товарном терминале — Герман еле опознал то место, где девять лет назад на бетонном полу в крови лежали сестрички-лисички...

Не только Шпальный рынок менялся, но и весь город Батуев тоже. В центре, среди обкомовских кварталов, поднялись фасеточные башни из чёрного и синего стекла — практически небоскрёбы. Вокруг пруда кое-где уложили набережные, а сам пруд почистили — вытащили со дна короб затопленного ресторана «Нептун». Навели порядок в ЦПКиО: там вновь заработали разноцветные карусели и завертелось колесо обозрения (по слухам, при уборке в парке нашли много могил — то ли бомжовских, то ли бандитских).

Повсюду в городе строились супермаркеты. Герман вспоминал свой первый поход в супермаркет, вспоминал, как злилась Марина... Почти везде улицы ночью были освещены. Исчезли бронированные киоски. В привычных перспективах то и дело вдруг обнаруживались высотки точечной застройки, и в котловане напротив домов «на Сцепе» тоже начали возводить какую-то громадину. «Спортсменский» стадион «Динамо» опять стал стадионом, а не авторынком; «Чунга», бобоновское логово, опять стала детским бассейном «Чунга-Чанга». «Юбиль» перестроили в развлекательно-деловой центр «Вандерленд». А ликёро-водочный завод, за который зарубились Егор и Гайдаржи, вовсе снесли: вместо него воздвигли жилой комплекс «Линкор».

Ушли бандиты и банкиры, пришли мошенники и менты. Мир оплела сеть интернета. Все заговорили друг с другом по мобильным телефонам, и стало непонятно, как раньше обходились без них. Герман теперь обедал в фастфудах, а расплачивался за разные услуги карточкой в «платоматах» (ещё даже не придумали, как называть эти стойки с экраном и щелью для купюр).

По вечерам Герман с Танюшей просто мирно смотрели телевизор. В стране началась ещё одна чеченская война. Горделивые кавказские джигиты взрывали жилые дома и самолёты, брали в заложники детей. Бред какой-то. Обмотанные взрывчаткой шахидки как роботы шли сквозь людские толпы на вокзалах и в метро. Иногда по телику показывали убитых главарей: они валялись с плаксиво открытыми ртами и зачем-то оголёнными животами.

Террористы в Америке захватили пассажирские лайнеры и таранили «башни-близнецы» в Нью-Йорке. В ответ американцы и британцы вошли в Афганистан. Герман вновь видел эти сухие горы с западинами меж рёбер, эти нищие селения из камней и глины, этих улыбающихся бородачей в хламидах — работающих на опиуме посредников между Кораном и автоматом...

А ведь всё то же самое. Вроде столько нового, а ничего не изменилось. Это если по большому счёту. Опять кто-то ведёт войну в горах. И он, Герман Неволин, всё равно — никто. Как тогда, на той войне, где он был солдатом. Там он работал шофёром, и сейчас он шофёр, и будет шофёром, аминь. Это навек, и уже точно известно, что навек; без шансов. Но почему? — думал Герман перед телевизором, обнимая за плечи Танюшу. Конечно, он не герой, как Серёга Лихолетов. Однако он тоже боролся. Он не бездельник, не алкаш, не трус — и всё равно ничего не добился. А ему так надо иметь в жизни хоть что-то, чтобы раздуть угли в душе Танюши, чтобы остановить её угасание в духоте обыденного пренебрежения, чтобы спасти свою Пуговку от несчастья, которому нет ни имени, ни облика.

У Танюши, как и у Германа, тоже всё оставалось по-прежнему: она работала парикмахершей всё в той же «Гантели». И по-прежнему Танюшу травила Анжелка Граховская. А может, и не травила даже, а просто задвигала по работе, но задвигала так, что Танюша тотчас сжималась и отступала. Если Анжелка считала, что какое-нибудь благо (удобное кресло, щедрый клиент, премия) достаётся не ей, а Таньке, то это несправедливо: у Куделиной нет «ни ребёнка, ни котёнка», а у неё, Анжелки, — трое детей.

С Анжелкиной подачи все парикмахерши в «Гантели», девчонки и тётки, относились к Тане будто к неполноценной. Таня была той собачонкой в стае, которую всегда кусают, но не изгоняют, потому что рядом с ней хоть кто будет выглядеть альфой, претендующей на более крупный кусок добычи. А Танюша терпела и не увольнялась. Зачем? На другой работе снова начнут приставать с вопросами про детей, начнут за спиной выяснять, что да почему. В «Гантели» девки хотя бы уже всё знают и не спрашивают.

Каждый год с апреля по октябрь Танюша с Германом переезжали из общаги в квартиру Танюши (Яр-Саныч перемещался на сельхозработы в Ненастье), и Герман научился узнавать жену по шагам в подъезде. И много раз он слышал, как эти шаги замирали за десять ступенек от квартиры — Танюша стояла на лестнице и плакала. А Герман горбился за дверью квартиры в прихожей и ждал, когда Таня вытрет слёзы и позвонит.

Ей было больно любое общение, потому что оно обязательно выводило на вопрос «а дети есть?», и потом — «а почему нет?». Среди тех, кто стригся в «Гантели», ездил с Танюшей на троллейбусе или покупал продукты в том же супермаркете, что и Танюша, не было богачей, и женщинам нечем было хвастаться: ни мехов, ни жемчугов, ни «кадиллаков». Оставался лишь один критерий для превосходства — дети. И Танюшу никто не щадил. «Куда прёшь, не видишь — ребёнок?» «Пропустите к кассе без очереди, у меня коляска на улице!» «Сначала своего роди, а потом учи!» «Ясное дело, на детей она последние копейки не тратит, вот сапоги себе и покупает!»

Ребёнок оправдывал всё. Оправдывал мужа-алкаша. Огромную жопу. Дурное настроение. Образование в восемь классов. Опоздание на работу. Кандидатуру мэра. Старую шубу. Скандал в поликлинике. Тариф сотовой связи. Отсутствие машины. Все неудачи ребёнок превращал в победы, потому что неудачи объяснялись жертвами во имя ребёнка. Рожая, можно было ничего не делать сверх того, что назначено природой, и требовать с мужа, с родителей, с государства. Ребёнок объяснял даже другого ребёнка. И поэтому бездетная женщина оказывалась вне жизни, вне общества. В новом мире обмана и несправедливости дети были протезами успеха, костылями. А Танюша не имела этих костылей и падала, падала на каждом шагу.

Она отказалась расписываться с Германом. Пусть официально они будут друг другу никем. Танюша не боялась, что Гера бросит её, как бросил Серёга, и не пыталась заранее «минимизировать потери». Просто незамужней и бездетной Куделиной жить проще, чем замужней, но бездетной Неволиной.

Танюша очень любила дом, хоть какой, — и общагу Германа тоже. Ей нравилось наводить порядок, готовить ужины, собирать Германа на работу, вести хозяйство. По воскрсcсньям она с важным видом сидела за столом, изучая чеки за неделю, и что-то записывала в большую тетрадь. Покупка штор у неё превращалась в драму, и бывало, что она ревела, когда проклятая штора не подходила по цвету. Она раздобыла целую пачку дисконтных карт, и всякий поход по магазинам предварялся подбором возможных вариантов экономии. Танюша с трепетом перелистывала яркие бесплатные каталоги, рассматривая не флаконы и одежды, а идеальную жизнь моделей.

Дом для Танюши был убежищем, здесь Герман её любил и баловал, чем мог. Он даже бросил курить; вообще-то он и прежде то курил — то не курил, но сейчас бросил напрочь. А Яр-Саныч, если оказывался рядом, почти не мешал. Он превратился в ворчливого домового, бубнёж которого никто не пытается разложить на слова. Он делал что-то своё, чем-то шаркал, звякал, что-то пересыпал из мешка в мешок, что-то заворачивал в газеты.

Танюша расцвела возле Германа. Они прекрасно смотрелись вместе: Герман — высокий и немного нескладный мужчина, и Танюша — маленькая, хорошенькая, светленькая женщина. Если разрешало начальство, Герман брал на Шпальном свою машину и в выходные ехал с Танюшей куда-нибудь в лес: летом — за дикой малиной и земляникой, осенью — за грибами. Они ходили по широким перелескам, отдыхали на полянах, слушали шум деревьев, чириканье птиц. Танюша даже что-то собирала себе в корзинку.

На пригорке или на опушке Герман разводил костерок и кипятил чай. Танюша с упоением раскладывала на скатёрке припасы: домашние пирожки, сырную нарезку, печенье, салат в баночке. Иной раз они уединялись в глуши. Однажды всё было так хорошо, так пахли малиной губы Танюши, так весело сияли мелкие облака над рощей, что Танюша вдруг прошептала на ухо Герману свою самую страшную-престрашную тайну:

— Знаешь, мне до сих пор кажется, что у меня всё ещё будет...

У Германа от боли за Пуговку чуть не разорвалось сердце.

Герман сторожил Танюшу, как собака. Танюша не замечала этого, а он знал, видел, как и с какой стороны к ней незаметно подбирается опасность.

Вдруг Танюша начинала ездить на кладбище чуть ли не каждый месяц — на родительский день, на дни рожденья матери и сестры, на годовщину смерти и разные поминовения; принималась печь особенные куличи; искала фото на памятник, чтобы поновее, и серебрянку для ограды. Тогда Герман мягко прекращал все эти старушечьи хлопоты. Живи. Кладбище — не твоё.

Или вдруг тётки-соседки увлекали Танюшу религией: водили на службы в праздники, а потом и просто по воскресеньям, что-то внушали, составляли Тане какие-то календари. Танюша принималась поститься, пробовала читать какие-то брошюрки, копила мелочь — раздавать на паперти, отпрашивалась у Германа на лето в необходимое для души паломничество. От церкви Герман Танюшу тоже оттаскивал. Это ведь у неё не вера в бога, а сектантство, непрошеное монашество, раскаянье в грехах, в которых она не виновата.

Без Германа Танюша легко скатилась бы к затворничеству, к полной изоляции. Подружек она растеряла, звонили ей только по работе, и она не хотела никакого веселья — не оставалась в салоне на посиделки, не ездила на базу отдыха, тем более не соглашалась полететь в Турцию на отдых. Она отказалась от собаки или кошки, чтобы по её нежности к животному никто не догадался, что у неё никого больше нет. Но она не скучала сидеть дома с каким-нибудь кропотливым занятием или с затейливым рукоделием.

В обыденной жизни Танюше всё причиняло боль: чужие карапузы в песочницах, дворовые качельки, отделы детского питания в супермаркетах, бабки, которые ждут внуков возле спортшколы, девчонки с парнями — у них всё впереди, ничего не потеряно. Танюше хотелось уйти куда-то туда, в своё прошлое, где у неё ещё была надежда; она не стремилась к современному, даже звонить предпочитала по старому проводному телефону. Только муж удерживал её от бесконечного одиночества, и Таня старалась для Германа, очень старалась: даже в СМСках набирала все необходимые прописные буквы и в конце сообщения обязательно ставила точку. Она уже осознала и поверила: если не будет слушаться Германа, то погибнет.

— Ты очень хороший... — однажды сказала она Герману. — Прости, что я у тебя всё отняла... Я хотела прожить свою жизнь не так.

А Герман ничем не мог ей помочь. Танюша сопротивляется тьме — но слабенько: Вечная Невеста как заколдованная, как заворожённая потихоньку уходила на гибельный зов. А что он? Он просто солдат, который остался один в поле: армия разгромлена, командир убит, оружия нет. Он бессилен. Он не вернёт Тане молодость, не вытравит память, не вылечит душу, даже ребёнка ей не заделает — хотя на такое-то солдаты всегда были героями...

Но Герман не соглашался сдаться. Да, бывает, что солдат не в силах победить врага, пускай даже он в сражениях руки-ноги себе переломал, зубы выбил и чуть не сдох; однако всё равно — любой ценой! — солдат должен спасти дорогих ему людей; и солдатского бога, который раньше выручал в самом безнадёжном бою, уже не интересует, возможно это или нет.

Герман был хорошим солдатом и потому придумал, как ему сделать мир вокруг Танюши таким, в каком ей не больно будет жить. Он может увезти Пуговку в Индию. Из ненастья — на полуденное солнце.

Глава третья

Один раз Герман уже сделал это и потому знал, как всё будет у Танюши. Её самолёт начнёт постепенно спускаться, и в иллюминатор Танюша увидит плоскую полосу Малабарского берега, а исполинский, чуть выпуклый диск Индийского океана у горизонта зарябит на солнце. Самолёт будет лететь как-то очень уж долго и невысоко, и пассажиры успеют разглядеть белую черту прибоя, курчавые джунгли, светлые лагуны, городишки Кералы, мангровые дебри в дельтах мелководных рек, и в стороне — вскипающие зеленью бугры Западных Гат с каменными обрывами и помятыми гранитными куполами.

Герман оказался над Малабаром в декабре 2007-го, через двадцать с лишним лет после дембеля, но всё равно вспомнил об Афгане: подумал о том, что эти мягкие и дружелюбные горы так не похожи на острые безжизненные сколы Гиндукуша, бурые понизу и ледяные по гребням.

Город назывался Тируванантапурам, с ума сойти, и говорили просто «Тривандрум». Герман всегда считал, что самолёт — транспорт для богатых, а сейчас салон был плотно забит явной беднотой — темнолицыми испуганными индусами, которые, видимо, возвращались с заработков. В этом тоже аукался Афган: их, новобранцев, везли туда над хребтами в ИЛах-«скотовозах»...

Большой просторный аэропорт был как бетонный сарай. В жаре над многолюдьем из-под потолка раскатывался голос диспетчера. Сжимая ручку чемодана, Герман осторожно двигался вдоль стены с краю людского потока. Языка он не понимал — не только индийского (или какой тут у них?), но даже английского (Зуфар сказал, что местный вариант называется «инглиш-панджаб»). Зуфар должен был прислать человека встретить Германа.

Возле эскалатора Герман увидел афганцев. Он сразу опознал их в толпе, будто война не кончилась, а он в разведке: настоящие моджахеды, «духи», басмачи. Сандалии-чабли, шаровары, длиннополые рубахи, жилетки, бороды и шапки-«пуштунки». Не хватало только старых АК-47 или «мультуков».

Моджахеды толкались и никак не могли зайти на эскалатор. Герман наблюдал за ними с тихим изумлением: они хватались за ленту поручня, их сдёргивало на движущуюся лестницу, и они едва не падали, махая руками, как курицы крыльями, или же робко перешагивали на ступеньки и теряли равновесие, цепляясь за что попало. Они казались деревенскими дедушками, а не убийцами, способными отрезать человеку голову и затем сесть за обед.

У выхода Германа встречал индус, такой смуглый, что казался синим. Он держал листок бумаги в файле: «Герман Неволин Немец Батуев». Герман подошёл, и индус заулыбался так искренне и широко, словно обрёл брата.

Он заговорил, хватая Германа за рукав, и разобрать можно было только слова «Раша», «Зуфар», «Аравинд» (видимо, так его звали), «Винараямпур» и «Падхбатти». Винараямпур и Падхбатти — это куда им надо было ехать.

Они вышли на площадь, в толпу и круговерть автомобилей. Германа тотчас облепило зноем и бензиновой духотой. Аравинд замахал руками, и каким-то чудом к нему из хаоса сразу вырулил округлый чёрно-жёлтый «амбассадор» с черноусым водителем, которого будто раздуло от счастья. Из открытого окна задней двери свешивалось цветастое покрывало.

Аравинд влез рядом с таксистом, а Герман сел сзади. В салоне визжала и громыхала музыка. Машинка побежала, клокоча изношенным движком, Аравинд и таксист заговорили одновременно, а Герман уставился в окно.

Вокруг был какой-то ад. Герман шоферил двадцать два года, но на улице Тривандрума оцепенел от страха. Сплошными потоками транспорт катился вроде бы одновременно во все стороны. Легковушки (в основном рыдваны, ржавые и битые, или же размалёванные, как русские матрёшки) вертелись, подрезали и обгоняли друг друга. Могучие грузовики пёрли напролом, как ледоколы. Из открытых дверей автобусов свисали кондукторы и орали, а порой стучали кулаками по крышам машин. Всюду вертелись велосипедисты на драндулетах и пассажирские таратайки с яркими навесами.

Никто не смотрел на светофоры, никто не соблюдал никаких правил; скрипели тормоза и вопили клаксоны; из кабин трубил музон; движение внезапно останавливали то какие-то доисторические колымаги на огромных колёсах, запряжённые буйволами, а то какое-нибудь семейство, невесть как умостившееся на мотоцикле, — муж, пара детей и жена с тюками и вёдрами. До Германа не сразу дошло, что здесь — левостороннее движение, но, когда дошло, его даже на жаре опалило понимание, что он в Индии, в сказке, в раю.

А всё началось три месяца назад, в конце сентября. Герман в тот день сидел в комнате отдыха водителей рыночного комплекса, нехотя играл на компе в стрелялку, и тут на пульт позвонила охрана с главного входа. Какой-то мужик, типа как старый «афганский» друг, очень разыскивает Неволина. Герман записал себя на пройденном рубеже игры и отправился на встречу.

Он сразу понял, что его ждёт вон тот солидный и рослый мужчина в оранжевой рубашке. Мужчина курил и ходил по площади возле цветника. По мелким непривычным деталям — плетёные туфли, узкий галстук, браслет на запястье — Герман догадался, что перед ним иностранец. Но кто? Тёмное, даже очень тёмное лицо, нерусские глаза, будто подкрашенные тушью...

— Меня сейчас зовут Зуфар Гириджпрасад Шривастав, — тихо сказал этот человек, пожимая руку Герману и глядя в глаза. — Здравствуй, Немец.

И сквозь коричневое от загара, слегка обрюзглое лицо гостя для Германа вдруг начало проступать другое — мальчишеское, обозлённое, светлое...

— Шамс?! — с бесконечным изумлением спросил Герман.

Да, это был он, Рамиль Шамсутдинов, молоденький солдатик, с которым Серёга Лихолетов и Немец, да ещё несчастный Дуська, сидели в каменном завале у моста на речке Хиндар. Дуська подорвался на мине, а Шамс ушёл один в кишлак Ачинд и пропал без вести — и вот пришёл через двадцать лет.

— Рамиль?..

Шамс приехал в Батуев на похороны отца и вспомнил, что Лихолетов тоже был из Батуева. Он поинтересовался о Серёге у военкома — а кто же в городе Батуеве не знал Лихолетова? Военком рассказал про него, а заодно сообщил, что в городе живёт сослуживец Лихолетова по Афгану — Неволин. Шамс попросил координаты. И вот он тут, на Шпальном рынке.

Они сели в обычном кафетерии в главном здании рыночного комплекса. За невысоким деревянным барьером шумела бесконечная толпа посетителей. Девочка-официантка подкатила на роликовых коньках и сунула меню.

— А за что Сергея убили? — спросил Шамс.

— Да вот за это, — Герман слегка развёл руками, как бы описывая весь объём мегамолла. — Этот рынок придумал он. А времена были ещё те.

— Знаю, — кивнул Шамс. — Я приезжал в Россию в середине девяностых.

После того, как в Афгане он пропал без вести, его родители развелись, и мать перебралась в Москву, к сестре. В середине девяностых Шамс отыскал её и увёз к себе в Индию, в город Винараямпур, штат Керала, точнее, в селение Падхбатти. А отец-алкаш ошивался в Батуеве, всё пробухал и умер.

Шамс выложил на стол перед Германом руки. От указательных пальцев на обеих руках осталось лишь по обрубку — по одной фаланге.

— Сердар Иззатулла приказал отсечь в наказание за то, что я служил кяфирам, — пояснил он. — В Мохманде отняли штыком, без наркоза. А я был согласен, потому что без пальцев не пошлют стрелять по своим.

— Давай выпьем, — глухо предложил Герман, отводя взгляд.

— Мне нельзя. Я мусульманин.

Подкатила официантка, и Шамс спрятал руки.

— Спасибо, я ничего не буду заказывать, — сказал он. — Рамадан.

— Ты теперь веришь в бога?

— Не знаю, есть он или нет его, но почему-то я остался жив.

— Ты остался жив, Рамиль, потому что Серёга тогда начал стрелять.

— Потому я здесь, Немец. Я этого никогда не забуду. Может, я никогда и не нашёл бы ни тебя, ни Сергея, неблагодарный я пёс, но я не забуду.

Герман вспоминал ту ночь у Хинджа. Не было тогда ни подвига, ни какого-то самопожертвования, ни воинского братства... Так, раздолбайство, пьянство, досада, подстава, страх... Или реально всё-таки что-то было?

— Я об этом двадцать лет помню, — сказал Шамс. — Приезжай ко мне в Keралу, Немец. За мой счёт. Знаю, мы не друзья, но приезжай. Люди должны жить там, а не в Батуеве, не в Афганистане. Посмотрим на океан, Немец, поговорим. Я тебе всё оплачу. Это не... — Шамс подыскивал забытое слово. — Это не для превосходства. Я просто вижу, что ты не нажил капитала...

Герман понимающе усмехнулся. В Афгане он был шофёром. Прошло двадцать два года. В Батуеве на Шпальном рынке он до сих пор шофёр.

— А ты что, Рамиль, разбогател?

— Скажем так, я стал членом очень состоятельной семьи Шривастава. У нас в Падхбатти два отеля на первой линии и гестхаусы. И ещё плантации и фабрики копры. В делах я хозяин. Меня в семье зовут Гириджпрасад — дар Дурги, богини праведной войны в горах. А Зуфар — мусульманское имя, дали в Мохманде, когда я принял ислам. Запиши мой международный телефон.

Герман записал. Он не рассчитывал, что за оставшуюся жизнь хоть раз позвонит Шамсу, Гириджпрасаду Шриваставу, но уже через месяц начал думать об Индии, словно когда-то в детстве побывал там, а теперь пытался вспомнить. Той осенью он узнал, что ему нужно продавать дачу в Ненастье, и вдруг в сознании всё сложилось как бы само собой: значит, теперь он сможет собраться с силами на прорыв, чтобы отступить в рай.

И вот, будто перенесённый сюда волшебством, он ехал по Индии в такси — из города Тривандрум в город Винараямпур, по буйному побережью Аравийского моря вдоль гряды Западных Гат. Аравинд и усатый водитсль галдели, обсуждая между собой какой-то вопрос так свободно, словно были знакомы двести лет, а Герман молча, в странном полуобморочном восторге смотрел из открытого окошка тарахтящего «амбассадора».

Неширокое асфальтовое шоссе тянулось сквозь джунгли — сплошную массу зелени: это была бесконечная оранжерея, поломанный и перепутанный такелаж, нереальные кущи проросших друг сквозь друга деревьев и кустов, охапки и ворохи листвы, не имеющие опоры. Какие-то лапчатые сети оплели собой многострунные баньяны в дыму жасмина; франжипани и бугенвиллеи; узловатые локти сандала и тика; размашистые прочерки пальм. Всё пенилось цветами, отовсюду свисали какие-то верёвки, колыхались пышные веера; всё было прошито солнцем, блестело жёсткое оперенье, перебегали тени; муссон бесстыже задирал дырявые подолы каких-то юбок. Рассматривать джунгли Герману было так же волнующе и неловко, как подглядывать в женской бане.

По одну сторону дороги Герман видел отдалённые шерстяные хребты, нежно окутанные влажной синеватой мглой, а по другую сторону шоссе в просветах яростно сверкал и блистал океан, будто оркестр с литаврами. Распахивались какие-то долины с лагунами, по которым тихо плыли длинные лодки с приподнятыми носами; на их палубах стояли хибары, крытые сеном. Деревушки, напоминающие стога на покосах, не казались скопищами лачуг — просто здесь не нужны были толстые стены и прочные кровли.

«Амбассадор» внезапно притормозил на обочине. Черноусый водитель что-то проорал, выскочил из машины и, махая руками, помчался по тропке прочь от дороги — вниз, к очередной деревушке. Аравинд ринулся за ним. Герман вышел на асфальт и застыл, слушая, как звучит пространство: лопочут джунгли, верещат птицы, дышит прибой вдали. Было очень жарко, но как-то по-доброму, без остервенения. И запахи, запахи — так благоухало у Танюши в салоне, хотя сравнение с батуевской парикмахерской «Элегант» было дурацким, нелепым: джунгли дышали густо, медвяно, свежо.

На бетонном блоке, ограждающем шоссе, Герман увидел ящерку — голубого геккончика. Герман присел на корточки. Геккончик, подёргивая горлышком, смотрел на человека с укоризной, — не загораживай мне солнце, отойди на шаг, места, что ли, мало? Конечно, бог есть, понял Герман.

Черноусый таксист и Аравинд возвращались в окружении целой толпы из женщин, мужчин и детей, и все они белозубо хохотали и издалека что-то приветственно кричали Герману. Потом толпа, галдя, окружила Германа. Его рассматривали, трогали за руки и плечи, теребили одежду; ему улыбались и заглядывали в глаза. Герман растерялся и даже ошалел, когда кто-то достал дешёвый фотоаппарат, и Аравинд, таксист, а потом и все индийцы принялись фотографироваться с белым гостем. Таксист и Аравинд фотографировались и отдельно от Германа — герои, которые привезли в деревню такое чудо.

На дороге остановился автобус с разрисованной мордой, пассажиры высыпали на шоссе и вскоре тоже фотографировались с Германом и всеми прочими. Герман неумело смеялся — невозможно было поверить, что так бывает. Он не знал ни слова, но всё было понятно. Он никогда не видел этих смуглых людей, но это не мешало им всем почему-то радоваться встрече.

А потом «амбассадор» поехал дальше — в Винараямпур, в Падхбатти, — а Герман всё не мог справиться с собой, не мог перевести дыхание и улыбался.

Отели, принадлежащие клану Шривастава, назывались «Малабар Уайт Бич». Одно трёхэтажное здание было старинным, в колониальном стиле, с высоким двойным фасадом и арочными галереями; углы его были оббиты, а щели между камней позеленели; черепичные кровли казались раскалёнными. Второе здание было построено лет сорок назад: плоские бетонные секции с наружными лестницами, с лёгкими деревянными решётками и бамбуковыми зонтиками на крыше. За пальмовой рощей сгрудись гестхаусы — десяток маленьких вилл за каменными оградами. И перед отелем — широкая светлая полоса огромного пляжа. В каком-то безостановочном тригонометрическом усилии Индийский океан гнал по краю синевы пенную синусоиду прибоя.

Черноусый таксист рысью занёс на второй этаж нового здания чемодан Германа — Герман ощутил себя рабовладельцем. Аравинд повертелся по холлам, исчез, а потом снова материализовался с красивой и немного полной европейской женщиной в полосатой юбке, просторной футболке и кепи.

— Ай доунт спик рашен! — пояснял он, тараща глаза. — Бат ши спикс!

— Здесь в отеле я одна говорю по-русски, — сказала женщина. — Меня попросили объяснить, что господин Зуфар вынужден был срочно уехать. Он вернётся завтра. А вы живите здесь как его лучший друг и брат.

— Спасибо вам, — Герман смутился. — Только я тут не ориентируюсь...

— Ну, пойдёмте, провожу, — чуть снисходительно согласилась женщина.

Она привела Германа в просторный двухкомнатный номер с жалюзи на окнах и с большим вентилятором под потолком. Вдоль стен стояли кадки с огромными растениями. Мебель выглядела хлипкой — кровать на железных ножках, невысокие столики, бамбуковые этажерки, фанерные шкафчики.

— А этот Аравинд, он кто? — спросил Герман у своей провожатой.

— Менеджер. Не думала, что у господина Зуфара есть русские друзья.

— Потому что он сам русский. Вернее, татарин.

Герман спохватился, что сболтнул лишнее.

— Не волнуйтесь, тут некому продать вашу страшную тайну. Я Даша.

Женщина, улыбаясь, как-то игриво протянула руку. Кепи она носила, надвинув на глаза, и потому смотрела как бы свысока. Герман не понял: он должен поцеловать Даше руку или просто пожать? Он неловко пожал.

— Я не знаю, что надо делать, как мне себя вести, как у вас тут вообще всё устроено, — виновато произнёс он. — Я и за границей-то никогда не был, только в Афганистане. Но там нам всем прививали дурные манеры.

Даша негромко засмеялась.

— Какая-то остаточная воспитанность у вас, видимо, всё же сохранилась.

— Понадеюсь, что её хватит. Меня зовут Герман.

— Очень приятно. Значит, мы соотечественники... Я с Москвы. А вы?

— Я из Батуева.

Даша приподняла кепи за козырёк, весело глядя на Германа.

— Как тесен мир в деревне Падхбатти, — сказала она.

* * *

Если бы Шамс знал, что будет дальше, то предпочёл бы погибнуть. Но он не знал и потому той ночью поднял руки и стал выкрикивать калему:

— Ла илях илля миах ва Мухаммед расул аллах!..

Его взяли на дороге басмачи кишлака Ачинд — вроде бы мирного и «советского». Пленника сунули в колодец — зиндан, который сверху был закрыт дощатым помостом. На помосте сушили кизяк — топливо для тандури, лепёшки из овечьего навоза пополам с рубленым сеном. Шамс слышал, как по дороге через кишлак двигалась воинская колонна из Шуррама.

А потом басмачи Ачинда продали его пакистанскому курбашу сердару Иззатулле; сердар привязал руки невольника к палке, а палку — к шее, и в караване угнал Шамса за хребты в Пакистан. Много позже Шамс узнал, что должен быть благодарен Иззатулле: после бунта советских военнопленных в крепости Бадабер моджахеды не брали «шурави» в плен. Шамс надеялся в Пакистане как-нибудь попасть в американскую военную миссию или в лагерь Красного Креста. Ничего такого сердар ему не позволил сделать.

В Пакистане, в каком-то селении округа Мохманд, это в Зоне племён, Шамса заставили принять ислам и дали имя Зуфар; тяжёлыми ножницами для стрижки овец, прокалёнными на костерке, мулла совершил обрезание. Когда брат Зуфар оправился, сердар Иззатулла штыком ещё укоротил ему указательные пальцы, которыми нажимают на курок, потому что доверия новообращённому не было. Эти страшные события Шамс заставил себя забыть, иначе сошёл бы с ума. Каким-то чудом он избежал газовой гангрены. После всех процедур он стал полностью подготовленным для работы невольником, и сердар снова продал его куда-то в кишлаки Белуджистана.

Шамс был имуществом уммы, джамаата, — рабом общины, и с такими же рабами он трудился в горах: расчищал от камней тропы и поля, таскал воду и копал арыки, месил глину, выкладывал ограды. Так продолжалось три года. Рабы жили в саманных хижинах, носили лохмотья, жрали жмых и баранью требуху, трахали друг друга и жевали какую-то смолу с наркотой, чтобы ничего не понимать. Шамс старался удержаться от превращения в скотину, однако было ясно, что скотство — дело времени, и не более.

На четвёртый год Шамс однажды увидел, что по дороге, которую они только что выровняли, едет чёрный лакированный «хаммер». Шамс решил, что это штатовские советники, и бросился к джипу. За такое потом его бы заморили в зиндане. Но в джипе находился не американец, а индиец — ачарья Шьямал Шехар-баба Шривастав, а как мусульманин — Абдутавваб-Зейб, бизнесмен и философ. Каждый месяц Зуль-хиджа хазрат Зейб приезжал курить опиум на склон горы Тахт-и-Сулейман. И сейчас он увидел молодого раба, который бежит к его машине с криком «хэлп ми!» — весьма необычно для ущелий Белуджистана, где и грамоту знают лишь писцы сердаров.

Зейб выкупил раба у джамаата и увёз с собой. Он искал помощников, говорящих по-английски (в Белуджистане с этим была проблема), а Шамс со школы в СССР более-менее знал «инглиш», к тому же в неволе бессистемно освоил пушту, дари, урду и пенджаби. А ещё Шамс умел считать. У хазрата Зейба его вымыли, вывели вшей, откормили, вылечили от чесотки и лишаёв. Шамс стал сотрудником одной из фирм хазрата в городе Гвадар. Старый Зейб считал Зуфара-Гириджпрасада своим шакирдом, или, по-индийски, челой — учеником, и ещё через три года Шамс женился на внучке хазрата.

Сейчас у него были жена и трое детей, которые жили в Винараямпуре, и гостиничный бизнес на побережье, доставшийся от покойного деда Зейба-Абдутавваба. В 1996 году Шамс забрал из России мать и перевёз её в Индию. Всё, что он имел, теперь находилось здесь, на Малабаре.

— Как же так? — спросил Герман. — СССР, Пушкин, Ледовое побоище, и вдруг всё это?.. — Герман указал на океан стаканом с жёлтым коктейлем дайкири. — Рамиль, у тебя нет ощущения, что у тебя чужая жизнь?

Они сидели на крыше отеля за столом под зонтиком. Шамс пил сок. Он был тяжёлым мужчиной арабского типа, в расцвете лет, но грустным.

— Здесь как в сказке, Немец, — страна забвения, — сказал он.

— Как же ты меня вспомнил?

— Забываешь не всё, а чего тебе не нужно. Но те дни в Афгане — это было прекрасно. Мы же как братья тогда стали. Помнишь, как мы тащили друг друга из-под обстрела? Как потом рвались побежать к вертолёту, а Сергей нас не пустил, чтобы не постреляли? Как ночью ползали за боеприпасами к разбитым грузовикам... Как пили спирт... Как смеялись... Молодость. Мы были отличными солдатами, Немец. А вы с Сергеем — герои. Вы прикрыли мой отход с тем парнем, с Дуськой. Жаль его. Но он бы в плену не выдержал.

Герман слушал Шамса — и не возражал. Всё ведь было не так. Шамс не помнил, как он ругался с Серёгой, как они чуть не постреляли друг друга. Не помнил безобразную наглую пьянку, которую устроил Серёга, и не помнил, что по его, Шамса, вине на мосту подорвался Дуська. Да уж, страна забвения. Но пусть будет так, если Шамсу легче. Не надо загораживать ему солнце.

Неужели и вправду на Малабаре ты забываешь свою боль, или здесь тоже западня, ловушка? Герману не терпелось скорей рассмотреть, попробовать, примерить на себя эту благословенную страну, где душа обретает свободу. Конечно, он не стал просить Шамса показать ему Индию, а попросил Дашу, и Даша неожиданно для Германа согласилась.

— Ладно, поработаю гидом. Но держитесь, это вам не город Батуев. Итак, провожу инструктаж. Воду пить запрещаю. Фрукты и еду тоже запрещаю. Зевать не надо — тут всюду воришки. Верить никому нельзя — мошенники. Впрочем, вы же не понимаете на малаялам... Помните, что здания здесь не нумеруют, а дают названия. И когда делают вот так... — Даша смешно покачала головой от плеча к плечу, — это знак согласия, а не отрицания.

Герман улыбнулся.

— Только не свысока, хорошо? — сказал он. — Я ведь не мальчик.

Даша фыркнула. Этот Герман с виду — обычный работяга вроде тех, что покупают старые иномарки и отдыхают в Турции, установщик еврокон, наладчик кондиционеров, чоповец... А на самом деле както он не прост.

Винараямпур был недалеко от Падхбатти, и Даша вызвала не такси, а моторикшу — «тук-тук». Герману «тук-тук» показался детским аттракционом: трёхколёсный мотороллер с крышей, три фары — три нарисованных глаза с длинными ресницами, лобовое стекло завешано амулетами. Тощий парень за рулём изъявлял готовность везти хоть в Австралию. Герман и Даша сели на пухлый диванчик, прижавшись друг к другу боками, и Герман понял, что ему приятно такое тесное и уже даже интимное соседство с этой женщиной.

Винараямпур начался трущобами: джунгли оборвались; слева и справа от шоссе выстроились ряды низеньких и диковатых лачуг из коробок, листов пластика и жести, из бамбуковых шестов и тростниковых циновок. Лачуги стояли очень плотно, с проулками-щелями, и вокруг на проволоке сушилось какое-то тряпьё, бродили козы и куры, а на столбе у дороги висела верёвка с тлеющим концом — огонь, кому он понадобится для очага или прикурить.

Дорогу здесь заволакивало дымом — мужчины жгли на пустырях мусор пополам с сухими пальмовыми листьями; это был их заработок. Босоногие женщины, плотно завёрнутые в яркие ткани, судачили возле водопроводных колонок с вёдрами или кувшинами в руках, что-то варили в больших медных тазах, чудом стоящих на крохотных примусах. Детишки бежали за «тук-туком». Вообще: в этих трущобах все, кто слышал тарахтенье моторикши, оглядывались, смеялись и махали «тук-туку» руками, словно долго ждали его, словно это ехал почтальон, который вёз телеграмму о счастье.

— Вот где бедность не порок, — сказала Даша.

Они въезжали в город, но Даша наблюдала за Германом.

Тропический Винараямпур был пыльным и грязным, очень шумным и суетливым. Ободранные магнолии, истрёпанные платаны и раздёрганные пальмы выглядели будто бомжи. На перекладинах столбов вдоль улиц были навьючены связки проводов. Дорогу запруживал транспорт: легковушки и «тук-туки»; ярмарочные фургоны; гигантские звероподобные грузовики с хромированными радиаторами; разрисованные «барбухайки», в окошках которых вместо стёкол были решётки, точно в автозаках. Проплывали величественные двухэтажные «даблдекеры» — слоноподобные и красные, как перец. Опасно кренясь, с рёвом пролетали байки, втискиваясь в щели между машин; тихо рокоча, катились скутеры, настырные, будто термиты.

Городишко был невысоким, в два-три этажа, — домишки из бурого туфа, деревянные галереи, балкончики, арки, зубчатые балюстрады, полотняные навесы с кистями, веранды, плетёная мебель на улице, горшки с какими-то деревьями, обшарпанная штукатурка, — хотя кое-где вдруг торчали слоистые, ребристые или сетчатые громады современных башен, обросшие антеннами и спутниковыми тарелками. Встречались колониальные особнячки с тонкими колоннами и кудрявыми каменными львами у крылечек. Порой за жуткими оградами из колючей проволоки вздымались новостройки, где на пустых бетонных ярусах гнездились хибарки строителей, которые тут же и жили.

Поначалу Герман даже не рискнул затесаться в толкотню на улицах — побоялся, что потеряется. В гомоне толпы, сквозь кваканье клаксонов и рёв моторов звучали заунывные голоса муэдзинов из динамиков на минаретах. В каждой забегаловке выла экзотическая музыка, мяукали и пищали голоса индийских певиц, выводили рулады баритоны. Все стены были заляпаны яркими вывесками; как паруса, вздымались ржавые баннеры с рекламой фильмов Болливуда. Под ногами вертелись собаки, через толпу равнодушно брели коровы, над макушками людей торчали головы верблюдов.

Пахло так густо, словно запахи сюда накачивали особыми насосами: свежесть фруктов, сладкая гниль, жареное мясо, лимон, имбирь и лаврушка, аптечные химикаты, дым гашиша, псина и навоз, розовое масло, горелая резина, нежность плесени, благоухание и тухлятина, — всё сразу, как в борще.

«Тук-тук» возил их по городу целый день. Рикша показал «сахибам» океанскую набережную с ржавыми фонарями; позеленевший под пальмами памятник — то ли какому-то мореплавателю, то ли губернатору колонии; краснокирпичные казармы старого гарнизона; самый большой супермаркет Винараямпура (рикша назвал его «Мэл-фэйр»); федеральный банк с белым яйцевидным куполом и муниципалитет с готической башней и шпилем; улицу чудодейственных аюрведических аптек, больше похожих на пивнухи; древний храм Сенгувалам, один из ста восьми святых дивья-дешамов, — чёрную каменную пирамиду, уставленную множеством скульптур.

Рикша был счастлив, что клиенты арендовали его «тук-тук» до вечера.

— Впечатлило? — спросила Даша, когда «тук-тук» катился в Падхбатти.

Даша всё равно не могла удержаться от лёгкой насмешки над Германом.

— Впечатлило, — серьёзно подтвердил Герман. — Завтра повторим?

Они ездили в Винараямпур несколько дней подряд, будто на работу. Герман уже не сидел в «тук-туке», а ходил по улицам: ему надо было узнать, какие тут люди, как с ними жить? А Дашу просто заинтриговало, чего ищет этот молчаливый человек, чужой на Малабаре, как монах на свингер-пати?

Однажды Герман попросил Дашу завести его в какой-нибудь обычный магазин. Даша удивилась и указала на ближайший супермаркет; его витрины были залеплены рекламой, и самостоятельно Герман не понял бы, что это за здание. Кондиционеры дышали прохладой. Все, кто встречался, радостно здоровались, будто ждали Германа. Для индийцев были одни стеллажи, для европейцев — другие. Для мужчин — кассы слева, для женщин — справа.

— В Индии, как везде в Азии, любят торговаться, но лишь тогда, когда дешёвый товар или местный формат торговли, — пояснила Даша.

— Да я же не за покупками, — ответил Герман.

Он примеривал, освоится ли в Винараямпуре тихая и несмелая Танюша. Вроде бы тут пёстро, шумно, суетно и непонятно — однако вовсе не страшно. На Малабаре как в мультике. Вечное лето для Вечной Невесты.

На улицах Винараямпура кипела жизнь. Мужчины — улыбчивые и тощие, как подростки-акселераты; стаи хитрых собак; арабы в просторных белых балахонах; темнокожие полуголые старики в тюрбанах; глазастые девушки в длинных юбках; негры и китайцы; полицейские с бамбуковыми палками — в мундирах песочного цвета, с аксельбантами, в генеральских фуражках, но многие — босиком. На потрескавшемся асфальте сидели калеки, по ним как по деревьям лазали обезьянки на ремешках, прохожие кидали монеты в плошки из кокосовой скорлупы. Всюду бродили костлявые коровы, но не смиренные, как в России, а нагло-унылые и, кажется, плотоядные.

Герман просил Дашу взять его под руку и вообще быть поближе (типа как он со своей женщиной), чтобы не смущать своим вниманием индианок. Они проходили мимо как букеты: в ярких сари из блестящих тканей, руки по локоть покрыты узорами из хны, огромные серьги, пирсинг, бусы, браслеты, цепочки, кольца — всё посверкивает, позвякивает, восхищает простодушных.

Здесь было множество молодёжи; компании торчали возле забегаловок и скверов: девчонки, стесняясь, глупо хихикали и сбивались в табунки, а парни — как в сёлах России — врубали погромче музыку на бумбоксах и хвастались мотоциклами, газуя вхолостую. В кассы полуподвальных кинотеатров стояли очереди: мужские — длинные, женские — покороче и за оградкой. Индусы в потных, расстёгнутых на груди рубашках жевали бетель — смесь из пряностей и фруктов — и плевались красной слюной, будто кровью; с непривычки это выглядело жутковато. Всюду попадались толпы школьников с учителями — мальчики отдельно, девочки отдельно. Сквозь шумную, улыбчивую толпу отрешённо и целеустремлённо двигались паломники в чёрных одеяниях.

Они завернули на рынок — как же на Востоке и без базара? Толпа текла сквозь кривые закоулки из палаток, навесов и прилавков: ворохи зелени, груды незнакомых фруктов всех цветов радуги, мычащая и блеющая скотина, связки кудахчущих куриц, вешала с библейски-огромными рыбинами, стопы глиняной посуды... В ящиках с отбросами шныряли крысы, сразу воняло и благоухало, под ногами чавкало. Из толчеи откуда-то снизу тянулись тёмные костлявые руки нищих; старики с лицами недогоревших на костре фанатиков перебирали связки костяных образков; дивными видениями сквозь сутолоку величественно плыли матроны, завёрнутые в лазурь и пурпур; маленькая девочка, блестя глазёнками, кусала ломоть папайи размером с полколеса.

— Тут свободно продаётся марихуана, — негромко подсказала Даша.

Она всё пыталась понять, что нужно Герману.

— Лучше ещё погуляем, — уклонился Герман.

И они снова шли гулять по переполненным улицам Винараямпура.

Торговали всем подряд, даже сигаретами врассыпную с лотков — как в России в девяностые. Через толкучку пробивались продавцы одежды; они тащили в руках вешалки с рубашками на плечиках и джинсами на державках. Споровистые парни распихивали толпу тачками, в которых истекали водой глыбы льда. На обочинах цирюльники стригли и брили клиентов, завернув по горло в малиновые с золотом покрывала. На газонах кучами лежали и курили мужики-носильщики, готовый в любой миг сорваться на клич заказчика.

С крылечек лавчонок орали весёлые зазывалы (с ними категорически нельзя было встречаться взглядами — тотчас уволокут к себе), а сами хозяева магазинчиков сидели на стульях под навесами у витрин своих забегаловок возле выносных прилавков. В каждом закутке орудовали уличные кулинары: ловко выхватывали что-то из вёдер с водой и листьями, потом на крошечных столиках что-то лепили, резали и скручивали, намазывали какую-то зелень на какую-то снедь, а затем быстро раскладывали по тарелочкам на продажу. Словно завершая парад чудес, бродячий жонглёр шёл куда-то сам по себе и вертел небольшие кольца — то их было всего два, а то восемь штук веером.

Герман и Даша обычно обедали в европейском ресторане: он находился на берегу океана, на бастионе старого португальского форта. Если удавалось, к ним присоединялся Шамс — офис его компании находился неподалёку, в деловом центре Винараямпура. Над зубцами невысокой стены форта взлетала водяная пыль прибоя. Индус в просторной одежде грабельками разравнивал красный песок на площадке бастиона. Чугунные пушки лежали на лафетах из брусьев и словно тянулись с поцелуями к далёкому горизонту Малабара.

— Рамиль, расскажи, как тут живут, а? Ну, вообще?

— А что рассказать, Немец? — улыбнулся Шамс. — Здесь просто радуются жизни. Например, у индийцев сразу несколько календарей, и они отмечают все праздники по каждому календарю. Новый год раз пять встречают, — Шамс засмеялся каким-то воспоминаниям. — Из самых пропащих селений в диких джунглях сюда приезжают семьи с детьми — голытьба! Живут в садах при амбаламах, это здешние храмы; их тут же и кормят бесплатно. Все улицы вокруг для них увешивают гирляндами, музыка для них орёт. Днём эти оравы устраивают шествия, бьют в барабаны, поют; ночью у них фейерверки... Не дай бог им слона приведут — детишки умотают зверя. Это счастье, Немец.

— Я заметила, что здесь нет уличных часов, — добавила Даша. — Индусы всё делают сикось-накось и тяп-ляп. Что такое «вовремя», они не понимают.

— И это тоже, — согласился Шамс. — Европейцу трудно. Но не в том дело. В Индии живёт очень много народу. Очень много. Пойдёшь всем наперекор, не будешь ни с кем считаться — тебя просто затопчут, и не со зла, а в общем движении. Поэтому здесь дружелюбие, внимание к другим. Здесь мир.

Из Винараямпура в Падхбатти они возвращались не на «тук-туке», а на автобусе. Салон был наполовину пустой; под потолком на поручне дружно раскачивались ременные петли; кондуктор скучал — он висел на подножке и что-нибудь выкрикивал людям на обочине. В зарешеченные окна с океана поддувало свежестью. Герман и Даша сидели посередине салона на диванчиках лицом друг к другу: Даша, раскрасневшаяся от жары, находилась ещё на женской половине автобуса, а Герман уже на мужской. И почему-то было приятно такое напоминание о природе людей.

В тот вечер Герман с Дашей ужинали на крыше отеля над пляжем.

— Ты господину Зуфару не друг. И никакой ты не турист, — неожиданно сказала Даша. — Ты разведчик. Что ты здесь делаешь, Немец?

В отеле «Малабар Уайт Бич» было заведено включать на закате музыку релакс и зажигать огоньки в медных лампах с маслом гхи, расставленных на перилах веранды. С высоты крыши казалось, что солнце тихо погружается в пылающий океан, как в расплавленный металл, и тает в нём, растекаясь. Всё огромное пространство затопило жарким красным светом. Редкие пальмы, опустевшие шезлонги и бамбуковые зонты отбрасывали по багровому песку неимоверно длинные синие тени. У розового прибоя одинокий индус гулко и медленно бил какой-то булавой в огромный расписной барабан.

— А правда, что откуда-то отсюда начинается дорога с земли в рай? — спросил Герман. — Вроде как по ней прошёл Адам, когда его изгнали.

— Это Адамов мост, песчаная коса от Индии до Шри-Ланки. Она на той стороне Индостана, где Бенгальский залив, в Пондишери.

— Всё равно где-то здесь, — убеждённо сказал Герман.

Он уже поверил, что Таня будет жить на Малабаре — столько, сколько разрешит ей русский бог. А потом, сама того не заметив, она безмятежно перейдёт в рай, отсюда ведь близко, и разница почти неуловима.

— Что ты ищешь, Немец? — повторила Даша.

Не мог же он объяснить: «Я ищу счастливое место, где поселю свою несчастную жену. Такое место, где она, если что, сможет жить и без меня».

— Не будем об этом, Даш, — ответил Герман.

— Ты хочешь перебраться сюда?

— У меня ощущение, что сюда я не вернусь, — честно сказал он.

Герман не думал пропадать или погибать, он рассчитывал уехать из России вместе с Танюшей, но всё равно почему-то никак не мог вообразить себя живущим в Индии. Ему казалось, что он никогда больше не увидит джунгли и пляжи Малабарского побережья. Ему придётся остаться в злой и равнодушной России как бы в заслоне — прикрывая эвакуацию Танюши.

Пламя заката столбом стояло над горизонтом, словно там, за мощным сферическим изгибом планеты, открылось огромное сопло и выбросило во вселенную хвост лучевого выхлопа: это ангелическое топливо любви сгорало в двигателе всемирного тяготения, который гнал планету по дуге орбиты.

— Сегодня, как стемнеет, я приду к тебе, Немец, — твёрдо сказала Даша. — Не вздумай запирать дверь.

* * *

— Ты знаешь, что такое дауншифтинг? — спросила Даша.

— Нет.

Даша, голая, лежала на руке Германа и прикрывала ладошкой глаза от яркого солнца, что жарило сквозь распахнутые двери лоджии. Она ощущала себя выпотрошенной рыбой, разваренной макарониной рассыпанной на дрова поленницей. Герман был с ней не груб, а как-то прямолинеен. Будто солдат, который спокойно и уверенно протирает и смазывает детали своего автомата, быстро собирает оружие и потом безжалостно строчит по врагам, убивая всех на повал. Даша была сразу и этим автоматом, и убитой наповал.

— Я тебе сейчас расскажу, — пообещала она.

Даша примерно выяснила для себя, кто такой этот Герман Неволин (она подкупила портье и посмотрела на ресепшен ксерокопию паспорта Германа: сорок два года, разведён и не женат, детей нет, прописка в Батуеве). Понятно, Герман — «афганец» и бывший бандит. Бабла, видно, он себе не нарубил, карьеру не сделал, вот и решил свалить в Индию жить в своё удовольствие.

— Дауншифтинг — такой особый образ жизни. Ещё не совсем в моде, но в Москве продвинутые люди уже в курсе. У кого есть какой-нибудь небольшой доход, те уезжают в Индию. Образуют что-то вроде общины, снимают себе бунгало в деревеньках на побережье и просто кайфуют, курят бамбук. Индия — дешёвая страна, на скромное существование здесь требуется куда меньше, чем в Москве. В общем, мечта «роллтон-пипла». Тут, рядом с Падхбатти, у меня друзья вот так обосновались. Хочешь, сходим к ним и посмотрим?..

А Герман тоже кое-что понял про Дашу. Она на Малабаре не случайно. Среди её друзей-дауншифтеров, видимо, находится её любовник, к которому она и приехала на пару недель, но не захотела поселиться с ним в лачуге.

А теперь она не захотела и вообще встречаться с ним.

Герман уже составил себе достаточное представление о Винараямпуре и перестал таскать Дашу в город. Сейчас он жил с Дашей без всякого занятия: дышал воздухом Индийского океана, впитывал солнце, слушал свободный и просторный гул прибоя или сдавленные стоны Дашиного наслаждения.

Даша ничего не скрывала от него, но он ничего не спрашивал. Однажды Дашин любовник (его звали Роман, Ромча) позвонил, когда Герман и Даша занимались любовью на лоджии. Даша стояла в наклон, опираясь на перила; от пляжа её закрывал толстолапый лохматый саговник в кадке; телефон на шнурке висел у Даши на шее, как коровье ботало.

— Алё... — выдохнула Даша в трубку, не прекращая двигать задом в ритм с Германом. — Нет... Нельзя... Мне некогда. Ротик закрыли и молчим. Это моё дело... Когда надо будет, мама придёт и в блюдечко нальёт, понял?

Герман всё равно ничего у неё не спросил.

Он не забыл, с какой целью приехал к Шамсу. Конечно, он помнил о Танюше, о Пуговке, но не считал изменой те отношения, которые завязались у него с Дашей. Здесь рай, где любят всех женщин и кормят всех зверей. Здесь не бывает измен, потому что нет вражды. Герман вовсе не оправдывал себя такими мыслями — он не чувствовал за собой никакой вины.

А для Даши встреча с Германом стала возвращением молодости.

Даша Фиртель (а в девичестве — Соловьёва) знала и город Батуев, и даже «афганскую» группировку Лихолетова, так как в начале девяностых сама жила в Батуеве и работала на тамошнем телевидении в программе «За дело», в те времена — самой крутой в городе. В эфирах «Заделки» Даша называла себя Волконской. Ей тогда казалось, что это стильно. Стыдобища.

Даша надеялась, что после какого-нибудь улётного сюжета её заметят и пригласят в Москву, и она рванёт из захолустья. Захват «афганцами» жилых домов «на Сцепе» показался Даше потенциальной сенсацией. В сюжете она соврала про «афганцев», но не раскаивалась. Компания сильных парней переживёт её ложь, а она, девчонка, боролась за своё будущее в одиночку.

Сюжет прогнали в федеральном эфире, и Дашу Волконскую, отважную и красивую, пригласили в столицу. В конце 1992 года Даша уехала из Батуева. Она была решительной, но здравомыслящей девушкой, трезво осознавала, чем платят за успех, и эта трезвость многое оправдывала.

Она попала на молодёжный столичный канал «Джуниор». Репортёры рыскали по Москве в поисках историй и в погоне за ньюсмейкерами, а Даша понимала: её работа — это шанс устроить свою личную судьбу. По заданию шеф-редактора Даша познакомилась с Лёней Фиртелем, мелкой рыбой-пилой большого распила. Лёня в Подольске основал какую-то финансовую контору, предназначенную для прикрытия спекуляций, теневого оборота ценных бумаг, валютных обменов и отмыва налички. Ничего особенного: так зарабатывали многие умные мальчики с экономическим образованием. Через полгода — в 1994 — Даша вышла замуж за Лёню Фиртеля.

Ну и пусть Подольск, всё равно почти Москва. Лёня был хорошим человеком, хоть и безалаберным. Воображал себя акулищей, воротилой, мафиозным консильери. С ти-ви Даша уволилась, в 1995-м родила сына Сеню, в 1997-м они с Лёней купили дом, а в 1998-м, в дефолт, Лёня Фиртель погорел. Поддавшись панике, он, наверное, сбежал бы к брату в Хеврон, но Даша взялась за мужа железной рукой. Лёня продал руины своей конторы крепкому «Статус-банку» и стал управляющим подольского филиала «Статуса», а для супруги учредил риелторскую фирму. В 2000 году Даша окончательно закрепостила Лёню дочкой Дафной, а в 2003-м завела себе молодого любовника — Ромчу.

Даше было грустно осознавать, что ей уже под сорок, — боже, когда это случилось? Мужчины, особенно которые в возрасте, по-прежнему ценили её зрелую красоту, но Даша сама теперь знала цену мужчинам. У нормальных, увы, уже всё решено, а погремушек ей не надо, хватает Лёни Фиртеля — впрочем, доброго малого даже при всех его корпоративных загулах и тайских секс-турах, неумело замаскированных под собрания акционеров. Даша решила, что ей лучше самой прикормить какого-нибудь резвого жеребчика.

Жеребчик нашёлся — Роман, веб-дизайнер. Он был младше Даши на двенадцать лет. Даша познакомилась с ним, когда её фирма искала для него квартиросъёмщика. Ромча мечтал заниматься креативом, а бабки надеялся получать со сдачи московской хаты. Даша приплачивала Ромче под видом выгодной аренды. Её не смущало, что она даёт деньги мужчине. Ей хотелось полноты жизни. Она не покупала любовь — деньги просто сокращали путь, потому что поджимало время. И она никому не причиняла боли.

Ромча вообразил себя то ли Гогеном, то ли хиппи, и пожелал углубиться в свой внутренний мир в тропической обстановке. Он хотел бы творить в трусах на пляже, а связь с миром поддерживать через ноутбук. Ему, веб-дизайнеру, вовсе нет нужды торчать в Москве с её пробками и смогом. Даша без вопросов организовала Ромче дауншифтинг, «прицепив» любовника к компании своих приятелей, и оплатила трансфер:

перелёты, бунгало и прочие расходы, включая аква-байк и спайсы. Полгода Ромча жил в Индии, полгода — в России, а Даша прилетала к нему в Тривандрум. И вдруг — Герман.

Даша всё-таки уговорила Германа сходить к дауншифтерам. По женской склонности собрать всех под своим крылом Даша надеялась: вдруг из этого выйдет что-нибудь дельное? А Герман решил посмотреть, как выглядит жизнь русских людей, которые тоже ищут в Индии убежище.

Они позавтракали на крыше своего отеля хлопьями с молоком и тёртым кокосом и двинулись в путь. Океан шумел; линия пляжей тянулась, кажется, до горизонта; свежая жара грела даже изнутри. Даша сняла тапочки и шагала босиком. Ветерок облеплял платьем её груди, живот и напряжённые бёдра.

Герману было хорошо с Дашей, спокойно. Её не надо было спасать, не надо было ничего ей объяснять. Всё, что она делала, имело лишь один смысл; не требовалось догадываться, наказанием или поощрением является то, что она даёт. «Можно?..» — спрашивал Герман в постели. Лицо у Даши было опутано мокрыми вьющимися волосами. «Да всё можно», — отвечала она.

За отелем «Малабар Уайт Бич» потянулись гестхаусы, которые тоже принадлежали семье Шривастава: за каменными оградами — оштукатуренные домики с высокими тростниковыми крышами, каждый домик — на одну-две-три семьи; сколько бамбуковых крылечек, столько и семей. Во двориках — кудрявые цветочные купы, беседки с мебелью из махагони, длинные пальмы, по которым шныряли серые пальмовые белки с кошачьими хвостами. Герман знал, что эти домики — что-то вроде дач: снимай и живи хоть всю жизнь.

— По дороге мы ещё завернём в какой-нибудь шэк и купим свежую рыбу, — предупредила Даша. — Я пожарю. Ты не представляешь, какая я мастерица.

Асфальтированная дорожка бежала по высокому берегу, над обрывом, над пляжами. Герман и Даша видели сверху лёгкие конусы и мощные шапки крыш, крытых пальмовыми листьями, — это были джус-центры, пляжные кафе, где подавали свежевыжатые соки, или шэки — ресторанчики с дешёвым кофе робуста, рисовыми пирожками и какой-то морской живностью.

Герман не мог отделаться от чувства, что он здесь уже был и всё знает. Эти длинные пляжи — они из детства, они слетели с бесконечной Самарской Луки, где Волга медленно огибает кручи Жигулей. Этот шум прибоя тоже из детства, из бабушкиной деревни Вознесенка, где на холме у заброшенной церкви такими же знойными наплывами стрекотали кузнечики.

По кремовым пескам с ракушками и кокосовой скорлупой, отбрасывая коричневые тени, между зонтиков и шезлонгов ходили стройные чернолицые старухи, закутанные в тряпьё; на головах они носили на продажу стопки полотенец или корзины с фруктами. На пляжах было мало европейцев — в основном сами индийцы. Они заходили в океан в одежде, да и то немногие; женщины просто стояли по бёдра в воде и смеялись, закрываясь руками, когда их обрызгивали дети, купавшиеся в прибое.

— Я думал, в Индии везде «Камасутра», — смущённо признался Герман, — а тут всё так добропорядочно, так прилично...

— Ты забыл, что ты сделал со мной после завтрака?

— Это было не на пляже, — улыбнулся Герман.

— Здесь живут в основном мусульмане. У них строгие нравы. Никакой европейской распущенности. Мораль на высоте, как в Советском Союзе.

Рыбу они купили у рыбаков на окраине деревушки, в которой Дашины друзья-дауншифтеры снимали несколько бунгало. Герман с интересом рассматривал бунгало вблизи: не хибары, а большие каркасные дома на крепких столбах, понизу зелёных от морской плесени. Лесенки, помосты, перила, стены из реек, скаты крыш из пальмовых листьев — точно матрасы, гамаки между стоек, тростниковые циновки, плетёная мебель, холодильники, плоские телевизоры, душевые кабины. Возле домиков стояли скутеры.

Шифтеров было человек пятнадцать. Дашу целовали, Герману жали руку; центром жизни был просторный стол под навесом, здесь пили кофе, а кто-то уже искупался; по крышам домиков проскакали обезьяны; мальчик-индус чинил кому-то из русских заглохший байк, разложив инструменты на замасленной тряпке; яркие птички ходили по перилам и чирикали.

Володя, крепкий смуглый старик с белой щетиной, в рубашке-гавайке и джинсах, протянул Герману тонкую тёмную самокрутку вроде сигары.

— Бюди выкуришь? Это просто табак, без травки. Молодёжный экстрим у нас тут не очень котируется. Солнце и океан лучше, чем ЛСД и СПИД.

— Не хочу, но спасибо, — отказался Герман.

Он быстро почувствовал себя свободно, хотя компания была совсем ему непривычная. Загорелые и бородатые мужчины преимущественно лет сорока или около того, самоуверенные и дружелюбные; загорелые и коротко стриженные женщины, похожие на мальчиков. Одеты они были легко, но продуманно:

цветастые бриджи, дырявые майки, банданы, сандалеты, чёрные очки. Эти шифтеры напоминали киношных пиратов на острове сокровищ.

Герман сразу определил, кто здесь любовник Даши. Вон тот кудлатый и нервный молодой человек, губастый, с юношески-впалыми щеками. Герман не испытывал ревности. Неужели этот мальчик рассчитывает конкурировать с ним? Ну, бог в помощь. А Даша забрала своего Ромчу и благоразумно отошла к пляжному очагу из камней — жарить рыбу на железной решётке.

— Чем вы тут занимаетесь целыми днями, господа? — спросил Герман у тех, кто остался с ним возле стола. — Вам не скучно?

Седой Володя читал англоязычную газету и ответил, не обернувшись:

— В индуизме есть понятие «шанти» — покой как вид деятельности.

— Володя мудрец, он тут мыслит, а я, например, тупо работаю, — весело сказал другой мужчина, лысый, широкоплечий и бодрый. Он сидел перед ноутбуком и быстро стучал по клавиатуре. — Мне всё равно, где я нахожусь. Только неудобно, что интернет проводной. Модемная связь — прошлый век.

— И я тоже работаю. Я — сборщик кокосов, — к разговору присоединился накачанный парень возраста Ромчи, этакий Тарзан с дредами и цветными татуировками. Его называли Митька. — У меня бригада туземцев с мачете. Нанимаемся к какому-нибудь плантатору, на крючьях залезаем на пальмы и рубим кокосы. Я могу вскрыть орех одним ударом. Могу ножом срубить горлышко с бутылки вина. Могу побриться топориком.

Митька белозубо улыбался. Герман видел, что он

красуется ловкостью и силой. Герман его понимал. Потом в Москве этот Митька, повзрослев, войдёт в совет директоров какого-нибудь холдинга и будет вспоминать, как в своей бурной и нищей молодости зарабатывал на хлеб, лазая на пальмы Малабара.

— Кстати, на кокосах вполне хватает, чтобы самому оплачивать тут свою жизнь, — добавил Митька-Тарзан. — Всё очень недорого. Лепёшка или миска риса — десять рупий. Рыба или пакет фруктов — сто рупий.

— Завтрак в шэке — доллар-два, — сказала Катя, подруга Даши. Она была беременная, но не стеснялась и ходила в купальнике, ворочая оголённым животом. Сначала Герману это показалось отталкивающим, но потом как-то уложилось в ощущениях. — Поужинать в ресторане можно на три-четыре доллара. День стоит десять баксов. В Москве такое и представить нельзя.

— Я тоже тут сама зарабатываю на всё необходимое, — пожала плечами другая женщина, худая и глазастая; она называла себя Акулина. — Я мастер механди, это роспись хной по рукам и ногам. У русских и европейцев для механди популярны этнические орнаменты или графика деванагари.

Герман подумал, что Танюша здесь тоже может работать как-нибудь так же, если заскучает, — парикмахером, маникюрщицей, массажисткой...

— Знаешь, Гера, в Индии не задумываешься о времени, о наполнении своего бытия, — снова заговорил Володя. — Жить — это и есть смысл жизни. Надо стараться войти в режим «симпл лайф» — простого существования. Чем меньше экзистенции, тем глубже и обширнее пространство нирваны.

В плетёное кресло рядом с Германом сел толстенький, мокрый после купанья Маркуша, доктор Марк

Семёнович. Он похлопал Германа по руке.

— Не надо зацикливаться на благополучии, Гера. Уверяю как психолог. Иначе ты не сможешь раскрыться, отпустить себя, насладиться реальностью, — Марк Семёнович, фыркая, вытер лицо ладонью. — Это называется «синдром отсроченного счастья». Человек изводит себя заботами, обещая себе, что всё доделает — и отдохнёт. А так не бывает. Такое время не наступает никогда. И реинкарнации у нас тоже не будет. Или здесь и сейчас, или никогда и нигде.

Герман слушал и понимал, что ему не годится опыт этих людей. У них — выигрыш, а не проигрыш. Их дауншифтинг — обратная сторона той же самой жизни, которая у них была прежде и будет потом. А ему нужна другая жизнь.

— Я говорю не про тебя, а вообще, но и ты, Гера, тоже очень напряжён, — с сочувствием заметил Марк Семёнович. — Люди — жертвы фрустрации. Они концентрируются на определённом комплексе переживаний, представлений, идей, и не могут выйти за его пределы, где мир прекрасен. Но это ловушка. Чёрная дыра. В ней человек и хоронит себя. Даша сказала, что ты ветеран Афгана, да? Но сейчас на тебя никто не нападает. Отключи свою оборону. На самом деле вокруг никого нет, это ты сам окружил себя и взял в осаду.

Мерно шумел океан, на крыше бунгало верещали обезьяны, а Герману казалось, что они, пацаны, по-прежнему сидят в каменном развале у моста на речке Хиндар под Гиндукушем. Выйти или не выйти? Выйти или не выйти?

Поодаль Ромча помогал Даше раскладывать по решётке над углями толстые розово-серые ломти свежей рыбы и ворчал, поглядывая на Германа:

— Ты посмотри на него, он же ничего не понимает

из того, что Марк ему талдычит. Обрубок девяностых. Ветеран бессмысленной войны, неудачник бандитской эпохи. Ничего не добился. Лузер. Быдло провинциальное.

— Он не быдло, — как бы невзначай возразила Даша.

— Я говорю «быдло» не в смысле упырь, ублюдок, уголовник. Я говорю в культурном смысле, — с холодным презрением пояснил Ромча. — Быдло — это тот, кто слушает шансон, ест чипсы, читает желтяк, смотрит футбол, носит спортивные штаны и гоняется за дисконтом.

Даша делала вид, что терпеливо пережидает, но слушала внимательно.

— Девяностые вообще были временем быдлячества, — тихо кипел Рома. — Ведь ценности и стиль тогда были не блатные, не тюремные, а быдляческие. Быдлячество в политике, в общественной жизни, в бизнесе, в искусстве, в личных отношениях. Зачем тебе нужен этот утиль истории?

Даша не отвечала. Она сама не знала, чего ей хотеть. Герман издалека видел, что ревнивый любовник чем-то смутил Дашу, но не стал вмешиваться.

В отель они возвращались на закате. Даша молча.

— Значит, теперь тебе будет легче на финише, — сказал ей Герман.

На следующий день он наконец позвонил Шамсу.

— Рамиль, мне надо поговорить с тобой без свидетелей.

Они расположились на скамеечке в маленькой пальмовой рощице возле входа в отель. Девушка-официантка принесла им два ледяных стакана.

— Я готов, — сказал Шамс. — Знаешь, Немец, почему-то я сразу начал ждать от тебя чего-то необычного. Видимо, дождался, да?

— Хочу предложить тебе сделку.

— Уже страшно, — усмехнулся Шамс. — Так и повеяло Россией. Немец, я — честный бизнесмен. За мной — моя семья. Мне проблемы не нужны.

— Выслушай, пожалуйста, — попросил Герман. — Если ты согласишься, то сделка будет вот такой. Возможно, года через полтора к тебе сюда приедет женщина со стариком-отцом. У этой женщины будет большой банковский счёт в валюте. Я прошу тебя устроить здесь жизнь этих людей. Женщина беспомощна, как дитя. Старик — маразматик. Облапошить их очень легко, а меня рядом не будет. Но тебе я поверил, Рамиль. Я понял, что ты меня не кинешь. А гонорар возьми себе сам из их денег, сколько сочтёшь нужным.

Шамс размышлял и вертел в руке стакан.

— У меня вопросы.

— Конечно.

— Что за деньги?

— Чистые. У них не будет следов происхождения. Банковские счета будут новые, деньги лягут на них налом. Никаких переводов и махинаций.

— Что за женщина?

— Татьяна Ярославна Куделина. Тридцать два года. Из Батуева. Не замужем и не была. Детей нет и не будет. Профессия — парикмахер. Языков не знает. Всего боится. Такая у меня жена, Рамиль.

— И что я должен для неё сделать?

— Продай ей гестхаус. Размести её деньги, чтобы она жила на проценты. Придумай, чем ей заняться. Она девочка тихая и послушная.

— А ты сам, Немец?

— Если она приедет одна, Рамиль, то забудь про

меня вообще. Напрочь.

Герман подумал, что второй раз, оставшись в заслоне, ему не уцелеть, уже не повезёт, как повезло там, возле Хинджа. Да и Серёги рядом нет.

— Может, не надо во второй раз? — спросил Шамс.

— Тогда, значит, и в первый раз не надо было.

Рамиль — Зуфар — Гириджпрасад Шривастав молча кивнул.

Всё теперь стало ясно. И больше у Германа дел в Индии не имелось.

Аравинд забронировал Герману билет на авиарейс и заказал такси из отеля в аэропорт Тривандрума на раннее утро.

Ночь Герман провёл, конечно, с Дашей. Какого-то финального безумия у него напоследок не получилось, да и ладно. И сам Герман, и Даша, — оба они понимали, что больше не увидятся. Ничего тут не изменить.

Даша заснула на излёте ночи, а Герман вышел на лоджию. Грядущий восход озарил небо над Малабаром до самых потаённых глубин. Лохматое крыло Млечного Пути косо распростёрлось через вселенную, пересекая бесформенные облака жемчужной пустоты, зеркальные отражения тьмы в невидимых плоскостях и ветвящиеся объёмные структуры мироздания, навылет прошитые трассами призрачных сигналов. В высоте над побережьем массивы древних излучений распадались на невесомые глыбы, а по светилам — точно в окнах — текли волны зелёного и красного пламени, невозможного над русскими перелесками. Герман понял, что он снова видит ту же самую астрономию Гиндукуша, которая потрясла его два десятка лет назад, словно созвездия ещё тогда высветили его жизнь далеко в будущее, а он и не понял.

Он присел на кровать, наклонился, поцеловал Дашу и сказал:

— Я пойду. Простимся тут. Долгие проводы — лишние слёзы.

И скоро дверь за ним закрылась.

Даша лежала, слушала шум океана и думала про то, как она любит сына с дочкой, и ещё безвольного вруна, добряка Лёню Фиртеля, и капризного мальчика Ромчу, и друзей из Подольска. Как хорошо, что они есть и что они в безопасности. Даша ощутила это с обновлённой силой, потому что судьба ненадолго свела её с Германом Неволиным, и Даша вспоминала Германа, будто уже после казни, — Германа, печальника и скитальца, который ищет на белом свете заповедную страну счастья. Даша думала, что Герман подобен купцу Афанасию Никитину, который тоже бывал здесь, на Малабаре, искал Индию — как это издревле водится у русских, и нашёл тут русскую сказку.

* * *

В ночь с четверга на пятницу дорога от Ненастья до Батуева была пустынна. Не выходные же, да и ноябрь — не дачный сезон. «Ниссан патрол» Владика Танцорова гнал с дальним светом. В тёмном боковом окне Танюша видела только длинные, слегка изогнутые серебристые разлёты — это луна озаряла протяжные заиндевелые скаты пологих безлесных холмов.

Владик всё взял от Танюши и всё узнал о ней, будто наскоро пробежал по всем каналам в телике: короче, больше ничего интересного. Сейчас, на пути домой, Владик уже не думал о своей былой досаде и не вспоминал о недавнем сексе, которого так хлопотно добивался. На шиша, спрашивается? Танька — херня. Только время напрасно потратил. Бревно. Владика не тешила даже удовлетворённая гордыня. Танька строила из себя принцессу, а на деле оказалась самой обычной девкой, робкой и стеснительной.

Владик смотрел на дорогу и размышлял о делах. Может, дать объяву, что дом в Ненастье продаётся на вывоз? Или на дрова? Косарей за семьдесят, наверное, реально толкнуть... И нельзя ли снять шифер с крыши?..

Начались промзоны за бетонными заборами, потом — спальные кварталы Батуева. По лицу Танюши побежали огни города. Танюша откинулась на спинку автокресла. У неё внутри всё онемело, как отмороженное. Тело было слегка чужое. Танюша говорила себе: не надо вспоминать о том, что с ней делал Владик. В общаге она сходит в душ и забудет о сегодняшнем вечере навсегда. Всё прошло под наркозом. В Ненастье ездила не она, а другая.

Владик её обманул. Танюша почувствовала, что Владик никогда не был в неё влюблён — даже тогда, давным-давно. С тем, кто хоть когда-то был тебе дорог, не ведут себя столь равнодушно и деловито, будто человек — это вещь. Таня измученно смотрела на далёкую луну за крышами. Владик убил в ней давнюю девичью нежность к себе. Он — плохой. Лживый и бессердечный.

— Владик, ты обещал сказать, где прячется Гера, — напомнила Танюша.

Владик еле сообразил, о чём это говорит Куделина.

— А-а, блин! — спохватился он и простодушно объяснил: — Я же не знаю, Танька. Про это я ляпнул, чтобы трахнуть тебя.

Он усмехнулся. Эх, если бы он знал, где гасится Неволин, то сразу после траха отправил бы Таньку к мужу за деньгами. Так бы и доил обоих лошков. Её бы трахал, а с него бы лавэ снимал за молчание.

«Он опять врёт, — подумала Танюша. — Врёт, чтобы сделать мне больно».

Она же не слепая. В доме в Ненастье кто-то жил — она увидела, потому что была хозяйкой. Посуда в шкафу переставлена. В чайнике — вода, а не лёд. Возле печки — дрова, которых не было, когда они увозили Яр-Саныча и закрывали дом на зиму. И угли в печке свежие. И ещё: когда она лежала под Владиком на тахте лицом вниз, она увидела, что на полу под половичок закатилась ручка с надписью «Герман». Эта ручка пропала вместе с Герой. То есть Гера взял её с собой. Значит, он прятался в доме в Ненастье.

— Я же догадалась, что Гера прятался в Ненастье, — с тихим укором сказала Танюша. — Владик, скажи мне, где он сейчас?

Владик был на все сто уверен, что Неволин с деньгами в Ненастье и не заглядывал. С таким баблом сидеть на холодной даче, где даже водопровода нет? Ну ща. Неволин зашкерится как-нибудь покомфортнее.

— Не в курсе, куда он умотал, — пожал плечами Владик.

«Ниссан патрол» свернул с проспекта в узкий проезд, прокатился мимо закрытого торгового павильона и остановился на парковочной площадке. С одной стороны за бетонной оградой в тёмном воздухе громоздилась пустая структурно-сквозная громада недостроенной высотки (она поднялась уже ярусов на двадцать), с другой стороны за сквером горели редкие полуночные огни девятиэтажной общаги, в которой жили Танюша и Герман. От парковки к подъезду общаги через сквер вела асфальтовая дорожка, сизая от изморози.

— Приехали, — сказал Владик.

Танюша сидела в машине и молча смотрела на дорожку. Она не хотела идти там одна. Десять лет назад, только в феврале, а не в ноябре, на этой дорожке лежал... лежало... то, что было Серёжей. Мёрзлая скульптура с заснеженным лицом. Белый лёд был в открытых глазах и во рту, а правая рука была приподнята, будто Серёжа помахал из-за черты смерти.

Эта обыденная и тихая земля была исхлёстана памятью, как кнутом.

— Владик, проводи меня, пожалуйста, до крыльца, — попросила Таня.

— Да бле-адь, Танька... — утомлённо и недовольно простонал Владик.

Это были последние слова, которые Таня услышала от него в жизни.

Владик вылез из машины, подождал Танюшу и пошагал с ней к общаге. Всего-то метров двести через совершенно пустой сквер... Бабские закидоны! Владик открыл перед Танькой дверь общаги и без слов пропустил Таньку в вестибюль. Всё! Запахивая пальто, Владик с облегчением сбежал по ступеням крыльца и бодро направился обратно к джипу.

Он не заметил, что от угла общаги за ним идёт человек в пятнистом бушлате. Это был Виктор Басунов. Басунов и Танцоров не знали друг друга.

Басунов искал Неволина и рассуждал так: если Неволин ещё в городе, то весьма вероятно, что он захочет встретиться с женой. Например, чтобы дать ей денег (он же принёс деньги Куделину). Значит, Немца стоит ловить где-то возле Татьяны. Надо только оказаться в нужное время в нужном месте.

Басунов рассчитывал, что Герман позвонит Татьяне, а менты отследят этот звонок. В спецотделе ГУВД у Басунова был доверенный человек, и Виктор надеялся на его помощь. Если операторы спецотдела запишут какой-либо подозрительный разговор Куделиной с каким-либо абонентом (не обязательно с Немцем), доверенный человек сразу сообщит Басунову и суть разговора, и локацию абонента. Так что Немец мог звонить с чужого номера, мог говорить иносказательно, мог просить какого-то левого чувака вместо себя передать Татьяне некие сведения, но всё равно бы подставился: Басунов вычислил бы его, а потом взял на месте встречи с женой.

Доверенным человеком Басунова был капитан Володя Чубалов — заместитель начальника спецотдела Управления. Отношения с «афганцами» Володя унаследовал от отца: он ценил знакомство с Георгием Николаевичем Щебетовским и гордился дружбой с Виктором Борисовичем Басуновым — ветераном Афганистана, солдатом и настоящим мужчиной.

У Ивана Даниловича Чубалова в майские праздники 2005 года мозг перегорел в инсульте. В те выходные милицейские командиры приехали в «Крушинники» обмывать повышения и награды, полученные за ликвидацию криминальной группировки Алексея Бобовича по кличке Бобон. Бобону дали пожизненное и отправили в Соль-Илецк, в «Чёрный дельфин», а офицеры парились в бане у Чубалова и пили чубаловские настойки. Иван Данилыч и сам выпил. Напрасно. Возраст уже не позволял гусарить. Иван Данилыч рухнул прямо в парилке. У него отнялась правая половина тела.

С тех пор «Крушинниками» управляла Виктория

Валерьевна, жена Ивана Даниловича и мама Володи. Зарабатывали Чубаловы неплохо, но «Коминтерн» (вернее, Щебстовский) оплачивал им патронажных сестёр для лежачего больного. Виктория Валерьевна и Володя были благодарны «Коминтерну» за то, что товарищи не оставляют Ивана Даниловича в беде.

Володя к тому времени уже отучился в батуевском филиале Академии МВД и работал в городском управлении. Его отдел занимался техническим сопровождением оперативных мероприятий. Если Виктор Борисович просил оказать услугу, то Володя выполнял всё лично сам и очень ответственно. Он понимал, что государство несовершенно, не всегда справедливости можно добиться в порядке, установленном законом, однако есть мужская дружба и боевое братство ветеранов.

Именно такая ситуация сложилась с Неволиным, который украл у Виктора Борисовича оружие, а у Георгия Николаевича — деньги. Володя был рад помочь Басунову поверх головы капитана Дибича, но увы: Дибич не запросил санкции прокураторы на прослушку Куделиной. А прослушивать Куделину самовольно Володя не согласился бы: это уже преступление.

Басунову оставалось одно: по мере возможности вести наблюдение за Татьяной своими силами. Если улыбнётся удача, Татьяна приведёт его к Немцу. А там он уже не оплошает. Лишь бы только эти голубки встретились.

Басунов отслеживал Куделину от работы до общаги. По пути Татьяна заворачивала в супермаркет, и всё. Ни подруг, ни каких-то увлечений. Даже к отцу за время слежки она не ходила ни разу. Но сегодня, видимо, что-то стряслось. Басунов потерял Куделину прямо у дверей её «Гантели» — вышла и как провалилась под землю, нет нигде. Он повертелся, проклиная всё на свете, и уехал домой. А за полночь решил проверить, вернулась ли Татьяна домой. Он сел в машину — в новый «икс пятый» — и поехал к общаге.

Машину он запарковал на асфальтовой площадке за сквером, возле ограды стройки (там уже стояло несколько автомобилей), и направился к общежитию. Проскочить мимо вахты не получилось бы, а показывать себя вахтёру (тем более называть) Басунов, конечно, не хотел: вахтёр запомнит человека, который явился в половине второго и спрашивает про Куделину. Поэтому Басунов не зашёл в вестибюль, а завернул за угол здания, чтобы на другой стороне общаги посмотреть, горит ли у Куделиной окно.

За пару дней он уже узнал привычки Татьяны. Дома она всегда зажигает свет — если не верхний, то лампу на столе, а когда ложится спать — ночник. Наверное, боится темноты. Басунов попятился на газон, чтобы лучше видеть высокую стену. Шестой этаж, восьмое окно слева. Тёмное. Да ёб твою мать! Куда она пропала? Не в кино же она и не в кабаке!.. Что случилось-то?

Он вышел из-за угла и тотчас увидел Куделину и Неволина.

Немец придержал дверь, пока Таня заходила в общагу, а потом сбежал с крыльца и уверенно двинулся к скверу. На нём было новое пальто — небось прибарахлился со своей добычи... Он шагал по тротуару через сквер к той же парковке, на которой стояла и машина Басунова. Он сунул руку в карман, и на парковке мигнул оранжевыми подфарниками «ниссан патрол». Надо же, нищий Немец и тачку себе организовал более-менее приличную...

Басунов мгновенно оценил положение. Сейчас

Немец сядет в «патрол» и поедет. А басуновский «икс пятый» заперт: пока Виктор ходил к общаге, рядом с его джипом втиснулась белая «тойота королла», которая почти не оставила «икс пятому» пространства для выезда. Можно, конечно, поелозить вперёд-назад и вырулить, но это займёт пару минут. А Немец за пару минут умчится чёрт знает куда, и Басунов потеряет его безвозвратно.

Басунов бросился через чёрный сквер напрямик, стараясь не шуметь и не топать. «Икс пятый» полыхнул сигналкой, однако Немец не обратил на это внимания — он усаживался в «патрол». Басунов подлетел к своему джипу и сразу распахнул заднюю дверку, ярко блеснувшую под луной. В салоне на заднем сиденье у него лежало ружьё Куделина, по-прежнему завёрнутое в телогрейку. Вчера за городом Виктор немного поупражнялся с двуствольным карабином непривычной конструкции — бокфлинтом, и сегодня действовал уверенно. Там же, в ватнике, лежала коробка охотничьих патронов.

«Ниссан патрол» Немца, предостерегающе пылая красными огнями, не спеша выползал из шеренги автомобилей кормой вперёд. Сейчас Немец сдаст направо, разворачиваясь, и покатит на выезд с парковки... Но он проедет мимо «икс пятого» — и откроет свой левый борт... Басунов, укрываясь за «икс пятым», с натугой переломил бокфлинт, утопил пальцем патрон в канал верхнего ствола, замкнул «Зауэр» обратно и перещёлкнул кнопку селектора очерёдности — заодно она была и предохранителем.

Немец завершил откат назад, выкрутил руль и тронулся вперёд. Он не видел, что за «икс пятым» в темноте сквера стоит стрелок в боевой позиции — с компенсаторным разворотом корпуса, с широко расставленными ногами, с поднятым двуствольным карабином, приклад которого плотно упирается в плечо, защищённое толстым бушлатом. Стрелок сохранял неестественную неподвижность, потому что у него был только один выстрел, один шанс.

«Ниссан патрол», мягко урча, скользнул к выезду с парковки; на миг он поравнялся с «икс пятым» — и Басунов без колебаний ударил из ружья по водительской двери. Выстрел шарахнул над парковкой, клацнул отзвуком в бетонных углах новостройки. На чёрной дверке «патрола» появилась дыра с белыми краями. «Патрол» и не дрогнул; так же мурлыча, он уехал вперёд, подпрыгнул на бордюре и с шорохом вмялся капотом в голые кусты акации.

«Немец, извини, — подумал Басунов, торопливо закидывая бокфлинт в салон своего джипа. — У меня не было другого способа поймать тебя...»

Басунов трусцой подбежал к «патролу», открыл дверь и сразу подхватил водителя, который повалился ему на руки. Водитель таращил глаза, ничего не понимая, и дышал открытым ртом взахлёб, словно всплыл с глубины.

Это был не Герман Неволин. Это был Владик Танцоров.

Басунов вытащил его с водительского места и, матерясь, запихал на задний диван «патрола». Владик не сопротивлялся — он ошарашенно зажимал бок, разорванный ружейной пулей; пальто набухло и отяжелело от крови.

Басунов залез на водительское место «ниссан патрола», реверсом вывел джип из кустов, аккуратно вернул его на парковку и задвинул сбоку, чтобы никому не мешать — и чтобы дверью с пробоиной джип был повёрнут к бетонной ограде стройки. Заглушив двигатель, Басунов вышел из «патрола», обошёл машину и забрался в салон через правую заднюю дверь. Хрипящего Танцорова он приподнял, подтянул и завалил в угол, чтобы разговаривать глаза в глаза. Басунов даже взял Владика за лицо и повертел туда-сюда, присматриваясь внимательно, — а вдруг это всё-таки Неволин?

— Ты кто такой, мудил мудилыч? — спросил Басунов.

Владик булькнул и затрясся. Он ещё не мог осознать, что случилось.

— Эх, не на того ты оказался похож...

Владик вправду был похож на Германа. Тоже высокий, тоже сутулится.

— Не ссы, я «скорую» вызову, — пообещал Басунов, раскрыл на Владике пальто и, стараясь не пачкаться, обшмонал карманы: достал ключи, телефон и бумажник. — Но ты мне ответишь на вопросы, понял? Кивни, если понял.

Владик кивнул.

— Почему ты с Танькой Куделиной был?

— Лю... бо... — прошептал Владик. Он хотел сказать «любовница».

— Блядовали, значит, — понимающе усмехнулся Басунов. — Ну что, дело хорошее. Муж в Тверь, жена в дверь. А Германа Неволина знаешь?

— Да...

— Ещё лучше, — Басунов почувствовал, что всё-таки не зря подстрелил этого типа. — Может, в курсе, где он прячется?

— Раньше... был на... да... че... в Не... настье, — выдохнул Владик.

— Откуда известно? Сам видел? — вскинулся Басунов.

— Танька... ска... зала.

Настроение у Басунова резко повысилось. Он с симпатией посмотрел на этого несчастного придурка, столь опрометчиво угодившего под пулю.

— А ты с этой историей как завязан?

— Никак... Я токо... дачу... ку... пил... у Ку... делиных.

— А если так? — спросил Басунов и надавил на руку, которой Владик зажимал рану в боку. — Освежает память?

Владик задрожал от боли и заплакал.

— Токо... дачу... — страдальчески повторил он. — Я... не с ними...

— Да ну? — не поверил Басунов, нажимая сильнее.

Ситуация для него стала понятна, как разгаданный ребус.

— Правда... — всхлипнул Владик. — В папке... договор ку... пли...

Басунов уже увидел эту папку — кожаную, с молнией. Она лежала на правом переднем сиденье. По просьбе капитана Дибича Владик сделал копии документов на дачу и возил с собой — вдруг Дибич вызовет. Басунов достал папку, вытащил из неё пачку бумаг, бегло посмотрел: свидетельство о праве собственности, договор купли-продажи, акты о перечислении денег, план участка, ксероксы паспортов и доверенностей... Басунов убрал документы.

— Ну и что же мне с тобой делать? — спросил он у Владика.

— «Скорую»... — умоляюще прошептал Владик.

Басунов смотрел на него с сочувствием и мягкой насмешкой. Наивняк. Свидетелям доктора не вызывают. Владик сморщился и заплакал сильнее. Он понял, что его сейчас убьют, но в ошеломлении не осознавал всего ужаса.

— Не мешай, — приказал Басунов.

Владик послушно зажмурился. Басунов протянул руки, взял его голову за затылок и челюсть и резко, сильно повернул, словно по резьбе. Треснул шейный позвонок, и хрустнули хрящи в горле. Владик дёрнулся телом набок, будто вслед за головой, а руки и ноги его распустились, как отключённые.

Басунов внимательно глядел на Владика Танцорова, точно ожидал реплики в незавершённом разговоре. Владик полулежал на заднем диване в неудобной, изломанной позе и, разинув рот, таращился мокрыми глазами в потолок «патрола». А Витя Басунов испытывал очень острое и глубокое ощущение собственной жизни — настолько она объёмная, мощная и щедрая.

Потом Басунов вынул деньги из бумажника Танцорова, а бумажник бросил на пол. Проверил в телефоне контакты (отлично, вон сколько звонков Татьяне Куделиной: как раз то, что нужно!) и сунул телефон Танцорову в пальто во внутренний карман. Забрал связку ключей. Протёр рукавом места в машине, где могли остаться отпечатки его пальцев. Вроде, всё. Прихватив кожаную папку на молнии, Басунов выбрался из «ниссан патрола».

Парковку искоса освещали несколько прожекторов, подвешенных над стройкой, и плоская луна, будто раздавленная прямым ударом. Третий час ночи. Вокруг никого. Вдали по улице изредка пролетали двойные огни автомобилей. Забавно, что десять лет назад на этой же парковке вот так же стоял всю ночь, тихо сжигая топливо, «гелендваген» убитого Лихолетова.

Через полчаса Басунов уже выезжал из города

в сторону Ненастья.

У него в голове сложился чёткий план. Деревню Ненастье он прекрасно знал. Оружие у него есть — бокфлинт. Если он застанет Немца в Ненастье, то проблема решена. Он возьмёт Немца врасплох, быстро и безжалостно выбьет из него, где спрятаны деньги, сразу проверит информацию и кончит Немца.

Если же он не застанет Неволина, то всё немного сложнее.

Завтра утром Танцорова найдут. Быстро свяжут его и с Куделиной, и с Неволиным. Всё будет указывать на то, что Неволин приревновал и вальнул Танцорова, любовника жены, из пушки тестя. Логично. А бокфлинт Басунов подбросит в Ненастье. Оперативники обязательно поедут туда с обыском, ведь Ненастье связано со всеми фигурантами дела. Но главное, что Неволин непременно узнает: его подозревают в убийстве Танцорова. И он позвонит жене, чтобы оправдаться. Басунов был уверен, что теперь-то, после убийства любовника, телефон Куделиной поставят на прослушку. И Неволин спалится, когда позвонит. А Володя Чубалов известит об этом Виктора Борисовича.

С дороги, сидя за рулём, Басунов по мобильнику набрал Чубалова. Конечно, не время для беседы, но вопрос серьёзный.

— Володя, извини, что поднимаю с постели. У меня появились сведения, что дело Неволина сегодня двинется, и вам дадут добро на Куделину. Прошу, проследи. Как только Неволин звякнет ей — сразу мне отбейся.

— Конечно, Виктор Борисович, — ответил сонный Володя. — Я же обещал вам и Георгию Николаевичу, не сомневайтесь в моих словах.

Басунов остановил джип за поворот до Ненастья. Сторож не должен его видеть. Басунов разложил на коленях документы из папки Танцорова и включил плафончик на потолке. Так. Вот схема участка три-шестнадцать. Дом, сарай, огород, погреб, скважина, ворота, точка электрозапитки... Вот схема кооператива: четыре улицы — одна непроездная, участки, усадьба сторожа, щитовая будка, пожарный бак, железная дорога, дренажная канава, ограда... Басунов понял, где находится дом Неволина.

Он вошёл в Ненастье по дренажной канаве вдоль насыпи железной дороги. Темнота вокруг была неровная, будто подрагивала от холода. Под ботинками крошился тонкий ноябрьский лёд, кустарник царапал колени жёсткими ветками, мёрзлый бурьян костисто искрился, нежгучий, как старый бенгальский огонь, и легко пропускал человека сквозь себя. Бесконечный вал насыпи отсекал половину мира подобно стене; преодолевая эту стену, в навеки замедленном прыжке, свободно распластавшись, застыл Стрелец со всеми своими туго натянутыми биссектрисами, тетивами и осями вращения.

Басунов по углам крыш определил, какое владение — куделинское, пробрался через малинник во двор и осторожно осмотрел дом снаружи. Окна тёмные, ничего не слышно. Что ж, надо рисковать. Басунов скинул бушлат, чтобы не помешал в случае схватки, вставил в стволы бокфлинта два патрона и приготовил ключи, которые взял у Танцорова.

Он выждал момент, когда на железной дороге загрохочет поезд, поднялся на крыльцо, дёрнул дверь за ручку, поспешно примерил к скважине один ключ, другой — ключ повернулся, и замок открылся. В доме темно. Тихо. Обдаёт теплом. Пахнет дровами. Ощущение пустоты и безопасности.

Никого там не было. Не зажигая лампочку, Басунов осмотрел оба этажа, заглянул в низкий подпол. Немец ушёл. Может, на время, может, насовсем. Значит, закончить дело по-быстрому сегодня не удастся. Жа-аль, жа-аль... Басунов потрогал печку — ещё тёплая. Потрогал чайник — даже горячий. Кто-то подогрел его час назад, не позже. Ну, ничего. След взят — и теперь Виктор Басунов его уже не потеряет. Поймать Немца — отныне дело времени.

Басунов разрядил карабин-бокфлинт и завернул в ватник Яр-Саныча, унёс свёрток наверх в мансарду, засунул под топчан, в самый дальний угол, и задвинул каким-то ящиком. Потом спустился, вышел из дома, запер дверь, как было, и прежним путём направился к своей машине.

* * *

Он успел на последнюю электричку и приехал сразу на центральный вокзал Батуева. Он не боялся, что его кто-нибудь опознает и сдаст ментам, — просто вообще не думал об этом. Впрочем, у него был очень неприкаянный вид, и никто бы и не поверил, что этот высокий мужчина в пальто и кепке неделю назад разбогател на сто сорок миллионов рублей, а саквояж у него набит пачками денег, словно пачка денег не дороже пачки сигарет.

Он изгнал мысли о Танюше и Владике Танцорове, о том, что случилось в Ненастье несколько часов назад, иначе сдетонирует чувство вины перед Танюшей — мгновенно расширяясь, как взрыв, сведёт его с ума, испепелит.

Полупустой ночной вокзал, гулкий и просторный, оказался неожиданно человечным: здесь уже никто не толкался, можно было без очереди подойти к любому окошку, будь это касса или киоск с газировкой, свободные кресла приглашали отдохнуть без навязанного соседства. Герман решил купить билет до Самары, чтобы Самара, где живёт мама, как бы притягивала его к себе в дороге, не позволяла соскочить с поезда и вернуться в Батуев.

Билеты были. Поезд уходил в восемь утра. Надо было чем-то занять себя до восьми. И Герман решил позвонить Володе Канунникову. Идея выглядела не лучшим образом — всё-таки три часа ночи. Но Герман понял, что он не в силах просто так взять и уехать. В этом городе он прожил семнадцать лет, и он должен с кем-то поговорить: сказать какие-то слова и услышать какие-то слова в ответ. Он уже изнемог жить внутри себя, внутри своей затеи.

— Слушаю, — как-то буднично сказал Володя совсем не сонным голосом.

— Вова, это Неволин, — негромко сообщил Герман.

— Герка? — изумился Володя. — С ума сойти!

Володя закончил политех. Он учился как раз во времена «афганского сидения», когда другие парни бухали, гоняли на разборки или мутили какой-нибудь разухабистый бизнес. Володя получил трёхкомнатную квартиру «на Сцепе»; у него с Олей и так было двое детей — пацаны-разбойники, и сразу завёлся третий ребёнок — Ксюшка. Володя не пристраивался ни к кому из успешных приятелей, чтобы срубить бабок, не квасил и не химичил. Он был правильным. И почему-то его принципиальность никогда не отталкивала, его скромность не вызывала жалости, его спокойная честность не обижала.

Он работал на комбинате «Электротяга», дорос до заместителя главного инженера по энергетике. В девяностые на комбинате ни шиша не платили, а в нулевые вернулись заработки — не бог весть что, но жить можно, и Володя выкладывался. В этот день, точнее, в эту ночь он сидел на дежурстве; смена завершалась в четыре утра, и Володя пообещал Герману приехать.

Герман ждал, прогуливаясь по платформам, галереям и кассовым залам. Семнадцать лет назад он стоял вон там на перроне с чемоданом в руке и растерянно озирался: он приехал в незнакомый город по приглашению армейского друга Серёги... И вот сейчас уезжает отсюда же.

А вокзал нынче совсем иной, нежели в начале девяностых. Тогда он был заплёванный, тёмный и опасный, а теперь — удобный и респектабельный. Светящиеся табло, англоязычные указатели, эскалаторы, круглосуточные кафетерии. В киосках — таблоиды, шоколадки и одноразовые дорожные несессеры, а не презервативы, водка и брикеты китайской лапши.

— Герка, здорово, рад видеть тебя! — Володя протягивал руку, словно не слышал про ограбление спецфургона и федеральный розыск.

Володя был невысокий, всегда аккуратный и какой-то мужественный.

Они решили посидеть в привокзальном ресторанчике «Экспресс» — в недорогой забегаловке, где из экономии погасили половину светильников, и Герману в полумраке было спокойнее. Зевающая официантка приняла заказ на две порции пельменей и принесла триста грамм водки в графине.

— Какая-то помощь нужна? — осторожно осведомился Володя.

— Нет. Извини, что выдернул. Просто трудно прыгать без парашюта.

Володя понимающе улыбнулся.

— Как там наши парни? — спросил Герман. — Я не перевожу разговор, мне правда хочется знать, Володя. Наверняка про многих из них я в жизни уже ничего больше не услышу. А ведь мне интересно, как судьба сложится.

Володя задумался. Они с Германом не виделись пару лет.

— Слышал, Игорь Лодягин стал мэром в Краснoборске?

— Надо же! — засмеялся Герман. Почему-то ему было приятно, что у Гоши всё хорошо. — А как его туда занесло из Батуева?

— У него жена оттуда родом. Поехал к тёще на блины и завяз.

— Нормальная песня. Гоша ведь с молодости был такой... мундирный. Ему же эти игры в чиновников всегда нравились.

— Кстати, Сане Чеконю орден пришёл. Опоздал на двадцать лет. Но теперь Саня с Красным Знаменем, как Егор Быченко.

— Отлично. Мне кажется, что Чеконь именно из-за этого ордена и был такой надменный и презрительный. Переживал, что орден потеряли.

Им принесли пельмени в одноразовой посуде, и Герман разлил водку.

— У Макурина всё в порядке... Воха Святенко уехал в Москву, у него там бизнес прёт. А Билл Нескоров вообще олигархом стал.

— Как ему удалось?

— Сначала держал автобазу. Потом — парк стройтехники. Потом начал сам подряжаться на строительство дорог. А дороги — это откаты на сотни миллионов. Теперь в областной Думе сидит, махинации свои подчищает.

— Вот уж за кого не стоило беспокоиться, так это за Билла.

— Герка, умора! — вдруг спохватился Володя, закусывая. — Знаешь, что Готыняна реально судят за двоежёнство? Офигеть! Этот супербизон сам не понимает, как так намухлевал. Теперь ушлые бабы его фирму пилят.

У Володи (инженера и авторитетного специалиста) круг общения был не такой, как у Васи Колодкина с Фондом помощи, а потому Володины истории были куда благополучнее, чем Васины. Хотя и не всегда, конечно.

— А Вован Расковалов загремел за решётку. По пьянке проломил башку собутыльнику. Но к тому и катилось, что он рано или поздно сядет.

— Как Виталя Уклонский поживает?

— Виталя — кремень. Он со времён Гайдаржи держит алкомаркеты, у него уже целая сеть на федеральный округ, охватил пять или шесть областей. Вот кто из наших как встал на тему, так и не отступился.

— Достойно уважения, — кивнул Герман.

Разговор о товарищах и приятелях действительно успокаивал, позволял не думать о том, что терзало совесть, — о Танюше и Владике в Ненастье.

— Герка, прости, что лезу в душу... — Володя налил водки. — А почему ты не попросил наших парней тебе помочь, а решил Щебетовского ограбить?

Германа обескуражила простота этого вопроса.

— Да мне и в голову не пришло, — он пожал плечами. — По-моему, так уже не делается, Володя. Сей час и время не то, и парни уже не те...

— Может, ты и прав, Герка. Но странно. Времена-то были тогда буйные, нам ли не знать? Но как-то было человечнее, ближе друг до друга...

— Мы были моложе, вот и секрет эпохи, — усмехнулся Герман.

Они взяли ещё двести грамм, и на этом следовало остановиться.

— Нет, — твёрдо сказал Володя, — дело не в молодости. Действительно мир поменялся. Разве сейчас мог бы появиться Сергей Лихолетов?

— Что ты имеешь в виду? Если бы Серёгу не убили, он был бы.

— Не лично Серёга, а такой тип человека. Такой тип уже невозможен.

— А какой Серёга тип?

Герман вспоминал Серёгу: обозлённого, решительного — в Афгане возле кишлака Хиндж; торжествующего и восхищённого собою — на празднике при заселении «на Сцепу»; бесстыжего, лукавого и добродушного — с Танюшей на «мостике»; маленького и потрясённого — на проигранных выборах...

— Сергей по натуре — герой.

Герман был согласен. Да, для него Лихолетов был героем. Командиром. Герман видел Серёгу в бою в Афгане. Пускай на гражданке Серёга бывал не прав, а то и вообще как скотина, но Герман считал его лучшим другом и принимал любым, даже таким, с которым не соглашался. Однако понимание Серёги Герман считал своим личным вопросом и потому возражал Володе:

— Конечно, Серёга был храбрый. Он старался для всех и был честный — не воровал, как нынешние... Но никакого подвига он не совершил.

— Я не про подвиг. Герой — тот, кто прокладывает

путь, поднимает народ с колен и ведёт за собой, жертвует собою ради всех. Кто творит историю. Разве сейчас нашёлся бы человек, который из толпы дембелей создал бы организацию, отбил бы огромный рынок, захватил бы жилые дома? Нет. И не потому, что нынче все трусы. Ты же сам сказал: так уже не делается.

Верно, сейчас делается так, как сделал Герман: хапнул и сбежал.

— Серёга тоже мог ограбить фургон, — задумчиво сказал Герман. — Но вот скрываться после грабежа ему было бы против шерсти. Он жил напоказ.

Герман и Володя захмелели, но не потеряли здравости рассудка. Они вышли из полутёмной забегаловки на платформу, на холод, под бледно-синий свет вокзальных фонарей. Они закурили, хотя оба не курили.

Поезд прибыл через час, и Герман с Володей обнялись у дверей вагона. Проводница бдительно косилась на Германа, от которого пахло водкой, но Герман выдержал испытание её подозрением: не шатался и не шумел, не требовал продолжения банкета, пробрался на своё место в купе и лёг.

Он лежал и думал про Серёгу. Он оставлял Серёгу в Батуеве навсегда, и от этого расставания было очень больно, хотя Лихолетов был мёртв уже десять лет. Но он жил в душе и в памяти: он задавал вопросы и ждал ответы.

Серёга искренне считал, что он круче всех, но своё превосходство (в меру своего понимания) использовал во благо ближних. Он вообще был нацелен на людей: жаждал одобрения, восхищения, зависти. Вряд ли он кого-то любил, кроме себя, но зато все вокруг видели: одиночество — это не то, что человеку причиняют другие люди, а то, что человек причиняет себе сам. Серёга был цельным: его величие и его несчастье имели общую причину. Он жаждал осчастливить тех, кто признал его командование, хотел стать для них заместителем бога по городу Батуеву, — и этим доказывал, что бог есть.

Герман проснулся часов в десять. За окнами вагона было промозглое ноябрьское утро, зябкие леса в стылом тумане. Герман словно включился на том же пункте размышлений, на котором отключился, когда заснул.

Серёге Лихолетову всегда было всё по плечу, он был равен грандиозным задачам — потому и был герой. Обстоятельства (даже победы) не подчиняли его себе. Он командовал «Коминтерном», но не рубил бабки, не отписывал собственность, не упивался властью. Такая стойкость перед соблазнами была редким качеством. Например, Егор Быченко им не обладал. Он не справился с возможностями: возглавив «Коминтерн», он начал нагибать других, начал отнимать и раздавать, карать и награждать... Или другой пример — Сашка Флёров: нарезался от радости и едва не потерял свой шанс...

Почему Герман размышлял об этом? Потому что тоже не справлялся. Он неотступно думал про деньги в погребе. Сто миллионов — слишком большая удача. К ней Герман не был готов. Десять-двадцать миллионов в мешке — это нормально, он так и рассчитывал, но сто миллионов!.. Такие богатства сами начинают управлять человеком. Не позволяют забыть о них, не дают уйти. Ограбление — вещь рукотворная, и грабить можно хоть каждый день, а сто миллионов — подарок судьбы, и такое не повторится. Нельзя просто закопать этот подарок и курить бамбук. Нельзя оставлять удачу без присмотра...

Как Серёга справлялся со своей удачей? У Германа

не было объяснения.

Он пил чай, глядел в окно и вспоминал ночной разговор.

— А что тебя больше всего напрягало в те годы? — спросил Володя.

— Я как-то не определялся... То одного не хватало, то другого...

— Мне кажется, острее всего тогда ощущали несправедливость. Почему все работали вместе, и вдруг один — богач, а другой — бедняк?

— Сейчас разве по-другому?

— Точно так же, но сейчас это уже в порядке вещей. Ты не испытываешь никаких чувств от того, что Щебетовский владеет Шпальным рынком, а ты у него — водила. Жизнь есть жизнь. А в те годы подобные ситуации вызывали яростное несогласие. Лихолетов ведь на нём и взрастил «Коминтерн».

— Для передела собственности?

— Передел начал Быченко. А для Серёги «Коминтерн» был механизмом справедливости. Был сопротивлением. Согласись, Герка, сейчас невозможно представить структуру вроде «Коминтерна» — одновременно общественную организацию, корпорацию из разных бизнесов и преступную группировку.

— Да уж, — смущённо усмехнулся Герман. — Поддавали мы угля...

Ограбление спецфургона в каком-то смысле тоже было восстановлением справедливости. И дело не в том, что капиталы Щебетовского неправедные: дело в общем порядке вещей. Жизнь рассудила не по совести, а лицемерно и жестоко! Конечно, ему не наказать Щебетовского, но он хотя бы исправит приговор для Танюши... Или сейчас он врёт себе? Накручивает мешкам в погребе моральную цену, чтобы угово рить себя вернуться в Ненастье?

Поезд пересекал какую-то огромную реку. Дамба тянулась напрямую через луга заливной поймы; здесь в извилистых мелких озёрах среди бурых тростников металлически отражалось небо, словно остановленное ударом. Потом длинной грохочущей скороговоркой зарокотал мост, составленный из железных перекрестий. За его клёпаными фермами влажно мерцала стылая плоскость бескрайнего плёса, сморщенная мелкими белыми складками волн. Дикий гребень берегового крутояра внезапным поворотом запахнул горизонт речной долины, будто тяжёлой полой зипуна, и по небосводу, как ватин из подкладки, повалили снеговые тучи, разодранные и обескровленные. В вагоне стало сумрачно, и, поколебавшись, проводница включила свет.

Герман смотрел в окно и думал о ночном разговоре на вокзале.

— «Коминтерн» начал рушиться, когда мы все потихоньку согласились, что несправедливость — это норма, — прогуливаясь по перрону, рассуждал Володя. — Норма, когда кому-то одному — очень много, а остальным — по чуть-чуть. Лихолетов тогда сидел. И никакой Афган ничего не удержал.

— Я уже почти и не помню Афган, — хмуро согласился Герман.

— А Сергей, кстати, не педалировал тему Афгана, и мне это нравилось, — признался Володя. — Чего хорошего в той войне?.. На Афган всегда напирал Гайдаржи. Для Серёги Афган был не подвигом, а поводом объединиться.

— Серёга четыре года провёл в Афгане. А я — полтора, как почти все.

— Говорю же — герой, — усмехнулся Володя. —

Его Афган не раздавил. Не переделал. Сам знаешь, Гера, некоторые там ломались. Многие вернулись калеками в душе. Кое-кто из парней вообще так и не дембельнулся: Быченко, например. После Афгана он всё решал силой, как на войне, и властью, как в армии. А ведь были и совсем паскуды. Тот же Витя Басунов. Затрудняюсь, Гер, определить его... Но это как разврат. Он развращён. Для нас война была как ведьма, а для него — как блядь. Извини, что матерюсь, сам не люблю.

Голос Володи Канунникова всё звучал в памяти Германа. Хорошо, что они успели так поговорить в эту ночь...

Герман обедал в вагоне-ресторане. Бутылочка минералки позвякивала в металлическом держателе. Стойка бара в глубине салона то ярко озарялась от косого света из окна, то меркла. Поезд катился по ещё бесснежным степям. После осинников и ельников Батуева округлые и плоские холмы Заволжья, словно растянутые на просушку, выглядели зачищенными от жизни, вроде зон ядерного поражения, и какими-то облезло-заплесневелыми. В оголённом, сквозистом и тоскующем пространстве равнины чудился трубный зов чего-то несбывшегося. Изредка вдали мелькали громады элеваторов.

— «Коминтерн» был обречён на проигрыш, Гера, вот что я думаю, — говорил прошлой ночью Володя. — И это как раз из-за Афгана. Мы пришли оттуда на понтах. Мы там такое увидели — и снова за парту? Да шиш! После Афгана что мы ещё не знаем про жизнь? Всё знаем! Вот и остались неучами, остолопами. У Лихолетова образование — железнодорожный техникум.

— У меня и того хуже, — грустно подтвердил Герман.

— Мы были просто солдаты. Без профессий, без воспитания. Молодые, наглые, к тому же безработные. Чего от нас можно было ждать? Что мы банк учредим? Будем изобретать нанотехнологии? И мы лупили морды врагам, гоняли на тачках, гулеванили, бодались за кабаки и магазины. А умные мальчики и опытные дяди учились обращаться с ваучерами и протискивались в кабинеты, в которых нам было скучно. И потом забрали у нас почти всё. Некоторые наши парни сумели вписаться в систему, но большинство — нет.

— Такое произошло не только с нами, — хмуро сказал Герман.

— Конечно. Поэтому надо принять, что мы проиграли, но отыгрыша уже не будет: война окончена. А ты, Гера, подался в партизаны.

— Не совсем так, Володя...

И Герман начал рассказывать Володе о Танюше и своей жизни. Герман рассказал о том, что с ним случилось вчера — про Владика Танцорова, и о том, что с ним случилось вообще — как он уткнулся лбом в безысходность. Рассказал, что его жена угасает, а он ничего не может поделать: для него в мире кончились дороги, и потому он придумал бежать в Индию.

— Я хочу попросить тебя, Володя... Если у меня не получится... Мне надо, чтобы она узнала, зачем я всё это сделал. Расскажи ей, пожалуйста. Не хочу для неё стать пропавшим без вести — хуже этого не бывает.

Они стояли на платформе под фонарём. С непроглядно-чёрного неба сеялся мелкий снег, пылью висел в воздухе. Мимо плыли длинные вагоны с полутёмными окнами. Через платформу тащило клочья белого пара.

— Конечно, я всё ей объясню, Герыч, — кивнул

Володя. — Только ты не прав. Ты решил искупить все грехи мира хотя бы перед одним человеком. Но это тебе нужна Индия. А твоей жене нужен ты сам. Подумай ещё, Немец.

«Подумай ещё, Немец». Он подумал.

Где-то после полудня на какой-то степной станции он сошёл с поезда, и поезд уехал дальше — в Самару, а он взял билет обратно до Батуева. Он испытывал неимоверное облегчение. Он говорил себе, что Танюшу нельзя оставлять одну и ему нужно быть рядом хотя бы невидимым. И всё это было правдой. Но он даже себе не признавался, что последней песчинкой, которая перетянула чашу весов, была невозможность находиться вдали от денег.

Глава четвёртая

Егора Быченко хоронили на Затяге, на мемориале «афганцев», — всё же не простой ветеран, а руководитель организации и орденоносец. Впрочем, мемориала пока ещё не возвели; имелся только участок с десятком недавних могил. Эти могилы уже не вызывали недоумения — типа «как же так, парни выжили в Афгане и погибли дома?» Да всё понятно. Недоумение осталось где-то в прошлом, когда хоронили Гудыню. Но кто сейчас помнит Гудыню?

На похороны съехалась большая толпа — даже удивительно, потому что Егор был человеком тяжёлым и недружелюбным. Парковку у ворот кладбища заполнило стадо машин: дорогие тонированные джипы, дешёвые «девяты» и «форды», автобусы. Конечно, были и «барбухайка» с «трахомой».

Гроб водрузили на специальную скамейку возле могилы, чернеющей среди снега. Мимо ходил поп и что-то пел, со звяком раскачивая на цепочке дымящееся кадило. Егор лежал в форме десантника, странно напряжённый, точно готовился к прыжку с парашютом. Билл Нескоров держал подушечку с орденом Боевого Красного Знамени. Заплаканная Лена Быченко пришла в длинной песцовой шубе и в кружевном чёрном платочке; Лену ненавязчиво опекал Щебетовский, будто оказался самым разумным из товарищей Егора. Каиржан, Уклонский и Завражный произнесли над гробом краткие речи. Не сговариваясь, на похороны они надели бушлаты и камуфляж. Вообще в толпе многие были в камуфляже — решили, что так правильно.

Басунов стоял в третьем ряду и слушал, как парни переговариваются.

— Как это Быченку в полном трамвае ухлопали, и свидетелей нет?

— Не слышу, чего Гайдаржи говорит. Грозится, что отомстим?

— Кому мстить? Одни говорят — спортсменам, другие — Бобону...

— Когда «беретта» Егора всплывёт, тогда узнаем, с кем война.

— Войны не будет, парни, — оглянувшись через плечо, негромко и хмуро сказал Вася Колодкин. — «Коминтерн» ни при чём, Быченко разжаловали. Это его личные разборки, а не наши общие. Егор заигрался с бандосами.

— А там что за тётка? — Парни сменили тему. — Мать, что ли, евонная?

— Первая учительница.

Кроме первой учительницы, на похоронах присутствовал полковник из военкомата: он привёз с собой небольшой духовой оркестр и комендантский взвод. Полковник тоже сказал какие-то слова, потом гроб закрыли крышкой и опустили в яму; парни бросили по горсти земли, и могильщики принялись махать лопатами. Заиграл траурный марш. Женщины в толпе заплакали.

Над свежим холмиком выстроился комендантский взвод с карабинами, полковник отдавал команды — и солдаты слаженно троекратно бабахнули в хмурое февральское небо: Егора провожали с воинским салютом. А потом «афганцы», рассыпавшиеся по чужим могилам, вдруг достали своё оружие и тоже принялись палить в низкие тучи. Эти выстрелы не были данью памяти о Егоре, скорее, они означали, что «афганцы» не желают никому покоряться. Солдаты, да и полковник, оробели от такой вызывающей боеготовности.

Когда толпа двинулась к машинам, Басунов выбрал момент и отозвал Гайдаржи на пару слов. Они встали возле обелиска Великой Отечественной войны (мемориал Афгана продолжал мемориал Второй мировой). Барельеф на подножии обелиска занесло снегом; снег лежал в глазницах и во рту огромного лица кричащей Родины-матери; Вечный огонь погас, и его звезда с форсункой, забитой льдом, исчезла под сугробом.

— Слушай, Каиржан, а кто будет вместо Егора? — спросил Басунов.

— Вообще-то я хотел назначить Виталю Уклонского, — сказал Каиржан, уже догадываясь, что предложит Басунов. — А у тебя есть варианты?

— Назначь меня, — спокойно и серьёзно попросил Басунов.

— А почему тебя, Виктор? — осторожно улыбнулся Каиржан.

— Потому что на тебе долг за бомбу в больничке. Ты же сам говорил, что нам все должны, а долги нельзя прощать. Я и не прощаю, как ты велел.

У Басунова был озабоченный вид, словно он хотел помочь Каиржану справиться с проблемой. Он нашёл аргумент про долги и ощутил за собой право надавить на Гайдаржи. А Гайдаржи, конечно, не повёлся на разводку, однако оценил заход Басунова. С Быченко у Витюры шантаж не прокатил бы, подумал Гайдаржи, но лично ему было проще согласиться. Не всё ли равно, кто станет командовать бойцами «Коминтерна» — Басунов или Уклонский?

— Ну хорошо, Виктор, — Гайдаржи пожал плечами. — Давай по-твоему. Но сделать тебя членом Штаба я всё равно не смогу.

— Понятно, — сухо кивнул Басунов. — Мне пока достаточно.

Через несколько дней Гайдаржи назначил Басунова на место Быченко. А новым членом Штаба «Коминтерна» вскоре стал майор Георгий Николаевич Щебетовский — скромный директор Фонда помощи ветеранам Афганистана при администрации Шпального рынка. Басунов быстро сообразил, что тихая должность директора Фонда — не то, ради чего стараются люди из Конторы.

Рутинная работа силового подразделения «Коминтерна» заключалась в охране командиров и в объезде фирм, которые действовали под прикрытием «афганцев», проще говоря, в сборе дани. Басунов получил чёрный «гранд чероки», почти новый, но с заделанной пулевой пробоиной в правой задней двери. Раскатывая на джипе по городу, Басунов думал о Щебетовском.

Майор появился в «Коминтерне» с темой льгот на алкоголь и табак. На теме быстро поднялся Гайдаржи, который раньше никогда не лез в лидеры организации. И сразу рухнул Быченко... Так кто же рулит

«Коминтерном»? Гайдаржи или Щебетовский? И чего хочет подозрительный майор?..

Он сам установил контакт с Басуновым. Как-то весной, когда Басунов подъехал за выплатой к ресторану «Шаолинь», из ресторана вместо хозяина вышел Щебетовский и постучал в тонированное стекло джипа.

— Это сумма за апрель, — пояснил он, двумя пальцами подавая Басунову в окно толстый конверт. — Подвезёте меня, Виктор Борисович?

Он сел на переднее сиденье и аккуратно пристегнулся ремнём.

— Давно следовало познакомиться поближе, — заговорил Щебетовский, когда они поехали. — Я навёл кое-какие справки о вас. Впечатляет. Но уверен, что канистра взрывчатки — не единственная ваша услуга общему делу.

Басунов молчал, сжимая руль. Он понял, что Щебетовский цепляет ему поводок. Ничего-ничего. Пусть майор думает, что контролирует его, лишь бы приблизился на необходимое расстояние. С короткой дистанции будет видно, кто кем управляет. Он, Витька, не целочка, и майор у него не первый парень.

— Работать я умею, — глухо сказал Басунов, лишь бы что-то сказать.

Щебетовский закурил. Он был убеждён, что просчитал этого бульдога. Лакей с амбициями. В пределе — самолюбивый киллер. Такой всегда делает больше, чем приказано, чтобы продемонстрировать свою незаменимость; на переборе его и можно подловить, а потом использовать в своих целях.

— Я хотел вам сказать, Виктор Борисович, что у Егора Быченко осталось недоделанное дело. Не какой-то там великий подвиг, а так, мелочь, но она важна для реноме «Коминтерна». Видели пожилую женщину на похоронах?

— Первую учительницу? — вспомнил Басунов.

— Да, но она не первая учительница. Она директор школы, где Быченко учился все десять лет. Она приходила попросить «Коминтерн» о помощи, но Егор не успел помочь. А я прошу вас решить проблему её школы.

— Решить проблему её школы, — повторил Басунов. — А вы тут при чём?

Щебетовский загадочно улыбнулся:

— Там учатся дети моих хороших знакомых. Это личная просьба, Виктор Борисович, поэтому я не хотел бы, чтобы вы сообщали о ней Гайдаржи.

Басунов не понял: просьба Щебетовского — подстава или вправду что-то личное? Басунов выждал пару недель, но майор ни о чём ему не напоминал. Тогда Басунов пошёл в школу Быченко.

Директрису звали Тамара Михайловна. Она изумилась визиту Басунова.

— Надо же! Никак не думала, что ваша организация о нас вспомнит!..

Дело у неё было самое обычное. В 1990 году школа сдала кому-то в аренду здание теплицы, что стояло на углу школьного участка. Арендаторы собирались открыть там автосервис. Бизнеса у них не получилось: бандиты вскоре отжали сервис, а потом вместо него в бывшей теплице устроили цех по разливу палёной водки. И теперь рядом со школой гомонила и смердела мерзкая псарня, окружённая мусором, где обитали потерявшие человеческий облик алкаши, а заправляли всем кавказцы — они сидели на корточках у входа в теплицу, курили и, прищурясь, разглядывали проходящих мимо школьниц. За теплицей бухали и дрались, торговали наркотой и скупали краденое.

— Представляете, у нас шестиклассники приходили на урок пьяные! — ужасалась Тамара Михайловна. — В милицию мы обращались, но бесполезно. Вот я решила к вам. Егор Иванович Быченко в нашей школе учился, может, он что-то сделает? Вы же солдаты! Надо прогнать этих грузинов отсюда!

— Там не грузины, — автоматически поправил Басунов; он стоял у окна в директорском кабинете и смотрел на теплицу. — А что Егор Иванович?

— Он просто ничего не успел. Его убили через две недели... Кошмар!

— Хорошо, — сказал Басунов. — Обещаю вам, что я решу эту проблему.

— Мы так признательны будем!.. — расчувствовалась директриса. — Даже не знаю, чем отблагодарить!.. Не деньгами же...

— Да ничем не надо, — улыбнулся Басунов.

— Мы на уроки вас пригласим, чтобы вы нашим ребятам рассказали про Афганистан! — воодушевилась Тамара Михайловна. — И мемориальную табличку повесим, что в нашей школе учился орденоносец Егор Быченко!

— Прекрасно.

Басунов понял, что майор прислал его в эту школу не ради школьников.

Водку в Батуеве бодяжили в подпольных цехах все кому не лень, хотя чаще всего — кавказцы; цеха крышевал Бобон; систему этих цехов называли синдикатом. Синдикат вполне успешно конкурировал с легальным алкоголем «Коминтерна». Басунов догадался, что Гайдаржи не хочет уничтожать цеха синдиката, чтобы не закуситься с Бобоном, а майор не боится конфликта.

Щебетовский натравил спецназ «Коминтерна» на синдикатчиков, но не известил Гайдаржи, чтобы тот не запретил операцию. И что теперь делать командиру боевиков? Басунов долго думал, какую сторону ему выбрать. У Гайдаржи — просто бизнес, бабки. А за Щебетовским — какая-то сила. Какой-то замысел. Интуиция подсказывала Басунову предпочесть сторону майора.

Он приехал к теплице вечером в начале апреля. Город обтаивал от снега и стоял по колено в лужах: в синей воде отражались чёрные дома, заборы и деревья; оттуда же, из луж, светила белая луна. Приземистое одноэтажное здание теплицы накрывала двускатная кровля из стальных рам: уцелевшие стеклянные секции были закрашены, разбитые закрывала фанера. В больших воротах теплицы торчала морда «зилка», загнанного на погрузку.

«Афганцы» вошли в цех с автоматами, спокойно и нагло.

Пол в цеху был мокрый и грязный, пахло спиртом и кислятиной. На длинных дощатых столах вдоль стен блестели сотни бутылок, громоздились цинковые кухонные баки и эмалированные вёдра. В углу друг на друге стояли железные бочки с надписями «C_2H_5OH» и канистры с запорами. Сверху на шнурах свисали лампочки под жестяными колпаками. Работники (судя по спитым рожам, бичи) что-то разливали черпаками в пластиковые воронки, таскали звякающие ящики от стола к столу и в раскрытый фургон грузовика. Несколько кавказцев присматривали за производством.

В руках у Басунова был длинный железный прут. Басунов размахнулся и со страшным звоном вдребезги разнёс кучу бутылок на ближайшем столе.

— Кто у вас тут курбаш? — негромко спросил он у опешивших работяг.

Курбашами в Афгане называли командиров в отрядах моджахедов.

Вперёд вышел коренастый надменный кавказец с короткой бородой.

— Со мной гавары, — ответил он.

— Твой гадюшник закрывается, Магомед. Пять минут на сборы.

— Стой! — Кавказец схватил Басунова за руку, не позволяя снова махнуть прутом. — Я Исрапыл, не Мухамат! А ты кто такой борзый? Под кэм ходышь?

— Мы с Афгана ни под кем не ходим.

— Пагады! — Исрапил гневно нахмурился. — Зачем товар бэёшь? Сурхо спрасы, Гылани спрасы — это ых цех! Умалат с Бобоном за всё пэрэтёр!

Басунов оттолкнул кавказца и опрокинул стол с вёдрами.

— Не давады до боя, пыдэрас! — заорал Исрапил. — Ас хья нанн дына! Ты кому отвечать хочешь? Байрбеку хочешь, да? Жопа балэт будэт!

— Ах ты сука! — удовлетворённо произнёс Басунов, вытащил пистолет и, держа его набок, как в кино, выстрелил кавказцу в живот.

— Э-э! — изумлённо выдохнул Исрапил, опускаясь на одно колено. — Всё, нэ стрэляй, брат, будэм говорыт!..

— Уже не будем, — сказал Басунов и выстрелил кавказцу в грудь.

Исрапил повалился спиной на пол, нелепо загнув ноги. Майка на его волосатом брюхе задралась — из-под ремня джинсов вылезла рукоять «ТТ». Басунов нагнулся и выдернул оружие. Кавказцы и работяги в теплице попятились к стенам. «Афганцы» держали всех под прицелами автоматов.

— Нэ стрэляйте! — крикнул кто-то из кавказцев. — Всё сдэлаем! Дэньги вазмы, бухло вазмы, всё ваше! Дай уйты, друг!

Кавказцы подняли руки, чтобы никто из русских не психанул.

Басунов внешне был спокоен, но изнутри его както раздувало, словно в топку закачивали чистый кислород. Ради этого высокооктанового чувства и стоило рисковать всем, что есть, переступая самые суровые запреты.

— Обгадились, черти? — из-за спины Басунова крикнул Лега Тотолин. — Это вам не в Грозном с балконов наши бэтээры жечь!

— Нэ надо войны! Мы протыв Дудаэва! У вас бызнэс, у нас бызнэс, то-сё, хуё-моё, нэ надо стволов! По-братски разбэрёмся!

Смуглые, небритые, свирепые чеченцы в тусклом свете лампочек и вправду казались какими-то чертями, тварями из подземелий.

— Кранты вашей заправке! — объявил Басунов. — Забирайте трупака и валите отсюда. Ещё раз увидим — всех к Аллаху отправим, как в Джаваре.

Басунов не штурмовал Джавару, «Волчью яму», горную базу душманов, однако здесь, в Батуеве, жестокость как бы создавала ему боевое прошлое.

Чеченцы боком двинулись к выходу из теплицы.

— Руки на виду держите, — Ян Сучилин провожал их стволом автомата.

«ЗиЛ» с фургоном тоже пыхнул выхлопом и пополз наружу.

В помещении остались только русские бичи, работники чеченцев.

— Парни, дадите нам бухла взять? — заискивающе спросил один из бичей. Бичи были так ничтожны, что не боялись даже страшных «афганцев».

— Берите, сколько упрёте.

С подпольным цехом в школьной теплице было покончено.

Об этой акции Гайдаржи узнал от Тамары Михайловны. Она ухитрилась добыть телефон командира «Коминтерна», позвонила и долго благодарила.

— Съехали они, и ворота заперли, и третий день уже никого! Наконец-то сможем «Последний звонок» нормально провести, а то ведь раньше детей во двор не выведешь — уголовники и алкоголики! — радостно делилась Тамара Михайловна. — А в честь Егора Ивановича мы доску повесим, у нас и спонсор уже нашёлся! Обязательно приходите на открытие, Гайдаржи Уланович!

Гайдаржи опешил от напора директрисы и от такой новости, а потом у Витали Уклонского узнал про расстрел чеченца — и обозлился на Басунова.

Вызвав Басунова к себе, обычно добродушный Гайдаржи орал:

— Ты чего, самый крутой, да?! Нахера ты этот беспредел устроил?!

— Ты сам говорил, Каиржан, что бухло наша тема, — сдержанно отвечал Басунов. — Надо было шугануть чебуреков. Они, как все, нам должны.

— Хера ты мне гонишь, Витька? Хера ли мои слова выворачиваешь? На базаре меня ловишь, что ли? Я тебе не Маруся — раком ставить!

Каиржан бушевал, но знал, что Басунов все равно его нагнул: вынудил принять новое положение вещей. Зачем? А неизвестно. Может, и низачем. Просто из подлости. Есть такие, которым хорошо, когда кого-нибудь нагнут.

И Басунов тоже знал, что надо переждать гнев командира — и можно наслаждаться победой: Гайдаржи подчинился ему против своей воли.

Бобон потребовал от Каиржана разговора.

Они были знакомы уже давно, лет семь, — вместе начинали более-менее организованный бизнес на кооперативах: Гайдаржи держал палатки, Бобон прикрывал. Потом Лихолетов вынудил Гайдаржи разойтись с рэкетирами — нехорошо для морального облика «Коминтерна», однако Бобона Гайдаржи не боялся — даже после того, как «афганцы» разгромили «Чунгу».

Гайдаржи припарковал джип на площади Ленина возле бывшего обкома. Мраморные рёбра здания торчали плотно, как зубья в расчёске. Гайдаржи ждал минуты две, а потом в тёмный кожаный салон ловко заскочил бандюк.

— Ты меня подставил, Кир, — сказал Бобон. — Ты зверей разбудил.

— А ты чеченов испугался?

— Не их, а мути. Я за синдикат впрягался. Похерю твой наезд — мне звери предъявят, наеду на тебя за зверей — после Грозного свои не поймут. Вилы.

— Что предлагаешь?

— Выдай мне мудака.

— Нереально, Андреич. Афган-батя.

— Много ты знаешь за «афганцев», — жёстко усмехнулся Бобон.

— Прогони вообще зверей с поляны. Скажи, отвечают за Грозный.

— Своих учи, не меня. Есть ещё заманухи?

— Есть. Не хочешь скинуть зверей, скинь синдикат.

— Чего-то ты краёв не видишь, Ким Ир Сен.

— Мы с вами, Андреич, всё равно рано или поздно за бухло зарубимся, — с сожалением пояснил Гайдаржи, он уже давно думал об этом. — Лучше сам отдай, не доводи до войны. Это «афганский» кусок. Его нам папы обещали.

— Я тоже скажу, Кир, — Бобон приоткрыл дверку, собираясь выходить. — «Мне все должны» — считают салаги после первой ходки. Если как вор живёшь — не будь салагой. Если не вор — не лезь к ворам. И молись, чтобы пронесло.

Гайдаржи уехал со встречи в мрачном настроении. Он бы отдал эту суку Басунова чеченам, поделом ему, но ведь нельзя... Опять война, что ли? Или всё же спустится на тормозах?.. Чеченам сейчас не до понтов с отмщением...

Слова Бобона про салагу оскорбили Гайдаржи. Он знал по бизнесу: кто не может взыскать долг, тому никто ничего и не должен. Салага — это как раз тот, кому никто ничего не должен, а вовсе не наоборот. Бобон сказал со зла.

В конце апреля до Гайдаржи снова дозвонилась Тамара Михайловна. Её благодарность становилась уже назойливой, но Гайдаржи дослушал. Теперь директриса приглашала кого-нибудь из «Коминтерна» на торжественное открытие мемориальной доски героическому выпускнику Егору Ивановичу Быченко. Открытие и возложение цветов состоится в День Победы.

Гайдаржи думал отмахнуться или на крайняк послать кого-нибудь вроде Васи Колодкина, который занимался социалкой, но потом вдруг захотел пойти сам. Он вспомнил себя школьником, вспомнил пионерские встречи с ветеранами: он тогда завидовал этим старикам с орденами — они воевали на танках и стреляли из пушек, как в кино; их слушали, ими восхищались... А сейчас он сам может быть таким ветераном — но гораздо моложе. Мальчишки будут рассматривать его значки, принимая их за награды; десятиклассницы, смущаясь, будут пытаться попасться ему на глаза, чтобы он их заметил...

Гайдаржи не имел полноценного боевого опыта, как Лихолетов или Быченко: в Афгане он служил в обслуге на аэродроме Кундуза. Зато в Афган он попал настоящим добровольцем — сам написал в военкомате заявление...

Калмыком он был только на лицо. Сын офицера, всё детство он мотался за родителями по гарнизонам. В каждой школе его начинали дразнить, как дразнят всех непохожих — рыжих или толстых, очкариков или заик, — и он всегда дрался. В общем, судьба задолжала ему уже за то, что он получал как калмык, хотя ничего не знал о калмыках и ощущал себя русским.

Его обзывали косоглазым чукчей, поэтому он решил служить с такими же азиатами, как и сам, — в грозном мусульманском батальоне. По легенде, «исламбат» штурмовал дворец Амина. И только в Кундузе замполит сообщил Каиржану, что калмыки — буддисты, и бойцу Гайдаржи в «исламбате» места нет. Пришлось без подвигов нудно барабанить срок на аэродроме. Нахрена лез в Афган, спрашивается? За эту подставу судьба тоже была ему должна.

В перестройку он занялся кооперативами. В конце концов, раскрутился. Можно сказать, разбогател. Но бабки, которые он рубил, Каиржан понимал ещё и как выплату судьбы по долгам. А вот оказалось, что есть и другой вид выплаты — роль блистательного ветерана среди восторженной молодёжи.

Вечером 8 мая Гайдаржи отутюжил старую форму (после армии он не сильно раздался в груди и плечах, форма сидела хорошо); начистил сапоги и подшил шеврон; проверил тельник и берет. Из пыльной коробки он достал «дембельский иконостас» — пять заветных значков, добытых ещё в Кундузе в обмен на тушёнку: флажок «Гвардия», «Отличник советской армии», синий щиток с цифрой «1» — «классность», «бегунок» — знак «Воин-спортсмен» и «тошнотик»-парашютист, хотя с парашютом Каиржан не прыгал. Протерев «иконостас» тряпочкой, Гайдаржи привинтил и прицепил значки на китель.

В День Победы сияло солнце, в нежной мелкой зелени сквера верещали птицы, по улицам плыла свежая тонкая синева. Гайдаржи шёл от подъезда к джипу, ощущая себя лихим и ловким: талия скрипела ремнём, грудь блестела металлом, сапоги цокали подковками. Димон Патаркин, который сегодня был начальником охраны Гайдаржи, при виде шефа заулыбался и отрапортовал:

— Товарищ генерал! Принятые меры увенчались безуспешно!

— Все в окопы, остальные за мной! — в тон ему ответил Гайдаржи. — Едем к сорок второй школе. Обозначена на карте флажком треугольного цвета.

На школьном дворе в ожидании митинга гомонили старшеклассники, их было не меньше полутора сотен. Из открытых окон учительской на втором этаже вылетала музыка — с детства родные мелодии, связанные с войной. У кирпичных ворот школы Каиржана встретили две девушки с алыми лентами через плечо. Каиржан, жмурясь, шёл за провожатыми через толпу — в синем берете и форме, высокий и красивый, — и всё было так, как он желал: пацаны оглядывались, девчонки шептались, молодые учительницы хорошели.

Школьное начальство стояло отдельной группой возле угла здания. На кирпичной стене висела мемориальная табличка — каменная плита, пока что закрытая красной тканью. Под плитой находилось нечто вроде помоста — то ли одноместная трибуна размером с обеденный стол, но без ограждения, то ли подставка с лесенкой, чтобы снять с таблички торжественный покров.

— Вот вы какой, Каиржан Уланович! — Низенькая и толстая директриса Тамара Михайловна влюблённо разглядывала Гайдаржи. — Просто герой!

— Герой у нас был Егор, — скромно ответил Гайдаржи, кивая на табличку.

Он и вправду нисколько не ревновал к славе и почёту Быченко. Он знал цену Егору, знал правду о Егоре, но сейчас всё это не имело значения.

— Хороший парень! — Кто-то одобрительно хлопнул Гайдаржи по спине.

Каиржан оглянулся и изумился: это был Бобон. Но Бобон, сам на себя не похожий, — в советской военной форме, в фуражке с красным околышем, и слева на груди у него болталась серебряная медалька на серой колодке (ничего особенного, «За боевые заслуги», но у Гайдаржи и такой не было).

— Капитан Бобович, Шинданд, восьмидесятый год, — Бобон, усмехаясь, козырнул. — Не ожидал, Кир? А я был уверен, что ты сегодня сам явишься.

— Алексей Андреевич — наш спонсор, — сообщила директриса. — Это он оплатил изготовление и установку мемориальной доски.

— Ну и дела! — искренне сказал Гайдаржи.

— Пора, Тамара Михайловна! Дети разбегутся! — захлопотали учителя.

Музыка заиграла громче. Классные руководители согнали школьников в шеренги, заставили выплюнуть жвачку и вынуть руки из карманов. Пацаны стояли с независимым видом, вызывающе перекосившись. Нарядные девочки в бантах держали разноцветные надувные шарики. Митинг начался.

Директриса и завучи говорили про подвиг народа, про мирное небо и счастливое детство, добытое отцами и дедами, про служение Родине. Всё это Гайдаржи помнил и по своему времени, только тогда ещё выносили красное знамя, били в барабаны и отдавали пионерский салют. Бобон стоял рядом.

— Не западло вору носить форму и награды? — тихо спросил Гайдаржи.

— Я не блатной, а только приблатнённый, — хмыкнул Бобон.

— В нашей школе учился настоящий воин, его звали Егор Иванович Быченко, — заговорила Тамара Михайловна. — Он был командиром взвода разведки. В Пандже... шерском ущелье его взвод с боем занял высоты Дехи-Нияз, Чуб... чурбак... Пахлаван-Биби и Балда-Биби... — Директриса с трудом читала по бумажке пуштунские названия, а школьники тихо захихикали на «чурбаке» и «балде». — Сейчас мы открываем мемориальную табличку Егора Быченко. Боевой товарищ нашего славного выпускника, тоже ветеран войны в Афганистане, Каиржан Уланович Гайдаржи, скажет вам несколько слов.

Гайдаржи бодро взбежал на помост рядом с мемориальной табличкой.

— А я не знаю, что мне нужно говорить вам, — сообщил он, и школьники одобрительно засмеялись. — Егор был настоящим солдатом. Когда я учился в школе, я и не думал, что попаду на войну. Нам говорили, что все войны закончились. В общем, пацаны, всегда будьте готовы. Если по-другому не выходит, надо воевать. Короче, я не диктор, лучше посмотрим на Егора!

Речь у Гайдаржи получилась нескладная, но школьникам понравилась.

Гайдаржи осторожно сдёрнул ткань с мемориальной доски. Чёрно-белый Егор, механически скопированный с фотки, был в берете, браво сдвинутом набекрень, но какой-то чересчур уж мордатый. Доску явно сделали по той же технологии, что и ширпотребные надгробные памятники.

— Похож, — удовлетворённо сказал Гайдаржи.

Он наклонился, отдал красное покрывало в руки молодой учительнице и принял от неё пучок гвоздик. К табличке была приделана полочка для цветов.

Бобон в это время незаметно шагнул в сторону и назад — так, чтобы его прикрыл угол школы, — и сунул руку за борт кителя.

Каиржан осторожно пристроил гвоздики на узкую полочку. А потом вся табличка целиком вдруг лопнула ему в лицо огнём и битым камнем. Взрыв заложенной за плиту бомбы размозжил Каиржану голову и отбросил его, как тряпичного. Горячая тугая волна повалила учителей на асфальт, обмахнула школьников, развязывая девичьи банты, и сорвала все надувные шарики.

* * *

Городской СИЗО, следственный изолятор, где сидел Серёга Лихолетов, находился на окраине Батуева среди промзон: два трёхэтажных корпуса казённого вида с железными намордниками на окнах. Двор между зданиями огораживали бетонные стены со звёздами и с колючей проволокой поверху.

Сложно сказать, работала ли Серёгина «афганская идея» в целом, но для Серёги она работала. Начальником СИЗО был подполковник Церковников. Его сын погиб в Герате. «Коминтерн» понемногу, но регулярно выплачивал Церковниковым пенсию за сына, дарил подарки ко Дню Победы и дню ВДВ. Церковниковы были благодарны, что товарищи помнят их Костика и жалеют о нём. Когда Лихолетов загремел в СИЗО, подполковник постарался помочь.

Церковников понимал, что командира «Коминтерна» ломают медленной пыткой ожиданием. Именно его, потому что прочих «афганцев» освободили после акции на станции Ненастье. В новые времена (после развала Союза) арестованных мурыжили в изоляторе без приговора годами — это стало привычным, вот и Лихолетова упаковали на неизвестный срок и ждали, пока расколется. Однако начальник СИЗО своей строгостью не стал умножать ту несправедливость государства, которая уже забрала у него сына. Тем более охрана давно скурвилась.

При Церковникове Серёге сиделось терпимо. Подпол определил его в «красную» зону к спокойным «жуликам» и «БС» — бывшим сотрудникам; здесь не лютовали блатные и беспредельщики. В двадцатиместные камеры СИЗО пихали по сорок человек, а в камере Лихолетова находилось всегда не больше нормы заключённых. Жратву, курево, бухло и наркоту на кичман заносили инспектора, и Церковников не препятствовал этому «подогреву».

Заключённому СИЗО разрешалось одно краткосрочное свидание в месяц — разговор длительностью в час. Помещение для свиданий было разделено стеной из оргстекла; заключённый и посетитель разговаривали в отсеках по телефону, а оперативник прослушивал. Подпол сказал Лихолетову, что его не слушают, а письма не читают, но в такую милость Серёга уже не поверил.

Самый неожиданный, странный и даже какой-то неприятный подарок заключённому Лихолетову сделал Басунов. Виктор вообще умел напрягать Серёгу своими непрошеными услугами.

Первые полтора года у Лихолетова тянулись бесконечные следствия по делам, где Серёга фигурировал то свидетелем, то обвиняемым; с сентября 1994-го начались суды. Серёгу возили из СИЗО на заседания. Если приходилось ждать, конвой в подвале райсуда разводил заключённых по «стаканам» — маленьким боксам размером с вагонное купе. Бывало, что в такой каморке Серёга торчал часов по восемь, тупо глядя на стены и тусклую лампочку. Но однажды железная дверь «стакана» вдруг тихо приоткрылась, и сержант втолкнул в камеру Танюшу. Это свидание организовал Басунов.

Конвойной частью горотдела милиции командовал капитан Умпель, а его младший брат был «афганцем» и получил квартиру в доме «на Сцепе». До того семьи братьев жили в общей «двушке», изводя друг друга ссорами; когда Умпель-младший переехал, «двушка» целиком осталась семье Умпеля-старшего. Капитан был обязан Серёге, и Басунов поймал его на этом.

— Помоги, командир, — Басунов просил с нехорошим нажимом.

— Да я бы помог, земляк, но тут не в бабках вопрос, — уклончиво ответил Умпель. — Я погонами рискую. Такие вещи делают только для своих.

— А разве по Афгану мы не свои? — с угрозой укорил Басунов.

Он умел быть страшным, и Умпель не решился отказать.

Серёгу таскали в суд каждые две недели. Примерно раз в два-три месяца удавалось всё подгадать, связаться, договориться, и Басунов привозил Таню к Умпелю, а капитан отправлял её к Лихолетову с конвойным сержантом.

Басунов не смог бы объяснить, зачем ему всё это было надо — искать подход к менту, выдёргивать Серёгину подругу, всех соединять. Он понимал, что Лихолетов в своём положении предпочёл бы проститутку, а не Таню, и намеренно привлёк Таню. Вроде бы так он помогал бывшему командиру — а вроде бы и мстил, заставляя жрать, что даёт. Просто Витя Басунов ценил власть. Но он никогда бы не получил того, чего подспудно желал, — такую власть, какой обладал Серёга, и потому добился власти над самим Серёгой.

А Серёгу встречи с Таней раздражали. В первую очередь раздражало то, что он ощущал себя дрессированным кроликом: приказали «трахайся!» — он и трахается. Он подчинялся услугам Басунова лишь потому, что не хотел показать свою зависимость от баб и независимость от Тани. К Тане он остыл.

Серёга не обманывал себя: как человек Таня стала ему безразлична. Кто она? Простая парикмахерша из салона «Элегант». Девушка, каких много, а не девочка, близость с которой была вызовом всему свету. Лилейность Танюши, её русалочья бестелесность уже не насыщали Серёгу. С Таней он теперь ощущал себя впроголодь. Ему нестерпимо хотелось зрелую и спелую бабу. Замученному тюрьмой Серёге не хватало в Танюше жизни; он твёрдо решил, что расстанется с Татьяной, едва только освободится. А то, что освободится он уже скоро, ему сказал майор Щебетовский.

С весны 1995 года Щебетовский начал время от времени являться на допросы к Серёге. Весной 1996-го, на четвёртый год тюрьмы, Лихолетов вышел, но так и не узнал, какое отношение майор имеет к следственной бригаде. В кабинете следователя Щебетовский присаживался боком на подоконник, как посторонний, курил, слушал и порой вдруг задавал неожиданные вопросы. Его не волновали злодеяния Серёги в роли командира «афганцев», однако очень интересовало устройство «Коминтерна»: структура его предприятий, взаимодействие с властями и другими бизнесами.

— Оно к делу не относится, нахрена вам знать? — хмуро спросил Серёга.

Незаметно для себя он начал обращаться к Щебетовскому на «вы».

— Потому что это любопытно и важно, Сергей Васильевич, — вежливо ответил Щебетовский. — «Коминтерн» успешно действует. Более того, имеет непростые отношения с криминальными группировками города. Я хочу разобраться в экономической подоплёке конфликтов. А вы крайне скрытный. Скажем, я не обнаружил даже учредительных документов вашего детища.

Учредительные документы лежали в папке, которую Серёга отдал Тане на сохранение. Серёга догадывался, что майор врёт. Чтобы разобраться, с кем и как связан «Коминтерн», эти бумаги не требовались. Они были нужны лишь для того, чтобы взять «Коминтерн» под контроль. Серёга сказал:

— Я три года у вас на цепи. Откуда я знаю, где документы?

— Вы скоро выйдете, Сергей Васильевич, — покровительственно сообщил Щебетовский. — Я консультировался, и мне намекнули, что по вашим статьям суд присудит вам срок, который вы уже отсидели, и вас освободят в зале.

— Вот идёт народный суд, — буркнул Серёга. — Гондон на палочке несут.

Майор проигнорировал нелепую мальчишескую издёвку Серёги.

— Мир очень изменился за эти три года. Такая бурная эпоха!.. Вы знаете, что сейчас Ельцина переизбирают? Кампания «Голосуй или проиграешь».

— Я не проиграю, — угрюмо пообещал Серёга.

Затемнённые очки Щебетовского напоминали глазницы черепа.

— Вы уже почти проиграли. Вы теперь почти никто. Извините, но сейчас не модно бороться за социальную справедливость. И вы не имеете никакого значения. Жизнь ушла вперёд, а вы использованы и выброшены на обочину.

Щебетовскому было приятно говорить Лихолетову горькие истины. Но Серёга всё равно не собирался примиряться, даже если майор прав. Он вырвется — и наверстает упущенное. Ему хватит силы и злобы. В тюрьме он очерствел: его чувства и мысли стали одномерные и прямолинейные.

К неволе Серёга приспособился — вспомнил опыт армейки и казармы, но три года его терзали сожаления о том, что на воле он не использовал всех возможностей, ведь там он мог чаще бухать и дрючить всех девок подряд. Он утвердился в убеждении, что очень многим пожертвовал ради благополучия парней из «Коминтерна», и «афганцы» теперь ему должны. Он неплохо знал, что творится в городе и в «Коминтерне». Что ж, он сохранил заветную папку-скоросшиватель, значит, он вернёт себе «Коминтерн» и всех поставит раком.

— Однако я уважаю вас, Сергей Васильевич, и по-прежнему предлагаю сотрудничество, — говорил Щебетовский. — Вас никто не исключал из рядов «Коминтерна». Вы можете баллотироваться в Штаб. Я ведь тоже вступил в «Коминтерн», как вы когда-то мне советовали, и теперь сам член Штаба.

«Ты просто член», — с ненавистью подумал Серёга, но не сказал вслух.

Этот разговор состоялся в мае 1996 года, а в июле Танюша встретилась с Серёгой в последний раз. Она видела, что Серёга меняется в тюрьме — будто группируется для прыжка и перестаёт замечать окружающих.

Серёгу времён «Юбиля» Танюша вспоминала с восхищением: он был храбрым, весёлым и щедрым. Целыми днями он где-то мотался, а вечером прибегал на «мостик» усталый как собака; вместо ужина перехватывал абы что, попутно с азартом рассказывал Танюше о непонятных ей событиях и неизвестных ей людях, потом жадно трахался и тотчас засыпал. От него пахло водкой, бензином или порохом — это были запахи мужчины.

В «Юбиле» Танюша робела, бурная жизнь Серёги пугала её. А теперь ей казалось, что всё тогда было прекрасно. Она будто бы сидела в карете, карета неслась по бездорожью, а Серёга скакал вокруг на коне, как принц. Но враги схватили принца, заперли в пещере, заколдовали, и он стал стариком — злым и замкнутым. Ему надо вырваться на свободу, и он расколдуется. Вернётся тот смелый и открытый мужчина, которого она не могла полюбить тогда, потому что была слишком маленькая, но обязательно полюбит сейчас.

Встречи с Серёгой в камерах райсуда для Тани были почти невыносимы. Милиционеры, подвал, решётки, грязная и тесная комнатушка, а в ней — одичавший, чужой и грубый Сергей. Таня чувствовала себя вещью, блядью. Её вызывали на свидание, не спрашивая о желании, — да она и отвыкла от близости с мужчиной, а Сергей раздевал и тискал её быстро и бездушно. Так раньше в учаге её били девки Нельки Нырковой — Лена, Наташка и Анжелка.

А потом Таня и Сергей просто сидели рядом на скамейке, как случайные попутчики в поезде, и ждали, когда конвойный выведет Таню. Говорить им было не о чем. Жизнь Танюши Серёгу никогда особенно не интересовала, а жизнь Серёги состояла из надежд, в которых Таня не присутствовала.

Над Таней насмехалась Анжелка Граховская, вернее, уже Лещёва:

— Зря надеешься на своего сидельца, Куделина. Думаешь, как в сказке — парень девчонку не бросит, если она его с зоны ждала? Лихолетов всегда котяра был. Его ещё пять тетерь ждут.

— Освободится — узнаю, — тихо и твёрдо отвечала Танюша.

Танюша и Анжела после учаги работали парикмахершами в «Гантеле». С Митькой Лещёвым Анжелка познакомилась на одном из выездов, когда ещё подшабашивала по саунам. Глупый Лещ хотел завести отношения со шлюшкой, чтобы не платить, попал в лапы Анжелки и докатился до ЗАГСа.

— Лучше ищи, кто тебе подходит. Какого-нибудь студентика-очкарика, — советовала Анжелка, сноровисто обривая голову клиента машинкой.

Таня молча разглядывала Анжелку в большое зеркало, перед которым и сидел клиент, завёрнутый в простыню. Анжелка держалась с превосходством опыта, потому что в саунах хорошо изучила парней. Чернокудрая, с тёмными губами, сразу стройная и грузная, она была словно бы сыто отягощена своей женской природой. Таню она презирала — привыкла с учаги, как завела ещё Нелька Ныркова. В «Гантеле» презрение обрело оправдание: Анжелка — замужем и беременная, а убогая Танька ждёт бывшего ёбаря с кичмана.

В начале июля Тане на работу позвонил Басунов и сказал, когда ей надо приходить в райсуд. В назначенный день и час Таня пришла. Милиционер провёл её через контроль в служебные помещения и велел ждать. Она стояла в каком-то коридоре, сжимая свёрток с простынями (брала их, как в баню, потому что было противно лежать голой спиной на липкой скамье).

Вдалеке из кабинета в кабинет деловито прошёл человек в костюме и в очках — и вдруг вернулся в коридор и заинтересованно направился к Танюше. Это был майор Щебетовский. Танюша помнила его по штурму «Юбиля».

— Татьяна Ку... Кулагина? Нет, ошибаюсь, Куделина, — склонив голову набок, уточнил майор. — Какая неожиданная и познавательная встреча!

— Здравствуйте, — пролепетала Танюша, не зная, что сказать.

Щебетовский внимательно рассмотрел Таню, заметил свёрток с бельём.

— Ладно, не буду мешать вашим, э... чувствам, — понимающе усмехнулся он. — Передавайте мой привет Сергею Васильевичу.

В узкой каморке, раздеваясь, Таня сказала Серёге:

— Сейчас меня видел тот военный, который тогда, давно, нас с Германом арестовал и отпустил, когда Дворец громили. Передал тебе привет.

Серёга замер, сидя на скамейке в расстёгнутых штанах.

Серёга знал, что Щебетовский у всех «афганцев» спрашивал про папку-скоросшиватель с документами «Коминтерна», но пока ещё не догадался спросить у Тани. Что ж, теперь, увидев Танюшу, догадается. А Танюша малахольная, она не выдержит давления опытного дознавателя и сознается.

— Повернись и нагнись, — глухо и злобно сказал Тане Серёга.

В эту встречу он был особенно напорист: ворочал Танюшу на скамейке, будто солдат, который, наедаясь перед сражением, вертит свой котелок так и сяк и скребёт ложкой по донышку. А Танюша незаметно для себя уже научилась понимать жизнь без объяснений, как слепой видит мир ладонями и пальцами. Она догадалась, что Серёга решил сделать эту встречу последней.

Он сел на скамейке, боком к лежащей Тане, и ровным голосом сказал:

— Больше не приходи ко мне, Татьяна. Меня скоро выпустят.

Таня смотрела на его голое плечо с татуировкой — факел и буквы ДРА.

— Найди Немца и передай ему ту папку, которую я тебе дал сохранить. Обязательно это сделай. И поскорей. Это очень важно для меня.

Немцу Серёга полностью доверял. Возможно, сейчас — единственному из всех в Батуеве. Немца Серёга знал по Афгану, а в Афгане не обмануть.

— Конечно, — сказала Таня. — Это вообще наша последняя встреча, да?

Серёга боялся, что Таня обидится на него после разрыва отношений, не станет защищать его, отдаст папку Щебетовскому. Но соврать, что на воле у него с Таней всё продолжится, как прежде, Серёга не мог. Ему было тягостно собственное малодушие, порождённое тюрьмой и бессилием узника.

— Там видно будет, — глухо сказал Серёга, встал и начал одеваться.

Танюша смотрела: он был мускулистый и белотелый — натренировался в тюрьме, но, конечно, не загорел. Серёга оглянулся. Таня лежала на скамейке, застеленной простынкой, голая, будто для операции или для казни.

— Да, это последняя наша встреча, Татьяна, — твёрдо сказал Серёга.

Танюша не заплакала. Серёга даже удивился — почему? Он просто забыл, что Танюша, пока он сидел в тюрьме, уже обрела опыт потерь.

* * *

Через несколько дней Таня отыскала Немца. Он по-прежнему работал водителем при «Юбиле» на той же старой «барбухайке». Таня притулилась на бетонном блоке во дворе Дворца культуры, ожидая возвращения Немца из рейса, смотрела на окна Дворца и как-то не могла поверить в своё прошлое.

Она сказала Герману, что ему надо забрать папку с документами Серёги. Папку Танюша спрятала на даче. В субботу Герман и Таня на «барбухайке» поехали в Ненастье. Герман крутил широкий руль, раз мышлял о судьбе, которая то и дело заносит его в эту деревню, и в зеркало заднего вида незаметно поглядывал на Таню. Она сидела отстранённая, покачивалась при толчках автобуса, и по лицу её, по плечам, по коленям бежали жёлто-зелёные летние тени. Танюша выглядела как-то по-новому, словно стала ничья.

Участок у Куделиных был ухоженный; небольшой домик на два этажа — чистый, хоть и облупленный. В тот приезд Герман и не подозревал, какую огромную роль в его жизни ещё сыграет эта дача. Яр-Саныч, конечно, был здесь, возился в густой зелени на грядке, но даже не подошёл к гостям. Герман издалека увидел, что Яр-Саныч загорелый, поджарый и крепкий.

— Не обращай внимания, он ни с кем не здоровается, — сказала Таня. — После аварии он вообще как отгородился от всех, даже от меня. Хочешь чаю?

— Лучше к делу, — ответил Герман.

Таня подвела его к низенькой двускатной будке погреба на углу участка в зарослях малины, дала фонарик и отомкнула висячий замок на дверке.

— Там внизу на полке стоит, — сказала она. — Лезь ты, хорошо?

Герман осторожно спустился по отвесной лесенке в чёрную холодную яму погреба — словно в прорубь. Глубиной погреб был метра три. Со всех сторон Германа охватила липкая земляная стынь. Герман посветил фонарём. Камера чуть больше кабины лифта. Дощатые стены, глиняный пол. Пустые сусеки под картошку. Полки с банками варений и солений — все банки в пыли и паутине. На одной из полок блестел замком ученический портфель.

Спрятать документы Герману было негде. Квартиру он уступил Марине и жил в общаге. В «барбухайке», что ли, хранить важные бумаги? Герман расстегнул портфель и вытащил папку Серёги, многократно упакованную в полиэтилен и по-девичьи неумело обмотанную изолентой. Этот пакет Герман осторожно опустил в узкий зазор между стенкой картофельного ящика и стеной погреба. Пакет с шорохом уехал вниз. Пусть Танюша думает, что Герман забрал документы, а они тихонечко будут ждать Серёгу здесь же. Так надёжнее.

Герман выбрался на солнце с портфелем в руке.

— Останешься или в город поедешь? — отряхиваясь, спросил он у Тани.

И они вдвоём поехали обратно.

В пяти километрах от Ненастья Герман остановил «барбухайку».

— Здесь? — Он посмотрел через плечо на Таню.

Таня кивнула. Она была одета для дачи: кеды, джинсы, майка, косынка.

— Я не обедал, — сообщил Герман. — У меня есть чебуреки и минералка. Можно перекусить, если хочешь.

Он заглушил движок автобуса. Они спустились по гравийному откосу дороги и через травы пошли к высокой решетчатой опоре ЛЭП. Герман оглядывался и прикидывал: оттуда прилетел «форд» Куделиных и ударился в этот бетонный башмак опоры... Отсюда три души стартовали в небо, как ракеты. Казалось, в воздухе должны остаться какие-то инверсионные следы.

Герман и Танюша сели на бетонную опору, развернули газетный свёрток с пирожками, откупорили зашипевшую минералку. Поодаль на шоссе стояла высокая угловатая коробка «барбухайки». Изредка мимо пролетали плоские автомобили. В траве перед

Германом и Танюшей сверкали мелкие осколки автостекла. Пели кузнечики, в железных переплётах вышки стрекотало электричество. Облака тоже были синими, как небо, лишь по контурам сияла ослепительная солнечная кайма, — по небосводу плыли рваные белые петли.

— Уже всё? — спросил Герман, словно в середине разговора.

Танюша едва заметно покивала.

— А ты? — спросила она.

Герман тоже кивнул. Это означало: «У тебя с Серёгой всё закончилось?» — «Да. А ты тоже теперь один?» — «Тоже». Им представлялось, что они обстоятельно беседуют. Почему-то друг о друге им всё было понятно.

Такое тождество душ Герману было уже знакомо. Герман испытал его после дембеля. Из Баграма они «ИЛами» долетели до Ташкента, потом по железке катились до Оренбурга. Пропили все деньги. На вокзале в Оренбурге оклемались. И дальше ехали по милости проводников — в тамбуре. Открыли двери, сидели на полу, на ступеньках вагона, молча смотрели на лесополосы и степь. Все они тогда были совершенно одинаковы, и каждый понимал, что думают и переживают его товарищи — умные и тупари, добрые и козлы, удачливые и непутёвые, все. Просто это был дембель, чего же тут не понять? Страшное и злое оставалось позади, а впереди — счастье. Их всех уравняло.

Герман и Таня сами не знали, как многое в них сцепилось в те минуты, когда они сидели на бетонной опоре ЛЭП. Сцепилось так, что не расцепится никогда, и дело не в любви: просто в неуловимый момент того тождества родилось ощущение, что жить наособицу — значит, жить неправильно. Это было что-то вроде «афганской идеи» Серёги Лихолетова, только для двоих.

И Герман незаметно для себя начал думать про Таню Куделину. Пускай Танюша была девушкой Серёги, Лихолетов не стоял между ней и Германом: никто ни у кого ничего не отбирал. Это всё пятнашки для мальчиков. Немец крутил широкий руль «барбухайки» и почему-то вспоминал, как четыре года назад он вёз бабёшек с младенцами на заселение в дома «на Сцепе». Сейчас он представлял, что тогда, в июне 1992-го, в его автобусе среди всех как бы находилась и Танюша. Вместе со всеми она, беременная, шла от «барбухайки» к пустой многоэтажке, а он как бы шагал рядом с автоматом...

И Танюша тоже думала о Германе. Оказывается, она знала его давным-давно. Она ведь не раз ездила в этом автобусе с Серёжей, а Немец сидел за рулём; Немец приходил в гости на «мостик»; Немец вывел её из «Юбиля» во время штурма. Почему она его тогда не замечала? Он же такой смешной. Высокий, руки-ноги длинные, большой фигурный нос и маленькие глазки.

Танюша уже знала, что никаких ведьм не бывает, но всё же есть какая-то злая сила, которая вдруг делает дорогих людей чужими и бездушными. Эта сила околдовала отца. Потом Серёжу. А теперь ищет её. Кто защитит Таню, чтобы ведьма не накинула на неё прозрачный колдовской покров? Пусть будет кто-то большой и добрый, как дерево. Например, этот смешной Немец.

Таня и Герман ждали, когда судьба сама как-нибудь подведёт их друг к другу — должен ведь быть знак, что всё это нужно не только им двоим, но и общему порядку жизни. И судьба постаралась, хотя и не шибко мудрила.

В сентябре Яр-Саныч выкопал, просушил и ссыпал в мешки картошку и морковь, закатал в банки варенья и соленья и потребовал от Танюши вывезти урожай в город — там Яр-Саныч продавал овощи соседям по двору или сдавал в торговую палатку у Шпального рынка. Найти машину Яр-Саныч сам уже не мог, потому что разучился разговаривать с людьми. Пускай Танька ищет.

«Барбухайка» снова бодро бежала в Ненастье по синему асфальтовому шоссе, ещё чистому от первых светлых дождей, без палой листвы. Нежная и свежая осень, чуть заголяясь, обещала больше, чем толстое перестойное лето, уже надоевшее своими соблазнами. Над полями носились птицы, пробуя крылья перед перелётом. Плыла прозрачная дымка костров — сжигали ботву.

В Ненастье Герман загрузил в автобус холщовые мешки, набитые круглой картошкой, а Таня занесла авоськи с тяжёлыми банками.

— Картошку по газетам на полу раскати, — раздражённо командовал Яр-Саныч, — а банки поставь так, чтобы солнце их не нагревало!

Он никому не сказал «Здравствуй!», «Спасибо!» или «До свиданья!».

На обратном пути Герман искоса рассматривал Танюшу. Это уже вовсе не девочка, которую заграбастал хищный Серёга. Это маленькая, тоненькая и молоденькая женщина со светлым, по-летнему конопатым лицом. Она какая-то чуть рыжеватая и приглушённая — похожа на лисёнка в мглистом декабре.

В четыре ходки Герман втащил на этаж Танюши мешки с картошкой, с дробным мягким стуком свалил их в прихожей и с надеждой глянул на Таню.

— Разувайся чай пить... — прошептала Таня, не глядя на Германа.

— Руки вымою, — картофельно-глухо ответил Герман.

Танюша разволновалась от радости и одновременно испугалась, что разочарует гостя. Она побежала в кухню, поставила чайник на газ, достала чашки с блюдцами и маленький круглый тортик «Вриндаван» — такие торты в Батуеве пекли кришнаиты; это было самое дешёвое угощение на праздник.

Герман вышел из ванной с красными руками, оттёртыми так тщательно, будто собирался делать хирургическую операцию. В прихожей он плечом зацепил вешалку и едва не сорвал её со стены. Потом налетел на открытую дверь комнаты. В кухне стукнулся о дверку навесного шкафа, чуть не уронил с холодильника какую-то жестяную банку, сел за стол и столкнул на пол чайные ложки. Таня бросилась к закипевшему чайнику и повалила табуретку.

— Подожди, — трудно дыша, Герман поднял табурет, взял Таню за руку и усадил. — Мы тут всё разнесём. Давай лучше ко мне поедем чай пить.

Танюша упаковала тортик, и они поехали в общагу к Герману.

Сначала был «Вриндаван», потом они отправились на общажную кухню и сварили рисовую кашу, потом съели её с колбасой в комнате у Германа, снова пили чай с тортиком, а потом, когда уже смеркалось, Герман сказал:

— Танюша, не уходи никуда.

И Танюша не ушла.

Всё равно потом хлынул дождь.

Он поливал в темноте город Батуев, его типовые панельные пятиэтажки и гастрономы, его площади, парки, промзоны и долгострои. Капли грохотали по жестяным карнизам окон и вспыхивали на свету из комнаты, похожие то ли на монеты, то ли на гильзы. Трамвайные рельсы заблестели в ночи, будто открытые для перезарядки затворы. На тротуарах возле ресторанных витрин стояли бандитские иномарки, и ливень разноцветными огнями бегал по их изысканным обводам, точно чёрный музыкант играл на чёрных роялях.

Промокли и продрогли проститутки, что прогуливались по бульвару; от потёкшей туши они были похожи на несчастных енотов; они соглашались ехать хоть с кем и за полцены. Из амбразур ночных ларьков, вооружившись газовыми баллончиками, осторожно выглядывали продавщицы — это кто так уверенно молотит по прилавкам? Вода просеивалась сквозь ржавую крышу остановки на двух студентов, ожидающих троллейбус, который приедет уже только завтра. Ливень, обнажённый светом одинокого фонаря, закручивался вокруг фонарного столба, словно призрачная стриптизёрша.

А утром за окном висел белый туман, казалось, что весь мир остался в постели. Герман проснулся и увидел, что Танюша тихонечко встала, надела его футболку и с каким-то странным трепетом, с изумлением осматривает на столе и на этажерке его вещи — трогает, вертит в пальцах, даже нюхает.

Тяжёлая, как пистолет, механическая бритва с блестящим заводным ключом. Мятый тюбик зубной пасты «Поморин». Мощные плоскогубцы с почерневшими челюстями. Свинцовый кастет с дырками для пальцев — ого, какая широкая должна быть ладонь... Пачка сигарет «Стюардесса». Мятые купюры, сцепленные канцелярской скрепкой. Плоская фляжка — ой, пахнет из горлышка коньяком. Блёклая фотка в рамке: Герман и Серёжа, оба такие мальчики...

Стоят в обнимку в ковбойских шляпах и военной форме. Серёжа — в белой щетине, с автоматом в руке, а Герман длинный, худой, с большими, как у верблюда, коленями. Сбоку написано: «Шуррам 1985».

Да, это — Герман. Немец. Он совсем не такой, как Серёжа. Серёжа всегда был где-то там, а Герман — тут. Он бережный. И нежный. Он думает о ней, а не о чём-то другом. Танюша никогда не сомневалась, что для девушки выбор мужчины — главный выбор жизни. И сейчас она чувствовала, что наконец-то она выбрала правильно — угадала, узнала, отыскала, выревела этого мужчину.

С ним она проживёт всю свою жизнь — Таня всегда верила, что мужчина даётся женщине один на всю жизнь. Она будет ухаживать за ним, кормить его, гладить ему рубашки, а он будет любить её, будет рассказывать ей, как прошёл его день, и она родит ему много-много детей. А в конце они станут старенькие и как-то незаметно для своих внуков растают в солнечном свете.

— Иди ко мне, Пуговка, — позвал с кровати Герман.

Танюша оглянулась и заулыбалась от счастья.

— Почему я пуговка? — смеясь, спросила она, залезая к Герману.

— Потому что Пуговка, — Герман с головой закинул её одеялом.

— Нет, почему? Нет, почему? Нет, почему? — шептала она и тёрлась лицом о грудь Германа. — Скажи мне это тысячу миллионов раз!

— Потому что ты маленькая глупая пуговица, пришитая вверх ногами.

Это был медовый месяц Танюши, самый счастливый месяц в её жизни.

А в начале октября Таня узнала, что беременна. Задержка случилась ещё в августе, но обстоятельства закрутили Танюшу — огород, урожай, любовь с Германом, — и выскочило из головы, что звонок уже прозвенел. Залёт, без сомнения, был от Серёжи — на том последнем свидании, когда Серёжа подвёл черту. В октябре уже следовало очень-очень поспешить с абортом. Танюша хотела, чтобы её отношения с Германом начались с чистого листа.

В женской консультации Танюша доверяла доктору Валерию Савичу Стратону: он понимал беды девчонок, входил в положение, объяснял.

— Лучше, милочка, записывайся ко мне, — убеждал доктор Стратон. — В больнице ни лекарств, ни белья, ни ухода, а я всё сделаю сам, и беру совсем недорого. Понимаю-понимаю, много ли там получают парикмахерши...

— Говорят, что потом детей не будет... — сказала Таня о самом главном.

— Да всё у тебя будет, красавица, — ласково и уверенно говорил Валерий Савич, по-учительски глядя на испуганную Танюшу поверх очков. — Если доктор хороший, то риск минимальный. Ты девочка здоровенькая, быстро восстановишься и потом родишь, от кого захочешь. Дело житейское.

Стратон делал левые аборты. Он проводил операции в поликлинике, где работал, но в выходные, когда не было начальства, и плату брал посильную — да хоть пару бутылок зубровки. Клиенток у него хватало: бывало, в женских консультациях отказывали в направлении на аборт из-за большого срока или когда вымогали взятку; бывало, женщины не желали ложиться в стационар официально, скрывая аборт от начальства или от мужа. Бывало, другие врачи спихивали доктору Стратону своих пациенток, опасаясь ВИЧ. Женщины верили обаянию и огромному опыту Стратона. Но Тане его опыт не помог.

Вечером в воскресенье Германа вызвали к телефону на вахту общаги. Незнакомый равнодушный голос попросил забрать Таню из больницы.

Герман примчался в клинику, едва не свалив «бархайкой» ворота больничного городка. У заднего подъезда Германа встретил молодой врач со строгим и отчуждённым лицом. Ему явно неприятно было видеть Германа.

— Уже всё нормально, — сказал он. — Не волнуйтесь. Для жизни девушки нет никакой опасности. Просто рано утром у нас обход заведующего, и в палатах не должно быть пациентов, которые попали к нам в больницу мимо регистратуры. А за девушкой требуется немного проследить.

— Что с ней? — Германа словно дёргало током.

— Н-ну, пришлось применить глубокое вмешательство...

— Аборт? — догадался Герман. — Это вы делали?

— Стратон делал! — с внезапной злобой ответил врач. — Есть у нас такой гений скальпеля и спирта! Он же бухает на работе! А девчонка ваша больше никогда не будет иметь детей! Она вашу проблему решила! Всё, заберите её!

Герман будто поплыл по широким ступенькам крыльца.

Его кто-то довёл до палаты, где на койке в одежде лежала Танюша.

Она уже всё знала. Ей казалось, что мир стал бестелесным. Какая-то ведьма, которой не может быть, вдруг появилась из воздуха, из пустоты, и ловко швырнула на неё своё невидимое заколдованное покрывало — оно полетело как птица, упало на Танюшу и окутало холодом с головы до ног.

— Это не от тебя было, Гера, — негромко сказала Таня. — От Сергея.

— Зачем, глупая? — с мукой ответил Немец. — Ну какая разница, от кого?..

И тогда Танюша завыла по-собачьи. Так она стала Вечной Невестой.

На следующий день Серёга Лихолетов вышел на свободу.

* * *

Герман убрал рюмки и бутылки с края заставленного посудой кухонного стола и на расчищенное место аккуратно положил папку-скоросшиватель, завёрнутую в полиэтилен и обмотанную изолентой. Три года назад Танюша вынесла эту папку из разгромленного «Юбиля». Едва Серёга сообщил, что надо встретиться, Герман съездил в Ненастье и достал папку из погреба.

— Вот она, — сказал Герман. — В целости и сохранности.

Серёга отодвинул ящик стола, столкнул туда свёрток и задвинул ящик.

— Не посмотрел, чего там? — мрачно спросил он, не глядя на Немца.

Раньше, до тюрьмы, Серёга не задал бы такого вопроса.

— Не посмотрел.

Они сидели на кухне в двухкомнатной квартире Серёги — в той квартире, которую Серёга получил в домах «на Сцепе». До ареста он редко тут ночевал —

если только подворачивалась какая-нибудь одноразовая подруга, а вообще он жил тогда в «Юбиле» на «мостике» с Танюшей. Три с лишним года, пока Серёгу держали в СИЗО, хата стояла пустая; раз в месяц сюда заглядывала Настёна Флёрова, соседка: пылесосила полы и убогую холостяцкую мебель. А после СИЗО Серёге уже некуда было идти, кроме этой квартиры.

Серёга сидел на табуретке в джинсах, голый по пояс. На груди у него с правой стороны была новая синяя татуировка — крылатый оскаленный волк. Напоказ Немцу Серёга крутил пальцами дымящую сигарету — то прятал её в ладонь, то выставлял наружу. Этого умения у Серёги до СИЗО тоже не было.

— Благодарю за службу, — Серёга говорил с непонятной издёвкой. — Разжирел ты, Немец... Понятно — не то, что я, сидятел. Ты сейчас под кем?

— Что значит «под кем», Серый? Я всё так же водила на «барбухайке».

— И как тебе Завражный?

— Мне-то Завражный ничего, — с лёгким раздражением ответил Герман. — Но если ты спрашиваешь не про меня, а про всех, то всем понятно, что Саня «Коминтерну» не командир. Ни рыба ни мясо. Ты же знаешь Завражного. Он и сам про себя понимает. Он на посту же временно, до ближайших выборов.

— А на выборах ты за кого будешь голосовать, Немец, если не секрет? — Серёга как-то по-тюремному исподлобья посмотрел Герману в глаза.

— Да за тебя, Серый, — спокойно ответил Герман. — А в чём подозрения?

— Да так, одичал я чего-то на киче, — устало проворчал Серёга.

За стеной зазвучали женские голоса — там в комнате на двуспальной кровати лежали две проститутки, которых Серёга снял на несколько суток. До СИЗО Лихолетов не заказывал шлюх, ему хватало восхищённых подруг, не считая Танюши. А сейчас он никого не сумел заманить к себе — ни Ленку Лещёву, ни Алевтинку, ни Светика, ни Настю Жайскую. Пришлось вызывать девочек из конторы. Причём сразу парочку, потому что разговаривать с ними Серёге было не о чем — пусть болтают друг с другом.

— А что скажешь за «Коминтерн»? — спросил Серёга.

Герман смотрел в окно. Мокрый двор, качели и горки, чёрный асфальт густо окроплён белой мёртвой листвой. Кусты в заброшенном котловане разрослись, вымахав выше бетонной ограды вокруг магазина. Герман давно уже не бывал «на Сцепе» — с тех пор как съехал от Марины.

— «Коминтерн» будто дохлый. Все своими делами занимаются.

— При Быченко или Гайдаржи лучше было? — Серёга ревновал.

Герману не хотелось говорить плохо о погибших.

— Не лучше. Но и не так, как сейчас. Надо куда-то двигаться, а мы стоим.

— Сергуня, а где у тебя штопор? — закричали из комнаты. — Открой нам!

— Я щас закрою там чё-то кому-то! — раздражённо рявкнул Серёга. — Не мешайте базарить!.. Что значит «двигаться», Немец? Бабки получать?

— И это тоже. Но не только. Я не знаю, как сказать, Серый. При тебе у всего «Коминтерна» было общее дело. А сейчас по нулям.

— Общее, говоришь?.. — Серёга тоже поглядел в окно, не мытое три года. — А пойдёшь ко мне работать, как раньше? Я тачилу беру, ищу водителя.

Серые облака поздней, уже угасшей осени плыли мимо лоджии Серёги.

— Не пойду, Серый, — Герман покачал головой. — Извини.

Герман знал, что Танюше будет невыносимо, если он устроится на работу к Лихолетову. Пусть ничто не напоминает Танюше о Серёге — так ей будет легче. Германа сейчас заботила только Таня. Однако он понимал, что ставит прозрачную стену между собой и Серёгой, обозначает дистанцию. Дистанция не изменит их отношений, но она появится — и уже навсегда.

— А говорил, что ты за меня, — поморщился Серёга.

— Разве я не могу быть за тебя, но не работать у тебя водилой?

Лихолетов откуда-то всё разузнал про Немца и Таню. Он не чувствовал себя виноватым в Танькином горе: он не обманывал девчонку, ни к чему не подталкивал, так само вышло. Но он ревновал, что Танька предпочла ему Немца. Ясное дело, что после разрыва Танька искала бы нового мужика, — и тем не менее... Ревность у Серёги вызывало абсолютно всё, что происходило на воле, пока он сидел в СИЗО. Даже гибель Быченко и Гайдаржи.

— Сергуня, познакомь с твоим гостем! — пьяно закричали из комнаты.

— Ты стал умнее, Немец, — сказал Серёга с неодобрением, но уважением.

— Серый, ты можешь мне доверять по-прежнему.

— Выпьешь со мной? — Серёга взял со стола бутылку и выдернул пробку.

— По писюрику, — усмехнулся Герман.

— Эй, шалавы, — крикнул Серёга в комнату, — идите сюда за компанию.

Потом Герман узнал, что Серёга принял к себе водителем Яна Сучилина.

Серёга больше ни в чём не просил поддержки у Германа. Герман думал: почему? Наверное, потому что поумневший Немец Серёге был не нужен. Серёга готовился к драке за «Коминтерн». Зачем ему соображающий солдат?

Откинувшись, Лихолетов был куда более богатым, чем до кичмана. Три с лишним года, пока он сидел в СИЗО, «Коминтерн» отчислял ему то, что полагалось по учредительным документам организации. Впрочем, инфляция превратила бы в пшик Серёгины тысячи и миллионы рублей, но Гайдаржи успел перевести выплаты Лихолетову в валюту. И теперь Серёга знал, что у него есть бабки, — значит, он может действовать свободно. Однако он не знал страну, в которой предстояло действовать. Он ощущал себя инкубаторским.

Газеты, попадавшие в изолятор, не могли научить жить в новом мире. Серёга очутился в другой эпохе, где даже деньги были другие — дойчмарки и баксы, а не купюры СССР. Серёга никогда не видел супермаркет, не умел пользоваться банкоматом, не играл в компьютерные игры, даже йогурт не пробовал. Сняв проститутку, он не понял, что за тесёмочки на ней надеты.

Серёге удивительно было видеть в Ельцине вполне понятного человека: то разухабистого алкаша-раздолбая, всё пустившего в распыл, то бесцветного старика-сердечника, словно выстиранного по ошибке. По видаку Лихолетов посмотрел записи октябрьских событий 1993 года: плоские и вёрткие Т-80 на проспектах Москвы (в Афгане таких танков Серёга не встречал), дымящийся чёрно-белый небоскрёб парламента... Бред какой-то.

Охренеть: круче всех стала братва — отряды бандюков на огромных и чёрных импортных тачках! Бандюки для Серёги всегда были злыми тварями, не способными к умственной деятельности, а сейчас они овладели навыками, которыми Серёга не владел, и ориентировались в жизни лучше Серёги. Им завидовали. У них был стиль, была организация; они определяли понты.

И деньги сейчас зарабатывали совсем не так, как думал Серёга. Точнее, не зарабатывали, а добывали. Появились какие-то «пирамиды», в которые люди добровольно приносили свои бабки, непонятно почему поверив явным пиздаболам. Появились какие-то олигархи — неимоверные богачи, которые образовались без видимых причин, сразу и полностью, и теперь хозяйничали в Кремле. И какой-то билетик-ваучер вдруг превратился в важный документ: кому хватало терпежа, те собирали эти ваучеры чемоданами, обменивали их на полумёртвые заводы и потом распродавали то, что успевали урвать.

Раньше Серёга надеялся, что слава афганской войны будет крепчать, но шиш: страна получила новую ненавистную войну в горах, и животный страх перед Чечнёй не позволял уважать Афган. «Афганцы» стали выглядеть как-то двусмысленно; им завидовали, типа как они отвоевали влёгкую — при нормальной власти и в нормальной армии; короче, везунчики. Лихолетов не ожидал, что Афган окажется неважной темой. Афган — он уже в прошлом, он далеко, и зацепил он не каждого. А здесь и сейчас все ненавидят чеченов.

В Чечне расхуярили всю республику. Бородатые боевики (а ведь когда-то они были советскими пионерами!) отрезали головы русским парням — так же, как в Панджшере это делали моджахеды, которые в жизни знали только опиум и Коран. Город Грозный напоминал Сталинград. Генерал Дудаев — кстати, «афганец» — озверел, и его грохнули. Россия боялась террористов.

Но Серёга был по-прежнему убеждён, что для самих «афганцев» память об Афгане священна, а идеалы «афганского братства» — нерушимы. Конечно, закрадывались сомнения, но Серёга истреблял их усилиями дружбы напоказ.

Он собрал парней — тех, кто с ним приятельствовал, — и забухал. В его толпе были Вася Колодкин и Саня Завражный, Володя Канунников и Гоша Лодягин, Диса Капитонов и Жека Беглов, а ещё Дудоня, Расковалов, Птуха, Бакалым. Они пьянствовали так рьяно, словно с жутким нетерпением ждали, когда же Лихолет выйдет — и можно будет надраться.

— Алкоголизм — это не выход, а вход! — куражился пьяный Серёга.

Бухать тоже было старомодно. Раньше бухали в «Юбиле» на «мостике» — с размахом и как попало, без особой закуски, орали и матерились, курили, сидя в окне — ноги на улицу, и кто-то бренчал на гитаре. Но «мостика» уже нет, а в квартиру, где высохшие обои коробом отслаиваются от стен, Серёга не звал; компания таскалась по ресторанам, но в кабаках былое молодечество не катило. Неожиданная горячность дружбы выглядела неестественно.

Парни понимали, что Лихолет слишком многое упустил. Понимали, что он бодрится, изображает, будто всё знает и во всём разбирается, не уступает никому в адекватности. Но для «коминтерновцев» Серёга теперь был как бы инвалид, и парни только делали вид, что он равен им по компетенции.

После гибели Гайдаржи командиром «Коминтерна» Штаб выбрал Саню Завражного, однако Завражный не пожелал занимать «расстрельный» пост — он согласился быть лишь временным «ИО». Едва пронёсся слух, что Серого освобождают, Саня объявил, что сложит полномочия, когда Лихолет выйдет.

Завражный не сказал Штабу, что уже ничего не решает в «Коминтерне». С властями контактирует Щебетовский, а командир «Коминтерна» — кукла, свадебный генерал, попугай на обруче. Подставляться под пулю, отвечая за махинации майора, Завражный не желал. Пусть с Щебетовским бодается Серёга — у него к майору личный счёт и отфильтрованная ненависть.

Отставку Завражного Серёга принял как должное. Он верил, что сделал важное для «Коминтерна» дело, отсидев в СИЗО. Верил, что бсз него всё тут буксовало и парни ждали его возвращения. Поэтому на свободе Серёга сразу пошёл на выборы: он считал, что своими лишениями и способностями он более других заслужил право быть командиром. А парни из Штаба, которые бухали с Серёгой, согласны были голосовать за него. Ведь не исключено, что Лихолет и вправду снова развернётся. Но если его не выберут — тоже не беда.

Соперником Лихолетова на выборах командира «Коминтерна» был Щебетовский Георгий Николаевич, майор госбезопасности в отставке, год рождения 1952, образование высшее, женат, участник боевых действий в ДРА, начальник Фонда помощи ветеранам Афганистана.

Щебетовского нисколько не напрягало соперничество с Серёгой. Майор поговорил с Басуновым, который теперь работал при его Фонде, и выяснил, что рядовые «коминтерновцы» думают о Серёге после трёх лет его отсидки. А парни вспоминали Серёгу как дворового заводилу: при нём было весело и бесшабашно, все вместе квасили, дрались с врагами и подхалтуривали где попало. Главные достижения Серёги — открытие биржи, отжим рынка, захват домов и вообще создание «Коминтерна» — «афганцы» воспринимали как что-то само собой разумеющееся. Лихолетов тут был вроде и ни при чём. Майор сделал вывод, что былые заслуги не помогут Серёге выиграть выборы.

А сам про себя он давно определился, чего хочет и как будет добиваться желаемого. Увы, он опоздал к большим приватизациям, но зато разработал план, как наверстать упущенное. Он поставил себе цель: Шпальный рынок. Для приватизации рынка на первом этапе ему требовалось возглавить какую-либо общественную структуру при рынке (тот же Фонд помощи ветеранам) и стать членом Штаба «Коминтерна». Всё это Щебетовский уже исполнил.

На втором этапе следовало получить фактическое руководство рынком. Как член Штаба, майор продавил небольшую реформу: изначально его Фонд был подразделением рынка, а потом рынок стал подразделением Фонда. Майор убедил Штаб, что это уменьшит налоги. На самом деле это позволяло майору контролировать администрацию рынка. Директрисой Шпального оставалась Лена Быченко, а с ней майор выстроил правильные отношения. Он помнил законы оперативной работы: не меняй людей, меняй их мотивы.

Серёга напрасно думал, что парни из Штаба ненавидят Щебетовского. Нет. Майора считали слегка чужаком, но вполне приемлемым. Он реально послужил благополучию «Коминтерна», когда добился льгот на алкоголь. К майору прислушивались, а сам он не лез, куда не просят. На очередном заседании Штаба незадолго до освобождения Серёги Щебетовский сказал:

— Я уверен, что Сергей захочет вернуться в командиры «Коминтерна». Назначит Штаб Лихолетова командиром или не назначит, всё равно многие в организации будут недовольны. Чтобы избежать конфликтов, товарищи, я предлагаю сделать выборы командира общими, а не внутри одного Штаба. Тогда не будет виноватых. Для демократии я и сам приму участие в выборах.

Штаб проголосовал за общие выборы. Так майор расчистил себе дорогу к командованию «Коминтерном», потому что члены Штаба не поставили бы Щебетовского во главе своей организации, ведь майор — не из своих.

Теперь майор придумывал, чего пообещать простым «коминтерновцам», чтобы они выбрали командиром его, а не Лихолетова. И тогда многоходовка, выстроенная в лучшем духе Конторы, выйдет на финишную прямую.

Щебетовский был спокоен, действовал осмотрительно и неторопливо, не ссорился и никому ничего не доказывал. Его так учили. Он всегда был готов использовать шанс, если шанс подвернётся, — и шанс всегда подворачивался.

Фонд Щебетовского находился в ведомственной гостинице комбината «Электротяга» — гостиница превратилась в офисный центр, и Щебетовский арендовал здесь двухкомнатный номер. В декабре 1996 года за окнами офиса вьюга заметала плоские крыши цехов и безлюдные проезды промзоны, где застыли вереницы пустых железнодорожных платформ. К майору на приём явилась красивая молодая женщина, полная, но энергичная.

— Меня зовут Марина, — словно бы с намёком сказала она, улыбаясь.

— Мы с вами нигде не встречались? — поинтересовался майор.

Вежливо улыбаясь в ответ, он остро вглядывался в посетительницу.

— Там были не те встречи, которые хотелось бы иметь с мужчиной вроде вас, — старательно произнесла Марина заготовленную любезность.

Майор вспомнил: осенью он видел эту девицу в приёмной мэра. Девица возглавляла комитет «афганских» жён, которые что-то требовали от власти.

— Я вас слушаю, Марина.

— Вы знаете, Георгий Николаевич, что «афганцам» не выдают ордера на квартиры в домах по Сцепщиков? Бодяга тянется с 1992 года, — Марина расстегнула меховую куртку, выставляя большую грудь. — Я вам скажу: без прописки как без оргазма. Сколько можно мучить животных?

Да-да-да, майор восстановил картинку. Жёны «афганцев» требовали у мэра ордера. Без прописки (хотя её и отменили) детей не прикрепляли к больницам и детсадам, а женщин не принимали на хорошую работу. Парней тоже не принимали, они работали на фирмах у приятелей и потому бухали.

— Вы правы, это упущение Штаба, — озабоченно сказал Щебетовский. — Давно следовало нажать на власть... Обязательно займёмся после выборов!

Он подумал, что Марина — обычная жалобщица.

— Георгий Николаевич, — Марина сморщила яркие губы, словно боялась засмеяться, — скажу вам прямо: я не просилка, я давалка. Я тут потрепалась с вашим Витюнькой Басуновым и кое-что придумала. Предлагаю баш на баш.

— То есть? В чём суть сделки?

— С вас — наши ордера. А мы замостырим вам победу на выборах.

Марина старалась, конечно, не для жён «афганцев». У неё имелся свой интерес. Она хотела развестись с Германом и по суду оттягать его квартиру «на Сцепе». Но для суда требовалось, чтобы у неё и у её мужа были ордера на спорную квартиру: без ордеров-то и делить нечего. И поэтому Марина организовала подруг в комитет, который принялся долбить мэрию.

— Очень интересно, — Щебетовский не подал вида, что заинтересовался реально. — А как же вы собираетесь организовать мою победу, Марина... э-э?

— Владимировна. Но лучше без отчества. Я просто скажу своим девкам в комитете «афганских» жён, что вы как командир добьётесь ордеров. Девки скажут своим подругам, и т.д. Короче, бабы загнут своих мужиков, чтобы голосовали за вас. Выборы-то общие. А мужикам всё равно, кого выбирать.

Щебетовский посмотрел на Марину с уважением.

— Да, вы ориентируетесь в жизни... Ордера — это всё, что вы хотите?

— Ясное дело, нет! — Марина сияла, польщённая. — У меня на Шпальном рынке четыре торговые точки. Ещё я хочу, чтобы с меня не брали за аренду. Ленка Быченко тоже ведь под вами дышит? Так что вы в силах мне помочь.

— Рад буду такому приятному сотрудничеству, — искренне сказал майор.

— Главное — взаимовыгодному! — важно ответила Марина, назидательно подняв палец, и неким приглашающим жестом поправила грудь.

Выборы командира «Коминтерна» Штаб назначил на 8 января 1997 года. Народ уже опохмелится после праздников, и всякие детские утренники тоже пройдут — это важно, так как для выборов Штаб арендовал кинозал «Юбиля». После погрома Дворец освободился от власти «афганцев», структуры «Коминтерна» расползлись по всему городу. В «Юбиле» остались несколько офисов — и всё: «мостика» Серёги больше не было, «Баграм» стал обычным кафе «Топаз», а спортзал превратился в дискотеку «Капоэйра».

В высоком фойе Дворца до потолка стояла огромная лесная ель, увитая гирляндами. Пахло хвоей, мандаринами и конфетами. Когда-то в этом фойе «афганцы» бухали, курили и сгружали коробки с товаром, а сейчас заходили сюда под ручку с жёнами, трезвые и культурные, раздевались в гардеробе и причёсывались перед зеркалами. За столиками под елью как мышки-норушки сидели Маша Ковылкина и Лена Спасёнкина: отмечали «коминтерновцев» в списках и выдавали бюллетени, распечатанные на принтере. В бюллетенях были только две фамилии кандидатов — «Щебетовский» и «Лихолетов».

«Ямайским ромом пахнут сумерки, синие, длинные...» — невыносимо-страстно звучало по залам и коридорам «Юбиля»; это звукарь Дворца крутил фонограмму уже списанных с телика новогодних «Старых песен о главном». — «А город каменный по-прежнему пьёт и ждёт новостей...»

Набрался полный зал. Саня Завражный не стал ждать, пока прекратятся разговоры, смех и мелкие перемещения; он вышел на сцену к концертному микрофону, оглядел партер, помахал кому-то рукой и сказал:

— Всех с наступившим! Начинаем, мужики.

В зале было человек шестьсот. Свет не гасили, но музыку приглушили.

— Короче, все в курсе, зачем мы здесь. Я обещал подать в отставку — я и подал. Теперь выбираем другого командира. Щебетовский Георгий Николаич и Лихолетов Сергей Василич. Вы их знаете. Сперва они маленько расскажут про свои программы, потом проголосуем. Серёга, шуруй сюда, на башню.

Зал по привычке захлопал. Серёга бодро шагал к сцене по центральному проходу между рядов. Он был в расстёгнутом пуховике и с сигаретой за ухом — словно бы торопился промотать ненужную процедуру, заранее уверенный в своей победе. Он снисходительно улыбался и хлопал по протянутым рукам. Он был готов к триумфу, к тому, что его приветствуют, будто рок-звезду.

С высоты сцены Серёга оглядел зал. Все свои. Гоша Лодягин. Жека Беглов с непривычными усами. Птуха. Темурчик Рамзаев. Вован Расковалов и тут не влезает в кресло, весь растопырился. Справедливый Вася Колодкин. Простак Лёха Бакалым. Всегда хмурый Андрюха Воронцов. Дудоня. Дурак Зюмбилов с какой-то дурой. Демьян Гуртьев на инвалидной коляске. Лега Тотолин. Серьёзный Володя Канунников. Сашка Флёров — костыль с одной стороны, Ленка с другой. Виталя Уклонский. Гриша Минёр. Чибис и Чича, наверное, поддатые. Воха Святенко с женой. Надменный Чеконь. Немец...

— Что сказать? — спросил Серёга у зала. — У меня было время подумать, как жить. — Зал засмеялся. — Тут, в Батуеве, мы раскрутились. Надо крутиться на всю страну. «Афганская идея» нам везде поможет. Будем завязываться с обществами «афганцев» в других городах, в Москве. Свои своих поддержат. Будем торговать, наладим перекрёстные поставки. В правительстве тоже есть «афганцы», если не министры, так один хрен не маленькие люди. Дел — во! — Серёга полоснул себя по горлу. — Возможностей дофига. Всех сдвинем, бля!

Зал одобрительно зашумел, кто-то воодушевлённо свистнул.

Серёга ловко спрыгнул со сцены и сел на стул возле выхода из зала.

— Теперь Щебетовский Георгий Николаич, — объявил Завражный.

Щебетовский был в мягком пиджаке и белом свитере — очень надёжный, располагающий к себе, такой умный в вежливо затемнённых очках.

— Сложно говорить после зажигательной речи Сергея Васильевича, — он покачал головой. — Но я попробую. Я не могу обещать каких-то грандиозных проектов на всю страну. Мой масштаб скромнее. Будем развивать то, что есть. Поддержим новое связями и кредитами. А главное — социалка. На посту руководителя организации я гарантирую вам выдачу ордеров на дома по улице Сцепщиков, гарантирую места в двух детсадах там же, на Сцепщиках, индексацию доплат из Фонда каждые полгода и беспроцентные ссуды.

Щебетовский тоже рассматривал зал — оценивал, много ли жён. Марина улыбнулась ему с четвёртого ряда. Щебетовский был уверен, что Серёгины яростные планы никому уже не нужны. Надоело. Люди хотят покоя.

— Всё ясно! — завершил выступления Завражный. — Кандидатов попрошу. — Он указал майору в сторону. — Мужики, ставим птичку и сдаём листочек.

Зал загомонил. «Афганцы» обсуждали кандидатов, наклоняясь, ставили галочки, складывали бюллетени пополам и передавали по рядам вперёд. Лена Спасёнкина и Маша Ковылкина ходили перед сценой и собирали листки.

— Здравствуй, Сергей, — напротив Серёги стоял Басунов. — Как дела?

Серёга молча смотрел на Витьку. Он знал, что Басунов теперь работает у Щебетовского. Не бить же за это по морде. Хотя Басунову не помешало бы.

— Нормально дела, Витёк, — с чувством сказал Серёга.

— Я проголосовал за тебя, — сообщил Басунов.

— Спасибо, Витёк.

Рядом со Щебетовским Басунов осознал, что Лихолетов — не тема. После убийств Быченко и Гайдаржи тормоза ни у кого уже не работали. В этой ситуации для Басунова «быть Серёгой больше Серёги» означало огрести себе проблемы, угодить за решётку, словить пулю. С Серёгой нет перспективы.

— Если нужна помощь, Сергей, я всегда постараюсь.

— Я запомню, Витёк.

Завражный снова вышел к микрофону. Он был явно растерян.

— Мы ещё перепроверим листочки, — сказал он, перебирая в руках кипу бюллетеней, — но по первому подсчёту однозначно победил Щебетовский.

Герман сидел недалеко от сцены и недалеко от Лихолетова. Он видел, с каким лицом Лихолетов выслушал итог выборов. Это было так, точно Серёгу предали, выстрелили в спину. Серёга был невысокого роста, но никогда не казался низеньким. А сейчас он стоял перед всеми на углу сцены маленький, взъерошенный, отхлёстанный по лицу. Он проиграл «Коминтерн».

Глава пятая

В последний раз Лихолетов и Щебетовский разговаривали в феврале 1998 года. После очередного заседания районного суда оба они вышли на крыльцо и курили, ожидая, когда водители подадут машины: Щебетовского на «бумере» возил Басунов, а Серёгу на «гелике» — Сучилин.

Серёга смотрел на заснеженную улицу и щурился от жёлтого блеска окон и сугробов — в радужной ледяной дымке солнце казалось вырезанным из фольги. Машины порознь пролетали мимо райсуда, поднимая белёсую муть, и тормозили на перекрёстке у светофора, сбиваясь стадом. Серёга вспоминал, что два года назад в подвале этого здания в блоках-«стаканах» он встречался с Танюшей, которую привозил Басунов. А теперь он уже не заключённый и сам таскает в этот суд того, кто когда-то его прессовал, — Щебетовского.

Щебетовский подошёл поближе, поправил затемнённые очки.

— Напрасно ты всё это затеял, Сергей Васильевич, — мягко сказал он. — У твоей стратегии нет судебных перспектив. Только нервотрёпка.

С Щебетовским, точнее с «Коминтерном», Серёга судился уже полгода. Он нанял юристов, которые проанализировали ситуацию, рассмотрели все документы и разработали план кампании. Стоила кампания дорого, и боролся Серёга в одиночку: никто из парней ему не помогал — но никто и не мешал.

— А чего же вы тогда так настырно разыскивали мою папочку, Георгий Николаевич? — усмехнулся Серёга. — Нервотрёпкой не обойдётся. Я уверен, что такую кость вы не разгрызёте. Подавитесь. Поперёк горла встанет.

Серёга напоминал майору о скоросшивателе с бумагами «Коминтерна». Без этой папки Быченко и Гайдаржи, командиры «Коминтерна», вели дела тяп-ляп и не оформляли решения Штаба по протоколу. Следовательно, все постановления руководства «Коминтерна» сейчас можно было оспорить, признать недействительными или отменить по формальным основаниям.

— Чего ты добиваешься? — раздражённо спросил Щебетовский.

Он помнил, что нельзя давать волю чувствам, но власть разъедала его характер, и он потихоньку переставал сдерживаться. Щебетовского злил этот «афганец», этот быдло-фюрер, который почему-то не раздавился в СИЗО.

— Не хочу, чтобы вы приватизировали Шпальный рынок.

Юристы объяснили Серёге, что его волшебная папочка, увы, не изгонит Щебетовского из командиров, то есть не лишит его возможности завладеть рынком (особенно если майор раздаст взятки и включит связи). Однако с помощью документов из папки-скоросшивателя Серёге удастся так запутать и затормозить деятельность Щебетовского, что «Коминтерн» забуксует и переизберёт лидера: майор просто не успеет прибрать рынок к рукам.

— В чём проблема-то приватизации? — у Щебетовского по-барски гневно блеснули тёмные очки. — Торговая политика рынка не изменится! Социалку для «афганцев» я сохраню! Потребитель не заметит никакой разницы! Штаб получит свои дивиденды! Чем ты не доволен? Завидуешь, что ли?

Серёга не завидовал. Ему было жалко своего дела, сделанного для всех.

На площадку перед райсудом друг за другом въехали «гелик» и «бумер».

— Слушай, Лихолетов, приватизации идут в стране уже шесть лет. Ты, наверное, не в курсе, потому что половину этого срока пропарился в СИЗО.

Серёга не повёлся ответить на издёвку. Он приучал себя не дёргаться, держаться спокойно, не кидаться в схватку очертя голову.

— Шпальный рынок должен быть собственностью организации, чтобы «Коминтерн» сохранил самостоятельность. Дело в «Коминтерне» в целом, в идее «афганского» движения, а не в доходах вашей компашки.

— Компашкой ты называешь Штаб? Кстати, Штаб мне не возражает.

— Парни просто не видят картинку в целом. А я вижу. И вы видите.

Они стояли на крыльце райсуда очень похожие — в модных итальянских пальто, в перчатках из тонкой кожи, в остроносых лакированных ботинках. Не бушлат и камуфляжные штаны, не ондатровая формовка и «дипломат»...

— Может, мы договоримся, Сергей? — неохотно спросил Щебетовский. — Может, дело в цене? Ты ведь деловой мужик. Могу предложить тебе после полноценного акционирования рынка блокирующий пакет.

— На Затяге три аллеи жмуров лежат вот с такими же блокпакетами, — ответил Серёга в духе былых безбашенных времён. — Не вы первый, Георгий Николаич, не я последний. Но на «цып-цып» я уже давно не подбегаю.

Щебетовский понимал, что Лихолетов вполне в силах не подпустить его к рынку. А причина сопротивления — убеждения Лихолетова, и только.

— И всё-таки, Сергей, отзови претензии. Если тебе важно командование, то место командира «Коминтерна» я тебе верну. Едва решу вопрос с рынком, сразу сложу полномочия. У меня нет твоих амбиций.

— Амбиции у юношей, — сказал Серёга. — А я просто отниму.

Они бок о бок спустились с крыльца и направились к своим машинам.

Щебетовский сел на заднее сиденье и сквозь тонированное окно молча пронаблюдал, как разворачивается «гелендваген» Лихолетова.

— Это недоразумение надо рассеять, Виктор, — сказал майор Басунову.

А Серёга поехал домой. Нелька обещала на обед сделать нормальные отбивные. Она уже два раза сожгла мясо, но Серёга не терял надежды, что в третий раз у неё получится. Готовить Нелька совершенно не умела.

Дома на кухне Нелька слушала Серёгу, отскребая ножом сковородку.

— Серый, он тебя закажет, — мрачно сказала Нелька о Щебетовском.

— Он чистоплюй.

— У него нет выхода. Или отступить от рынка, или грохнуть тебя.

С Нелькой Нырковой Серёга жил с марта 1997-го. Даже странно было представить, что Нельке тогда исполнился двадцать один год — всего-то! Серёга встретил Нельку, разумеется, в парикмахерской, но не в «Гантели», то есть не в престижном «Элеганте» (туда Серёга не ходил, чтобы не видеть Танюшу), а в простой, при Доме быта. Серёга сидел в кресле, тупо смотрел в зеркало на себя как в пустоту, а девчонка-парикмахерша, щёлкая ножницами у его висков, делала какую-то модельную стрижку. Серёге тогда было плевать, как он выглядит, но он по инерции держал форс.

— Ты точно такой же остался, — вдруг сказала парикмахерша. — А я, наверное, офигеть как изменилась, если ты совсем меня не узнаёшь.

Серёга с трудом переключился на реальность. Где он встречал эту девчонку? Мелкая, с пышным светлым хвостом, с широко расставленными наглыми глазами? Серёга вспомнил. Это же однокурсница Танюши из учаги, хулиганка, которая натравила своих дылдищ-подруг избивать и грабить Танюшу. Серёга ещё организовал им у Чубалова катанье на лошадях...

— Извини, — спохватился Серёга. — Что-то я сегодня того...

Вообще-то Серёга был «того» уже два месяца, с выборов в «Юбиле».

— Пригласи меня куда-нибудь, Лихолетов, — прямо сказала Нелька.

Раньше Серёга начал бы выпендриваться: заказал бы столик в кабаке, цветы, шампанское, какую-нибудь экзотическую жратву, а сейчас он просто пошёл с Нелькой в обычную кафешку. Его успокаивала механическая жизнь общепита, механическое общение. Выбирать не из чего, думать не надо, с девчонкой — как будет, так и будет. А Нелька и не требовала никакого обхождения. После кафешки она без ломанья согласилась поехать к Серёге домой и легко легла к нему в постель. Но всё получилось хорошо, душевно.

Утром они проснулись рядом и закурили.

— А почему у тебя всё вот так? — Нелька повела сигаретой. — Квартира хорошая, бабки есть, а в хате — как блядушник дальнобоев на трассе.

— Ты бывала у дальнобоев в блядушниках?

— Без тебя я много чего узнала, Лихолетов.

— А я должен был как-то руководить твоим образованием?

— Да, Лихолетов, — спокойно ответила Нелька. — Да, должен был. Но ты об этом, ясен хрен, не знал, а я-то всегда знала.

Серёга удивился, что он кому-то нужен, что о нём кто-то думает. После чудовищного поражения на выборах командира Серёге казалось, что его все предали и продали; пренебрежение «коминтерновцев», былых товарищей, нестерпимо терзало Серёгино самолюбие. Как же так? Он столько сделал, и раньше все гордились знакомством с ним и он сидел в тюрьме ради общего успеха, а они... Купились на прописку, сдались бабам, поверили хлыщу...

Что делать? Смириться — невозможно. Бороться — но как? И главное — за что? За «Коминтерн», откуда его выгнали, где ему сказали «Пошёл вон!»?

— Серый, свози меня на море, — вдруг попросила Нелька. — Никогда не была на море. И столько раз представляла, как там я с тобой.

В апреле Серёга и Нелька прилетели в Хургаду.

Серёга даже и не помнил толком, где находится Красное море, о Египте он судил даже не по урокам в школе, а по сигаретам «Кэмел»: на пачке — пески, пирамиды, верблюды. А в Хургаде обнаружился тропический рай.

Они жили в отеле рядом с пляжем; отель напоминал стопку бетонных плоскостей; Серёга и Нелька впервые увидели комнатный кондишн; формат «олл инклюзив» создавал ощущение, что всё бесплатно; возле длинных пирсов, далеко вынесенных в море, покачивали мачтами настоящие яхты.

— Если я поверю, что это не сон, то поверю, что для меня всё возможно, — с каким-то страхом сказала Нелька, когда они с Серёгой с лоджии своего номера рассматривали берег, причалы и просторно выгнутый горизонт.

Тропики не совмещались с тёмным и заснеженным городом Батуевым.

Нелька не нашла в нём того, на что рассчитывала. На последнем курсе учаги она связалась с Пашкой; Пашка был мелким бандитом, «торпедой»; юная Нелька приняла его за крутого парня, который поднимается всё выше. Но у Пашки возрастала не крутизна, а тяжесть наркоты: через год он сел на герыч и после угаров по притонам заразил Нельку триппером. Наконец он вылетел из своей группировки, и Нелька от него сбежала. Что с ним стало, Нелька не интересовалась. Пашка превратился в животное и, видимо, сдох.

Вину за провал надежды Нелька возложила на Пашку, а не на себя (она ведь слишком умна и хороша для ошибки), и потому с Димочкиным вскоре повторила тот же самый опыт. Димочкин был мелким коммерсом, а Нелька приняла его за крутого бизнесмена, который богатеет и богатеет. Вскоре на Димочкина наехали, поставили его на счётчик, потом начали отжимать его ларьки, и он заложил Нелькину кооперативную «однушку» — наследство от покойной бабушки. Нельке стало понятно, что и Димочкин — не шанс.

Вместо роскошной жизни с тачками и фирменными тряпками Нелька работала парикмахершей — так же, как её тупые подруги или овца Куделина. Днём Нелька орала на клиентов, а вечерами ревела от злости. Даже не тачек ей хотелось, не тряпок, а настоящего мужчину — не пацана вроде Пашки, не дристуна вроде Димочкина. Чтобы он знал, как жить. Чтобы он был такой, как Лихолетов, который отвечал за всех, был добрый и ничего не боялся. И вдруг Нелька увидела Серёгу в своей парикмахерской... И вот уже Хургада.

А Серёгу здесь потряс дайвинг — будто полёт на другую планету. Серёга рассматривал коралловые рифы — в маске всё было как сквозь лупу, округло увеличено по краям: какие-то доисторические каменные кактусы, волосатые мозги, ветвистые короны, дырявые мухоморы. Всюду ползали пятна мягкого света. В стереоскопическом объёме воды, как в аквариуме, над подводными растениями висела Нелька — она медленно и беспомощно вращалась, плавно размахивая руками. Под Нелькой нежно колыхались какие-то зелёные и синие перья, лохматые кудри, петушиные хвосты, ленты, кисти, перепонки.

В извилинах и трещинах рифа сновали рыбы — рыбы-цветы, рыбы-бабочки, рыбы-конфеты, рыбы-игрушки, рыбы-поцелуи, рыбы-аппараты. Реяли какие-то немыслимые существа — парусники, мушкетёры, вымпелы, фужеры, кометы. Пупырчатые морские коньки были похожи на саксофоны. Из пещерок торчали чьи-то непристойные морды с негритянскими губами. Взмахивая ластами, Нелька бесстыже раздвигала бирюзовые ноги.

А потом это всё всплывало в памяти — то ли снилось, то ли мерещилось Серёге. На мелководье просвечивало песчаное дно, и море выглядело голубее густого и жаркого неба, и сквозь полуденный прищур чудилось, что небо — тоже море. Там в глубине, потаённо мерцая, двигались былинные чудовища: кольцами вились щупальца космических спрутов, раздувались купола медуз — каждый размером со стратосферу, зодиакально-тихо летели по орбитам драконы, и в священный день равноденствия с наклонного диска эклиптики сползала пена, оставляя на латуни астрономические тела морских звёзд.

— Мы с тобой как потерпевшие кораблекрушение, — сказала Нелька.

Но мир на этом берегу оказался прекрасен.

Вокруг Хургады была гористая пустыня — того же хлебно-сухарного цвета, что и горы Афгана, но эти верблюжьи горбы — не Гиндукуш, и томные волны тропика Рака не имели ничего общего с изуверскими ледопадами Нуристана. На взгляд Серёги, арабы были очень похожи на пуштунов, но теперь эти смуглые и красивые бабаи уже не собирались убивать русских; они приставали с услугами, всучивали всякую дрянь и выкруживали баксы. Это было понятно, это было по-человечески. Хургада для Серёги стала завершённой афганской войной. Всё, ты свободен — живи как хочешь.

В самолёте, когда летели из Хургады в Москву, Серёга потихоньку опять начал думать о «Коминтерне». У моря он отвык от этих размышлений и сейчас как бы осторожно пробовал прежнюю тему своими обновлёнными мыслями, будто новыми инструментами. А Нелька в соседнем кресле вдруг скорчилась, согнулась и спрятала лицо в ладонях.

— Боишься лететь? — удивился Серёга.

Нелька не отвечала, но что-то бормотала. Серёга прислушался.

Нелька молилась:

— Богородица Пречистая Дева, прости меня, я злая, но пусть наш самолёт упадёт и разобьётся, прошу, сделай, чтобы наш самолёт упал и разбился...

— Ты что, спятила? — шёпотом спросил ошалевший Серёга, оглядываясь, не слышит ли кто-нибудь рядом страшную Нелькину молитву.

Нелька не рассказала Серёге о своей жизни — ни про Пашку, сожжённого герычем, ни про Димочкина, который отнял её квартиру. Зачем Серёге знать, что она неудачница? Но завтра ей надо будет возвращаться в реальность, а Нелька не хотела. Над морем сияло счастье — и лучше исчезнуть в небе.

— Говори, в чём дело, — вполголоса потребовал Серёга.

В который раз ему надо было кого-то спасать.

Сразу по возвращении в Батуев Серёга явился к Нельке на квартиру и принялся выбрасывать в подъезд вещи Димочкина — пускай это чмо съезжает с хаты. Можно было обойтись разговором, но Димочкин знал, кто такой «афганец» Лихолетов, и потребовалось соответствовать образу — каким-нибудь широким хамским жестом поддержать ужас на нужном градусе. Димочкин бегал по комнате, собирая уцелевшие шмотки, и подвывал:

— Всё, не надо! Не надо! Не трогай плеер!.. Я сваливаю!

Серёга смотрел на метанья этого великовозрастного детины, на тихое мстительное торжество Нельки, что стояла в прихожей в пальто, словно не собиралась раздеваться, пока Димочкин ещё тут, и думал, что его судьба закольцевалась. Опять у него девушка — простая парикмахерша. Опять он выдирает её из рук какого-то недоделка, как было с Танюшей в Ненастье.

— Если кто-то рыпнется отписать у Нельки хату за твои долги, первым я грохну тебя! — грозил Серёга. — Всё понятно? Повтори, не дрожжи мозгом!

Серёга и для себя-то не мог определиться, зачем ему Нелька. Любовь? Да нет... Жалость? Секс? Понты?.. Когда Нелька находилась рядом, было ощущение правильности жизни, вот и всё. А остальное оказалось неважно.

Нелькина квартира была тесна, чтобы жить вдвоём (после СИЗО Серёга возненавидел тесноту), а жить в доме «на Сцепе» он не хотел — не хотел видеть парней из «Коминтерна». Серёга сдал обе квартиры и снял себе и Нельке апартаменты в богатом обкомовском доме в центре Батуева.

Серёга не сторонился и не чуждался прежних товарищей, но потихоньку вышел из «афганского» круга общения. Он поддерживал отношения с теми, с кем был связан по бизнесу, — с Жоркой Готыняном, Завражным и Биллом Нескоровым, а ещё с Володей

Канунниковым и Васей Колодкиным — но они и сами не шибко-то тёрлись среди парней, потому что не бухали, работали и были обременены семьями. Серёга тоже вроде как остепенился, успокоился и принял всё, что случилось. В собраниях Штаба он участвовал через раз и больше отмалчивался. Он стал замкнутым бизнесменом, которому чужие дела неинтересны. Он не показывал «коминтерновцам», насколько уязвлён. Подлинного Серёгу Лихолетова знали только Нелька и Щебетовский.

Серёга снял себе офис в здании закрытого детского садика, посадил директором нестареющего Семёна Исаича Заубера, ушедшего из «Юбиля» на пенсию, нанял юристов и начал борьбу за «Коминтерн», не оповещая никого из «афганцев». Планом-максимум было восстановление в командирах, планом-минимум — изгнание Щебетовского. Главным оружием стала папка-скоросшиватель с учредительными документами организации.

Серёгина осада была тихая и глухая, с редкими яростными атаками. Щебетовский никому не рассказывал, какие невидимые удары наносит по нему Лихолетов, как ищет слабые места, теснит, ломает оборону. Шпальный рынок весь год лихорадило внезапными заморочками: то вдруг какая-то проверка, то выемка документов, а ещё вызовы в суд, УБЭП, приостановки сделок, арест товара и прочие подобные неприятности. На рынке считали, что это — норма нынешнего бизнеса, полулегального и полукриминального, как и всё в стране. Один лишь Щебетовский понимал, в чём причина.

— Закажи его, — сразу предложила Серёге свирепая Нелька; полумер или компромиссов для неё не существовало. — Это решение всех проблем, Серый.

— Нет, — ответил Серёга. — «Афганец» «афганца» не заказывает.

— Тогда давай всё тут нахрен бросим, бабки заберём и уедем в Москву. Там ты всего добьёшься, а в этой жопе мира пусть друг у друга сосут.

— Нет, — упрямо повторил Серёга.

Нелька жаждала безоговорочной и яркой победы: ей требовалось всех нагнуть, всем доказать, принудить всех к покорности и восторжествовать. А Серёга не мог объяснить, почему нельзя заказать Щебетовского или свалить из Батуева. В любом случае это будет означать крах его убеждений. Погано, что «коминтерновцы» им пренебрегли, но поражение «афганской идеи» — не проигрыш в делах и не надсада самолюбия; поражение — это отступничество, когда говоришь о братстве, а сам кого-то заказал или сбежал от своих же.

— Они первые тебя предали, Серый, — жёстко сказала Нелька. — А ты зассал им отомстить. Придумываешь, как бы их оправдать.

Серёга лежал дома на кушетке на животе, голый по пояс, а Нелька сидела на нём верхом и яростно массировала ему плечи, словно пыталась вылепить другого Серёгу, прежнего, размашистого, без тормозов.

— «Афган», «Афган»!.. — Нелька сморщила нос, передразнивая Серёгу. — Ни шиша твой Афган не решает!

— Не решает, — согласился Серёга. — Афган не гарантия, что человек хороший. Считать любого «афганца» за брата — пионерия, блин, так в школе рыжие или косоглазые дружат с рыжими или косоглазыми. Афган не сделал нас лучше. Но он не в военнике, а внутри. Ты можешь себе говорить: «Этот парень был в Афгане, значит, я буду ему верить». Не потому, что «афганец» — значит, хороший, а потому что тебе самому надо кому-то верить. Бога-то нет. Коммунизм мы решили не строить. А причина, чтобы верить другим, всё равно нужна. Всегда должны быть свои, и нужен способ превратить чужих в своих. Вот Афган стал таким способом. Неправильно жить наособицу.

Любить Серёга не научился, но хотя бы понял, как это делается.

— А ты был не такой, — хмыкнула Нелька. — Был герой. Наглый. Борзый.

— Укатали сявку крутые горки.

— А я тебя всё равно люблю. Мне пофиг, какой ты.

— Но Щебетугу-то я один хер бортану, — усмехаясь, заверил Серёга.

— Найми охрану.

— Найму. Немца позову. Как-то у меня с ним нехорошо вышло.

* * *

Опасение Нельки, что Щебетовский пришлёт киллера, произвело на Серёгу серьёзное впечатление. Примерно через неделю после разговора с майором Серёга спросил у Яна Сучилина, своего водителя:

— Ты знаешь, где сейчас живёт Немец?

— Знаю. В общаге на Локомотивной. Он там у бабы своей приземлился.

Серёга подумал, что Герману неловко будет встречаться с ним где-нибудь в кабаке — кабак простому шоферу Неволину не по карману, а сидеть за Серёгин счёт — стрёмно. Да и разговор будет пока что короткий.

— Ян, договорись с Немцем, когда мне заехать к нему в общагу на пять сек по важному вопросу. Пусть он Таньку отошлёт куда-нибудь.

— Ясно, — кивнул Ян. — А чего ты хочешь от него, Серый, или это тайна?

— Да не тайна никакая. Приглашу его к себе в охрану.

— А я?

— И ты будешь, и он, — оба. У меня напряжёнка обозначилась.

Сучилин понял, что ему надо успеть всё выполнить до прихода Немца. Рядом с Неволиным у него ничего не получится — Неволин помешает.

Дело в том, что несколько дней назад, вечером воскресенья, к Сучилину домой заявился Басунов. Он не прошёл в квартиру, а вызвал Яна в подъезд. Они спустились на лестничную площадку и закурили у окошка. Сучилин жил «на Сцепе», и за окном была всем знакомая картина: игровая площадка во дворе, утонувшая в огромных февральских сугробах, из которых торчали только кровли песочниц; припаркованные тачки; ограда из бетонных плит, а за ней — задний двор магазина с мусоркой и штабелями тары. В заброшенном котловане, как в сквере, разрослись заснеженные кусты. Вдали по улице катились троллейбусы, в сизой вечерней дымке мигали светофоры.

— У тебя проблемы, Ян, но ты можешь их решить, — сообщил Басунов.

— Какие проблемы? — насторожился Ян. Он знал, что Басунов — сука.

— Июль девяносто четвёртого, — напомнил Басунов. — Шпальный рынок. Два стрелка от Батищева вальнули Чёрта и подбили Быченко.

— И что? — холодея, спросил Сучилин.

Конечно, он всё помнил. Помнил, как прозевал покушение на Егорыча, а потом, чтобы оправдаться, кинулся вдогонку за киллером через толпу на втором этаже рынка. На том «динамовце» ещё была футболка с Дольфом Лундгреном... Киллер израсходовал боезапас и, прорываясь к лестнице, прикрылся заложницами — схватил за шкирку двух девчонок-близняшек, продавщиц. Ян помнил их оголённые животы под топиками... Что на него тогда нашло?.. Он прострочил из АКМ киллера вместе с девчонками...

— Кому надо, тому всё известно, — Басунов глядел Сучилину в глаза. — Киллер — Иван Гнедых по кличке Гнедой. Убиты Дарья и Жанна Поляковы. Свидетели из наших — Завражный, Расковалов, Дудников, Зибаров, Неволин, Моторкин, Птухин, Хрипунов. Есть и гражданские свидетели. Есть протокол осмотра места преступления: Гнедой тогда остался без оружия. Ты просто грохнул тех двух шлюшек, Ян, и всё. Это от пятнадцати до пожизненного.

Сучилин тяжело дышал носом. Он стоял в подъезде перед Басуновым как-то сгорбившись, растопырив руки, — рослый, белобрысый, краснолицый.

— И что от меня хочешь?

Ян уже догадался, чего сейчас от него попросят.

— Убери Лихолетова, — сказал Басунов.

— Как?

— А я не знаю, Ян. Это уже твои заботы. Я вообще ничего не знаю.

В общих чертах Сучилин был в курсе тяжбы Серёги с Щебетовским и не сомневался, что заказчик — Щебетовский. Но кто слил майору информацию о деталях и участниках той бойни на Шпальном рынке? Витёк, кто ж ещё.

— Ты сдал меня боссу, Витёк? — изумлённо спросил Сучилин.

— Я не понимаю, о чём ты, Ян, — озабоченно сказал Басунов, с искренним сочувствием глядя на Сучилина. — Извини, друг, мне пора. Звони, если что.

Басунов спускался от Сучилина не на лифте, а по лестнице, и натягивал перчатки. Внутри у него всё отяжелело от удовольствия обладания, словно ему подарили дорогую и престижную иномарку. Управлять чужой жизнью Басунову было так же приятно, как управлять навороченной тачкой.

А Сучилин сразу решил, что сделает, как приказал Басунов. Да, ему жалко тех девчонок-лисят, однако сейчас он всерьёз разозлился на Серёгу. Он думал, что Лихолетов делит «Коминтерн» с Щебетовским, а он тут не при делах, но из-за конфликта Лихолетова Басунов напомнил ему, Яну, о том, о чём Ян четвёртый год изо всех сил старается забыть. Это Серёга виноват, что Яна ткнули рылом в кровь, о которой он и без того сожалеет. И пусть тогда Серёга заплатит за унижение товарища. Не надо было ему втягивать Яна в свои разборки. Отыскивая вину Серёги, злясь на Серёгу, Сучилин, сам того не сознавая, уже начал готовить себя к исполнению заказа.

Он каждый день сидел рядом с Лихолетовым за баранкой «гелика», но понимал, что на самом деле справиться с заданием будет очень трудно даже ему. Серёга не пацан, он не подпустит к себе, а ведь потребуется куда-то заманить его, чтобы уложить без свидетелей. После этого надо будет отвести подозрения. И вдруг ещё Неволин нарисовался!.. Он вообще всё усложнит. Следует отработать заказ до того, как Немец займёт место возле Серёги.

Времени у Сучилина не оставалось. Он приехал к общаге Неволина и долго ходил вокруг здания по заснеженным тротуарам, примеряясь ко двору, к дорожкам, сугробам, фонарям и к скверу, после этого зашёл в вестибюль и попросил кого-то из жильцов вызвать Немца на вахту. Неволин спустился.

— Здоро́во, — сказал Ян, подавая руку. Он не испытывал перед Немцем никакой неловкости, словно хирург перед пациентом. — Я от Лихолетова. Он хочет заехать к тебе сюда перетереть завтра в девять вечера. Просил услать куда-нибудь твою жену, если она вам помешает. Но базар ненадолго.

— А о чём разговор? — как-то недоверчиво поинтересовался Неволин.

— Он мне не докладывал. Он даже едет без меня. Это ваши заморочки.

Сучилин намеренно сказал, что Серёга приедет сам, один. Раньше по вечерам Серёга часто ездил без водителя — но не теперь, когда стал опасаться покушения. Однако Ян рассчитывал, что после исполнения, когда закрутится следствие, Немец сообщит, что Лихолетов ехал к нему в одиночку.

День, на который Сучилин назначил убийство, был средой.

Серёга до вечера работал в офисе. На улице возле машины, кряхтя, он сделал гимнастику, разгибая затёкшую поясницу, влез в салон, и они с Яном погнали: Серёга по-быстрому заглянул в ресторан, где дёрнул коньячины с Виталей Уклонским, затем на почтамт за бандеролями, затем забрал Нельку с маникюра и распорядился рулить к дому, чтобы высадить её у подъезда. Только потом Лихолетов намеревался отправиться к Немцу.

— Серый, я лучше в машине подожду, пока ты с Немцем треплешься, — Нелька расстегнула шубу, устраиваясь на заднем сиденье «гелендвагена» поудобнее. — Чего тебе туда-сюда мотаться? И на обратном пути вместе в супермаркет сходим, а то я всегда покупки одна таскаю, как лошадь.

Сучилин, не оборачиваясь, стискивал руль и надеялся, что Серёга всё-таки не возьмёт Нельку с собой к Немцу. Серёга сосредоточенно распечатывал новую пачку сигарет, он курил «Парламент».

— Как угодно, котёнок, — ответил он. — Не скучно, так жди. Двигай, Ян.

«Гелик» бежал по тёмным февральским улицам Батуева, поворачивал на перекрёстках, обгонял автобусы и снегоуборочные машины, тормозил на светофорах. Ян думал, как он сейчас будет убивать своих пассажиров, взвешивал каждый шаг и каждый жест. Серёга курил, размышляя, о чём он будет говорить с Немцем после долгого отчуждения. Нелька вспоминала, что нужно купить в супермаркете: яйца, копчёную рыбу, сыр, и такой плоский грузинский хлеб, и носки Серому, и ещё, блин, так чипсов охота, но они вредные, может, тест на беременность взять, если на солёное тянет?..

«Гелик» осторожно пробрался между большим сугробом и сетчатым забором какого-то долгостроя и остановился на расчищенной парковке. За сквером высилась девятиэтажная громада общаги, где сияли все окна.

— Мне тут подождать или как? — глухо спросил Сучилин.

— Надеюсь, не пристукнут меня за двести метров, — усмехнулся Серёга.

— Давай я пройду, оценю обстановку, — Сучилин не смотрел в глаза.

— Ладно, оцени, — Серёга вздохнул.

— Серый, обещай мне, что на полчаса и не больше, — попросила Нелька, рассматривая новые ногти при свете маленького плафончика на потолке.

Ян открыл дверь и выбрался из машины.

Сутулясь, он пошёл по дорожке через сквер к подъезду общаги. Горячие скулы студил приятный лёгкий морозец. Под подошвами мягко хрустело, снег понизу призрачно освещал пространство сквера, ледяные ветви синей паутиной заплетали тёмное небо. Вокруг — никого. Вдали справа налево и слева направо, накладываясь друг на друга, проносились огни улицы.

Стараясь не изменить очертаний спины, Сучилин достал пистолет.

Серёга как раз приспустил стекло, чтобы выбросить окурок, — и в этот момент услышал два хлёстких, звонких выстрела в сквере. В лобовое окно Серёга увидел, как впереди на узкой дорожке под деревьями Ян Сучилин, одетый в пуховик с лохматой опушкой капюшона, согнулся пополам и упал.

Серёге нельзя было бросаться к Сучилину, пока не выяснил, откуда вели огонь, но Лихолетов не вспомнил о тактике боестолкновений — те армейские навыки уже забылись; в сознании сработало другое: «афганец» «афганца» не оставит. Серёга вывалился из «гелика» и, пригибаясь, опрометью помчался к Яну, лежащему на тротуаре, добежал, упал на колени, схватил за плечо и перевернул на спину. Лицо у Яна было залеплено снегом, а глаза смотрели в глаза Серёге. Куда-то под вздох Лихолетову упёрся ствол «стечкина».

Серёга сразу понял, что Ян сам и стрелял, имитируя покушение на себя.

Нелька, приникнув к окошку, вздрогнула от третьего выстрела. Серёга, что на коленях склонился над Сучилиным, дёрнулся и сунулся ничком.

Нелька помнила наставления Серёги, что при любом нападении ей надо лечь в машине на пол и никуда не соваться, но всё равно открыла дверь, выскочила и понеслась к мужикам, что кучей распластались на дорожке. Серёга там ворочался — видимо, раненый пытался что-то сделать с Яном.

Нелька летела в распахнутой шубке, будто всполошённая птица, и за пять шагов до Серёги осознала, что это не Серёга шевелится, поднимая Сучилина, а Сучилин выбирается из-под безвольного, обмякшего Серёги.

Ян снизу вверх смотрел на Нельку, на её красивое, испуганное, словно только что созданное лицо, и с натугой высвобождал из-под Серёги плечо.

— Извини, — сказал он, протянул к Нельке руку с пистолетом, такую длинную-длинную-длинную руку, и дважды выстрелил.

Нельке показалось, что сквозь неё, как сквозь воду, прошли две широких трубы с пустотой внутри, и вместо неё теперь тоже осталась только пустота, и эту пустоту без следа развеяло над снегом лёгким дуновением ветра.

Ян медленно поднялся на ноги.

Серёга и Нелька валялись на утоптанном снежном тротуаре, будто вещи, оброненные настоящими Серёгой Лихолетовым и Нелькой Нырковой, но только где их, живых, сейчас искать, как догнать, как вернуть потерю?

Спрятав пистолет в карман, Ян Сучилин с натугой приподнял Серегу и перевалил в глубокий сугроб за снеговой бруствер, что тянулся вдоль тротуара. Потом точно так же перекатил Нельку. Надел перчатки, ладонями замёл следы на дорожке, поправил бруствер и охлопал его для надёжности, а затем отряхнулся и пошагал в сторону улицы с автомобилями. Он отойдёт на километр, поймает частника и уедет. Никто его тут не видел. Серёга пригнал сам, без водителя, и тут, возле общаги, угодил в засаду, а потом и Нелька тоже. Их «гелик» пусть стоит на парковке, пока не сработает топливо.

А Немец так и не дождётся Лихолетова. В недоумении пожав плечами, он отправится на кухню готовить ужин — один, без Танюши, которая уехала навестить Яр-Саныча. Про Лихолетова и про Ныркову общага узнает лишь утром, когда дворник, расчищая дорожку, обнаружит тела и вызовет ментов.

А Серёга с Нелькой свою последнюю ночь на земле проведут вдвоём. Обращённые друг к другу лицом, как возлюбленные, они тихо пролежат в сугробе под снегопадом — совсем неподалёку от крыльца общаги. В самый глухой час ещё не умерший Серёга ещё откроет обледенелые глаза. Прямо перед собой он увидит мёртвое и очень белое лицо Нельки с чёрной дырой, пробитой пулей над тонкой бровью, но ничего уже не поймёт и не узнает Нельку — ведь он в жарком Афгане, ведь он командир «Коминтерна».

— Танюша, почему снег? — почти беззвучно спросит он.

* * *

Он вернулся в Ненастье в субботу ещё до рассвета. Утро в ноябре разгоралось, будто костёр на сырых дровах: где-то сбоку, через силу, с белым дымом. Сначала в темноте засинели скаты крыш и какая-то глубокая, неровная, извилистая трещина вдоль восточной стороны горизонта. Потом зябкая сизая мгла растеклась, словно водяная чума, мир оцепенел, и вдруг непонятно где замаялось острое красное пламя. Его было немного, не больше, чем на лучине, однако всё неподвижно посветлело само собой, и наступил день 22 ноября 2008 года.

Герман сидел в мансарде возле заиндевелого окна и ждал, пока в стакане с кипятильником забурлит вода. Он смотрел на безлюдные дачи с чистыми дворами, на ледяные вербы и липы, на дальние ровные луга с неожиданными зазубринами перелесков, на мягкие серебряные размывы рассеянного неба. В доме было холодно; Герман накрутил на себя все одеяла, которые отыскал. Печку ему не затопить — сторож Фаныч увидит дым, и до ночи из Ненастья не уйти, потому что улицы покрыты изморозью, чувствительной, как эмульсия на фотоплёнке, и любой след будет заметен, будто от динозавра.

Да, он вернулся в эту заколдованную деревню. Конечно, с тайником всё в порядке. Вокруг — полный покой. Но что же ему делать? Он уедет отсюда, и опять начнётся ползучее сумасшествие, опять сомнения примутся разъедать и точить здравый смысл, опять воображение наполнит сознание отчаяньем и картинами катастрофы... Легче сжечь мешки с деньгами, чем уйти от них.

Герман смотрел из окна мансарды и обречённо размышлял: может, ему уехать не в Самару, а куда-то поближе, чтобы время от времени незаметно навещать свой тайник, если уж ему невмоготу не знать о состоянии клада? Это, ясное дело, не освобождение — но значительное удлинение поводка...

Невозможно уйти из Ненастья — а торчать тут бессмысленно. Западня. Но ведь он уже попадал в такие ловушки. Герман вспоминал свою жизнь. Он прятался в глыбовом развале возле моста через речку Хиндар у кишлака Хиндж. Он нёс дежурство на балконе «блиндажа», когда тянулось долгое «афганское сидение» в домах «на Сцепе»... Из одной ловушки его вытащил Серёга Лихолетов, когда начал стрелять по басмачам. Из другой ловушки его вышибла бывшая жена, когда позарилась на его квартиру...

Но не в квартире дело. Не в обороне укрепрайона. В своих незримых ненастьях полегли и Серёга Лихолетов, и Егор Быченко, и Каиржан Гайдаржи. Из такого ненастья он, Герман, сейчас выводил Танюшу — и уже почти вывел, уже видно, где безопасно, — а он, как на пехотную мину, наступил на свои миллионы и не может сойти с детонатора. Деревня Ненастье — капкан.

Не раздеваясь, он лёг на топчан, закрутился в одеяла, которые были, и уснул лицом к стене, чтобы сохранять тепло собственного дыхания.

В опустевшем Ненастье царила такая тишина, что Герман сквозь сон услышал с улицы, как брякает в петлях амбарный замок на воротах, а потом скрипит калитка. Кто-то входил во двор. Герман одним прыжком очутился у окошка и увидел внизу молодого кучерявого мужчину в модном пальто; осторожно, чтобы не шаркаться плечами по доскам, гость пробирался через узкий проём калитки. На улице возле ворот стоял чёрный «лексус».

Это капитан Дибич наконец-то пожаловал осмотреть дачу. Дубликаты ключей Дибичу дал покойный ныне Танцоров ещё 17 ноября, в понедельник.

Капитан уже поговорил со сторожем кооператива. Фаныч был пока что трезвый и произвёл хорошее впечатление. Капитан даже подержал лестницу, когда сторож за какой-то надобностью полез на чердак своей хибары.

— Точно могу сказать: они сюда приезжали поздно вечером в четверг, — сообщил Фаныч. — Танюшка Куделина, я её с девчонок помню, и этот новый хозяин — Танцоров. Приезжали на машине Танцорова, называется «патруль». Часа два на даче провели. Я сам их запускал и выпускал через ворота.

— Очень интересно, — искренне удивился Дибич. Протокол он не вёл, но главное — узнать факты, а для формального допроса можно потом прислать опера. — Зачем они приезжали в такое время? Встречались с кем-то?

— Того уж я не знаю, — с достоинством ответил Фаныч. — Не наше дело.

— Больше, значит, посетителей не было?

— Да вроде нет. Машины не проезжали, дыма из печи не видел.

— Хорошо, Андрей Митрофаныч. Вы молодец. Если что-то случится, или если Неволина увидите, — сразу позвоните мне. Вот вам моя визитка.

— Так точно, позвоню, — Фаныч уважительно вытер пальцы о ватник и взял у капитана карточку. — Щас телефон суну на подзарядку.

— И объясните мне, как проехать к дому Куделиных.

Дибич сначала прогулялся по двору бывшей дачи Яр-Саныча, подёргал запертую дверь сарая, обошёл домик по кругу, перебрал доски, жерди и рамы теплиц, приставленные к задней стене, покачал на прочность поленницу под навесом. Следов во дворе и на крыльце не было, но утром всё припорошило изморозью. Впрочем, Дибич не верил, что Неволин прячется здесь.

Это слишком просто. К тому же смущал странный визит Куделиной и Танцорова на дачу. Если Танцоров и Куделина в сговоре с Неволиным и приезжали сюда встретиться с ним, то у преступления получалась какая-то слишком громоздкая конструкция — а это неубедительно для следствия и ненадёжно для злоумышленников. Если же сговора нет, то какого чёрта эти двое сюда приезжали? Любовное свидание, что ли? На выстуженной даче?

Дибич поднялся на крыльцо и сунул ключ в скважину врезного замка.

В это время в мансарде Герман вновь залезал под топчан и загораживал себя ящиком с тряпьём Яр-Саныча. А куда ещё было прятаться в этом доме? Хорошо, что он не топил печь, а обыск, судя по всему, не настоящий...

Дибич вошёл в комнату и огляделся. Тахта, буржуйка, шкаф, комод. Старая посуда — разнобой из города. Три окошка с занавесками. Лестница наверх в мансарду, дощатый потолок с балками, поломанная пластмассовая люстра. Обои приколочены гвоздиками; старомодные матерчатые провода электропроводки натянуты на мелкие фарфоровые изоляторы. Длинные цветастые половики, под ними в углу — люк в подпол... Былое благополучие советского среднего класса, ставшее нынешней бедностью.

Дибич поднялся в мансарду. Скошенный потолок, заиндевелый от воды, что просочилась сквозь кровлю. Самодельный шкаф. Топчан. Кожух печной трубы. Возле окна — колченогий столик. На проводе висит лампочка.

Дибич заглянул в подпол. Тёмная стынь, окон нет, запах земли. Крутая лестница. Полки, уставленные стеклянными банками, в которых белеет что-то ледяное — замороженные припасы. Пустые ящики. Канистры.

У Дибича зазвонил телефон. Это был Щебетовский.

— Спасибо, что набрали, Георгий Николаевич, — Дибич ходил по комнате и скрипел половицами. — Я вам звонил вчера и сегодня, вы были вне зоны.

— В Москву летал, — пояснил Щебетовский. — Бизнес, Сева, не догонялки казаки-разбойники, у нас никто никого не ждёт. Могу я спросить, как дела?

Герман лежал в мансарде на полу под топчаном, не шевелился и слышал всё, что говорил Дибич.

— Давайте вместе друг друга поспрашиваем, — весело предложил Дибич. — Нам обоим будет интересно. Хотя злодей ещё не схвачен, а похищенные им сокровища ещё не найдены. Однако случилось нечто совсем детективное, Георгий Николаевич, а именно — коварное и таинственное убийство!

Дибич посмеивался над тяжеловесным напряжением Щебетовского.

— Что за убийство? — раздражённо спросил Щебетовский.

— Убийство некоего Владислава Танцорова, риелтора, который купил у Неволина дачу. Кстати, я сейчас как раз на этой даче.

Герман едва не приподнялся на локтях, вздымая на спине весь топчан. Танцорова убили? С ума сойти! Где? Как? Кто? За что?

— Ну, рассказывайте, если мне нужно об этом знать, — брюзгливо сказал Щебетовский. Ему очень не понравилось, что история становится сложнее.

— Его убили в ночь с четверга на пятницу возле общежития, где жили Неволин и Куделина, а сейчас живёт одна Куделина. Сначала выстрелили ему в бок сквозь дверь машины из охотничьего ружья, потом перетащили на заднее сиденье и свернули шею. Причём незадолго до убийства Танцоров приезжал сюда, на эту дачу, вместе с Куделиной. Видимо, отсюда Танцоров увёз Куделину домой в общежитие, а там на парковке его и ждал убийца.

Герман жадно ловил каждое слово Дибича.

— Думаете, это Неволин?

Дибич сел на тахту и скрестил ноги в дорогих итальянских ботинках.

— Танцоров убит из ружья, которое принадлежало тестю Неволина. Мы установили это по гильзе. У Неволина мог быть мотив. Например, ревность. Или месть Танцорову за какое-то неудовольствие во время сделки с дачей.

Герман как наяву видел всё, о чём говорил Дибич: позавчера чёрный «патрол» стоял во дворе дачи — и вот он уже на парковке возле общаги; дверь водителя продырявлена, и в салоне — Танцоров со свёрнутой шеей...

— Но есть две неувязки, Георгий Николаевич, поэтому я и хотел с вами пошептаться, — Дибич любовался блестящими носками ботинок. — Первая неувязка — оружие. Зачем Неволину красть ружьё тестя, если у него имеется «сайга», отнятая у вашего Басунова? И вторая неувязка — так сказать, модус операнди злодея. Неволин не похож на убийцу. При ограблении фургона он никого не ранил. А здесь — безжалостный выстрел на поражение, а потом и вовсе чудовищный способ умерщвления. Там гиньоль, Георгий Николаевич.

— Что вы хотите сказать?

— Хочу сказать, что не очень понимаю сложившуюся ситуацию. Для меня размываются мотивы Неволина, Куделиной и Танцорова. Как эти люди связаны друг с другом? Они в сговоре или в конфликте? Всё запуталось.

— Тут уже ваша компетенция! — проскрипел Щебетовский.

— Поэтому я хочу знать, чем занят и что думает ваш Виктор Басунов. Мне он ничего не докладывал, хотя вы обещали мне его содействие.

— Мне он тоже не докладывал! Значит, ничего не раскопал!

— А мне интуиция подсказывает, что это не так. Более того, Георгий Николаевич. Если бы я всерьёз занимался вашим делом, я бы допустил, что Танцорова убил Басунов. В рамках вашего задания искать Неволина.

— Что вы имеете в виду, господин капитан? — взбесился Щебетовский.

— Я имею в виду, — Дибич был подчёркнуто вежлив, — что ваш цепной пёс перегрыз цепь, а вы не заметили. Когда его возьмут, он начнёт валить на вас. А вы потянете и меня. Но ведь нам с вами обоим всё это ни к чему.

Герман понял, что человек внизу — офицер милиции, который руководит его поиском. И этот офицер находится с Щебетовским в неформальных отношениях. И ещё в их комбинации как-то задействован Басунов, причём он, похоже, повёл свою игру. Но все они, все трое, одним миром мазаны.

— Я разберусь с Басуновым, — через силу пообещал Щебетовский.

— И прекрасно, Георгий Николаевич. Удачи всем нам.

Дибич легко вскочил с тахты, спрятал телефон в нагрудный карман и направился к выходу, звеня ключами. Ненастье его больше не интересовало —

дача казалась ему отработанным материалом, ложной версией.

Герман лежал под топчаном за ящиком, ожидая, когда Дибич запрёт входную дверь и вытащит ключ. Потом с улицы донёсся мёрзлый скрежет калитки, бряк амбарного замка в железных петлях, кваканье сигналки. Дибич уезжал, а Герман вылезал из-под кровати. Он вытаскивал за собой какой-то свёрток, который всё время давил его в бок. В прошлый раз — при Владике — этого свёртка Герман как-то не заметил...

В старой телогрейке Яр-Саныча лежал бокфлинт — подарок Лихолетова. Стволы с воронением, никелированные цапфы и флажок селектора, приклад из тёмного ореха с изогнутой полупистолетной шейкой... Дорогое и редкое ружьё всегда висело в квартире Куделиных в большой комнате на ковре. Герман столько раз вертел бокфлинт в руках, когда отца Танюши не было дома, но никогда не просил дать пострелять — не хотел связываться с жадным и скандальным стариком... Но как бокфлинт оказался в Ненастье?!

Герман сидел в мансарде на полу с двустволкой в руках. Патронов в ружье не было. Сейчас не было. А в ночь с четверга на пятницу патрон в нём был, ведь из этого ружья завалили Владика Танцорова.

Картинка сложилась в сознании Германа, словно бокфлинт составился и сомкнулся в боевую позицию. Не хватало многих деталей, чтобы понять все причины и взаимосвязи, но и без них механизм уже мог работать. Дело в том сквере у общаги... для Германа сквер был напоминанием о Серёге. Да, заказчика убийства Лихолетова так и не назвали, и киллера тоже не нашли, но всем было ясно, что смерть Серёги выгодна Щебетовскому, а Басунов — орудие Щебетовского. И вот новое убийство на старом месте — и тень сквера сразу падает на Басунова. Опять ведь те же самые выгодополучатели...

Басунов караулил Танюшу и встретил Танцорова. Подстрелил его, пытал и убил, потому что узнал, где можно искать Немца, — в Ненастье. Приехал в Ненастье и сунул бокфлинт под топчан, чтобы перевести стрелки на Немца. Теперь Немец — опасный убийца, бешеный пёс, которого можно прикончить.

Герман автоматически завернул бокфлинт обратно в телогрейку, сунул на прежнее место, встал и подошёл к окошку. Пальто на Германе, купленное для комфортной жизни по гостиницам, уже пообтёрхалось под топчаном и не выглядело новым и модным. На улице тихо падал снег. Зима началась.

Зачем всё это надо Басунову?.. Зачем-зачем... Разве Герман не знаком с Витюрой? Видимо, Басунов хочет быть королём ситуации. Узнает, где Немец спрятал деньги, Немца — в расход, и дальше можно жать из Щебетовского соки и вертеть боссом, как пожелает. Или забрать бабки и смыться. Убитый Танцоров — одновременно информатор Басунова и доказательство готовности Немца убивать; значит, убийство Немца можно выдать за самооборону.

А как Басунов поймает Немца, чтобы выпытать о тайнике?

Герман похолодел. В нём самом словно бы началась зима.

Басунов возьмет в заложницы Танюшу. Как только Танюша получит возможность хоть что-нибудь сообщить Герману о себе, Басунов тотчас надавит на неё, чтобы вынудить Немца выйти на свет под дуло пистолета.

Однако Герман по-прежнему может исчезнуть. Наверняка он сохранит свои деньги. И никто не убьёт Танюшу... Но ведь он не обретёт спокойствия: он сожрёт сам себя, потому что унесёт ненастье с собой. Нет, надо с этим закончить. Надо вырваться. Надо самому нанести удар: придумать засаду, заманить Басунова и грохнуть. Увы. Он — солдат, а не вор. У него не получилось идеального ограбления. Но он ещё может победить на войне.

Уберечь Танюшу ему поможет снег.

Через пять минут Герман уже раскапывал тайник среди кустов малины. Он не боялся, что его увидят: в разболтанном молоке густого снегопада его не видно уже с десяти шагов, он как под прикрытием дымовой завесы. Он тяжело дышал, но не срывал дыхания: он ощущал себя аквалангистом в ледяной простокваше. За полчаса Герман дорылся до крышки погреба.

Туда он полез, конечно, не за деньгами. Зачем ему сейчас деньги, и так их навалом. Окончательно запачкав городское пальто, он вытащил из погреба карабин «сайга» и три запасных магазина с патронами. Это его боекомплект для атаки на Басунова. Теперь он вооружён и готов к столкновению.

Он закопал погреб с деньгами обратно, утоптал ногами и лопатой подгрёб снег, хотя напрасно — лопатой ничего не замаскировать. Но снегопад замаскирует. Герман не успеет пройти и полпути от дачи до станции, чтобы ехать в Батуев, а снегопад уже скроет все следы его тайника.

В Батуеве Герман хотел из толпы на вокзале позвонить Танюше.

А Танюша услышала о гибели Владика на сутки раньше, чем Герман.

В пятницу утром она позвонила в «Гантелю» и попросила отгул. После встречи с Танцоровым она чувствовала себя разбитой, больной, отравленной, и почти до полудня лежала в постели. А потом общага зашумела ужасной новостью: на парковке нашли простреленную машину с мертвецом! Тане эту новость сообщила Зоя Татаренко — постучалась в дверь и вынудила встать.

Танюша оделась, спустилась вниз, вышла на улицу и — уже догадываясь и слабея — еле доплелась до парковки. Здесь суетились оперативники, а сама площадка была огорожена полосатой лентой. Труп увезла «скорая», но Таня узнала машину, на которой вчера ездила, — чёрный «патрол» Владика.

Поначалу Танюша испугалась; ей показалось, что вокруг неё незримо ходят страшные тёмные силы, убивающие людей. Хотя в глубине души на углях обиды вдруг затлело тихое и жестокое злорадство: так и надо Владику! Таня даже разволновалась: неужели это Гера отомстил за неё? Но потом холод ноября остудил её, и Таня согласилась сама с собой: Гера не стал бы убивать за то, что вчера случилось. Избил бы, но не застрелил. Стреляют, как тут, — за деньги, а не за любовь. Танюша знала это на примере Серёжи.

Она вернулась в общагу. Ей всё стало горько. Горько за вчерашний грех и за его бесполезность, столь очевидную сегодня... Горько вообще за то, что Владик был в её жизни. Он плохой. И она не будет жалеть о его гибели. Он сам хоть раз пожалел её? Если бы её жалость воскрешала, Владик воскрес бы таким же плохим. Она всегда жалела людей (и плохих тоже!), но ведь они от этого не делались лучше. И пусть тогда их убьют хоть всех!

Конечно, убивать нельзя... Гера не будет убивать. Гера не хочет никого убивать, это же понятно! Но если ему придётся, то она... то она его простит. Он ей дороже правды. Дороже справедливости. И пусть он даже поступает неправильно! «Разве я не заслужила его? Разве мне ничего не надо?» — плача на кровати в общаге, думала Танюша с непривычным гневом. У неё отняли мать и сестру, её бросили Владик и Серёжа, она не может жить в своём доме, отец как мертвец, что у неё осталось-то, кроме Геры? Она его не отдаст.

А вскоре Танюше позвонил капитан Дибич и предупредил, что приедет.

Всё просто: в телефоне Танцорова обнаружили множество звонков Тане Куделиной. И сразу стало ясно, в рамках какого дела надо рассматривать убийство Танцорова. В рамках дела Неволина. А его вёл Дибич.

Он сел на стул, а Танюша, как заключённая в камере, сидела на кровати.

— Скажите, Татьяна Ярославна, есть ли у вас какие-то мысли о причинах убийства Владислава Танцорова, о том, кто это мог сделать?

— Я только знаю, что это не Гера, — тихо и твёрдо ответила Танюша.

— Почему не он?

— Он не такой.

— Танцоров много раз звонил вам. О чём вы говорили?

— Про дачу. Где что лежит. Как чего делать.

— А о чём шла речь во время последнего звонка, то есть в среду вечером?

— Я не помню.

Дибич видел, что Куделина запирается или молчит. Капитан разбирался в людях и понимал, что Таня не замешана ни в каких злодеяниях: кто доверит ей хоть какой-нибудь умысел? Она же как дитя. Но почему она вдруг начала тихо сопротивляться?

— А почему вчера ночью Танцоров приехал к вашему общежитию?

— Я не знаю.

Беленькая Танюша густо покраснела — она испугалась, что милиционер слишком близко подошёл к тайне убежища Геры в Ненастье. А Дибич понял проще: да ба-а, эти двое — Куделина и Танцоров — любовники! Неожиданно! Кто бы мог подумать такое про Куделину!.. Вот поэтому она и ушла в отказ.

Однако адюльтер — серьёзное препятствие для беседы, особенно у таких трепетных натур, как Куделина. Его не преодолеть без конкретных фактов и вопросов по существу. И Дибич отложил разговор: он пока не готов. Он ещё не знал про вечернюю поездку Танюши и Владика в Ненастье. Он узнает о поездке только на следующий день — в субботу. Но будет уже поздно.

Днём в субботу Герман стоял в гомоне вокзала Батуева на платформе для пригородных поездов и смотрел на часы. В 15:30 уходит электричка до Ненастья. Он позвонит Танюше в 15:15, поговорит — и сразу в электрон.

Номер Тани наверняка прослушивают — и менты, и Басунов (может, они вообще сидят вместе). Менты определят локацию — вокзал, но не успеют накрыть тут беглеца. А Басунов услышит то, что жаждет услышать: где прячется Немец. Герман выдаст своё убежище так, чтобы менты не поняли, а Басунов понял; выдаст — и укатит готовить встречу Басунову. Герман был уверен, что долго ждать ему не придётся. Басунов клюнет и примчится.

Герман достал один из припасённых краденых телефонов и, сверяясь с бумажкой, медленно набрал одиннадцать цифр номера Танюши.

— Алё? — испуганно сказала Танюша, и Германа вдруг начало загибать, будто от удара под дых. Этот нежный, слабый, милый, невыносимый голос...

— Пуговка... Это я... —— охрипнув, сказал он.

— Ге... Гера! — отчаянно выдохнула Танюша.

— Танюша... Танюшенька... — внезапно начал спотыкаться Герман. — У меня всё нормально... Танюшенька, с Танцоровым — это не я! Верь мне!

— Я верю, Герочка!.. Герочка!..

— Тебе будет трудно, Танюшенька, но ты всегда знай — я тебя люблю, я вернусь к тебе, у нас всё начнётся снова, я тебя ни на что не променял!..

— Я знала, Герочка! Я знала! Знала! — словно прозрев, твердила Таня.

— Ты не слушай, что про меня будут говорить... Я люблю тебя... Я уже решил, что мне нужно делать... А ты меня жди!

Люди, что шли по перрону, оглядывались на странного рослого мужика, который, забыв о сутолоке, сгорбившись — словно сам в себя завернулся — что-то сбивчиво бормотал в телефон, закрывая мобильник ладонью.

— Не верь Витьке Басунову! Я получил его посылку! Он мне её прямо на дом прислал! Не верь ему, Танюша! Никому не верь! Только мне!

— Герочка... Герочка... Как ты живёшь? — захлёбывалась Таня.

— Хорошо... Нормально... Танька, господи, как мне плохо без тебя!

— Я сейчас приеду! — не выдержав, крикнула Танюша. — Я знаю, куда!

— Нет! Ни в коем случае! — Герман даже затряс телефоном. — Жди меня дома, Пуговка моя... Я вернусь к тебе... Всё, больше нам нельзя говорить!..

Он не мог наговориться с ней, наслушаться — словно не мог надышаться после петли, и потому нажал на кнопку отбоя с такой силой, что едва не раздавил телефон. И сразу же пошагал по перрону, ничего не видя. Губы ещё тряслись. Спохватившись, он бросил телефон в железную урну.

А Танюша, ещё ничего не осмыслив после звонка, вдруг почувствовала себя беспредельно счастливой. В заборе, которым она отгородила себя от мира, яростно пылали все щели — может, снаружи пожар, а может, рассвет.

Танюшу окатывало сразу и тревогой, и радостью. Она ошеломлённо и сокрушённо засмеялась от непонятной надежды. Да, уже не всё возможно для неё... но то, что ещё возможно, непременно изменит всю её прежнюю жизнь, сделает прекрасной! Всё сдвинулось, всё поплыло... Геру уносит — но она не должна от него отставать! Он сказал, что не надо приезжать к нему — но это потому, что не доверял ей, ведь она была слабая... А она больше не слабая! И только один-единственный шаг отделяет её от Геры!

* * *

— Девушка, меня зовут Виктор Борисович. Мне нужно к сотруднику.

Басунов любил, чтобы к нему обращались по имени-отчеству, а потому представлялся везде, где была возможность. В банке «Батуев-инвест» дело у него сейчас было пустяковое — снять процент с депозита, но Басунов держался так, словно пришёл решать мировые финансовые проблемы.

— Присаживайтесь, я приглашу вас к вашему менеджеру, — дежурно улыбнулась девушка-распорядитель в голубой униформе банка.

Басунов сел в синее мягкое кресло у низенького столика и с видом знатока взял журнал *"Harvard Business Review"*. Английским он не владел.

В кармане у него мягко закурлыкал телефон.

— Виктор Борисович, есть контакт, — сказал Володя Чубалов. — Неволин сделал звонок жене. Вам зачитать распечатку или послушаете запись?

— Дай запись, — негромко сказал Басунов, внутренне собираясь.

Его идея грохнуть Танцорова сработала: теперь Немец звонил Татьяне оправдаться. «Не верь Басунову! — звучал в трубке его взволнованный голос. — Я получил его посылку! Он мне её прямо на дом прислал!» Значит, Немец нашёл бокфлинт... Жаль. Хотя пока всё идёт именно так, как задумано.

— Он сказал «на дом»? — переспросил Басунов у Володи.

— Да.

— Пеленговали? — Басунов помнил, как в Афгане он дежурил в тесной «Шилке» у бортовой РЛС, ещё ламповой, и следил за азимут-горизонтом.

— Сигнал с железнодорожного вокзала.

Есть: Немец в Ненастье!

— А что Дибич делает?

— Не знаю, Виктор Борисович. Я переслал запись в его отдел дежурному, но сегодня суббота, на работе не все.

— Спасибо, Володя, ты меня очень выручил, очень!

Басунов бросил журнал на столик и поднялся, убирая телефон.

— Девушка, отменяю встречу, — сказал он. — Срочные дела.

— Ясно, — улыбнулась девушка. — Всего хорошего, Виктор Борисович.

В то время, когда Басунов начал готовиться к рейду в Ненастье, в самом Ненастье Немец вышел из дома с карабином «сайга» за плечом. Под мышкой он нёс свёрнутое в рулон одеяло — лежанку для стрельбы. На Немце был рваный бушлат, в котором Яр-Саныч ходил на даче в холода и непогоду, ватные брюки и (за неимением берцев) старые зимние ботинки. Свитер, лыжная шапочка, шерстяные перчатки. Герман надеялся, что, прикончив Басунова, он вернётся в дом и переоденется, а потом уйдёт на станцию. Там в ячейке камеры хранения его ждал саквояж с деньгами и документами.

Снегопад прекратился, и даже распогодилось, хотя небосвод заполняла какая-то светлая дымка. Солнце сдвинулось с зенита к горизонту и набухло красным соком, отчего пространство странно и сказочно порозовело. Скаты крыш, толстые, как матрасы, стали персиковыми. Полиловели тени от зданий и заборов. Заиндевелые яблони напоминали ворохи ледяных волос. Что-то эротическое появилось в телесно-румяных изгибах и мягких округлостях заснеженных предметов. Солнечные отражения в окнах пылали спектром.

Герман был спокоен. Переживать он будет после — если всё получится, если он уцелеет. Но наконец-то он попробует сделать дело самым логичным способом: просто уберёт с пути то, что мешает жить, и больше ничего не надо будет ломать, не надо будет выворачиваться, юлить и метаться.

Басунов поедет от ворот Фаныча вот по этой улице, её тут называют Средней. Стрелять надо метров со ста пятидесяти. Жаль, закат сзади, лобовое стекло начнёт бликовать... Так, ему надо найти точку, желательно, высокую, с которой он сможет держать машину Басунова под стволом секунды три-четыре, лучше пять, а скорость у машины будет километров двадцать... В общем, ему для покушения нужна дистанция для пробега метров в двадцать пять или тридцать, чтобы непрерывно вести машину на прицеле.

Не так-то легко оказалось найти нужный участок. Узкие улицы, заборы, деревья, строения, нет удобных высоких точек... Хорошо, что «икс пятый» — машина более-менее рослая (Герман рассчитывал, что Басунов приедет на своём джипе; Герман не раз видел этот джип на парковке Шпального).

Герман выбрал позицию. Вот тут за штакетником — сооружение летнего душа: железная рама, которую летом закрывают полиэтиленом, а сверху — железная бочка. Герман перевалился через штакетник и покачал раму рукой: выдержит ли толчки отдачи при выстрелах? Вроде крепкая, не опрокинется. Бочку можно сдвинуть на край площадки, и будет место для стрелка.

Хозяев этой дачи Герман не знал. И наплевать. Он нашёл за домиком приставную лестницу, перенёс к будке с бочкой, забрался наверх с одеялом и «сайгой» и устроился удобнее. С макушки халабуды вся деревня Ненастье оказалась как на ладони, хотя высота была всего-то метра два... Холодно... Герман сунул карабин под бушлат, чтобы не загустела смазка затвора.

Вокруг было тихо, только изредка шумели поезда. Нет, вот ещё на том участке птичка пинькает в кусте смородины... Винно-красное завьюженное солнце висело где-то сзади, за станцией. Герман ждал, нахохлившись. Час-другой — подумаешь... Вообще он ждал Витьку Басунова семнадцать лет.

Автомобиль появился бесшумно. Он медленно ехал по улице — такой ярко-чёрный, заметный, поблёскивающий. Герман тотчас вздёрнул карабин к плечу наизготовку и прицелился. Эх, ствол у «сайги» укороченный, это плохо сказывается на точности... Стёкла джипа полыхали шафраном... Так, пусть поравняется вон с тем деревом... Герман задержал дыхание.

Выстрел грохнул в лицо, карабин толкнулся, сбивая прицел, и Герман потерял одну секунду. Он восстановил самоощущение, навёл мушку, замер, фиксируя позицию, и снова выстрелил. Нельзя было терять время. Герман мгновенно расслабился, сбрасывая напряг, тотчас собрался, оценил прицел и выстрелил в третий раз. Но непонятно было, попадал он или нет.

«Икс пятый» остановился и на миг застыл в неподвижности.

Вдруг все четыре его дверки распахнулись, и в разные стороны из джипа вывалились четыре человека в зелёном камуфляже — именно вывалились, чтобы залечь на землю вне зоны видимости. А потом забабахали выстрелы: это атакованные скоординировались и открыли ответный огонь по Герману. Дрогнул лёгкий заборчик, уронив снежные шапки с кончиков своих дощечек. Железная бочка рядом с Германом звякнула, насквозь пробитая пулей. Бойцы из джипа быстро и профессионально обнаружили стрелка и место его засады.

Боец в камуфляже, прячась за кустом, перескочил в огород, перемещаясь от своего джипа ближе к Герману. Потом в другой стороне другой боец выбил калитку и тоже юркнул в огород, подбираясь к стрелку на будке с бочкой. Герман узнал светлые волосы и красную рожу — это был Сучилин. Значит, эти четверо из джипа — сам Басунов, Ян Сучилин, Темурчик Рамзаев и Лега Тотолин. Те, кто охранял спецфургон в день ограбления... Вот чёрт, Герман никак не ожидал, что Басунов приедет не один!

Видимо, он промахнулся по водителю джипа, и даже не ранил никого — все четверо двигались легко, по-спортивному. И это они теперь атаковали Германа, по огородам подбираясь к будке с бочкой. Засада не удалась!

Герман спрыгнул с будки — приземлился тяжело, отбив ступни, ну да ладно. Он побежал вглубь участка, обогнул домик и с разбегу перемахнул забор. Бойцы Басунова гонятся за ним — это без сомнений. Но сейчас Германа не мучили сожаления или досада. Надо решать тактическую задачу — оторваться от озлобленных преследователей, а переживания — потом.

Герман ломился через садовые участки Ненастья, а четыре бывших охранника Шпального рынка, четыре «афганца», четыре бойца, ломились вслед за ним. Холодный воздух обжигал скулы, от бега в груди саднило. Но Герман не потерял самообладания. И на душе было легко: отныне — всё!

Неважно, кто сегодня победит, — эта маленькая война в дачной деревне наделает столько шума, что менты возьмут Таню под колпак, ведь вокруг неё столько всего: мешки денег, убийства, перестрелки... И Басунов к Танюше уже не подберётся — бесконтрольно к ней менты никого уже не подпустят.

Герман бежал через участки. Кусты в инее. Тесовые домики. Ограды. Сараи. Герман укрылся за углом и выстрелил куда-то назад, где мелькнул Лега Тотолин. Потом сгрёб ладонью с ветки горсть красной ледяной рябины, сунул в рот и побежал дальше. Ограда из покрышек. Голые рамы парников. Герман нёсся, грубо ступая прямо в грядки, забранные в дощатые короба, давил ботинками клумбы, мягкие даже под снегом. Большие семейные столы с кровлями. Мангалы. Скамейки с резными спинками. Тонкие деревца в заборчиках. Из сугроба испуганно глянул деревянный садовый гном.

По Герману тоже стреляли. Один раз пуля выбила перед ним полено из поленницы, и вся поленница с мерзлым бренчаньем вдруг потекла поперёк пути — Герману пришлось перепрыгивать. Другой раз на веранде, мимо которой он пролетал, лопнул стеклянный квадратик в наборном окошке. Но Герман понимал, что убить его не хотят. Его хотят ранить или направить в нужную сторону. Он необходим живым. Конечно, убить его могут и случайно; конечно, потом, выпытав о тайнике, его всё равно прикончат, — но сейчас его оберегают. И он не боялся. А это позволяло думать.

Басунов командовал умело и расчётливо. Сам он с Темуром бежал по улице и время от времени выстрелами показывал Немцу, что соваться на улицу не следует. Убегая через огороды, Немец проигрывал в скорости. Лега Тотолин и Ян Сучилин, будто кони, топали вслед за Немцем по участкам, оттесняя беглеца к железнодорожной насыпи — там он будет точно мишень.

Лега и Ян расшвыривали с дороги лёгкую дачную мебель, оставленную хозяевами. Получив пинок, кувырком отлетела маленькая лошадка-самокат. Сучилин уронил козлы, на которых пилили брёвна. Тотолин вышибал калитки. Медленно падали друг на друга лёгкие решётки для плетей вьюнка. Раскачивались потревоженные садовые качели. Холодная зола клубилась над раздавленной летней печкой. Тотолин и Сучилин знали, что догонят Немца: он не уйдёт и не спрячется — за ним оставалась взрытая борозда следов.

Герман уже задыхался, теряя силы. Он понял, что его прижимают к насыпи. Похоже, ему не сбросить преследователей... Однако он ещё может добежать до своего участка и занять оборону в домике Яр-Саныча... Не так-то просто будет выколупать его оттуда... Вот уже соседский участок — дом с подворьем, беседка, куча гравия, вкопанная чугунная ванна, чурбачки, накрытые красными пятнистыми тазиками, — огородные мухоморы для забавы... Герман продрался через полосу малины, пронёсся по грядкам Яр-Саныча, взлетел на своё крыльцо, высадил замок в двери и ввалился в дом.

«Всё, теперь я в крепости!» — подумал он, задвигая засов.

Лега и Ян остановились возле крыльца, переводя дух. Они почему-то не боялись, что Немец откроет по ним огонь из окна, и сами не стреляли: словно бы один уровень игры был пройден, и дальше — другие условия. Дальше уже надо выкуривать Немца из берлоги. Впрочем, это дело техники.

В это время сторож Фаныч в своей хибаре у ворот Ненастья метался по комнате в бестолковых хмельных поисках. Совсем недавно он мирно спал, накатив самогонки, но его разбудил Басунов: принялся стучать в окно и пинать в дверь. Фаныч выбрался на улицу и открыл ворота для чёрного джипа «икс пять», за тонированными окнами которого виднелись и другие пассажиры. Спрашивать что-либо у хозяев такой тачки не стоило; Фаныч и не спросил, что это за люди и нахрена они заявились в дачный кооператив.

А вскоре в посёлке началась стрельба — по улочкам и усадьбам словно бы стегали огромными кнутами. И вот тут Фаныч вспомнил недавний визит милицейского капитана, кучерявого такого, симпатичного. Капитан оставил визитку — звонить, если что. Фаныч рылся среди бумаг в поисках визитки: квитанции, листочки из отрывного календаря, рецепт от радикулита, чеки, какие-то списки, рекламки, статейка из газеты, фотки, инструкции к каким-то приборам... Вот же она! Фаныч нашёл визитку. Капитан Всеволод Дибич. Дрожащими пальцами Фаныч принялся нажимать цифры на телефоне.

А Герман баррикадировался, готовясь к обороне. Хозяйство Яр-Саныча он знал отлично и потому легко мог сделать дом почти неприступным. Он вытащил из шкафа узкий деревянный плотницкий ящик с ручкой, выволок из-под тахты ворох досок и разной обрези, которую Яр-Саныч на халяву уносил с пилорамы при станции. С грохотом вывалив из ящика на пол груду инструментов (фуганок, стамески, клещи, коловорот, киянка, угольник...), он быстро набрал среди кривых железяк пучок мощных, чёрных строительных гвоздей, а затем принялся грубо заколачивать окна досками крест-накрест.

Уже начался вечер, на улице прощально рассиялось низкое солнце, и снег ярко блестел — а в доме у Германа становилось всё сумрачнее. Герман свирепо лупил по гвоздям старинным молотком Яр-Саныча и думал, что ему надо продержаться до темноты. Потом он попробует незаметно ускользнуть из дома, а если не получится, то будет прорываться из осады с боем. В темноте в Ненастье он уйдёт хоть от кого, потому что знает местность.

Герман ничего не боялся, только злился, но как-то легко, освобождённо. Сил и ума ему хватит, а главное — Танюша в безопасности. Басунов больше не сможет использовать её в своих планах. Как это важно, оказывается, когда твои любимые — в безопасности. Этого не понимаешь в обыденной жизни... И хорошо, что теперь можно никого не убивать — даже Басунова...

Входную дверь Герман задвинул комодом, поставил на дыбы и навалил на стену тахту, чтобы (в случае надобности) обрушить на того, кто пролезет через окно. Рядом с другим окном таким же образом он расположил шкаф. Осмотрел «сайгу», проверил по карманам рожки с патронами. Там, на улице, — натренированные бойцы службы безопасности, ветераны Афгана, но ведь он и сам ветеран, он солдат, он тоже умеет сражаться. Шиш вам, не возьмёте.

А Басунов не сомневался, что он вот-вот возьмёт Немца.

Басунов шёл один по улице Ненастья за своим джипом. Парни остались караулить Немца, а Басунов решил перегнать автомобиль. Понятно, на что рассчитывает Немец: как стемнеет — стартануть. Он тут каждую нору знает, каждую кучу дерьма. В общем, нельзя позволить ему досидеть до темноты. Надо скорее штурмовать дом. Но сначала — перегнать машину поближе.

Басунов осмотрел джип снаружи. Вот пробоины от пуль Немца. Одна пуля вошла в лобовуху перед лицом водителя, пролетела между людьми в салоне, каким-то чудом никого не задев, и вышла через правую заднюю дверь. Дверь придётся менять, лобовуху тоже... Другая пуля ударила в крыло и пропала в капоте — но двигатель работает без сбоев. Рассматривая машину, Басунов испытывал даже некое удивление: как Немец посмел поднять на него руку, атаковать? Басунов давно считал себя неприкосновенным.

«Икс пятый» покатился по улице Ненастья в сторону дачи Яр-Саныча: роскошный и надменный джип мимо штакетников и палисадников скромной дачной деревни ещё советского пошиба — будто двадцать первый век мимо двадцатого. Басунов внимательно смотрел в окно — изучал окрестности на предмет бегства Немца. Нихера не видно, всё заросло рябинами, яблонями, вербами и липами. Басунов остановил машину неподалёку от дома Яр-Саныча и достал из бардачка папку Владика Танцорова с документами на дачу. Среди них были планы участка и улицы. Надо выяснить, что тут где...

Басунов разложил листы со схемами на руле. Да, Немец побежит вот сюда — здесь под железнодорожной насыпью дренажный тоннель. Немец сдриснет в лес за железной дорогой, чтобы затеряться... Значит, он должен выскочить из окна с западной стороны своего дома... Вот его участок... Дом, ворота, сарай, погреб, посадки, скважина... Басунов замер. Где погреб? Он же ходил по той стороне участка, когда привёз сюда бокфлинт, но погреба не видел! Погреб — основательное сооружение, его не забросят просто так... «А не погреб ли?..» — холодея от предчувствия, осторожно подумал Басунов.

* * *

Пока Басунов перегонял машину, получилось нечто вроде перемирия. Парни топтались возле дровяного сарая, курили и не выцеливали Немца по окнам.

У Сучилина был «стечкин», у Темурчика — тоже «сайга», а у Леги Тотолина — ТТ. Все стволы, понятно, никто никогда не регистрировал.

Домик Германа стоял на вишнёвом снегу, ярко освещённый закатом, а внутри царил полумрак. С карабином в руках Герман перемещался по дому с одной наблюдательной точки на другую. Итак, окна первого этажа — на юг, север и восток (входная дверь — на юг). Окна второго этажа — на запад и восток. Выхода на улицу через подпол нет. Слуховых окошек на крышу тоже нет. Герман не рассчитывал, что при необходимости он сможет выбраться на скат между стропил через слой старого рубероида, обрешётку и шифер.

Герман легко мог подстрелить кого-нибудь из парней, но не стрелял. Вот как повернулась жизнь. Он держит оборону в дачном домике, и против него — четверо «афганцев», бывших товарищей по «Коминтерну». Да, он украл деньги, он вор, — но им-то никто не давал права поднимать оружие.

И они не отцепятся. «Возможно, скоро они меня убьют», — спокойно думал Герман. У него было пронзительное предчувствие последнего боя. Эту вещую тоску он помнил по Афгану, и сейчас думал только о Танюше, потому что на краю гибели (он знал по себе) те, кого ты любишь, становятся впятеро дороже, а те, кого ненавидишь, оказываются безразличны. Значит, человек не создан для войны. И поэтому он и не стрелял в парней у дровяного сарая.

— Немец, может, сдашься? — крикнул Герману Лега Тотолин.

— Тогда мне верная крышка, — глухо ответил Герман через полуразбитое окно рядом с дверью и крылечком.

— Извини за обстрел, хотя ты сам тоже не одуванчик, — Лега подошёл поближе. — Все психанули. Но Витька не ставил задачу вальнуть тебя. Мы приехали просто взять. Если надо, подранить. Но чтобы живой был.

— Тотолин, ты не школьница, — Герман быстро выглянул и спрятался. Лега стоял перед окном, опустив руки. — Басунову нужен не я, а деньги. Он выбьет из меня, где бабки лежат, и закопает меня. Это как божий день.

— Беспредел давно кончился, Немец.

— Спроси у Витьки про Танцорова — послушай про беспредел.

К Леге подошёл Темур Рамзаев.

— Я отвечаю, Немец, что мы тебя живым Щебетовскому отвезём.

— Извини, Темурчик, не ты решаешь.

Рамзаев оскорбился, сплюнул и вернулся к сараю и Яну Сучилину.

— А почему ментов не вызываете? — спросил Герман из-за оконной рамы.

— Босс поставил условие: если мы тебя ему привезём, вернёт на работу. Если менты привезут — идите дрочите.

— Я думал, Лега, ты разумный мужик, — с сожалением сказал Герман.

К дровяному сараю с тыла подобрался Басунов — так, чтобы его не было видно из окон домика. Виктор не доверял перемирию.

— Времени на разговоры нет, — Басунов прищурился на закатное солнце. — До темноты надо управиться. Ян, пошмонай на соседних дачах, нужна ещё одна такая бандура, — Басунов пошлёпал рукой по грязной перекладине самодельной лестницы из двух жердин, приставленной к стене сарая. — Лега, Темурчик, не прозевайте Немца. Я отойду перетереть с боссом.

Басунов пошагал по заснеженным грядкам к краю участка — к малине и полосе отчуждения перед железнодорожной насыпью.

— Парни, дайте уйти! — издалека, из домика попросил Герман.

— Конец базару, Немец, — отрезал Темурчик.

— Будет бойня, — предупредил Герман. — Я не сдамся.

С «сайгой» в руках он привалился спиной к простенку. Над ним тикали старые комнатные часы. По доскам потолка разъехались кривые малиновые лоскуты вечернего света — заколоченное окно насекло закат сикось-накось.

— Убивать не хочу, но буду! Оно вам надо — за бабло для Витюры?

— Басунов сука, но не кинет босса, — с улицы ответил Тотолин.

— А кого он не кинул, Лега? Лихолета? Бычегора? Каиржана?

— Хорош мозги пилить! — разозлился Тотолин и отошёл от домика.

Басунов в это время осматривал край участка Яр-Саныча, где росли кусты малины. Никакой будки погреба. Вообще никаких следов. Тонкий снег застелил всё ровным чистым слоем. А на чертеже — вот он, погреб. Он не мог исчезнуть. И нарисовать его по ошибке тоже не могли: всё остальное на схеме совпадает до мелочей. Значит, погреб здесь, под землёй, а в нём мешки с деньгами. Басунов достал зажигалку и с уголка подпалил листок с планом.

Вальнуть Немца — ерунда. Убив Немца, можно отвертеться, отсудиться, откупиться. А реально трудным делом станет разговор с Щебетовским. После шантажа Георгия Николаевича все пути назад будут отрезаны.

Басунов по мобильнику вызвал Щебетовского. Ну, с богом.

— Георгий Николаевич? Да, мне есть что сообщить, — Басунов смотрел на поезд, пролетающий мимо Ненастья. — Георгий Николаевич, Неволин больше не проблема. Я знаю, где ваши деньги. И это знаю только я один.

— А где Дибич? — помолчав, брюзгливо спросил Щебетовский.

— Не в курсе. Он опоздал к ярмарке. Я догадываюсь, что вы направили его опередить меня, — Басунов понимающе вздохнул. — Георгий Николаевич, мы с вами давно знакомы. Давайте и дальше вместе работать.

— Что ты имеешь в виду, Витя?

— Я не хочу красть ваши деньги, как Неволин, — Басунов с трубкой возле уха прогуливался по заснеженному огороду. — Но и не хочу возвращать их за пять процентов комиссионных. Георгий Николаевич, я хочу быть вашим компаньоном и совладельцем Шпального. Вы можете переписать на меня акции, или долю уставного капитала, или часть площадей. Можете отдать мне в собственность какую-нибудь неотчуждаемую структуру... Всё на ваш выбор. Мои фонды пусть остаются в вашем управлении, а я претендую на прибыль с них. В общем, я жду вашего предложения, Георгий Николаевич.

Басунов аккуратно надавил на кнопку отбоя и перевёл дыхание. Дело сделано. И теперь Немец уже не нужен. Надо заставить парней грохнуть его. Это, кстати, тоже не так уж просто, ведь на дворе не девяностые.

Басунов направился к домику Неволина. Высокое свежее пламя заката в зените остывало радужной синевой. Ветви деревьев, столбы и провода на фоне зарева рисовались тонко и чётко, будто нити в оптике прицела. Холод плыл, как невидимая вода. Длинные поезда увесисто летели над насыпью в сотрясении озноба. Пространство цепенело, прорастая льдом по капиллярам.

— Новая установка от босса, — сухо сказал Басунов Темурчику, Леге и Яну. — Немца нельзя отдать ментам. Или берём сами, или кончаем.

Парни уже продрогли возле дома Немца. Тотолин отвернулся, дуя в кулак. Он не хотел смотреть в глаза Басунову. Неужели Немец был прав?

— Может, сразу спалим в доме? — испытующе предложил Басунов.

— Мы не каратели, Виктор, — сдерживаясь, непроницаемо сказал Лега.

— Западло сначала не попробовать взять, — Темурчик грелся, разминаясь боксёрскими движениями плеч и торса.

— Ладно, — усмехнулся Басунов. — Только ждать нам некогда. Пойду в последний раз предложу мудаку сдаться.

В общих чертах он уже составил план действий.

Подняв руки, он приблизился к домику, чтобы Немец видел его, и поднялся на крылечко к двери. Кричать снизу в окошко он не хотел.

— Эй, Неволин, — негромко позвал он. — Слышишь меня?

— Слышу, Виктор, — из-за двери отозвался Герман.

Басунов подумал, как бы выразиться убедительнее.

— Я знаю, где ты спрятал деньги. В закопанном погребе.

Басунов отодвинулся, чтобы Немец не выстрелил по нему через дверь.

— Ты больше не нужен, Немец. Сейчас парни будут тебя убивать.

Герман тоже стоял так, чтобы Басунов не выстрелил в него через дверь. В душе у Германа рушились все опоры, все надежды.

Басунов сказал Немцу о погребе не из желания поглумиться: Немца (как и Тотолина с Рамзаевым) надо было вынудить стрелять на поражение. Если он сам не начнёт убивать, то парни могут оставить его в живых.

— И ещё напоследок, — добавил Басунов, — хочешь знать, кто отработал Лихолета? Сучилин. Это правда, Немец, я не перевожу стрелки с себя, если ты так решил. Ян выполнил заказ. Ну, и всё. Передавай привет Лихолету.

Басунов отступил, прикрываясь углом домика, но Герман и не собирался стрелять. Сгорбившись, он стоял в тёмной комнате с «сайгой» в опущенной руке и думал, что это, похоже, конец. Так много важного всегда узнают лишь под занавес. Как грустно... Как отчаянно жаль Танюшу, которая останется одна, без любви, без помощи... Ну почему нельзя иначе?..

Герман вспомнил, как тогда, на Хиндаре, прапор Лихолетов объяснял ему, салаге: война — это не «ура, в атаку!». Война — соперничество со своими же пацанами. А враги — только препятствие, только слепое орудие смерти. Поэтому нужна идея братства: свой своего не кинет. Вот и сейчас его идут убивать не менты, а свои же — «афганцы». И Серёгу убили свои. И Танюше поломает жизнь он, Герман, — тот, кто был ей самым своим из всех на свете.

— Мужики, уговоры Немца закончились, — деловито сказал Басунов. — Значит, план штурма следующий. Мы атакуем сразу с четырёх сторон и на обоих этажах. Я по приставной лестнице лезу вон в то окно на втором этаже, Ян — на другой стороне дома лезет в противоположное окно.

Басунов внушительно глядел в глаза тому, с кем разговаривал, и руками показывал действия бойца, жестами подкрепляя слова.

— Как только мы с Яном разбиваем стёкла, Лега вышибает дверь, а Темур — окно, где верба. Лега, Темурчик, вы остаётесь снаружи и давите Немца огнём, заставляете его лечь на пол и не поднимать головы. Мы с Яном падаем на него со второго этажа. Помните, кто где, и не зацепите друг друга.

Парни молчали, обдумывая план.

— А может, хер с Немцем? — вдруг с надеждой спросил Сучилин.

— Ян, покажи мне лестницы, — напряжённо приказал Басунов.

Они отошли за сарай и поленницу.

— Очкуешь, Ян? — тихо и с ненавистью спросил Басунов.

Ян слегка побледнел. Сейчас он увидел того Басунова, который десять лет назад явился к нему домой с заказом на Лихолетова. Ян думал, что тогда он расплатился сполна, и прежний ужас уже не вернётся.

— Слушай меня, — усмехнулся Басунов. — Лично тебе одному, Ян, по секрету от мужиков, я разрешаю бить Немца сразу наповал. Понял?

Басунов знал, что это разрешение придаст Яну смелости. Ян обязательно должен был забраться в окно. На этом Басунов и строил свой расчёт. Немец уже разозлился за Лихолетова — и потому легко убьёт Сучилина, едва увидит. А парни разозлятся за Сучилина и убьют Немца. Баш на баш.

Басунов побывал в домике Немца, когда подбрасывал бокфлинт, и запомнил расположение помещений, окон, мебели и лестницы. Он знал, как Немец себя поведёт. При начале штурма он заскочит на лестницу, чтобы контролировать дверь, окна на нижнем этаже и восточное окно на верхнем этаже. Он первым увидит в восточном окне Сучилина. А Сучилин не увидит Немца, потому что не знает, куда смотреть, и его ослепит закат в западном окне. И Немец убьёт Сучилина. После этого Басунов сразу остановит штурм, отзовёт Тотолина и Рамзаева, и затем они сожгут дом вместе с Немцем.

Если Яну повезёт и он опередит Немца с выстрелом — тоже хорошо.

Значит, две приставные лестницы. К вербе возле окна Темур подтащил от ворот скамейку, чтобы стоять в рост с окном. В дровяном сарае парни нашли пару топоров и ржавый колун на длинной рукояти.

— Проверяем оружие, — сказал Басунов.

У него был отличный германский пистолет «парабеллум» — ещё 1938 года: по конструкции одновременно пластичный и грубый, воронёный, с мощным колесом шарнира и серповидным спусковым крючком. Басунов утверждал, что этот пистолет принадлежал группенфюреру СС.

— Занимаем позиции. Начало атаки по моему выстрелу.

Вечернего света оставалось на несколько минут.

Басунов упёр лестницу в стену дома, покачал, проверяя на прочность, и полез наверх. Он поднялся до уровня второго этажа, но не так, чтобы удобно было ввалиться в окно, а так, чтобы удобно было смотреть. Стекло отражало закат — багровую расщелину, в которой заклинилось и остывало солнце.

Басунов выстрелил в воздух.

Тотчас хрястнули выстрелы справа и слева, потом — по другую сторону домика, и зазвенело стекло; потом в домике из «сайги» ответил Немец; потом загромыхали удары: Лега крушил колуном дверь, а Темурчик ударил обухом топора в доски, которыми Немец заколотил окно. Штурм начался.

— Ложись, Немец! — орал Лега. — Ложись на пол!

— Ложись, сука! — орал Темурчик и стрелял в дом из карабина.

Басунов услышал, как в домике что-то повалилось. «Где Сучилин?!» — яростно подумал он: Яну приказано ворваться в дом первым! И тотчас опять забренчало стекло и затрещала рама — это Сучилин всё-таки полез в окно.

Басунов должен был вломиться одновременно с Яном, но не вломился — пусть Ян в одиночку выкатится под ствол Немцу: не надо отвлекать Немца от расстрела Сучилина. Повиснув на лесенке и замерев, Басунов ждал невыносимо долго — целых две секунды, — пока в тёмной глубине дома не забабахает «сайга». Это Немец убивал Яна, который впёрся в мансарду.

И лишь тогда Басунов подвинулся вбок и заглянул в окно.

Он не увидел Немца (выход с внутренней лестницы был отгорожен самодельным шкафом), но увидел Яна: восточное и западное окна мансарды находились друг напротив друга. Сучилин кривобоко раскорячился в своём окне, будто застрял. Всё получилось по расчёту Басунова: Немец шарахнул в Яна из «сайги». Но не убил, а ранил! Сучилин ворочался в раме окна, словно поднятый на вилы. Левой рукой он прижимает правую, простреленную.

— Уходи! — бешено орал откуда-то невидимый в полумраке Немец, точно Сучилин был нечистью из преисподней, и лупил из карабина в стену рядом с Яном. — Вали отсюда! — выстрел в стену. — Вали! — выстрел в стену. — Вали!

Немец не убивал Сучилина — даже в бою, даже узнав о Лихолетове.

Ошарашенный, ничего уже не соображающий Сучилин задом наперёд торопливо выползал из своего окна обратно на приставную лестницу.

И тогда Басунов ухватился за перекладину своей стремянки покрепче, поднял «парабеллум», прицелился и выстрелил через мансарду в Сучилина.

Яна вышибло из его окна — там в проёме сразу плеснул синевой восток.

Внизу ещё стреляли и грохотали топорами Рамзаев и Тотолин.

— Отбой! — закричал Басунов, спускаясь на землю.

Штурм провалился, как и было запланировано.

Лега и Темур оттащили мёртвого Яна за сарай — из зоны возможного обстрела. Басунов подобрал со снега пистолет Сучилина.

— Ну что, наигрались в братьев по Афгану? — спросил он, проверяя запас патронов в магазине «стечкина». — Теперь нет возражений, чтобы спалить?

В багажнике «икс пятого» у Басунова была десятилитровая канистра бензина. Мало, чтобы устроить сразу большой пожар, но лучше, чем ничего.

— Стойте по углам дома, контролируйте, чтобы Немец не выскочил, — распорядился Басунов. — Я за канистрой.

Он облил только одну сторону дома, ту, где печка: здесь древесина просушена, как порох. Ком огня —

подожжённый зажигалкой документ из папки Владика Танцорова — упал под стену. Пламя вымахало сразу на высоту человеческого роста, широко объяв квадратный проём разбитого окна.

Герман сидел посреди комнаты на стуле. Карабин он держал между колен, поставив прикладом на пол. Комнату потихоньку затягивало дымом. Огонь через окно освещал порушенную мебель и лестницу с выломанными перилами. Люстра висела как дохлый паук, отбрасывая контрастную тень. Герману требовалось собраться с силами для последнего рывка к свободе.

А улица Ненастья вдруг широко озарилась и даже как-то задёргалась. Лега, Темур и Басунов изумлённо оглянулись, словно забыли, что в мире они не одни (плюс Немец, конечно). У ворот Куделиных, осветив длинный забор, остановился полосатый милицейский «уазик» с проблесковым маячком, а за ним — роскошный чёрный «лексус». Через калитку во двор повалили менты в зимней форме с ремнями, а потом решительно вошёл капитан Дибич.

— Вы что, Неволина сжигаете? — блестя глазами, спросил Дибич. — А вы не охренели, мужики, расстрелы и кремации устраивать?

С двух сторон домик Неволина уже охватил высокий воротник пламени — будто на боярской шубе. Из окна мансарды валил дым. Снег вокруг домика растаял, и домик стоял на обширной проплешине чёрной мокрой земли. Но Дибич рассматривал лица этих оборзевших «афганцев».

— Неволин там? — Он кивнул на пожар.

Лега и Темур одеревенело молчали, будто бы только сейчас начали осознавать, что они сотворили. Басунов отвернулся, усмехаясь.

— Жарко станет — выскочит, — наконец сказал Тотолин.

— Чего?! — не поверил Дибич. Он думал, что «афганцы» сжигают труп.

— В доме он.

— Так он жив?!

После звонка сторожа Фаныча капитан слишком долго собирал свою опергруппу. В дороге ему позвонил Щебетовский; он бесновался и грозил, что уволит Дибича, потому что Басунов нашёл деньги, убил Неволина и теперь шантажирует бывшего начальника. А Неволин, оказывается, не сдался Басунову и держал оборону. Басунов крикнул «гоп!», ещё не перепрыгнув.

Дибич подбежал к двери домика и к разломанному окну.

— Герман Неволин! Неволин! Слышишь меня? Это капитан милиции Дибич! Неволин! Гарантирую безопасность! Выходи без оружия!

Пламя трещало. Два крыла жёлтого света широко разлетелись направо и налево. Справа в темноте проступила соседняя дача, по крыше и красным стенам которой мелькали чёрные тени верб, а слева распростёрлись плоские грядки огорода, и за ними полосой торчали кусты малины. Чернота неба шевелилась и двигалась — это клубился дым, подсвеченный снизу пожаром.

Герман подошёл к окну и посмотрел на двор, где толпились менты — пять человек и Дибич. Ещё несколько минут — и пожар прорвётся в комнату, вынудит выйти. Но там, на дворе, — конец всем надеждам. Менты повяжут его, а потом суд впаяет безумный срок... Сейчас перед ним стоит вопрос «свобода или тюрьма». Странно, когда решался вопрос «жизнь или смерть», на душе было легче... Надо что-то придумать...

Изломанная колуном дверь домика затряслась (это Герман отдирал доски) и открылась. Из тёмного проёма вылетел карабин «сайга» и упал к ногам Дибича. Потом вылетел магазин к «сайге». Потом раздался крик:

— Капитан! Зайди поговорить!

Дибич оглянулся на Басунова и его бойцов.

— Ещё оружие у него есть?

— Нет. Одна «сайга» была, — ответил Басунов.

Дибич легко взбежал на крыльцо, достал платок, прикрыл им нос и рот и, наклонив голову, шагнул в дымную темноту комнаты.

— Я готов говорить, — глухо произнёс он.

Из мрака в лицо ему выдвинулись два ружейных ствола бокфлинта.

— Опусти руки и медленно повернись, — приказал Неволин.

Дибич не испугался: всё ведь кончено, речь идёт лишь об условиях капитуляции. Чувство было другое — опустошительное разочарование. Раньше Неволин вызывал у Дибича даже нечто вроде симпатии: эдакий батуевский робингуд, дерзкий, но не злой. А оказалось — подлый уголовник. Не хотелось с ним спорить, не хотелось ничего ему объяснять.

Дибич опустил руки и повернулся к Неволину спиной. Неволин крепко ухватил Дибича за воротник, уткнул в бок ружьё и подтолкнул к двери:

— Вперёд четыре шага.

Дибич медленно вышел на крыльцо, где его стало видно всем. Герман оставался в раме дверного косяка, прикрываясь Дибичем. Оперативники и «афганцы» во дворе замерли, поражённые новым поворотом дела.

— Прикажи всем положить оружие на землю и зайти в сарай, — негромко сказал Герман и ещё тише добавил: — Я хочу просто уйти, капитан.

— Положите оружие и зайдите в сарай, — громко повторил Дибич.

Менты колебались. Герман выглядывал из-за плеча капитана.

— Ну! — Герман требовательно тряхнул Дибича за ворот модного пальто.

— Это приказ, — громко сказал Дибич. — Всем разоружиться и в сарай.

Оперативники отстегнули ремни с кобурами и бросили на снег. Потом друг за другом нехотя ушли в сарай. Перед крыльцом остались Лега Тотолин и Темурчик Рамзаев. Ни Герман, ни Дибич не увидели, что Басунов, стоящий поодаль, осторожно попятился в густую тень за угол домика.

— «Афганцам» тоже прикажи, — командовал Герман.

— Они мне не подчинённые.

— У меня уже спина тлеет.

— Мужики, и вы тоже, прошу как офицер, — сказал Дибич.

Темур бросил карабин к кобурам и портупеям на грязном снегу, и Лега швырнул туда же свой ТТ. Затем они направились к сараю. Двор опустел.

— Теперь надо запереть сарай, — Герман пихнул капитана вперёд и сам тоже вышел на крыльцо. — Я ничего не возьму из оружия, уйду — и всё.

Для Басунова появление Дибича с опергруппой было ошеломительным коварством судьбы: на финишной прямой его вдруг сбили с ног! Он не успел сориентироваться, что ему делать, и помнил лишь главную задачу: надо ликвидировать Немца. Как только Немец будет устранён, Басунов схватит болтающиеся рычаги управления, овладеет ситуацией, которая сейчас без водителя катится под откос. И вот внезапно ему подвернулся шанс.

Басунов вынырнул из-за угла домика с «парабеллумом» в руке.

— Нет! — успел крикнуть Дибич.

Он испугался, что Неволин тоже нажмёт на курок.

Басунов выстрелил. Германа тупо откинуло в сторону от Дибича — пуля распорола правую руку над локтем. Герман выронил ружьё, но не стал его поднимать, чтобы опять прикрыться ментом от Басунова, — да плевать на них всех! Забыв о капитане, Герман гигантским прыжком слетел с крыльца, другим прыжком достиг ворот, нырнул в калитку и исчез со двора.

Дибич пригнулся, ожидая новых выстрелов от Басунова, но Басунов вихрем пронёсся мимо и тоже выскочил со двора на улицу вслед за Немцем.

Дом горел ярко и с треском, освещая опустевший двор, валяющееся в талых лужах оружие и дровяной сарай. Вокруг пожара стеной стояла тьма.

Надо было преследовать Неволина и Басунова, но у Дибича от нервного напряжения дрожали руки и подкашивались ноги. Вот ведь какие твари!.. Устроили драку прямо вокруг него... И пусть тогда Басунов, этот волкодав, перегрызёт Неволину глотку — Неволин не должен был брать в заложники мента: беспредел не прощается. А Басунов никуда не денется, капитан его отыщет... Дибич наклонился и поднял ружьё. Бокфлинт следовало разрядить.

Капитан щёлкнул замком и разломил двустволку пополам. Оба ствола были пусты. Ему угрожали незаряженным оружием. Неволин просто пугал.

А в это время по улочке Ненастья к пылающему дому бежала Танюша.

Она приехала на электричке и ещё из вагона увидела, что их бывший домик с одной стороны горит. Почему он горит в тёмной и пустой деревне? Там что-то случилось с Герой! Ведь не домик же нужен милиционерам и всем остальным, кто гнался за Герой! Значит, они догнали Геру, и там у них стряслось что-то страшное, что-то беспощадное!

С перрона Танюша бросилась на привокзальную площадь, полезла в машину к первому попавшемуся частнику — она не испугалась этого рослого и черноусого мужика с татуировкой на запястье, она даже не подумала про опасность для себя. От станции до деревни Ненастье было пять минут езды.

— Быстрее, пожалуйста, быстрее, быстрее! — заклинала Танюша.

Сторож Фаныч уже широко распахнул ворота дачного кооператива — ждал пожарных. Танюша сунула таксисту какие-то деньги, выскочила и помчалась по улочке Ненастья к своему домику. Фаныч включил в посёлке уличные фонари. Танюша спешила от фонаря к фонарю, от фонаря к фонарю. Вдалеке над крышами появилось красное свечение пожара.

Танюша повернула в проулок и увидела, что ей навстречу несётся Герман — большой и нескладный мужчина с добрым и несчастным лицом. Ей показалось, что он бежит, будто взлетает старинный неуклюжий аэроплан, — как-то косо, в наклон, наполовину распластавшись над заснеженной дорогой. Это был Гера, Гера, Гера, живой Гера, её Гера!

А за Германом в проулок завернул другой мужчина, и Танюша его, конечно, узнала: Витька Басунов, ужасный, опасный, невыносимый и гнетущий, от которого у неё всегда сжималась душа и холодело сердце. И этот Басунов на бегу поднял руку с пистолетом и выстрелил по Герману.

Германа ударило в спину, он упал, но тотчас вскочил и побежал дальше, к Танюше, а Басунов снова выстрелил, словно дёрнул мир за хвост, и Герман опять упал и уже не смог подняться, обламываясь на руках.

Басунов видел только спину упавшего Неволина и приближался, чтобы добить: всего-то один патрон отделял его от победы. И вдруг откуда-то из ниоткуда на Басунова, визжа и рыдая, упала Танька Куделина, упала как зверюга, как нетопырь, повисла на его локте, вцепилась в пистолет, бешено впилась зубами в руку, не давая выстрелить в Неволина.

Взревев, Басунов стряхнул Таньку, махая рукой, будто обжёгся, а Танька мгновенно вскочила с дороги и снова напрыгнула на него, подвывая и задыхаясь. Она всегда была овца, и у неё всё отняли, и теперь она отчаянно дралась за последнее, что у неё было: жертва взбунтовалась, агнец взбесился. Танюша рвала бушлат на Басунове, отдирала пуговицы, пыталась укусить Басунова в лицо, толкала его назад, прочь от Германа, лежащего на дороге.

Басунов отшиб её ударом кулака, но выронил пистолет; наклонился за пистолетом — Танька, растрёпанная, в разметённой одежде, обвилась вокруг ноги, чтобы повалить его, и он отшвырнул её пинком, и с полной силой пнул ещё раз, чтобы она откатилась, и передёрнул затвор и протянул к Неволину такую длинную, длинную, длинную руку...

А потом голова у него взорвалась изнутри белым огнём.

Дибич стрелял издалека, от поворота в проулок, но целился в башку.

И Басунов рухнул на дорогу рядом с хрипящим Неволиным, которого лихорадочно ощупывала и оглаживала эта маленькая истерзанная женщина.

Она была бесконечно счастлива. Герочка жив. Его спасут, его вылечат. У неё есть Герочка, есть навсегда. Есть, ради чего жить, есть смысл и цель. Ну и пусть его посадят в тюрьму, она будет ждать его, будет писать ему, ездить к нему, она будет жить ради него и обязательно дождётся его, и прижмётся к нему, и попросит у него прощения, и потом, когда придёт её срок, умрёт рядом с ним, но это будет нескоро, нескоро.

Дибич отошёл в сторону и достал телефон.

— Георгий Николаевич? Да, снова новости... Ваш Виктор Басунов убит. Ну, вот так повернулось. А Неволин жив. Ранен, большая кровопотеря, но «скорую» уже вызвали, приедет с минуты на минуту. Выживет. Я понимаю. Георгий Николаевич, обещаю вам — он выживет. Не волнуйтесь, я ничего не спрашивал. Уверен, он скажет. У меня есть ощущение, что ему уже не надо.

Герман лежал на дороге в странном полуобморочном и блаженном тепле, словно бы начал врастать в землю, и от этого было хорошо. Он молча смотрел на Танюшу, прижимая рукой её ладошку к своей скуле. «Индия не получилась, родная моя, — хотел сказать он. — Но я увёл тебя из Ненастья».

Вокруг ходили и разговаривали оперативники и врачи; сипло трубя, мимо проехали пожарные автоцистерны и обдали снежной пылью. Сиял уличный фонарь, пылали фары «скорой помощи». За синими крышами дач, за кронами неурожайных яблонь чёрный небосвод с краю багрово потеплел. Но это был отсвет пожара, а не рассвета. Рассвет разгорался невообразимо далеко от деревни Ненастье — над хребтами Гиндукуша, над побережьем Малабара. Ненастье пока ещё лежало в темноте этой долгой субботы. Хотя на Земле, пусть и очень далеко, всё равно уже началось воскресенье.

ОГЛАВЛЕНИЕ

ЧАСТЬ ПЕРВАЯ

ЧАСТЬ ВТОРАЯ

Литературно-художественное издание

Иванов Алексей Викторович

НЕНАСТЬЕ

Роман

Зав. редакцией *Е. Шубина*
Редактор *А. Портнов*
Художественный редактор *К. Парсаданян*
Технический редактор *Н. Духанина*
Компьютерная верстка *Е. Илюшиной*
Корректор *Т. Барышникова*

ООО «Издательство АСТ»
129085, г. Москва, Звездный бульвар, д. 21, строение 3, комната 5
Наш электронный адрес: **www.ast.ru**
E-mail: **astpub@aha.ru**

«Баспа Аста» деген ООО
129085, г. Мәскеу, жұлдызды гүлзар, д. 21, 3 құрылым, 5 бөлме
Біздің электрондық мекенжайымыз: www.ast.ru
E-mail: astpub@aha.ru

Қазақстан Республикасында дистрибьютор
және өнім бойынша арыз-талаптарды қабылдаушының
өкілі «РДЦ-Алматы» ЖШС, Алматы қ., Домбровский көш., 3«а», литер Б, офис 1.
Тел.: 8(727) 2 51 59 89,90,91,92
Факс: 8 (727) 251 58 12, вн. 107; E-mail: RDC-Almaty@eksmo.kz
Өнімнің жарамдылық мерзімі шектелмеген.

Өндірген мемлекет: Ресей
Сертификация қарастырылмаған

http://facebook.com/shubinabooks

http://vk.com/shubinabooks

Подписано в печать 11.03.2015. Формат 84x108 $^{1}/_{32}$.
Печать офсетная. Усл. печ. л. 33,6.
Тираж 25 000 экз. Заказ 1923.

Содержит нецензурную брань.

Отпечатано с готовых файлов заказчика
в ОАО «Первая Образцовая типография»,
филиал «УЛЬЯНОВСКИЙ ДОМ ПЕЧАТИ»
432980, г. Ульяновск, ул. Гончарова, 14

ISBN 978-5-17-089923-4